中国中药

资源大典

海南卷

④

黄璐琦 / 总主编

魏建和　李榕涛 / 主　编

北京科学技术出版社

图书在版编目（CIP）数据

中国中药资源大典 . 海南卷 . 4 / 魏建和，李榕涛主编 . —北京：北京科学技术出版社，2019.1

ISBN 978-7-5714-0070-5

Ⅰ . ①中… Ⅱ . ①魏… ②李… Ⅲ . ①中药资源—中药志—海南 Ⅳ . ① R281.4

中国版本图书馆 CIP 数据核字（2019）第 011677 号

中国中药资源大典·海南卷4

主　　编：魏建和　李榕涛
策划编辑：李兆弟　侍　伟
责任编辑：严　丹　董桂红　吕　艳　周　珊
责任校对：贾　荣
责任印制：李　茗
封面设计：蒋宏工作室
图文制作：樊润琴
出 版 人：曾庆宇
出版发行：北京科学技术出版社
社　　址：北京西直门南大街16号
邮政编码：100035
电话传真：0086-10-66135495（总编室）
　　　　　0086-10-66113227（发行部）　　0086-10-66161952（发行部传真）
电子信箱：bjkj@bjkjpress.com
网　　址：www.bkydw.cn
经　　销：新华书店
印　　刷：北京捷迅佳彩印刷有限公司
开　　本：889mm×1194mm　　1/16
字　　数：991千字
印　　张：58.25
版　　次：2019年1月第1版
印　　次：2019年1月第1次印刷
ISBN 978-7-5714-0070-5/R · 2579

定　　价：980.00元

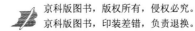

李万蕊　李立坤　李和三　李洪福　李舒畅　杨　峰　杨　浪　杨　锋
杨安安　杨海建　吴　妹　吴小萌　吴少雄　吴成春　吴坤帮　吴国明
利冬妹　邱　勇　邱燕连　何发霖　何春生　邱　明　沈日华　张　雯
张　歆　张　磊　张亚洲　张建新　张新蕊　张影波　陈　能　陈玉凯
陈业强　陈荣耀　陈昭宁　陈信吕　陈俊秀　陈道云　陈赞妃　林　君
林　密　林秀闲　林福良　罗　宇　周　干　周　晓　周世妹　郑　莎
单家林　赵玉立　赵学来　胡吟胜　钟　莹　钟星云　钟雯雯　钟燕琼
段泽林　袁　晴　莫志敏　莫茂娟　晏小霞　徐世松　郭育慧　唐小儒
黄　谨　黄卫东　黄立标　黄明忠　黄宗秀　梅文莉　戚春林　崔　杰
符传庆　符焕清　彭　超　彭小平　窦　宁　蔡于竞　鲜孟筑　廖兴德
黎　鹏　戴　波　戴水平

摄　　影（以姓氏笔画为序）

王发国　王清隆　王德立　邓双文　叶　文　邢福武　朱　平　朱鑫鑫
刘寿柏　严岳鸿　杜小浪　李冬琳　李海涛　李榕涛　杨　云　杨东梅
肖　艳　何春梅　张　力　张代贵　陈　林　林余霖　周亚奎　周喜乐
郑希龙　孟　慧　郝朝运　秦新生　袁浪兴　董安强　童　毅　曾念开

《中国中药资源大典·海南卷 4》

编写人员

主　　编　魏建和　李榕涛

副 主 编　郑希龙　甘炳春　杨新全

编　　委　（以姓氏笔画为序）

王清隆　邓开丽　甘炳春　朱　平　刘寿柏　齐耀东　李伟杰　李海涛

李榕涛　杨海建　杨新全　肖　艳　张　雯　陈沂章　林余霖　郑希龙

符小平　康　勇　戴　波　魏建和

资料收集　（以姓氏笔画为序）

邓开丽　符小平

摄　　影　（以姓氏笔画为序）

李榕涛　郑希龙

主编简介

魏建和

博士，福建南平人。现任中国医学科学院药用植物研究所博士生导师、研究员、副所长，兼海南分所所长，国家药用植物种质资源库（北京、海南）、全国中药材生产技术服务平台负责人，濒危药材繁育国家工程实验室执行人，国家中医药管理局沉香可持续利用重点研究室主任，海南省南药资源保护与开发重点实验室主任，海南省中药资源普查技术负责人。第十一届国家药典委员会委员，中国野生植物保护协会药用植物保育委员会主任委员，中华中医药学会中药资源学分会秘书长，第十一届中华全国青年联合会委员。

国家"万人计划"第一批科技创新领军人才，国家创新人才推进计划首批重点领域创新团队"沉香等珍稀南药诱导形成机制及产业化技术创新团队"负责人，全国优秀科技工作者，"百千万人才工程"国家级人选及国家有突出贡献中青年专家，国务院特殊津贴专家，海南省杰出人才，海南省省委省政府直接联系专家；入选协和学者特聘教授、教育部新世纪优秀人才、北京市科技新星等人才培养计划。

多年来聚焦珍稀濒危药材再生技术和优质药材新品种选育重大创新研究，原创性解析了"伤害诱导白木香防御反应形成沉香"机制，发明了世界领先的"通体结香技术"，在全球沉香资源的利用、中国沉香产业复兴发展技术"瓶颈"的解决上，迈出了重要的一步，诱导理论与方法对"诱导型"珍稀南药降香、龙血竭等及世界性濒危植物资源的持续供应有重大理论和现实意义，为海南省"香岛"建设提供了核心技术支持；创新了根类药材及药用次生代谢产物选育理论，突破了中药材杂种优势育种技术难题，选育出柴胡、桔梗、荆芥、人参等大宗药材优良新品种16个；创建了药用植物种质资源低温干燥保存技术体系，建成了收集、保存世界药用植物种质资源最多的我国第一座药用植物专业种质库，建成了全球第一个采用超低温方式保存顽拗性药用植物种子的国家南药基因资源库。创新成果已在我国17个省市、7个东南亚国家应用，具有重大的应用价值和较广泛的学术影响，先后获国家科学技术进步奖二等奖2项、海南省科学技术奖特等奖等省部级奖7项，在国内外发表学术论文170余篇，主编专著《中国南药引种栽培学》。

通讯地址：北京市海淀区马连洼北路151号中国医学科学院药用植物研究所 // 海南省海口市秀英区药谷四路四号中国医学科学院药用植物研究所海南分所

邮政编码：100193（北京），570311（海南）

联系电话：010-57833358/0898-31589009

电子信箱：wjianh@263.net

主编简介

李榕涛

　　硕士，海南儋州人。现任中国医学科学院药用植物研究所海南分所南药资源研究中心副主任、海南省兴隆南药园园长。第四次全国中药资源普查工作（海南省）物种鉴定专家组专家及海南省 3 个市县的中药资源普查队队长。主要从事南药、黎药资源的分类鉴定及其可持续利用研究。

　　2003 年毕业于海南师范大学生物科学专业，本科期间在钟义教授与钟琼芯教授的指导下参与相关植物资源调查。2009—2012 年就读于海南大学园艺园林学院，获得硕士学位。2015—2017 年于国家中医药管理局"中药资源管理人才研修班"研修并结业。

　　近年来发表学术论文 18 篇，发表新种 2 种、省级新记录种 4 种，副主编和参编著作 8 部，获海南省科学技术进步奖一等奖 1 项。多年来引种保存南药 1000 多种，进一步丰富了兴隆南药园的物种并建成了海口芳香南药园。

　　通讯地址：海南省万宁市兴隆药植所

　　邮政编码：571533

　　联系电话：0898-31589011

　　电子信箱：lirt99@126.com

肖 序

中华人民共和国成立后，我国先后组织开展了三次规模比较大的中药资源普查，当时普查获得的数据资料为我国中医药事业和中药产业的发展提供了重要依据。但是从第三次全国中药资源普查至今已经30余年，在此期间我国的中医药事业和中药产业快速发展，对中药资源的需求量不断加大，中药资源种类、分布、数量、品质和应用也都发生了巨大的变化。因此，自2011年开展的第四次全国中药资源普查试点工作意义重大，此次详细的摸底调查，能为制定中药资源保护措施以及环境保护措施、促进中药产业发展的政策提供可靠、翔实的依据。

海南省是我国的热带省份，素有"天然药库"之称，蕴藏着丰富的中药资源。据我了解，省内药用植物非常丰富，海南省的槟榔、益智产量占全国90%以上。然而，此前三次普查，海南省均作为广东省的一部分参与普查，从未有过真正意义上的全省普查。此次海南省普查，内容涉及南药、黎药、动物药、海洋药等全部资源类型，可以说是海南省真正意义上的第一次全省中药资源普查，意义重大。

魏建和研究员是中国医学科学院药用植物研究所副所长、海南分所所长，作为海南省中药资源普查的负责人之一，其带领一支专业的资源普查队伍，经过3年多的实地调查，获得了丰富的第一手资料。在此次普查获得的资料基础上，魏建和研究员主编的《中国中药资源大典·海南卷》以全高清彩图的形式全面展示海南省的中药资源情况，是收载海南省中草药品种数量最多的中药著作。同时，该丛书的出版也将为海南省中药资源的保护、利用和产业发展政策的制定提供数据支撑，为中药资源的有效利用、成果转化提供科学依据，更好地促进海南省中医药事业和中药产业的发展。

2018 年 8 月 2 日

黄　序

　　2009年，《国务院关于扶持和促进中医药事业发展的若干意见》提出开展全国中药资源普查、加强中药资源监测和信息网络化建设的要求。同年，国家中医药管理局开始筹备第四次全国中药资源普查试点工作，并于2011年正式启动。自本次全国中药资源普查试点工作开展以来，在中药资源调查、动态监测体系建设、种子种苗繁育基地建设、传统知识调查等方面取得了阶段性的成果，为全面开展第四次全国中药资源普查打下了坚实的基础。海南省作为试点省份之一，其中药资源普查所取得的成果也较为丰硕。经过3年多的全省普查，基本摸清了海南省南药、黎药和海洋药资源现状。此次中药资源普查共调查野生药用植物2402种，动物药94种，民间传统知识222份，海洋药252种；建立了我国目前唯一以超低温方式保存顽拗性药用植物种子的国家基本药物所需中药材种质资源库（国家南药基因资源库）、第一个海南省中药标本馆、具有中国计量认证（CMA）资质的海南省中药材种子检测实验室以及海南省中药资源信息系统，为海南省丰富中药资源的开发利用奠定了基础。

　　基于海南省本次普查成果，魏建和研究员主编了《中国中药资源大典·海南卷》，该丛书收录了海南省2000余种中药资源，是我国首部采用彩色图片、全面反映海南省中药资源种类和特点的大型专著，具有非常重要的学术价值，也将会是认识海南省中药资源的重要工具书，具有极为广泛的社会效益。另外，该书的出版也将在中医药、民族医药的教学、科研、临床医疗、资源开发、新药研制等方面有一定的指导作用和实用价值，并将促进海南省中医药事业的发展。

2018 年 8 月 1 日

前　言

　　海南省是我国的热带岛屿省份，包括海南岛和西沙群岛、中沙群岛、南沙群岛及其邻近岛屿。海南岛地形地势复杂多样，中部高、四周低，以五指山、鹦哥岭为中心，向外围逐级下降，由山地、丘陵、台地、平原构成环形层状地貌，面积 3.39 万 km^2。海南岛属于海洋性热带季风气候，年平均温度为 22~26℃，年平均降雨量在 1600mm 以上。长夏无冬，光照充足，雨量充沛，为动植物的生长提供了良好的条件，是我国岛屿型热带雨林分布面积最大、物种多样性最为丰富的热带区域，蕴藏着极为丰富的植物、动物和矿物等中药资源，素有"天然药库"之称，是我国南药的主产区之一，有维管束植物 4000 多种、药用植物 2500 多种。所辖近海海域蕴藏近万种海洋生物，其中含有生物活性物质的占 3000 多种。岛内民间使用地产药材的历史悠久，是中华民族医药宝库中的重要组成部分。

　　中药资源是中药产业和中医药事业发展的重要物质基础，是国家的战略性资源，中医药的传承与发展有赖于丰富的中药资源的支撑。中药资源普查是中药资源保护和合理开发利用的前提，也是了解中药资源现状（包括受威胁现状及特有程度等）的最有效途径。我国经历了 3 次全国性的中药资源普查：1960—1962 年第一次全国中药资源普查，普查以常用中药为主；1969—1973年第二次全国中药资源普查，调查收集各地的中草药资料；1983—1987年第三次全国中药资源普查，由中国药材公司牵头完成，调查结果表明我国中药资源种类达12807种。历次中药资源普查所获得的基础数据资料，均为我国中医药事业和中药产业的发展提供了重要的依据。但自1987年以后未再开展过全国性的中药资源普查，30多年间中药产业快速发展，民众对中药的需求不断加大，中药资源种类、分布、数量、质量和应用等与30多年前相比发生了巨大变化。许多30多年前的资料已成为历史资料，难以发挥其指导生产的作用，中药资源家底不清已成为当前中药资源可持续发展面临的重大问题。在这种情况下，组织开展第四次全国中药资源普查势在必行。

2012年6月，在海南省政府的领导下，在全省主要相关厅局的配合下，以海南省卫生和计划生育委员会为组织单位，依托中国医学科学院药用植物研究所海南分所为技术牵头单位，正式启动了第四次全国中药资源普查工作（海南省）。此次中药资源普查工作范围覆盖海南省18个市县（三沙市2018年启动，单独成卷出版）所有乡镇，普查内容涉及南药、黎药、动物药、海洋药等全部资源类型，共实地调查652块样地、3260套样方套、19560个样方。调查野生药用植物2402种、动物药94种、民间传统知识222份、海洋药252种、民间调查数据274份，收集腊叶标本22774份、药材标本2097份、照片107120张，完成大宗芳香南药沉香、降香18个市县的调查工作，发现新种1个、中国新记录种1个、海南省新记录种11个。普查工作开展以来，已出版5部专著，发表31篇论文，并形成海南省中药资源普查报告1份；获得海南省科学技术进步奖一等奖及农业部、科学技术部神农中华农业科技奖一等奖各1项；建成了一系列国家级南药种质资源平台；共培养了40名专业人员及80名骨干普查人员，培养了一支海南省中药资源研究和工作的人才队伍，培养了专业从事南药资源研究的副教授和博士30多人，包括科学技术部重点领域首批创新团队1个，全国中药特色技术传承人才2人，国家"万人计划"科技领军人才及全国先进科技工作者1人，海南省先进科技工作者2人。

在普查工作开展之初，普查团队便提出要编纂一部图文并茂，全面、系统地反映海南省中药资源现状的地方性大型学术专著。2013—2014年，数次召开工作会议，探讨专著编纂的具体事项，包括编写体例、名录整理等一系列前期准备工作，听取参会专家学者的中肯意见，逐步形成和完善专著编纂方案。2015年，获得了海南省科学技术厅的专项支持。在2年时间内，补充完成了15个市县25个调查点的野外考察工作，获得大批高质量的彩色照片。同时，完成了全省中药资源普查数据资料的整理以及相关文献资料的收集、分类工作。

扎实的野外实地调查工作，使我们获得了大量第一手珍贵资料。结合充分的文献查阅，编写人员对本书所收载的中药资源物种进行了认真细致的整理和校对。每个物种的编写内容包括：中药名、植物形态、分布区域、资源、采收加工、药材性状、功能主治、附注等。同时附上植物形态、药材性状等彩色图片。本丛书分为六册出版，其中第一册分为上、中、下篇：上篇综述海南省中药资源概况，中篇分述白木香、降香、槟榔、益智等4种海南省道地中药资源，下篇分述苔藓植物（5科6种）、真菌（18科34种）、蕨类植物（42科144种）、裸子植物（7科14种）和被子植物的双子叶植物（从木兰科到紫茉莉科，45科273种）等中药资源共117科471种。第二册收录被子植物的双子叶植物（从山龙眼科到含羞草科）中药资源39科408种。第三册收录被子植物的双子叶植物（从苏木科到杜鹃花科）中药资源39科447种。第四册收录被子植物的双子叶植物（从鹿蹄草科到唇形科）中药资源32科426种。第五册收录被子植物的单子叶植物中药资源约400种。第六册以三沙市中药资源普查工作为基础，专门记述西沙群岛、中沙群岛及南沙群岛等岛礁的中药资源物种及其现状。（第五册、第六册待出版。）

本书出版时，肖培根院士和黄璐琦院士亲自为其撰写了序言，这是对我们一线工作者的鼓励，谨致诚挚的谢意。本书的工作得到了国家中医药管理局中药资源普查办公室的指导，得到国家出版基金及海南省科学技术厅的资助，在此表示衷心的感谢。

"路漫漫其修远兮，吾将上下而求索。"本丛书仅是对海南省中药资源调查的阶段性总结，海南省独特而丰富的中药资源仍有待我们进一步去发现和了解。由于我们水平有限，工作仓促，难免存在差错与疏漏之处，敬请不吝指正，以便在今后的工作中不断改进和完善。

编　者

2018 年 12 月 6 日

凡 例

（1）本丛书共分六册，第一册分为上、中、下篇：上篇综述海南省中药资源概况，中篇分述4种海南省道地中药资源，下篇分述苔藓植物、真菌、蕨类植物、裸子植物和被子植物的双子叶植物（从木兰科到紫茉莉科）等中药资源。第二册收录被子植物的双子叶植物（从山龙眼科到含羞草科）中药资源。第三册收录被子植物的双子叶植物（从苏木科到杜鹃花科）中药资源。第四册收录被子植物的双子叶植物（从鹿蹄草科到唇形科）中药资源。第五册收录被子植物的单子叶植物中药资源。第六册以三沙市中药资源普查工作为基础，专门记述西沙群岛、中沙群岛及南沙群岛等岛礁的中药资源物种及其现状。（第五册、第六册待出版。）

（2）本丛书内容包括序言、前言、凡例、目录、正文、索引。正文介绍中药资源时，以药用植物名为条目名，包括植物科属、基原植物名。每一条目下设项目包括中药名、植物形态、分布区域、资源、采收加工、药材性状、功能主治、附注等。同时附上植物形态、药材性状等彩色图片。资料不全者项目从略。为检索方便，本丛书出版时在第四册最后附有1～4册内容的中文笔画索引、拉丁学名索引，第五册、第六册出版时也将附有索引。

（3）条目名。为药用植物的基原植物名及其所属科属名称，同时附上拉丁学名，均以《中国植物志》《中国孢子植物志》用名为准。其中，蕨类植物按秦仁昌1978年系统，裸子植物按郑万钧1975年系统，被子植物按哈钦松1934年系统。属种按照拉丁学名排列。

（4）中药名。记述该药用植物的中药名称及其药用部位。以2015年版《中国药典》用名为准，《中国药典》未收载者，以上海科学技术出版社出版的《中华本草》正名为准。部分海南省特色药材采用当地名称，若无特别名称的，则采用"基原植物＋药用部位"命名。

（5）植物形态。简要描述该药用植物的形态，突出其鉴别特征。描述顺序：习性—营养器官（根—茎—叶）—繁殖器官（花序—花的各部—果实—种子—花果期），并附以反映其形态特征的原色照片。本部分主要根据《中国植物志》所描述特征，并结合其在海南省生长环境中的实际形态特征进行描述。

（6）分布区域。记述该药用植物在海南省的分布区域，及其在我国其他省份、世界各国的分布状况。若在海南全省均有分布，则记述为"产于海南各地"或"海南各地均有分布"。我国县级以上地名以2018年版《中华人民共和国行政区划简册》为准，其他地名根据中国地图出版社出版的最新《中华人民共和国（或分省）地图集》或《中国地名录》的地名为准。

（7）资源。简要记述野生资源的生态环境、群落特征，野生资源蕴藏量情况采用"十分常见、常见、少见、偶见、罕见"等描述。简要记述栽培资源的情况。

如果只是野生资源，则栽培情况可忽略。同样，如果只有栽培资源，则野生资源情况可忽略。如果既有野生资源，也有栽培资源，则先描述野生资源，再描述栽培资源。

（8）采收加工。为保障该药用植物的安全有效应用，根据植物生长特性，记述其不同药用部位的采收季节与加工方法。

（9）药材性状。依次记述药材各部位的性状特征、药材质量状况等，附以反映药材性状特征的原色照片。重要药材还记述其品质评价或种质的优劣评价。

（10）功能主治。记述药物功能和主治病证。2015年版《中国药典》收载者，优先参考该书描述；其次以《中华本草》为主要参考资料；前两部著作未收载者，以临床实践为准，参考诸家本草。

（11）附注。记述该药用植物拉丁学名在《中国植物志》英文版（Flora of China，FOC）中的修订状况。描述该品种濒危等级、其他用途、地方用药特点；并结合本产区相关的本草、地方志书、历代贡品相关记载情况等资料撰写其传统医药知识。

（12）拉丁学名表示方法。生物学中拉丁学名的属名和种名排斜体，包括亚属、亚种、变种等，但附在属种名称中的各种标记及命名人排正体，如 *Populus tomentosa* Carr., *Linnania lofoensis* sp. Nov., *Saukia acamuo* var. *punctata* Sun.。

（13）数字、单位及标点符号。

1）数字用法按国家标准《出版物上数字用法的规定》（GB/T 15835—2011）执行。本书的用量、统计数字、时间、百分比、温度等数据均用阿拉伯数字表示。

2）计量单位一律按国家发布的《中华人民共和国法定计量单位》及《量和单位》（GB 3100~3102—93）执行。

3）标点符号按国家标准《标点符号用法》（GB/T 15834—2011）使用。

普通鹿蹄草 *Pyrola decorata* H. Andr.

| 中 药 名 | 鹿衔草（药用部位：全草）

| 植物形态 | 常绿草本状小半灌木；根茎细长。叶 3~6，近基生，薄革质，长圆形或倒卵状长圆形或匙形或卵状长圆形，基部楔形或阔楔形，下近于叶柄，沿叶脉为淡绿白色或稍白色，边缘有疏齿；叶柄长（1.5~）2~3（~4）cm。花葶细，常带紫色，有褐色鳞片状叶，狭披针形，先端渐尖，基部稍抱花葶。总状花序，花倾斜半下垂，花冠碗形，淡绿色或黄绿色或近白色；花梗长 5~9mm，腋间有膜质苞片，披针形；萼片卵状长圆形，边缘色较浅；花瓣倒卵状椭圆形，先端圆形；雄蕊 10，花丝无毛，具小角，黄色；花柱倾斜，上部弯曲，先端有环状突起，稀不明显，伸出花冠，柱头 5 圆裂。蒴果扁球形。花期 6~7 月，果期 7~8 月。

普通鹿蹄草

分布区域

产于海南五指山等地。亦分布于中国河南、甘肃、陕西、浙江、安徽、江西、湖北、湖南、广西、广东、福建、贵州、四川、云南、西藏。

资　源

生于海拔 600~3000m 的山地阔叶林或灌丛下。

采收加工

栽后 3~4 年采收，在 9~10 月结合分株进行。采大留小，扯密留稀，每隔 6~10cm 留苗 1 株；以后每隔 1 年，又可采收 1 次。除去杂草，晒至发软，堆积发汗，并盖麻袋等物，使叶片变紫红或紫褐色后，晒干或烘干。

药材性状

干品以紫红色或紫褐色、无杂质者为佳。味苦，性平，无毒。

功能主治

补肾强骨，祛风除湿，止咳，止血。用于肾虚腰痛、风湿痹痛、筋骨痿软、新久咳嗽、吐血、衄血、崩漏、外伤出血。

鹿蹄草

Pyrola calliantha H. Andr.

| 中 药 名 | 鹿衔草（药用部位：全草）

| 植物形态 | 常绿草本状小半灌木；根茎细长。叶 4~7，基生，革质，椭圆形或卵圆形，稀近圆形，基部阔楔形或近圆形，边缘近全缘或有疏齿，上面绿色，下面常有白霜，有时带紫色；叶柄长 2~5.5cm。花葶有鳞片状叶，卵状披针形或披针形，基部稍抱花葶。总状花序密生，花倾斜稍下垂；花冠广开，白色，有时稍带淡红色；花梗长 5~8（~10）mm，腋间有长舌形苞片；萼片舌形，边缘近全缘；花瓣倒卵状椭圆形或倒卵形；雄蕊 10，花丝无毛，花药长圆柱形，有小角，黄色；花柱常带淡红色，伸出或稍伸出花冠，先端增粗，有不明显的环状突起，柱头 5 圆裂。蒴果扁球形。花期 6~8 月，果期 8~9 月。

鹿蹄草

| 分布区域 | 产于海南琼中、五指山等地。亦分布于中国陕西、青海、甘肃、山西、山东、河北、河南、安徽、江苏、浙江、福建、湖北、湖南、江西、四川、贵州、云南、西藏。 |

| 资　　源 | 生于海拔 1650m 的山地密林下。 |

| 采收加工 | 栽后 3~4 年采收，在 9~10 月结合分株进行。采大留小，扯密留稀，每隔 6~10cm 留苗 1 株；以后每隔 1 年，又可采收 1 次。除去杂草，晒至发软，堆积发汗，并盖麻袋等物，使叶片变紫红或紫褐色后，晒干或烘干。 |

| 药材性状 | 干品以紫红色或紫褐色、无杂质者为佳。味苦，性平，无毒。 |

| 功能主治 | 补肾强骨，祛风除湿，止咳，止血。用于肾虚腰痛、风湿痹痛、筋骨痿软、新久咳嗽、吐血、衄血、崩漏、外伤出血。 |

越橘科 Ericaceae 越橘属 Vaccinium

南 烛 *Vaccinium bracteatum* Thunb.

| 中 药 名 | 南烛子（药用部位：果实），南烛叶（药用部位：叶、枝叶），南烛根（药用部位：根）

| 植物形态 | 常绿灌木或小乔木。叶片薄革质，椭圆形、菱状椭圆形、披针状椭圆形至披针形，基部楔形，稀钝圆，边缘有细锯齿，侧脉 5~7 对；叶柄长 2~8mm。总状花序顶生或腋生；苞片叶状，披针形，边缘有锯齿，宿存或脱落，小苞片 2，线形或卵形；花梗长 1~4mm，密被短毛或近无毛；萼筒密被短柔毛或茸毛，萼齿短小，三角形，密被短毛或无毛；花冠白色，筒状，有时略呈坛状，外面密被短柔毛，内面有疏柔毛，口部裂片短小，三角形，外折；雄蕊内藏，花丝细

南烛

长，密被疏柔毛，药室背部无距，药管长为药室长的 2~2.5 倍；花盘密生短柔毛。浆果熟时紫黑色，外面通常被短柔毛。花期 6~7 月，果期 8~10 月。

| **分布区域** | 产于海南中部及南部。

| **资　　源** | 生于丘陵地带或海拔 400~1400m 的山地，常见于山坡林内或灌丛中。

| **采收加工** | 果实：8~10 月果实成熟后采摘，晒干。叶：8~9 月采收，拣净杂质，晒干。根：全年均可采，鲜用或切片晒干。

| **药材性状** | 果实：果实类球形，直径 4~6mm；表面暗红褐色至紫黑色，稍被白粉，略有细纵纹；先端具黄色点状的花柱痕迹，基部有细果梗或果梗痕；有时有宿萼，包被果实 2/3 以上，萼筒钟状，先端 5 浅裂，裂片短三角形。质松脆，断面黄白色，内含多枚长卵状三角形的种子，橙黄色或橙红色。气微，味酸而稍甜。叶：叶长椭圆形至披针形，长 2.5~6cm，宽 1~2.5cm，两端尖锐，边缘有稀疏的细锯齿，多向外反卷，上面暗棕色，有光泽，主脉凹陷，下面棕色，叶脉明显突起；叶柄短而不明显。质脆，气微，味涩而苦。

| **功能主治** | 果实：补肝肾，强筋骨，固精气，止泻痢。用于肝肾不足、须发早白、筋骨无力、梦遗、带下不止、久泻久痢。叶：益肠胃，养肝肾。用于脾胃气虚，久泻、少食；肝肾不足，腰膝乏力、须发早白。根：散瘀，止痛。用于牙痛、跌伤肿痛。

柿科 Ebenaceae 柿属 *Diospyros*

红枝柿 *Diospyros ehretioides* Wall. ex A. DC.

| 中 药 名 | 红枝柿（药用部位：叶）

| 植物形态 | 乔木；树皮灰黑色；枝灰褐色或黑褐色；幼枝、冬芽、叶柄、花序和幼果均被褐色绒毛；冬芽圆锥状，约和顶生叶的叶柄等长。叶较大，革质，椭圆形，基部宽楔形或圆形，侧脉每边 8~11；叶柄壮，长约 1cm。雄花序在当年生枝上较多，腋生，单生，较叶柄长，常为短小的三歧聚伞花序；雄花小，花梗很短，花萼 4 裂，裂片近三角形，有淡棕色绒毛；花冠钟状，为花萼长的 2 倍，4 裂，裂片旋转排列，背面密被短柔毛，边缘有睫毛，先端有绒毛一撮；雄蕊无毛，近等长，花丝很短；退化子房很小，有柔毛。雌花腋生，单生或 2~4 簇生；花萼密被褐色柔毛，里面基部周围密被淡棕色绢毛，4 裂，裂片两

红枝柿

侧向背面略反卷；子房密被淡棕色柔毛。果实球形，无毛；宿存萼有柔毛，4裂；果柄略壮，密被绒毛；种子扁，胚乳嚼烂状。花期4~5月，果期翌年1月。

| 分布区域 |

产于海南白沙、东方、保亭、三亚、乐东。

| 资　　源 |

生于山坡密林或疏林中，或林谷溪边土壤肥润处。

| 采收加工 |

全年可采树叶，晒干或鲜用。

| 功能主治 |

止咳定喘，生津止渴，活血止血。用于咳喘、消渴，及各种内出血、臁疮。

柿科 Ebenaceae　柿属 *Diospyros*

乌 材 *Diospyros eriantha* Champ. ex Benth.

| 中 药 名 | 乌材（药用部位：根皮、果实）

| 植物形态 | 常绿乔木或灌木；树皮灰色，灰褐色至黑褐色；幼枝、冬芽、叶下面脉上、幼叶叶柄和花序等处有锈色粗伏毛；冬芽卵形，芽鳞约 10。叶纸质，长圆状披针形，基部楔形或钝，干时上面灰褐色或灰黑色，下面带红色或浅棕色，侧脉通常每边 4~6；叶柄长 5~6mm。花序腋生，聚伞花序式，基部有苞片数枚，苞片覆瓦状排列，卵形；雄花 1~3 簇生；花萼 4 深裂，裂片披针形；花冠白色，高脚碟状，4 裂，花冠管裂片覆瓦状排列，卵状长圆形或披针形；雄蕊 14~16，着生在花冠管的基部，每 2 枚连生成对，腹面 1 枚较短，花药线形，先端有小尖头，退化子房小。雌花单生，花梗极短，基部有小苞片数枚；花萼 4 深裂，裂片卵形；花冠淡黄色，4 裂；退化雄蕊 8；子房近卵形，

乌材

4 室，每室有 1 胚珠；花柱 2 裂；柱头 2 浅裂。果实卵形或长圆形，先端有小尖头，嫩时绿色，熟时黑紫色，有种子 1~4；种子黑色，单生时为椭圆形，如种子 4 时，则每颗呈近三棱形，背面呈拱形；宿存萼增大，4 裂，裂片平而略开展，卵形，近基部被毛较密。花期 7~8 月，果期 10 月至翌年 1~2 月。

| 分布区域 | 产于海南定安、临高、白沙、昌江、东方、三亚、陵水、保亭、琼中。亦分布于中国广西、广东、台湾。

| 资　　源 | 生于海拔 500m 以下的山地疏林、密林或灌丛中，或在山谷溪畔林中。

| 采收加工 | 根皮：全年可采收，切段，晒干。果实：10 月至翌年 2 月采收，鲜用或晒干。

| 药材性状 | 果实几无梗，宿存萼 4 裂。根皮黑色，微苦。

| 功能主治 | 用于风湿、疝气痛、心气痛。

柿科 Ebenaceae 柿属 *Diospyros*

柿 *Diospyros kaki* Thunb.

| 中 药 名 | 柿蒂（药用部位：宿存花萼），柿子（药用部位：果实），柿饼（药用部位：果实经加工而成的饼状食品），柿霜（药用部位：果实制成柿饼时外表所生的白色粉霜），柿漆（药用部位：未成熟果实，经加工制成的胶状液），柿皮（药用部位：外果皮），柿叶（药用部位：叶），柿花（药用部位：花），柿木皮（药用部位：树皮），柿根（药用部位：根、根皮）

| 植物形态 | 落叶大乔木；树皮深灰色至灰黑色，长方块状开裂；枝开展，有深棕色皮孔，嫩枝有柔毛。单叶互生；叶纸质，卵状椭圆形至倒卵形

柿

或近圆形，基部阔楔形，全缘，上面深绿色，主脉生柔毛，下面淡绿色，有短柔毛，沿脉密被褐色绒毛，侧脉每边 5~7。叶柄长 8~20mm，上面有浅槽。花序腋生，为聚伞花序；花杂性，雄花成聚伞花序，雌花单生叶腋；花梗长约 3mm，总花梗长约 5mm，有微小苞片；花萼下部短筒状，4 裂，内面有毛；花冠黄白色，钟形，4 裂；雌蕊在雄花中 16，在两性花中 8~16，雌花有 8 退化雄蕊；子房上位，8 室，花柱自基部分离。浆果形状多变，多为卵圆球形，橙黄色或鲜黄色，基部有宿存萼片。种子褐色，椭圆形。花期 5 月，果期 9~10 月。

| **分布区域** | 分布于海南昌江、万宁、儋州、海口等地。

| **资　　源** | 喜寒冷气候，多为栽培。

| **采收加工** | 柿蒂：秋、冬季收集成熟柿子的果蒂（带宿存花萼），去柄，晒干。果实：霜降至立冬间采摘，经脱涩红熟后，食用。柿饼：秋季将未成熟的果实摘下，剥除外果皮，日晒夜露，经过 1 个月后，放置于席圈内，再经 1 个月左右，即成柿饼。柿霜：柿饼上生有白色粉霜，用洁净竹片刮下即成柿霜。除去杂质及残留宿萼，过 40 目筛。将柿霜放锅内加热熔化，成饴状时倒入模型中，晾至七成干，用刀铲下，再晾至全干，刷净，即成柿霜饼。贮于干燥瓷缸内，置于石灰箱内保存，防潮。柿漆：采摘未成熟的果实，捣烂，置于缸中，加入清水，搅动，放置若干时，将渣滓除去，剩下胶状液，即为柿漆。外果皮：将未成熟的果实摘下，削取外果皮，鲜用。叶：霜降后采收，晒干。花：4~5 月花落时采收，除去杂质，晒干或研成粉。树皮：全年均可采收，剥取树皮，晒干。根、根皮：9~10 月采挖，洗净，鲜用或晒干。

| **药材性状** | 柿蒂：宿萼近盘状，先端 4 裂，裂片宽三角形，多向外反卷或破碎不完整，具纵脉纹，萼筒增厚，平展，近方形，直径 1.5~2.5cm，表面红棕色，被稀疏短毛，中央有短果柄或圆形凹陷的果柄痕；内面黄棕色，密被锈色短绒毛，放射状排列，具光泽，中心有果实脱落后圆形隆起的疤痕。裂片质脆，易碎，萼筒坚硬木质。质轻，气微，味涩。以个大而厚、质硬、色黄褐者为佳。柿霜：呈白色粉末状，质轻，易潮解。气微，味甜，具有清凉感。柿霜饼：呈扁圆形，底平，上面微隆起，直径约 6cm，厚约 6mm，灰白色或淡黄色，平滑。质硬，易破碎，易潮解。气味同柿霜。以色白或灰白色、味甜而具有清凉感者为佳。

| **功能主治** | 柿蒂：降逆下气。用于呃逆、噫气、反胃。果实：清热，润肺，生津，解毒。用于咳嗽、吐血、热渴、口疮、热痢、便血。柿饼：润肺，止血，健脾，涩肠。用于咯血、吐血、便血、尿血、脾虚消化不良、泄泻、痢疾、喉干音哑、颜面黑斑。柿霜：润肺止咳，生津利咽，止血。用于肺热燥咳、咽干喉痛、口舌生疮、吐血、咯血、消渴。柿漆：平肝。用于高血压。外果皮：清热解毒。用于疔疮、无名肿毒。叶：止咳定喘，生津止渴，活血止血。用于咳喘、消渴及各种内出血、臁疮。花：降逆和胃，解毒收敛。用于呕吐、吞酸、痘疮。树皮：清热解毒，止血。用于下血、烫火伤。根、根皮：清热解毒，凉血止血。用于血崩、血痢、痔疮、蜘蛛背。

柿科 Ebenaceae 柿属 Diospyros

毛 柿 *Diospyros strigosa* Hemsl.

| 中 药 名 | 毛柿（药用部位：叶）

| 植物形态 | 灌木或小乔木；树皮黑褐色，密布小而突起的小皮孔。幼枝、嫩叶、成长叶的下面和叶柄、花、果实等都被有明显的锈色粗伏毛。叶革质或厚革质，长圆形、长椭圆形、长圆状披针形，先端急尖或渐尖，基部稍呈心形，稀圆形，上面有光泽，深绿色，下面淡绿色，干时上面常灰褐色，下面常红棕色，侧脉每边 7~10，下面突起；叶柄短，长 2~4mm。花腋生，单生，有很短花梗，花下有小苞片6~8；苞片覆瓦状排列；花萼 4 深裂至基部，裂片披针形；花冠高脚碟状，花冠管的先端略缩窄，裂片 4，披针形；雄花有雄蕊 12，

毛柿

每 2 枚连生成对，腹面 1 枚较短，退化雄蕊丝状；雌花子房有粗伏毛，4 室；花柱 2，短，无退化雄蕊。果实卵形，鲜时绿色，干后褐色或深褐色，熟时黑色，先端有小尖头，有种子 1~4；种子卵形或近三棱形，干时黑色或黑褐色；宿存萼 4 深裂，裂片长约 7mm，宽约 4mm，先端急尖；果实几无柄。花期 6~8 月，果期冬季。

| **分布区域** | 产于海南三亚、乐东、东方、昌江、保亭、陵水、澄迈、白沙、儋州等地。亦分布于中国广东。

| **资　　源** | 常见于灌丛、疏林或密林中。

| **采收加工** | 全年皆可采，晒干或鲜用。

| **功能主治** | 止咳定喘。用于咳喘。

山榄科 Sapotaceae 金叶树属 *Chrysophyllum*

金叶树

Chrysophyllum lanceolatum (Bl.) A. DC. var. *stellatocarpon* Vaniot Royen

| 中 药 名 | 金叶树（药用部位：根、叶）

| 植物形态 | 乔木；小枝圆柱形，上部被黄色柔毛。叶散生，坚纸质，长圆形或长圆状披针形，稀倒卵形，基部钝至楔形，幼时两面被锈色绒毛，除下面中脉外很快变无毛，中脉在上面稍突出，下面突出，侧脉12~37 对，两面均明显；叶柄长 0.2~0.7cm，被锈色短柔毛或近无毛。花数朵簇生叶腋；花梗纤细，长 3~6mm，被锈色短柔毛或近无毛；小苞片卵形；花萼裂片 5，卵形至圆形，幼时外面被锈色柔毛或无毛，内面无毛，边缘具流苏；花冠阔钟形，长 1.8~3mm，无毛，冠管长 0.7~1.2mm，裂片 5，舌状至梯形，与冠管近等长，先端圆，边缘具流苏；能育雄蕊 5，花丝棒状至圆柱状，花药卵状三角形；子房 5 室，

金叶树

被锈色绒毛。浆果近球形，成熟时具 5 圆形粗肋；种子 4~5，侧向压扁，种皮黄色或褐色，具光泽。花期 7~8 月，果期 10 月。

| **分布区域** | 产于海南昌江、乐东、三亚等地。亦分布于中国广东沿海、广西。

| **资　　源** | 生于中海拔的山地杂木林中，少见。

| **采收加工** | 根：冬、春季采挖，洗净，切片，晒干。叶：全年可采收，晒干。

| **功能主治** | 活血祛瘀，消肿止痛。用于跌打损伤、风湿关节痛、骨折、脱臼等。

山榄科 Sapotaceae　蛋黄果属 Lucuma

蛋黄果 *Lucuma nervosa* A. DC.

| 中 药 名 | 蛋黄果（药用部位：果实）

| 植物形态 | 小乔木；小枝圆柱形，嫩枝被褐色短绒毛。叶坚纸质，狭椭圆形，基部楔形，中脉在下面浑圆且十分突起，侧脉 13~16 对，第三次脉呈网状；叶柄长 1~2cm。花 1（~2）生于叶腋，花梗长 1.2~1.7cm，圆柱形，被褐色细绒毛；花萼裂片通常 5，稀 6~7，卵形或阔卵形，内面的略长，外面被黄白色细绒毛；花冠较萼长，外面被黄白色细绒毛，冠管圆筒形，花冠裂片（4~）6，狭卵形；能育雄蕊通常 5，花丝钻形，被白色极细绒毛，花药心状椭圆形；退化雄蕊狭披针形至钻形，被白色极细绒毛；子房圆锥形，被黄褐色绒毛，5 室，花柱圆柱形，柱头头状。果实倒卵形，绿色转蛋黄色，外果皮极薄，

蛋黄果

中果皮肉质，肥厚，蛋黄色，可食，味如鸡蛋黄，故名蛋黄果；种子 2~4，椭圆形，压扁，黄褐色，具光泽，疤痕侧生，长圆形，几与种子等长。花期春季，果期秋季。

分布区域

海南各地均有栽培。中国广东、广西、云南西双版纳亦有少量栽培。

资源

栽培。

采收加工

秋季采收成熟果实，多鲜用。

功能主治

助消化，化痰，补肾，提神醒脑，活血强身，镇静止痛，降压降脂等。

山榄科 Sapotaceae 紫荆木属 *Madhuca*

海南紫荆木 *Madhuca hainanensis* Chun & F. C. How

| 中 药 名 | 海南紫荆木（药用部位：树皮）

| 植物形态 | 乔木；树皮暗灰褐色，内皮褐色，分泌多量浅黄白色黏性汁液；幼嫩部分基本被锈红色柔毛。托叶钻形，早落。叶聚生于小枝先端，革质，长圆状倒卵形或长圆状倒披针形，先端圆而常微缺，下面幼时被锈红色、紧贴的短绢毛，后变无毛，侧脉极纤细，20~30 对；叶柄长 1.5~3cm，上面具沟或平坦，被灰色绒毛。花 1~3，腋生，下垂；花梗长 2~3cm，密被锈红色绢毛；花萼外轮 2 裂片较大，内轮的较小，长椭圆形或卵状三角形，两面密被锈色毡毛；花冠白色，冠管长约 4mm，裂片 8~10，卵状长圆形；能育雄蕊 28~30，3 轮排列，花丝丝状，花药长卵形；子房卵球形，被锈色绢毛，6~8 室，花柱

海南紫荆木

中部以下被绢毛。果实绿黄色，卵球形至近球形，被短柔毛，先端具花柱的残余；果柄粗壮；种子1~5，长圆状椭圆形，两侧压扁，褐色，光亮，疤痕椭圆形，无胚乳。花期6~9月，果期9~11月。

| 分布区域 |

产于海南昌江、东方、乐东、保亭、三亚。

| 资　　源 |

普遍生于海拔较高的山地常绿林中，常与陆均松等针叶树混生，在中海拔山谷湿润处也常见。

| 采收加工 |

全年可采收树皮，切段，晒干。

| 药材性状 |

树皮暗灰褐色，内皮褐色，分泌多量浅黄白色黏性汁液；幼嫩部分基本被锈红色柔毛。

| 功能主治 |

活血通经，消肿解毒。

山榄科 Sapotaceae 铁线子属 Manilkara

人心果 *Manilkara zapota* (L.) van Royen

| 中 药 名 | 人心果（药用部位：树皮、果实）

| 植物形态 | 乔木（栽培者常较矮，且常呈灌木状）；小枝茶褐色。叶互生，密聚于枝顶，革质，长圆形或卵状椭圆形，先端急尖或钝，基部楔形，全缘或稀微波状；叶柄长 1.5~3cm。花 1~2，生于枝顶叶腋，长约 1cm；花梗长 2~2.5cm，密被黄褐色或锈色绒毛；花萼外轮 3 裂片长圆状卵形，内轮 3 裂片卵形；花冠白色，冠管长 3.5~4.5mm，花冠裂片卵形，先端具不规则的细齿，背部两侧具 2 等大的花瓣状附属物；能育雄蕊着生于冠管的喉部，花丝丝状，基部加粗，花药长卵形，长约 1mm；退化雄蕊花瓣状，长约 4mm；子房圆锥形，长约

人心果

4mm，密被黄褐色绒毛；花柱圆柱形，基部略加粗。浆果纺锤形、卵形或球形，褐色，果肉黄褐色；种子扁。花果期 4~9 月。

| 分布区域 | 海南文昌、琼海、万宁有栽培。亦分布于中国广东、广西、云南西双版纳。

| 资　　源 | 喜高温和肥沃的沙质壤土，适应性较强，大树在 -2~-3℃仍能安全过冬，在肥力较低的黏质土壤也能正常生长。

| 采收加工 | 全年可采树皮；4~9 月采果实，晒干或鲜用。

| 药材性状 | 浆果纺锤形、卵形或球形，褐色，果肉黄褐色。

| 功能主治 | 树皮：清热凉血。用于急性胃炎、扁桃体炎、咽喉炎。果实：用于胃脘痛。

| 山榄科 | Sapotaceae | 肉实树属 | *Sarcosperma*

肉实树
Sarcosperma laurinum (Benth.) Hook. f.

| **中 药 名** | 肉实树（药用部位：果实、叶）

| **植物形态** | 乔木；树皮灰褐色，薄，板根显著；小枝具棱。托叶钻形，早落。叶于小枝上不规则排列，大多互生，也有对生的，枝顶的则通常轮生，近革质，通常倒卵形或倒披针形，稀狭椭圆形，先端通常骤然急尖，有时钝至渐尖，侧脉 6~9 对；叶柄长 1~2cm，上面具小沟，无叶耳。总状花序或为圆锥花序腋生，长 2~13cm；花芳香，单生或 2~3 朵簇生于花序轴上，花梗长 1~5mm，被黄褐色绒毛；每花具 1~3 小苞片，小苞片卵形，被黄褐色绒毛；花萼长 2~3mm，裂片阔卵形或近圆形；花冠绿色转淡黄色，花冠裂片阔倒卵形或近圆形；能育雄蕊着生于冠管喉部，并与花冠裂片对生，花药卵形；

肉实树

退化雄蕊着生于冠管喉部，并与花冠裂片互生，钻形；子房卵球形，1 室，无毛，花柱粗。核果长圆形或椭圆形，由绿至红至紫红转黑色，基部具外反的宿萼，果皮极薄，种子 1。花期 8~9 月，果期 12 月至翌年 1 月。

| 分布区域 | 产于海南儋州、白沙、东方、乐东、三亚、保亭、陵水、万宁、琼中。亦分布于中国浙江、福建、广东、广西。

| 资　　源 | 生于海拔 400~500m 的山谷或溪边林中，常见。

| 采收加工 | 叶：全年可采，晒干。果实：12 月至翌年 1 月采成熟的果实，晒干或鲜用。

| 功能主治 | 清热凉血。用于急性胃炎、扁桃体炎、咽喉炎。

山榄科 Sapotaceae 刺榄属 Xantolis

琼刺榄
Xantolis longispinosa (Merr.) H. S. Lo

| 中 药 名 | 琼刺榄（药用部位：果实）

| 植物形态 | 灌木或乔木；小枝疏生长刺。叶密集，革质，通常倒卵形，基部楔形，侧脉约 10 对；叶柄长 1~3mm。花单生或数朵簇生叶腋；花梗长 3~5（~8）mm，被锈色、紧贴短柔毛；花萼裂片 5，卵形；花冠白色，冠管长约 2mm，花冠裂片 5，卵形；能育雄蕊 5，长约 3mm，花丝粗，基部两侧各具一簇锈色长柔毛，花药卵形，具延长的药隔；退化雄蕊 5，披针形至卵形，先端渐尖成芒状，沿边缘被黄褐色柔毛；子房近球形，密被锈色柔毛；花柱圆柱形，基部较粗。浆果近球形或近椭圆形，绿色转淡褐色，被锈色、紧贴的柔毛，先端为宿存花柱，

琼刺榄

基部为宿存、略增大的萼片；果柄长 8~10mm，无毛。花期 10 月至翌年 2 月，果期 6~10 月。

| 分布区域 | 产于海南昌江、东方、乐东、三亚、万宁、文昌。海南特有种。

| 资　　源 | 常见于低海拔至中海拔森林中。

| 采收加工 | 6~10 月采收成熟的果实，晒干或鲜用。

| 药材性状 | 浆果近球形或近椭圆形，绿色转淡褐色，被锈色、紧贴的柔毛，先端为宿存花柱，基部为宿存、略增大的萼片；果柄长 8~10mm，无毛。

| 功能主治 | 清热凉血。用于急性胃炎、扁桃体炎、咽喉炎。

紫金牛科 Myrsinaceae 蜡烛果属 Aegiceras

蜡烛果 *Aegiceras corniculatum* (L.) Blanco

| 中 药 名 | 蜡烛果（药用部位：果实）

| 植物形态 | 灌木或小乔木。叶互生，于枝条先端近对生，叶片革质，倒卵形、椭圆形或广倒卵形，基部楔形，全缘，边缘反卷；叶柄长5~10mm。伞形花序，生于枝条先端，无柄，有花10余朵；花梗长约1cm，多少具腺点；花长约9mm，花萼仅基部连合，萼片斜菱形，不对称，先端广圆形，薄，基部厚，全缘，紧包花冠；花冠白色，钟形，长约9mm，管长3~4mm，里面被长柔毛，裂片卵形，先端渐尖，基部略不对称，长约5mm，花时反折，花后全部脱落；子房为花萼紧包，露圆锥形花柱；雄蕊较花冠略短；花丝基部连合成管，与花冠管等长或略短，连合部位向花冠的一面被长柔毛，里面无毛，分离部分无毛；花药卵形或长卵形，与花丝几成"丁"字

蜡烛果

形；雌蕊与花冠等长，子房卵形，与花柱无明显的界线，连成一圆锥体。蒴果圆柱形，弯曲如新月形，先端渐尖，长 6~8cm，直径约 5mm；宿存萼紧包基部。花期 12 月至翌年 1~2 月，果期 10~12 月，有时花期 4 月，果期 2 月。

| 分布区域 |

产于海南文昌、三亚等地。亦分布于中国广西、广东、福建。

| 资　　源 |

生于沿海岸的泥滩上，为红树林的组成树种之一。

| 采收加工 |

10 月至翌年 2 月采收成熟的果实，晒干或鲜用。

| 药材性状 |

蒴果圆柱形，弯曲如新月形，先端渐尖，长 6~8cm，直径约 5mm；宿存萼紧包基部。

| 功能主治 |

清热凉血。用于急性胃炎、扁桃体炎、咽喉炎。

紫金牛科 Myrsinaceae 紫金牛属 Ardisia

粗脉紫金牛 *Ardisia crassinervosa* Walker

| 中 药 名 | 粗脉紫金牛（药用部位：树皮）

| 植物形态 | 灌木，高 0.5~1（~2）m；小枝除侧生特殊花枝外，无分枝。叶片革质，长圆状倒披针形，先端急尖或钝，基部楔形，长 4.5~8cm，宽 1.2~1.5（~3）cm，边缘具圆齿或几全缘，齿间具明显的边缘腺点，侧脉 12~18 对；叶柄长 3（~5）mm。亚伞形花序或聚伞花序，多花，着生于侧生特殊花枝先端，花枝长 5~10（~16）cm，无毛，中部以上具 4~5 叶，或近先端具 1~2 叶，叶有时多少退化；花梗长约 1cm，无毛，花长约 4mm，花萼仅基部连合，萼片广卵形或近圆形，先端极钝或近圆形，基部略具耳形，互相折叠，长约 2.5mm，全缘，边缘干膜质，具腺点，有时腺点不明显；花瓣粉红色至淡紫色，长约 4mm，广卵形，

粗脉紫金牛

先端钝或近圆形，具极明显的腺点，外面无毛，里面具极少的微柔毛；雄蕊为花瓣长的 2/3 或近等长，花药披针形，先端急尖，背部具腺点；雌蕊与花瓣等长，子房圆珠形，无毛，具腺点，胚珠 5，1 轮。果实球形，直径约 4mm，红色，具明显的腺点。花期与果期常同在 1~3 月或 7~12 月。

| 分布区域 |

产于海南西部各地。海南特有种。

| 资　　源 |

常见于阳光较充足的坡地或疏林中。

| 采收加工 |

全年均可采，切段，晒干。

| 药材性状 |

质硬而脆，易折断，折断面不平坦。气微，味微苦、辛，有刺舌感。

| 功能主治 |

益气血，强筋骨。用于腹中虚痛、肢体关节酸疼、产后体虚。

紫金牛科 Myrsinaceae 紫金牛属 Ardisia

朱砂根 *Ardisia crenata* Sims

| 中 药 名 | 朱砂根（药用部位：根）

| 植物形态 | 灌木；茎粗壮，除侧生特殊花枝外，无分枝。叶片革质或坚纸质，椭圆形、椭圆状披针形至倒披针形，基部楔形，边缘具皱波状或波状齿，具明显的边缘腺点，侧脉 12~18 对；叶柄长约 1cm。伞形花序或聚伞花序，着生于侧生特殊花枝先端；花枝近先端常具 2~3 叶或更多，或无叶；花梗长 7~10mm；花长 4~6mm，花萼仅基部连合，萼片长圆状卵形，具腺点；花瓣白色，稀略带粉红色，盛开时反卷，卵形，具腺点，有时里面近基部具乳头状突起；雄蕊较花瓣短，花药三角状披针形，背面常具腺点；雌蕊与花瓣近等长或略长，子房卵珠形，具腺点；胚珠 5，1 轮。果实球形，直径 6~8mm，鲜红色，具腺点。花期 5~6 月，果期 10~12 月，有时 2~4 月。

朱砂根

| 分布区域 |

产于海南海口、三亚、万宁、琼海、陵水、保亭、琼中等地。亦分布于中国西藏东南部至台湾，湖北至海南等地。

| 资　源 |

生于海拔 90~2400m 的疏、密林下阴湿的灌丛中。

| 采收加工 |

秋季采挖，切碎，鲜用或晒干。

| 药材性状 |

根簇生于略膨大的根茎上，呈圆柱形，略弯曲，长 5~25cm，直径 2~10mm。表面棕褐色或灰棕色，具多数纵皱纹及横向或环状断裂痕，皮部与木质部易分离。质硬而脆，易折断，折断面不平坦，皮部厚，约占断面的 1/2，类白色或浅紫红色，木质部淡黄色。气微，味微苦、辛，有刺舌感。以条粗、皮厚者为佳。

| 功能主治 |

清热解毒，活血止痛。用于咽喉肿痛、风湿热痹、黄疸、痢疾、跌打损伤、流火、乳腺炎、睾丸炎。

紫金牛科 Myrsinaceae 紫金牛属 *Ardisia*

密鳞紫金牛
Ardisia densilepidotula Merr.

| 中 药 名 | 萝芒树皮（药用部位：树皮）

| 植物形态 | 小乔木；小枝粗壮，皮粗糙，幼时被锈色鳞片。叶片革质，倒卵形或广倒披针形，先端钝急尖或广急尖，基部楔形，下延，长11~17cm，宽4~6cm，有时长达23cm，宽8.5cm，全缘，常反折，叶背面密被鳞片，侧脉多数，连成近边缘的边缘脉，无腺点；叶柄长约1cm，具狭翅和沟。由多回亚伞形花序组成的圆锥花序，顶生或近顶生，长10~14cm，被鳞片；花梗长3~8mm，被鳞片；花长约3mm，花萼基部连合，萼片狭三角状卵形或披针形，具缘毛，无腺点或稀具腺点；花瓣粉红色至紫红色，卵形，无腺点，无毛；雄蕊与花瓣几等长，花药卵形，无腺点；雌蕊与花瓣等长或略长，

密鳞紫金牛

子房卵珠形，无毛；胚珠约14，1轮。果实球形，直径约6mm，紫红色至紫黑色，无腺点。花期6~7（~8）月，有时达翌年2月。

| 分布区域 |

产于海南文昌、临高、儋州、白沙、乐东、保亭、三亚、陵水。海南特有种。

| 资　　源 |

散生于中海拔以下的山谷和山坡密林中，耐阴。

| 采收加工 |

全年均可采，剥取树皮，晒干。

| 功能主治 |

益气血，强筋骨。用于腹中虚痛、肢体关节酸疼、产后体虚。

紫金牛科 Myrsinaceae 紫金牛属 Ardisia

郎伞木 *Ardisia elegans* Andr.

| **中 药 名** | 郎伞木（药用部位：根、叶）

| **植物形态** | 灌木；茎粗壮，除侧生特殊花枝外，无分枝。叶片坚纸质，略厚，椭圆状披针形、倒披针形或稀狭卵形，基部楔形，边缘通常具明显的圆齿，齿间具边缘腺点，或呈皱波状，或近全缘（海南多数标本），无腺点，侧脉 12~15 对，连成不甚明显的边缘脉；叶柄长 0.8~1.5cm，具沟和狭翅。复伞形花序或由伞房花序组成的圆锥花序，着生于侧生特殊花枝先端，小花序梗长 2~4cm；花梗长 1~2cm；花萼仅基部连合，萼片卵形或长圆状卵形，无腺点；花瓣粉红色，稀红色或白色，广卵形，仅基部连合，无腺点；雄蕊比花瓣略短，花药披针形或卵形，无腺点；雌蕊与花瓣等长，子房卵珠形，无毛；胚珠 5，1 轮。果实

郎伞木

球形，深红色，具明显的腺点。花期 6~7 月，果期 12 月至翌年 3~4 月，个别达 7 月。有的植株上部枝条开花，下部枝条果熟。

| **分布区域** | 产于海南澄迈、儋州、白沙、东方、乐东、三亚等地。亦分布于中国广东、广西。

| **资　　源** | 见于海拔在 1300m 以下的山谷及密林荫蔽的地方。

| **采收加工** | 夏、秋季采收，洗净，鲜用或晒干。

| **功能主治** | 清热解毒，活血止痛。用于咽喉肿痛、风湿痹痛、跌打损伤。

紫金牛科 Myrsinaceae 紫金牛属 Ardisia

走马胎 *Ardisia gigantifolia* Stapf

| 中 药 名 | 走马胎（药用部位：根、根茎），走马胎叶（药用部位：叶）

| 植物形态 | 大灌木或亚灌木，具粗厚的匍匐生根的根茎；直立茎粗壮，通常无分枝。叶通常簇生于茎先端，叶片膜质，椭圆形至倒卵状披针形，基部楔形，边缘具密啮蚀状细齿，齿具小尖头，具疏腺点，腺点于两面隆起，侧脉 15~20 对或略多；叶柄长 2~4cm，具波状狭翅。由多个亚伞形花序组成大型金字塔状或总状圆锥花序，每一亚伞形花序有花 9~15；花梗长 1~1.5cm，花长 4~5mm，花萼仅基部连合，萼片狭三角状卵形或披针形，具腺点；花瓣白色或粉红色，卵形，具疏腺点；雄蕊为花瓣长的 2/3，花药卵形，背部无腺点；子房卵珠形；胚珠数枚，1 轮。果实球形，红色，具纵肋，多少具腺点。花期 4~6月，有时 2~3 月；果期 11~12 月，有时 2~6 月。

走马胎

| 分布区域 |

产于海南保亭、乐东等地。亦分布于中国云南、广西、广东、江西、福建、贵州。

| 资　源 |

生于山间林下阴湿处。

| 采收加工 |

根、根茎：秋季采挖，洗净，鲜用或切片晒干。
叶：夏、秋季采叶，多为鲜用。

| 药材性状 |

根呈不规则圆柱形，略呈串珠状膨大，长短不一，直径 1.5~4cm。表面灰褐色或带暗紫色，具纵沟纹，习称蛤蟆皮皱纹，皮部易剥落，厚约 2mm。质坚硬，不易折断，断面皮部淡红色，有紫红色小点，木质部黄白色，可见细密放射状菊花纹。用时常切成斜片，厚约 2mm。气微，味淡，略辛。根以质干硬、色红者为佳。

| 功能主治 |

根、根茎：祛风湿，活血止痛，化毒生肌。用于风湿痹痛、产后血瘀、痈疽溃疡、跌打肿痛。
叶：解毒去腐，生肌活血。用于痈疽疮疖、下肢溃疡、跌打损伤。

紫金牛科 Myrsinaceae 紫金牛属 Ardisia

大罗伞树 *Ardisia hanceana* Mez.

| 中 药 名 | 凉伞盖珍珠（药用部位：根）

| 植物形态 | 灌木；茎通常粗壮，除侧生特殊花枝外，无分枝。叶片坚纸质或略厚，椭圆状或长圆状披针形，稀倒披针形，基部楔形，近全缘或具边缘反卷的疏突尖锯齿，齿尖具边缘腺点，背面近边缘通常具隆起的疏腺点，被细鳞片，侧脉 12~18 对，隆起，近边缘连成边缘脉，边缘通常明显反卷；叶柄长 1cm 或更长。复伞房状伞形花序，着生于先端下弯的侧生特殊花枝尾端，花枝长 8~24cm，于 1/4 以上部位具少数叶；花序轴长 1~2.5cm；花梗长 1.1~1.7（~2）cm，花萼仅基部连合，萼片卵形，具腺点或腺点不明显；花瓣白色或带紫色，卵形，先端急尖，具腺点，里面近基部具乳头状突起；花药箭状披针形，

大罗伞树

背部具疏大腺点；子房卵珠形；胚珠 5，1 轮。果实球形，深红色，腺点不明显。花期 5~6 月，果期 11~12 月。

| 分布区域 | 产于海南乐东、昌江、白沙、保亭、琼中、儋州、万宁等地。亦分布于中国浙江、安徽、江西、福建、湖南、广东、广西。

| 资　　源 | 生于海拔 430~1500m 的山谷、山坡林下阴湿的地方。

| 采收加工 | 夏、秋季采挖，洗净，切片，晒干。

| 药材性状 | 根呈不规则圆柱形，表面灰褐色或带暗紫色，商品常切成斜片。气微，味淡、略辛。根以质干硬、色红者为佳。

| 功能主治 | 活血止痛。用于风湿痹痛、经闭、跌打损伤。

紫金牛科 Myrsinaceae 紫金牛属 Ardisia

矮紫金牛
Ardisia humilis Vahl

| 中 药 名 | 矮紫金牛（药用部位：树皮）

| 植物形态 | 灌木；茎粗壮，有皱纹，除侧生特殊花枝外不分枝。叶片革质，倒卵形或椭圆状倒卵形，稀倒披针形，基部楔形，长 15~18cm，宽 5~7cm，有时长达 28cm，宽 12cm，全缘，侧脉约 12 对或更多，不成边缘脉；叶柄长 5~10mm，粗壮。由多数亚伞形花序或伞房花序组成的金字塔形的圆锥花序，着生于粗壮的侧生特殊花枝先端；花梗长 6~10mm，果时常达 15mm；花长 5~6mm，花萼基部连合达 1/3，萼片广卵形，基部近耳形，互相重叠，具腺点或不明显，全缘；花瓣粉红色或红紫色，广卵形或卵形，无或有腺点；雄蕊与花瓣近等长，花丝长为花药的 1/2，花药长圆状披针形，背部具腺点；雌

矮紫金牛

蕊与花瓣等长，子房球形，具腺点；胚珠多数，
3 轮。果实球形，暗红色至紫黑色，具腺点。
花期 3~4 月，果期 11~12 月。

分布区域

产于海南三亚、澄迈、文昌、万宁、海口、五指山、
昌江、保亭、陵水等地。亦分布于中国广东徐闻。

资　　源

生于海拔 40~1100m 的山间、坡地疏林或密林下，
及开阔的坡地。

采收加工

全年均可采，切段，晒干或鲜用。

药材性状

质硬而脆，易折断，折断面不平坦。气微，味淡、
略辛。根以质干硬、色红者为佳。

功能主治

用于头痛、便血等。

紫金牛科 Myrsinaceae 紫金牛属 Ardisia

虎舌红 *Ardisia mamillata* Hance

| 中 药 名 | 红毛走马胎（药用部位：全株）

| 植物形态 | 矮小灌木，具匍匐的木质根茎。叶互生或簇生于茎先端，叶片坚纸质，倒卵形至长圆状倒披针形，基部楔形或狭圆形，边缘具不明显的疏圆齿，边缘腺点藏于毛中，两面绿色或暗紫红色，被锈色或有时为紫红色糙伏毛，毛基部隆起如小瘤，具腺点，侧脉 6~8 对；叶柄长 5~15mm。伞形花序，单 1，着生于侧生特殊花枝先端，每植株有花枝 1~2，稀 3；花枝长 3~9cm，有花约 10，近先端常有叶 1~2，稀达 4；花梗长 4~8mm，被毛；花长 5~7mm，花萼基部连合，萼片披针形或狭长圆状披针形，与花瓣等长或略短，具腺点；花瓣粉红色，稀近白色，卵形，先端急尖，具腺点；雄蕊与花瓣近等长，花

虎舌红

药披针形，背部通常具腺点；雌蕊与花瓣等长，子房球形；胚珠 5，1 轮。果实球形，鲜红色，多少具腺点。花期 6~7 月，果期 11 月至翌年 1 月，有时达 6 月。

| **分布区域** | 产于海南琼中、东方、乐东等地。亦分布于中国四川、贵州、云南、湖南、广西、广东、福建。

| **资　　源** | 生于山坡密林下和水旁，较耐阴。

| **采收加工** | 夏、秋季采收，洗净，切片，晒干。

| **药材性状** | 根茎直径约 3mm，褐红色，木质；幼枝被锈色长柔毛，老枝几无毛。叶多生于茎中上部，近簇状，叶片展平后呈椭圆形或倒卵形，上、下两面有黑色腺点和褐色长柔毛，边缘稍具圆齿；叶柄密被毛。有时具花序或球形果实。枝质稍韧，叶纸质。气弱，味淡、略苦、涩。

| **功能主治** | 祛风利湿，清热解毒，活血止血。用于风湿痹痛、黄疸、痢疾、咯血、吐血、便血、经闭、产后恶露不净、跌打损伤、乳痈、疔疮。

紫金牛科 Myrsinaceae 紫金牛属 Ardisia

铜盆花 *Ardisia obtusa* Mez

| 中 药 名 | 铜盆花（药用部位：茎叶）

| 植物形态 | 灌木。叶片坚纸质或略厚，倒披针形或倒卵形，基部楔形，全缘，无边缘腺点，有时背面具极细的疏鳞片，无腺点，侧脉 8~15 对；叶柄长 7~10mm。由复伞房花序或亚伞形花序组成的圆锥花序，顶生，花序中常有退化的叶或叶状苞片；花梗长 5~10（~17）mm；花长 4~5（~6）mm，花萼仅基部连合，萼片三角状卵形至长圆状卵形；花瓣淡紫色或粉红色，卵形，无腺点；雄蕊与花瓣几等长，花药卵形；雌蕊与花瓣等长或花柱露出花瓣，子房卵珠形；胚珠 15，3 轮。果实球形，黑色，无腺点，具不明显的纵肋。花期 2~4 月，果期 4~7 月。

铜盆花

分布区域	产于海南三亚、五指山、保亭、屯昌、万宁、澄迈、乐东等地。亦分布于中国广东徐闻。
资　　源	生于海拔 20~40m 或更高的山谷、山坡灌丛中或疏林下，或水旁。
采收加工	全年均可采，切段，晒干。
功能主治	清热解毒，散瘀止痛。用于咽喉肿痛、疮疖痈肿、跌打损伤、风湿痹痛。

紫金牛科 Myrsinaceae 紫金牛属 Ardisia

罗伞树 *Ardisia quinquegona* Bl.

| 中 药 名 | 罗伞树（药用部位：茎、叶、根）

| 植物形态 | 灌木或灌木状小乔木。叶片坚纸质，长圆状披针形、椭圆状披针形至倒披针形，先端渐尖，基部楔形，全缘，背面多少被鳞片，侧脉极多，无腺点；叶柄长 5~10mm，幼时被鳞片。聚伞花序或亚伞形花序，腋生，稀着生于侧生特殊花枝先端；花梗长 5~8mm，多少被鳞片；花长约 3mm 或略短，花萼仅基部连合，萼片三角状卵形，具疏微缘毛及腺点，无毛；花瓣白色，广椭圆状卵形，具腺点；雄蕊与花瓣几等长，花药卵形至肾形，背部多少具腺点；雌蕊常超出花瓣，子房卵珠形；胚珠多数，数轮。果实扁球形，具钝 5 棱，稀棱不明显，无腺点。花期 5~6 月，果期 12 月或翌年 2~4 月。

罗伞树

| 分布区域 |

产于海南乐东、东方、昌江、陵水、白沙、儋州、定安、澄迈、万宁等地。亦分布于中国云南、广西、广东、福建、台湾。

| 资　源 |

常为林下的优势植物，生于海拔 200~1000m 的山坡疏、密林中或溪边阴湿处。

| 采收加工 |

全年均可采，洗净，切段，鲜用或晒干。

| 药材性状 |

茎圆柱形，无毛。完整叶片披针形，先端渐尖，基部楔形，全缘，侧脉多。有时可见聚伞形花序。气弱，味苦、涩。

| 功能主治 |

清热解毒，散瘀止痛。用于咽喉肿痛、疮疖痈肿、跌打损伤、风湿痹痛。

紫金牛科 Myrsinaceae 紫金牛属 Ardisia

雪下红 *Ardisia villosa* Roxb.

雪下红

| 中 药 名 |

矮脚罗伞（药用部位：茎叶或全株）

| 植物形态 |

直立灌木；具匍匐根茎；幼时几全株被灰褐色或锈色长柔毛或长硬毛，毛常卷曲。叶片坚纸质，椭圆状披针形至卵形，稀倒披针形，基部楔形，近全缘或由边缘腺点缢缩成波状细锯齿或圆齿，叶面除中脉外，背面密被长硬毛或长柔毛，具腺点，侧脉约15对；叶柄长5~10mm，被长柔毛。单或复聚伞花序，或伞形花序，被锈色长柔毛，侧生或着生于侧生特殊花枝先端；花枝长2~15（~20）cm，长者近先端常有1~2叶或退化叶；花梗长5~10mm；花萼仅基部连合，萼片长圆状披针形或舌形，具密腺点；花瓣淡紫色或粉红色，稀白色，卵形至广披针形，具腺点；雄蕊较花瓣略长或等长，子房卵珠形；胚珠5，1轮。果实球形，深红色或带黑色，具腺点，被毛。花期5~7月，果期翌年2~5月。

| 分布区域 |

产于海南琼中、白沙、乐东、保亭等地。亦分布于中国云南、广西、广东。

| 资　　源 | 常见于密林下较阴湿的环境中。

| 采收加工 | 秋、冬季采挖，洗净，鲜用或晒干。

| 药材性状 | 根茎近圆柱形。茎圆柱形，长短不一，直径约4mm，表面有铁锈色长柔毛。叶互生，叶片椭圆状披针形，上面中脉处有毛，下面密被铁锈色长柔毛，两面密布腺点，全缘或有微波状圆齿，坚纸质。有时可见伞形花序。气弱，味苦、涩。

| 功能主治 | 祛风湿，活血止痛。用于风湿痹痛、咳嗽吐血、寒气腹痛、跌打损伤、痈疮肿痛。

紫金牛科 Myrsinaceae 紫金牛属 Ardisia

长毛紫金牛
Ardisia villosoides Walker

长毛紫金牛

| 中 药 名 |

长毛紫金牛（药用部位：茎叶）

| 植物形态 |

亚灌木状小灌木，具匍匐茎。叶片坚纸质，广椭圆形至广椭圆状卵形，基部钝至圆形，边缘具圆齿或圆波状齿，齿间具边缘腺点，两面被长柔毛和腺点，侧脉约 15 对，常达边缘腺点或多少连成边缘脉；叶柄长 1.5~3.5cm。复亚伞形花序或聚伞花序，腋生或侧生，常着生于茎上部，密被长柔毛及绒毛；总花梗长约 1cm 或略长，花梗长 6~10mm，均被长柔毛；花长约 6mm，花萼仅基部连合，萼片长圆状披针形至舌形，两面被长柔毛和腺点；花瓣粉红色，卵形，具腺点；雄蕊较花瓣略短，花药狭披针形，背部具腺点；雌蕊与花瓣等长或略长，子房球形；胚珠 5，1 轮。果实球形，红色，具腺点。花期 6~7 月，果期 12 月至翌年 2 月。

| 分布区域 |

产于海南乐东、五指山、保亭、万宁、三亚、琼中、定安等地。亦分布于中国云南。越南亦有分布。

| 资　　源 |

生于山谷密林下或林缘、溪旁及阴湿处，有时亦见于路边或竹林下。

| 采收加工 |

全年均可采，切段，晒干。

| 功能主治 |

清热解毒，散瘀止痛。用于咽喉肿痛、疮疖痈肿、跌打损伤、风湿痹痛。

紫金牛科 Myrsinaceae 紫金牛属 *Ardisia*

纽子果 *Ardisia virens* Kurz

纽子果

| 中 药 名 |

豹子眼睛果（药用部位：根）

| 植物形态 |

灌木；茎粗壮，除侧生特殊花枝外，无分枝。叶片坚纸质或厚，椭圆状或长圆状披针形或狭倒卵形，先端渐尖，罕急尖，边缘具皱波状或细圆齿，齿间具边缘腺点，背面通常具密腺点，尤以叶缘为多，有时具疏鳞片状物，侧脉15~30对，连成紧靠边缘的边缘脉；叶柄长1（~1.5）cm。复伞房花序或伞形花序，着生于侧生特殊花枝先端，每个花序总梗长3~7cm；花梗长1.5~3cm，花萼仅基部连合，萼片长圆状卵形至几圆形，具密腺点；花瓣初时白色或淡黄色，以后变粉红色，卵形至广卵形，具腺点；雄蕊较花瓣略短，花药披针形或近卵形，背部具腺点；雌蕊与花瓣等长或略短，子房球形，具密腺点；胚珠5，1轮。果实球形，红色，具密腺点。花期6~7月，果期10~12月或至翌年1月。

| 分布区域 |

产于海南白沙、五指山、保亭等地。亦分布于中国云南、广西、台湾。

资　　源	生于山地林下阴湿处及土壤肥沃的地方，偶见。
采收加工	全年均可采，洗净，切段，晒干。
药材性状	果实球形，红色，具密腺点。
功能主治	清热解毒，散瘀止痛。用于感冒发热、咽喉肿痛、牙痛口糜、风湿热痹、胃痛、小儿疳积、跌打肿痛。

紫金牛科 Myrsinaceae 酸藤子属 *Embelia*

酸藤子 *Embelia laeta* (L.) Mez

| 中 药 名 | 酸藤木（药用部位：枝叶、根），酸藤果（药用部位：果实）

| 植物形态 | 攀缘灌木或藤本，稀小灌木。叶片坚纸质，倒卵形或长圆状倒卵形，先端圆形、钝或微凹，全缘，无腺点，叶背面常被薄白粉。总状花序，腋生或侧生，生于前年无叶枝上，有花 3~8，基部具 1~2 轮苞片；花梗长约 1.5mm，小苞片钻形或长圆形，具缘毛；花 4，花萼基部连合达 1/2 或 1/3，萼片卵形或三角形，具腺点；花瓣白色或带黄色，卵形或长圆形，具缘毛，里面密被乳头状突起，具腺点，开花时强烈展开；雄蕊在雌花中退化，长达花瓣的 2/3，在雄花中略超出花瓣，基部与花瓣合生，花丝挺直，花药背部具腺点；雌蕊在雄花中退化或几无，子房瓶形，花柱细长，柱头扁平或几成盾状。果实球形，腺点不明显。花期 12 月至翌年 3 月，果期 4~6 月。

酸藤子

| **分布区域** | 产于海南三亚、昌江、白沙、澄迈、临高、陵水等地。亦分布于中国云南、广西、广东、江西、福建、台湾。 |

| **资　　源** | 多生于海拔 800m 以下山坡灌丛及疏林中向阳之处，常见。 |

| **采收加工** | 枝叶、根：全年均可采，洗净，切段，鲜用或晒干。果实：夏季果实成熟时采收，蒸熟，晒干。 |

| **药材性状** | 枝叶：叶片多卷曲，展平后呈倒卵形至椭圆形，长 3~5.5cm，宽 1~2.5cm，先端钝圆或微凹，基部楔形，全缘，侧脉不明显。叶柄短，长 5~8mm。有时可见小枝细圆柱形，长短不一，紫褐色。气微，味酸。果实：浆果圆球形，熟时红色或紫黑色，干后黑褐色，直径 5~6mm，平滑，或有纵皱缩条纹和少数腺点。气微，味酸、甜。 |

| **功能主治** | 枝叶、根：清热解毒，散瘀止血。用于咽喉红肿、齿龈出血、痢疾、泄泻、疮疖溃疡、皮肤瘙痒、痔疮肿痛、跌打损伤。果实：补血，收敛止血。用于血虚、齿龈出血。 |

紫金牛科 Myrsinaceae 酸藤子属 *Embelia*

白花酸藤子 *Embelia ribes* Burm. f.

| **中 药 名** | 咸酸蒴（药用部位：根、叶）

| **植物形态** | 攀缘灌木或藤本；老枝有明显的皮孔。叶片坚纸质，倒卵状椭圆形或长圆状椭圆形，基部楔形或圆形，全缘，背面有时被薄粉；叶柄长 5~10mm，两侧具狭翅。圆锥花序，顶生，枝条被疏乳头状突起或密被微柔毛；花梗长 1.5mm 以上；小苞片钻形或三角形；花 5 数，稀 4 数，花萼基部连合达萼长的 1/2，萼片三角形，有时被乳头状突起，具腺点；花瓣淡绿色或白色，椭圆形或长圆形，边缘和里面被密乳头状突起，具疏腺点；雄蕊在雄花中着生于花瓣中部，花丝较花药长 1 倍，花药卵形或长圆形，背部具腺点；雌蕊在雄花中退化，柱

白花酸藤子

头呈不明显的 2 裂，子房卵珠形，柱头头状或盾状。果实球形或卵形，红色或深紫色，干时具皱纹或隆起的腺点。花期 1~7 月，果期 5~12 月。

| 分布区域 | 产于海南临高、定安、陵水、保亭等地。亦分布于中国贵州、云南、广西、广东、福建。

| 资　　源 | 多生于海拔 1000m 以下的疏林或灌丛中阳光充足的地方。

| 采收加工 | 全年均可采，洗净，切片，晒干或鲜用。

| 药材性状 | 叶片多破碎，完整者展平后呈倒卵状椭圆形或长圆状椭圆形，长 5~7cm，宽约2.5cm，先端钝渐尖，基部楔形或圆形，全缘，两面无毛，背面有时被薄粉，腺点不明显；叶柄长 5~7mm。气微，味微酸、涩。

| 功能主治 | 活血调经，清热利湿，消肿解毒。用于闭经、痢疾、腹泻、小儿头疮、皮肤瘙痒、跌打损伤、外伤出血、毒蛇咬伤。

瘤皮孔酸藤子 *Embelia scandens* (Lour.) Mez

| 中 药 名 | 假刺藤（药用部位：根、叶）

| 植物形态 | 攀缘灌木；小枝密布瘤状皮孔。叶片坚纸质至革质，长椭圆形或椭圆形，基部圆形或楔形；全缘或上半部具不明显的疏锯齿，侧脉 7~9 对；叶柄长 5~8mm，两侧微具狭翅。总状花序，腋生，长 1~4cm；花梗长 1~2mm；小苞片钻形，具缘毛及腺点；花 5 数，稀 4 数，萼片三角形，具腺点；花瓣白色或淡绿色，分离，椭圆状披针形或长圆状卵形至倒卵形，具明显的腺点，里面中央尤其是基部密被乳头状突起；雄蕊在雌花中退化，着生于花瓣的 1/2 处，在雄花中较花瓣长，着生于花瓣的 1/4 处；花丝基部多少具微柔毛，花药广卵形或卵形，背部具腺点；雌蕊在雄花中退化，不超过花瓣的

瘤皮孔酸藤子

1/2，在雌花中较长；子房卵形，花瓣脱落后，花柱伸长，柱头呈头状或浅裂。果实球形，直径约 5mm，红色，花柱宿存，宿存萼反卷。花期 11 月至翌年 1 月，果期 3~5 月。

| **分布区域** | 产于海南万宁、琼中、保亭、三亚等地。亦分布于中国云南、广西、广东。

| **资　　源** | 多生于低海拔的山地、山谷林中。

| **采收加工** | 根：全年均可采挖，洗净，切片，晒干。叶：可鲜用。

| **功能主治** | 舒筋活络，敛肺止咳。用于痹病痉挛骨痛、肺痨咳嗽。

紫金牛科 Myrsinaceae 杜茎山属 *Maesa*

顶花杜茎山 *Maesa balansae* Mez

| **中 药 名** | 顶花杜茎山（药用部位：根、叶）

| **植物形态** | 灌木；小枝圆柱形，红褐色，具细条纹，常具皮孔。叶片坚纸质，广椭圆形或椭圆状卵形，基部广楔形或钝，近全缘或具疏细齿或短锐齿，齿尖常具腺点，叶背细脉微隆起，侧脉 6~8 对，无腺点及无脉状腺条纹；叶柄长 2~3cm。圆锥花序，腋生和顶生，长 7~17（~20）cm，分枝多；苞片披针形或钻形，全缘；花梗长 1~2mm；小苞片卵形，紧贴于花萼基部，具疏缘毛；萼片广卵形，较萼管略长，边缘薄，具缘毛，有脉状腺条纹 3~4；花冠白色，钟形，具脉状腺条纹，裂片广卵形，先端近圆形，与花冠管等长，边缘啮蚀状；雄蕊短，内藏，着生于花冠管喉部，花丝略长于花药，花药卵形，背部无腺点；雌

顶花杜茎山

蕊较雄蕊短，花柱与子房等长，柱头微 4 裂。果实球形，具纵行肋纹，宿存萼包果实先端，常冠以宿存花柱。花期 1~2 月，果期 8~11 月。

| 分布区域 |

产于海南昌江、东方、乐东、三亚、陵水。亦分布于中国广西。

| 资　源 |

常见于旷野、灌丛中，有时生在疏林下或溪边。

| 采收加工 |

根：全年可采挖，洗净，切片，晒干或鲜用。叶：鲜用或晒干。

| 功能主治 |

根：用于吐血。叶：用于风湿骨痛、关节痛、小便出血、急性结膜炎、小儿消化不良。

紫金牛科 Myrsinaceae 杜茎山属 Maesa

杜茎山 *Maesa japonica* (Thunb.) Moritzi. ex Zoll.

| **中 药 名** | 杜茎山（药用部位：根、茎、叶）

| **植物形态** | 灌木；小枝无毛，具细条纹，疏生皮孔。叶片革质，椭圆形至披针状椭圆形，或倒卵形至长圆状倒卵形，或披针形，基部楔形、钝或圆形，几全缘或中部以上具疏锯齿，侧脉 5~8 对；叶柄长 5~13mm。总状花序或圆锥花序，单 1 或 2~3 个腋生，长 1~3（~4）cm；苞片卵形；花梗长 2~3mm；小苞片广卵形或肾形，具疏细缘毛或腺点；花萼长约 2mm，萼片长约 1mm，卵形至近半圆形，具明显的脉状腺条纹，具细缘毛；花冠白色，长钟形，花冠管长 3.5~4mm，具明显的脉状腺条纹，裂片长为花冠管的 1/3 或更短，卵形或肾形，边缘略具细齿；雄蕊着生于花冠管中部略上，内藏，花药卵形，背部具腺点；

杜茎山

柱头分裂。果实球形，肉质，具脉状腺条纹，宿存萼包裹先端，常冠宿存花柱。花期 1~3 月，果期 10 月或 5 月。

| 分布区域 |

产于海南白沙、定安等地。亦分布于中国西南，及福建、台湾、广东、广西。

| 资　　源 |

生于海拔 300~800m 的杂木林下、坡地或沟边阴湿处。

| 采收加工 |

全年均可采，洗净，切段，晒干或鲜用。

| 药材性状 |

茎类圆柱形，长短不一，表面黄褐色，具细条纹及疏生的皮孔。叶片多破碎，完整者展平后呈椭圆形、椭圆状披针形、倒卵形或长圆状卵形，长 5~15cm，宽 2~5cm，先端尖或急尖，基部楔形或圆形，边缘中部以上有疏齿。气微，味苦。

| 功能主治 |

祛风邪，解疫毒，消肿胀。用于热性传染病、寒热发歇不定、身疼、烦躁、口渴、水肿、跌打肿痛、外伤出血。

紫金牛科 Myrsinaceae 杜茎山属 *Maesa*

疏花杜茎山 *Maesa laxiflora* Pit.

| 中 药 名 | 杜茎山（药用部位：根、茎叶）

| 植物形态 | 灌木或小乔木；小枝具钝棱。叶片坚纸质或略薄，卵形，基部截形、微心形或近楔形，边缘具钝齿和钝疏锯齿，齿尖具腺点，侧脉约10对，具密细脉状腺条纹；叶柄长2~3（~3.5）cm。松散的圆锥花序，顶生及腋生，长5~14cm；苞片披针形或卵状披针形；花梗长1~2.5mm；小苞片卵形，近全缘或具缘毛；花长约2mm，萼片广卵形，先端钝或圆形，全缘或具微波状细齿，具脉状腺条纹；花冠白色，钟形，裂片与花冠管等长，广卵形，几全缘，具脉状腺条纹；

疏花杜茎山

雄蕊内藏，着生于花冠管中部略上，花丝较花药长，花药卵形；雌蕊较雄蕊短，柱头微裂。果实球形或近卵圆形，肉质，多少具脉状腺条纹及纵行肋纹，宿存萼包裹先端，常具宿存花柱。花期约 2 月，果期约 12 月。

| 分布区域 | 产于海南三亚、乐东、昌江、万宁、琼中、琼海、五指山等地。海南特有种。

| 资　　源 | 生于山间林中土层深厚的地方。

| 采收加工 | 全年均可采，洗净，切段，晒干或鲜用。

| 功能主治 | 祛风邪，解疫毒，消肿胀。用于热性传染病、寒热发歇不定、身疼、烦躁、口渴、水肿、跌打肿痛、外伤出血。

紫金牛科 Myrsinaceae 杜茎山属 Maesa

鲫鱼胆 *Maesa perlarius* (Lour.) Merr.

| 中 药 名 | 空心花（药用部位：全株）

| 植物形态 | 灌木。叶片纸质或近坚纸质，广椭圆状卵形至椭圆形，基部楔形，边缘从中下部以上具粗锯齿，下部常全缘，背面被长硬毛，侧脉7~9对；叶柄长7~10mm，被长硬毛或短柔毛。总状花序或圆锥花序，腋生，长2~4cm，具2~3分枝（为圆锥花序时），被长硬毛和短柔毛；苞片披针形或钻形，花梗长约2mm，小苞片披针形或近卵形，均被长硬毛和短柔毛；萼片广卵形，具脉状腺条纹；花冠白色，钟形，与花萼等长，具脉状腺条纹；裂片与花冠管等长，广卵形，边缘具不整齐的微波状细齿；雄蕊在雌花中退化，在雄花中着生于花冠管上部，内藏，花丝较花药略长，花药广卵形或近肾形，无腺点；雌蕊较雄蕊略短，花柱短且厚，柱头4裂。果实球形，具脉状腺条纹；

鲫鱼胆

宿存萼片达果实中部略上，即果实的 2/3 处，常冠以宿存花柱。花期 3~4 月，果期 12 月至翌年 5 月。

| 分布区域 |

产于海南琼中、万宁、陵水、保亭、乐东、三亚。亦分布于中国西南，以及福建、台湾、广东、广西。

| 资　　源 |

生于村边开阔的灌丛及疏林中。

| 采收加工 |

全年均可采收，切段，晒干或鲜用。

| 药材性状 |

茎枝圆柱形，多已切成段，长 3~6cm，直径 0.5~1.2（~2）cm；表面棕褐色，微有纵皱纹，具均匀分布的红棕色圆形点状皮孔，主茎更明显。叶互生，具长 7~10mm 的叶柄；叶片薄纸质，皱缩，展平后呈卵状椭圆形，长 5~9cm，宽 3~5cm；叶面绿色，叶背色较淡，先端稍尖长，基部钝圆或略呈楔形，边缘有疏齿，中部以下渐不明显；叶背中脉、叶柄及嫩枝均被锈色柔毛。叶腋间有总状花序，花小，黄色，易脱落；常见留有小浆果呈球形，深黄棕色，长约 3mm，具短果柄。气微，味涩。

| 功能主治 |

接骨消肿，去腐生肌。用于跌打骨折、刀伤、痔疮肿疡。

紫金牛科 Myrsinaceae 密花树属 Rapanea

打铁树 *Rapanea linearis* (Lour.) S. Moore

| 中 药 名 | 打铁树（药用部位：叶）

| 植物形态 | 灌木或乔木，高 1~8（~30）m，分枝多；幼时密被鳞片，以后脱落，无毛，具纵纹。叶通常聚于小枝先端，叶片坚纸质，稀近革质，倒卵形或倒披针形，稀椭圆状披针形，先端圆形或广钝，有时急尖且微凹，长 3~7cm，宽 1.2~2.5cm，全缘，两面无毛，干时叶面颜色较深，中脉平整，侧脉及细脉不明显，背面中脉明显，隆起，侧脉（8~10 对）及细脉微隆起，密布腺点，腺点微隆起。花簇生或成伞形花序，有花 4~6 或更多，着生于具覆瓦状排列的苞片的小短枝先端，小短枝腋生或生于老枝叶痕上；苞片广卵形，先端钝，边缘具疏乳头状突起；花梗长（2~）4mm；无毛；花（4~）5 数，稀 6 数，长 2~2.5mm，花萼基部连合，长约 1mm，萼片卵形，先端钝，多少具腺点，边缘

打铁树

具乳头状突起；花瓣白色或淡绿色，长约 2.2mm，基部连合达全长的 1/3，裂片椭圆状卵形，边缘和里面具乳头状突起，具疏腺点，连合部分无毛；雄蕊着生于花冠管喉部，与裂片几等长，花丝极短或无，花药与花冠裂片同形，几等大，先端具微柔毛；雌蕊不伸出花冠，子房卵珠形，无毛，花柱极短，柱头舌状或微裂。果实球形，直径 3~4mm，紫黑色，常具皱纹，多少具腺点。花期 12 月至翌年 1 月，果期 7~9 月或 11 月。

| 分布区域 | 产于海南万宁、三亚、乐东、保亭、昌江、陵水、澄迈等地。亦分布于中国贵州、广西、广东。

| 资　　源 | 生于山间疏、密林中，或荒坡灌丛中，或石灰岩山灌丛中。

| 采收加工 | 全年均可采，晒干或鲜用。

| 功能主治 | 接骨消肿，去腐生肌。用于跌打骨折、刀伤、痔疮肿疡。

安息香科 Styracaceae　安息香属 Styrax

喙果安息香 *Styrax agrestis* (Lour.) G. Don

| 中 药 名 | 喙果安息香（药用部位：叶、果实）

| 植物形态 | 乔木；树皮灰褐色或暗褐色；嫩枝略扁，有棱，老枝圆柱形。叶互生，纸质或近革质，椭圆形、长椭圆形或椭圆状披针形，基部楔形或宽楔形，边全缘或具不规则细锯齿，侧脉每边 4~7，第三级小脉网状，网脉在两面均明显隆起；叶柄长 8~15mm，上面有深槽。总状花序顶生，有花 5~10，下部有 1~2 花腋生；花序梗、花梗和小苞片均密被灰黄色星状绒毛；花白色；花梗长 8~15mm；小苞片钻形或披针形；花萼杯状，外面密被黄色星状绒毛和星状长柔毛；花冠裂片披针形，外面密被紧贴星状短柔毛，边缘常狭内褶，花蕾时作镊合状排列，花冠管长达 4mm；雄蕊较花冠稍短，花丝中部弯曲，被长柔毛，

喙果安息香

基部联合成管，上部分离，花药长圆形，药隔被白色星状柔毛；花柱长达 2cm，无毛。果实长圆形或斜卵形，先端常有短喙，密被黄褐色星状绒毛；种子 1~2，椭圆形，褐色，有皱纹或光滑，被鳞片状毛，被毛密或疏至无毛。花期 9~12 月，果期翌年 3~5 月。

| 分布区域 |

产于海南三亚、保亭、琼中、万宁。亦分布于中国广东、广西。

| 资　源 |

多生于低海拔至中海拔的疏林中或山谷中。

| 采收加工 |

叶：全年均可采，晒干。果实：3~5 月采收成熟果实，晒干。

| 功能主治 |

祛风湿，理气止痛。用于风湿痹痛、脘腹胀痛。

安息香科 Styracaceae　安息香属 Styrax

栓叶安息香
Styrax suberifolius Hook. et Arn.

| 中 药 名 | 红皮（药用部位：叶、根）

| 植物形态 | 乔木；嫩枝稍扁，具槽纹。叶互生，革质，椭圆形、长椭圆形或椭圆状披针形，基部楔形，边近全缘，下面密被黄褐色至灰褐色星状绒毛，侧脉每边 5~12；叶柄长 1~1.5（~2）cm，上面具深槽或近四棱形，密被灰褐色或锈色星状绒毛。总状花序或圆锥花序，顶生或腋生，长 6~12cm；花序梗和花梗均密被灰褐色或锈色星状柔毛；花白色；花梗长 1~3mm；小苞片钻形或舌形；花萼杯状，萼齿三角形或波状，外面密被灰黄色星状绒毛和疏生褐棕色或黄褐色星状短柔毛；花冠 4（~5）裂，裂片披针形或长圆形，边缘常狭内褶，花蕾时作镊合状排列；雄蕊 8~10，花丝扁平，下部联合成管，上部分离，花药长圆形；

栓叶安息香

花柱与花冠近等长。果实卵状球形，密被灰色至褐色星状绒毛，成熟时从先端向下 3 瓣开裂；种子褐色，无毛，宿存花萼包围果实的基部至一半。花期 3~5 月，果期 9~11 月。

| **分布区域** | 产于海南东方。亦分布于中国长江以南各地，西至四川、云南。

| **资　　源** | 生于密林中。

| **采收加工** | 夏、秋季采收叶和根，洗净，根切片，晒干。

| **药材性状** | 叶片皱缩破碎，完整者展平后呈椭圆形、椭圆状矩圆形或披针状矩圆形，长 7~8.5cm，宽 2~3.7cm，上面黄绿色或棕绿色，下部叶脉突起，革质。气微，味辛。

| **功能主治** | 祛风湿，理气止痛。用于风湿痹痛、脘腹胀痛。

山矾科 Symplocaceae 山矾属 Symplocos

狭叶山矾 *Symplocos angustifolia* Guill.

| 中 药 名 | 狭叶山矾（药用部位：叶、花）

| 植物形态 | 灌木，嫩枝绿色，具棱，老枝褐色，被白蜡层，侧芽的芽鳞有腺齿。叶近革质，狭椭圆状披针形或线状披针形，基部狭楔形，边缘有疏离的浅锯齿，齿端有褐色腺质齿尖；侧脉每边 6~10，在近叶缘处分叉网结；叶柄长 4~8mm。穗状花序常集中在枝顶，长 6~9（~11）cm，花序轴、苞片和小苞片背面均被短柔毛；苞片卵形，小苞片三角状卵形，背面中肋突起；花萼无毛，5 裂，裂片阔卵形，与萼筒等长；花冠白色，5 深裂几达基部；雄蕊约 40，花丝长 5~6mm；花盘环状；子房 3 室。核果灰绿色，近球形，直径约 4mm，先端宿萼裂片直立或合成圆锥状。花期 5 月，果期 7~11 月。

狭叶山矾

| **分布区域** |

产于海南三亚、五指山、陵水、保亭、万宁等地。

| **资　　源** |

生于海拔 300~500m 的林中、湿润岩石地或溪边。

| **采收加工** |

叶：全年可采，晒干。果实：7~11 月采收，晒干。

| **功能主治** |

清热利湿，理气化痰。

山矾科 Symplocaceae 山矾属 Symplocos

十棱山矾 *Symplocos chunii* Merr.

| 中 药 名 | 十棱山矾（药用部位：叶、花）

| 植物形态 | 乔木；幼枝深褐色或灰褐色，老枝黑色；芽被褐色短绒毛。叶薄革质，长圆状倒卵形、倒披针形或狭椭圆形，长 5~10（~17）cm，宽 2~5cm，先端急尖或渐尖，有时圆钝，基部楔形，全缘或有浅波状圆齿，两面均无毛；中脉在叶面凹下，侧脉每边 8~10，直向上至近叶缘处分叉网结；叶柄长 3~8mm。穗状花序腋生，长 8~15mm，有时缩短呈团伞状，花序轴、苞片和小苞片均被褐色绒毛，苞片先端边缘有褐色透明腺点；花萼无毛，长约 3mm，5 裂，裂片卵形或狭卵形，长约 2mm；花冠白色或淡黄色，长 4~5mm，5 深裂几达基部；雄蕊 50~70，花丝基部稍合生；花盘碟状。核果圆柱形，长 8~10mm，先

十棱山矾

端因宿萼裂片在果熟时脱落而截平；核具 10 条浅纵棱。花期 1 月，果期 4~5 月。

分布区域

产于海南三亚、乐东、昌江、白沙、陵水、万宁、儋州、澄迈、五指山等地。

资　源

自平地至高山的疏、密林地中均有生长，十分常见。

采收加工

叶：全年可采，晒干。花：1 月采收，晒干。

功能主治

清热利湿，理气化痰。

山矾科 Symplocaceae 山矾属 Symplocos

越南山矾

Symplocos cochinchinensis (Lour.) S. Moore

越南山矾

|中药名|

火灰树（药用部位：树皮）

|植物形态|

乔木；小枝粗壮，芽、嫩枝、叶柄、叶背中脉均被红褐色绒毛。叶纸质，椭圆形、倒卵状椭圆形或狭椭圆形，基部阔楔形或近圆形，叶背被柔毛，柔毛的基部有褐色腺状斑点，边缘有细锯齿或近全缘；侧脉每边 7~13；叶柄长 1~2cm。穗状花序长 6~11cm，近基部 3~5 分枝，花序轴、苞片、花萼均被红褐色绒毛；苞片卵形，小苞片三角状卵形，背面中肋突起；花萼长 2~3mm，5 裂，裂片卵形，与萼筒等长；花冠有芳香，白色或淡黄色，5 深裂几达基部；雄蕊 60~80，花丝基部联合；花盘圆柱状；子房 3 室。核果圆球形，先端宿萼裂片合成圆锥状，基部有宿存苞片，核具 5~8 条浅纵棱。花期 8~9 月，果期 10~11 月。

|分布区域|

产于海南各地。亦分布于中国台湾、福建南部、广东、广西、云南。

| 资 源 |

生于海拔 1200m 以下的山坡树林中，多见于林缘或次生林中，十分常见。

| 采收加工 |

全年可剥取树皮，切段，晒干或鲜用。

| 药材性状 |

质硬而脆，易折断，折断面不平坦。

| 功能主治 |

散寒清热。用于伤风头昏、热邪口燥、感冒身热、肝炎、乏力。

山矾科 Symplocaceae 山矾属 Symplocos

火灰山矾 *Symplocos dung* Eberh. & Dubard

| 中 药 名 | 山矾（药用部位：树皮）

| 植物形态 | 常绿小乔木。叶革质，干后黄绿色，倒卵形或狭倒卵形，长 4~9（~13）cm，宽 1.5~4cm，先端圆或有短急尖，中部以下渐狭成狭楔形，边缘具细弯圆锯齿，齿端具黑色腺质齿尖；侧脉每边 4~8，在离叶缘 3~6mm 处开叉与稀疏的网脉网结；叶柄长 5~8mm。穗状花序长 3.5~7.5cm，花序轴、苞片均被褐色柔毛；苞片椭圆形，边缘有腺点，小苞片三角状阔卵形，有中肋；花萼长 2.3~2.8mm，5 裂，裂片卵形或椭圆状卵形，萼筒很短；花冠白色，5 深裂几达基部；雄蕊 30~40，花丝长 3~5mm，基部稍合生；花盘无毛；子房 3 室。核果近球形，直径 4~5mm，先端宿萼裂片稍张开或合成圆锥状；核无棱。花期 6~12 月，果期 9 月至翌年 3 月。

火灰山矾

| **分布区域** | 产于海南文昌、琼海、万宁、陵水。亦分布于中国广西、广东中南部、福建东部。

| **资　　源** | 生于海拔 200~700m 的林中。

| **采收加工** | 全年可剥取树皮，切段，晒干或鲜用。

| **药材性状** | 质硬而脆，易折断，折断面不平坦。

| **功能主治** | 散寒清热。用于伤风头昏、热邪口燥、感冒身热、肝炎、乏力。

██ 山矾科 ██ Symplocaceae ██ 山矾属 ██ *Symplocos*

铁山矾 *Symplocos pseudobarberina* Gontsch.

| 中 药 名 | 铁山矾（药用部位：叶、花）

| 植物形态 | 乔木；全株无毛；幼枝黄绿色，直径约 2mm，老枝灰黑色，被白蜡层。叶纸质，卵形或卵状椭圆形，长 5~8（~10）cm，宽 2~4cm，先端渐尖或尾状渐尖，基部楔形或稍圆，边缘有稀疏的浅波状齿或全缘；中脉在叶面凹下，侧脉每边 3~5；叶柄长 5~10mm。总状花序基部常分枝，长约 3cm，无毛，花梗粗而长；苞片与小苞片背面均无毛，有缘毛；苞片长卵形，长 1.2~2mm，小苞片三角状卵形，背面有中肋；花萼长约 2mm，裂片卵形，短于萼筒；花冠白色，长约 4mm，5 深裂几达基部；雄蕊 30~40；花盘 5 裂，无毛；子房 3 室。核果绿色或黄色，长圆状卵形，长 6~8mm，先端宿萼裂片向内倾斜或直立。

铁山矾

| **分布区域** | 产于海南陵水、保亭、白沙、东方。亦分布于中国云南、广西、湖南、福建、广东。

| **资　　源** | 生于高海拔的密林中。

| **采收加工** | 叶：全年可采，晒干。

| **功能主治** | 散寒清热。用于伤风头昏、热邪口燥、感冒身热、肝炎、乏力。

马钱科 Loganiaceae 醉鱼草属 Buddleja

白背枫 *Buddleja asiatica* Lour.

白背枫

| 中 药 名 |

白背枫（药用部位：全株），白鱼尾（药用部位：根、茎、叶），白鱼尾果（药用部位：果实）

| 植物形态 |

直立灌木或小乔木。幼枝、叶下面、叶柄和花序均密被灰色或淡黄色星状短绒毛。叶对生，叶片膜质至纸质，狭椭圆形、披针形或长披针形，基部渐狭而成楔形，全缘或有小锯齿；侧脉每边 10~14；叶柄长 2~15mm。总状花序窄而长，由多个小聚伞花序组成，单生或 3 至数个聚生于枝顶或上部叶腋内，再排列成圆锥花序；花梗长 0.2~2mm；小苞片线形；花萼钟状或圆筒状，外面被星状短柔毛或短绒毛，内面无毛，花萼裂片三角形；花冠芳香，花冠管圆筒状，外面近无毛或被稀疏星状毛，花冠裂片近圆形；雄蕊着生于花冠管喉部，花丝极短，花药长圆形，基部心形，花粉粒长球状，具 3 沟孔；雌蕊长 2~3mm，无毛，子房卵形或长卵形，花柱短，柱头头状，2 裂。蒴果椭圆状；种子灰褐色，椭圆形，两端具短翅。花期 1~10 月，果期 3~12 月。

分布区域

产于海南临高、定安、琼中、陵水、保亭、三亚、东方、白沙等地。亦分布于中国陕西、江西、福建、台湾、湖北、湖南、广东、广西、四川、贵州、云南、西藏。

资　源

常见于低海拔至中海拔的向阳山坡灌木林中。

采收加工

全株：全年均可采，鲜用或晒干。根、茎：随采随用，切片，晒干。叶：8~9 月采叶，鲜用或晒干。果实：3~12 月采收成熟的果实，鲜用或晒干。

药材性状

幼枝、叶下面、叶柄和花序均密被灰色或淡黄色星状短绒毛。叶对生，叶片膜质至纸质，狭椭圆形、披针形或长披针形，基部渐狭而成楔形，全缘或有小锯齿。总状花序。蒴果椭圆状；种子灰褐色，椭圆形，两端具短翅。

功能主治

全株：祛风利湿，行气活血。用于产后头风痛、胃寒作痛、风湿关节痛、跌打损伤、骨折。外用于皮肤湿痒、阴囊湿疹、无名肿毒。根、茎、叶：祛风除湿，活血通络，解毒杀虫。用于风寒发热、头身疼痛、风湿关节痛、脾湿腹胀、胃寒作痛、痢疾、丹毒、湿疹、无名肿痛、跌打损伤、骨折、虫积腹痛。果实：驱蛔。用于蛔虫病。

马钱科 Loganiaceae 灰莉属 *Fagraea*

灰 莉 *Fagraea ceilanica* Thunb.

| 中 药 名 | 灰莉（药用部位：叶）

| 植物形态 | 乔木，有时附生于其他树上呈攀缘状灌木。叶片稍肉质，干后变纸质或近革质，椭圆形、卵形、倒卵形或长圆形，有时长圆状披针形，先端渐尖、急尖或圆而有小尖头，基部楔形或宽楔形；侧脉每边 4~8；叶柄长 1~5cm，基部具有由托叶形成的腋生鳞片。花单生，或组成顶生二歧聚伞花序；花序梗短而粗，基部有长约 4mm 披针形的苞片；花梗粗壮，长达 1cm，中部以上有 2 枚宽卵形的小苞片；花萼绿色，肉质，裂片卵形至圆形，边缘膜质；花冠漏斗状，白色，芳香，花冠管长 3~3.5cm，倒卵形，上部内侧有突起的花纹；雄蕊内藏，花丝丝状，花药长圆形至长卵形；子房椭圆状或卵状，光滑，2 室，

灰莉

每室有胚珠多枚，花柱纤细，柱头倒圆锥状或稍呈盾状。浆果卵状或近圆球状，淡绿色，有光泽，基部有宿萼；种子椭圆状肾形，藏于果肉中。花期 4~8 月，果期 7 月至翌年 3 月。

| 分布区域 |

产于海南三亚、乐东、昌江、东方、五指山、保亭、万宁、琼中、澄迈、屯昌等地。亦分布于中国台湾、广东、广西和云南南部。

| 资　　源 |

生于中部山区林缘、路旁。

| 采收加工 |

全年均可采，晒干或鲜用。

| 药材性状 |

叶片稍肉质，干后变纸质或近革质，椭圆形、卵形、倒卵形或长圆形，有时长圆状披针形，先端渐尖、急尖或圆而有小尖头。

| 功能主治 |

外用于伤口溃烂。

马钱科 Loganiaceae 钩吻属 Gelsemium

钩 吻 *Gelsemium elegans* (Gardn. et Champ.) Benth.

| 中 药 名 |　钩吻（药用部位：全株）

| 植物形态 |　常绿木质藤本。叶片膜质，卵形、卵状长圆形或卵状披针形，基部阔楔形至近圆形；侧脉每边 5~7；叶柄长 6~12mm。花密集，组成顶生和腋生的三歧聚伞花序，每分枝基部有苞片 2；小苞片三角形，生于花梗的基部和中部；花梗纤细，长 3~8mm；花萼裂片卵状披针形；花冠黄色，漏斗状，内面有淡红色斑点，花冠管长 7~10mm，花冠裂片卵形；雄蕊着生于花冠管中部，花丝细长，花药卵状长圆形，伸出花冠管喉部之外；子房卵状长圆形，花柱长 8~12mm，柱头上部 2 裂，裂片先端再 2 裂。蒴果卵形或椭圆形，未开裂时明显地具有 2 条纵槽，成熟时通常黑色，干后室间开裂为 2 个 2 裂果瓣，基

钩吻

部有宿存的花萼，果皮薄革质，内有种子 20~40；种子扁压状椭圆形或肾形，边缘具有不规则齿裂状膜质翅。花期 5~11 月，果期 7 月至翌年 3 月。

| 分布区域 | 产于海南五指山、保亭、白沙等地。亦分布于中国江西、福建、台湾、湖南、广东、广西、贵州、云南等地。

| 资　　源 | 生于海拔 500~2000m 的向阳山坡、路边草丛或灌丛中。

| 采收加工 | 全年均可采，切段，晒干或鲜用。

| 药材性状 | 茎：茎呈圆柱形，外皮灰黄色至黄褐色，具深纵沟及横裂隙；幼茎较光滑，黄绿色或黄棕色，具细纵纹及纵向椭圆形突起的点状皮孔。节稍膨大，可见叶柄痕。质坚，不易折断，断面不整齐，皮部黄棕色，木质部淡黄色，具放射状纹理，密布细孔，髓部褐色或中空。气微，味微苦，有毒。叶：叶不规则皱缩，完整者展平后呈卵形或卵状披针形，先端渐尖，基部楔形或钝圆，叶脉于下面突起，侧脉 5~7 对，上面灰绿色至淡棕褐色，下面色较浅。气微，味微苦。

| 功能主治 | 祛风攻毒，散结，止痛。用于疥癣、湿疹、瘰疬、痈肿、疔疮、跌打损伤、风湿痹痛、神经痛。

马钱科 Loganiaceae 马钱属 Strychnos

牛眼马钱 *Strychnos angustiflora* Benth.

| **中 药 名** | 牛眼珠（药用部位：种子）

| **植物形态** | 木质藤本；除花序和花冠以外，全株无毛。小枝变态成为螺旋状曲钩，上部粗厚，老枝有时变成枝刺。叶片革质，卵形、椭圆形或近圆形，基部钝至圆，有时浅心形；基出脉 3~5，紧靠边缘的 2 条脉纤细；叶柄长 4~6mm。三歧聚伞花序顶生，长 2~4cm，被短柔毛；苞片小；花 5 数，具短花梗；花萼裂片卵状三角形，外面被微柔毛；花冠白色，花冠管与花冠裂片等长或近等长，花冠裂片长披针形，近基部和花冠管喉部被长柔毛；雄蕊着生于花冠管喉部，花丝丝状，花丝比花药长，花药长圆形，伸出花冠管喉部之外；雌蕊长 1cm，子房卵形，花柱伸长。浆果圆球状，光滑，成熟时红色或橙黄色，内有种子 1~6；种子扁圆形。花期 4~6 月，果期 7~12 月。

牛眼马钱

| 分布区域 | 产于海南三亚、东方、万宁、琼中、五指山、澄迈、琼海等地。亦分布于中国福建、广东、广西、云南。

| 资　　源 | 生于山地疏林下或灌丛中。

| 采收加工 | 秋、冬季采收果实，除去果肉，晒干，以油炸酥或用砂炒。

| 药材性状 | 种子扁圆形，直径0.8~1.5cm，厚0.2~0.3cm，一面稍凹，另一面稍突起。表面灰棕绿色，被匍匐状短茸毛，由中央向四周射出，子叶心形，叶脉3，胚根长约1.5mm。气微，味微苦。显微鉴别：种皮表皮非腺毛长200~750μm，直径约20μm，壁有8~9条肋状增厚，扭成辫状，先端渐尖，基部石细胞状。

| 功能主治 | 通经活络，消肿止痛。用于风湿痹痛、手足麻木、半身不遂、痈疽肿毒、跌打损伤。

马钱科 Loganiaceae 马钱属 Strychnos

华马钱 *Strychnos cathayensis* Merr.

| 中 药 名 | 牛目椒（药用部位：根）

| 植物形态 | 木质藤本。小枝常变态成为成对的螺旋状曲钩。叶片近革质，长椭圆形至窄长圆形，基部钝至圆，下面通常无光泽而被疏柔毛；叶柄长 2~4mm，被疏柔毛至无毛。聚伞花序顶生或腋生，长 3~4cm，着花稠密；花序梗短，与花梗同被微毛；花 5 数；花梗长 2mm；小苞片卵状三角形；花萼裂片卵形，外面被微毛；花冠白色，无毛或有时外面有乳头状突起，花冠管远比花冠裂片长，花冠裂片长圆形，稍厚；雄蕊着生于花冠管喉部，花丝比花药短，花药长圆形；雌蕊长达 11mm，无毛，子房卵形，花柱伸长，柱头头状。浆果圆球状，果皮薄而脆壳质，内有种子 2~7；种子圆盘状，被短柔毛。花期 4~6月，果期 6~12 月。

华马钱

分布区域	产于海南乐东、东方、昌江、万宁等地。亦分布于中国台湾、广东、广西、云南。
资 源	生于山地疏林下或山坡灌丛中。
采收加工	全年均可采，洗净，切片，晒干。
药材性状	质地干而硬，商品常斜切成片状。
功能主治	祛风除湿，利水消肿。用于风寒湿痹、寒湿水肿。

马钱科 Loganiaceae 马钱属 Strychnos

马钱子 *Strychnos nux-vomica* L.

| 中 药 名 | 马钱子（药用部位：种子）

| 植物形态 | 乔木，高 5~25m。枝条幼时被微毛，老枝被毛脱落。叶片纸质，近圆形、宽椭圆形至卵形，长 5~18cm，宽 4~13cm，先端短渐尖或急尖，基部圆形，有时浅心形，上面无毛；基出脉 3~5，具网状横脉；叶柄长 5~12mm。圆锥状聚伞花序腋生，长 3~6cm；花序梗和花梗被微毛；苞片小，被短柔毛；花 5 数；花萼裂片卵形，外面密被短柔毛；花冠绿白色，后变白色，长 13mm，花冠管比花冠裂片长，外面无毛，内面仅花冠管内壁基部被长柔毛，花冠裂片卵状披针形，长约 3mm；雄蕊着生于花冠管喉部，花药椭圆形，长 1.7mm，伸出花冠管喉部之外，花丝极短；雌蕊长 9.5~12mm，子房卵形，无毛，花柱圆柱形，长达 11mm，无毛，柱头头状。浆果圆球状，直径

马钱子

2~4cm，成熟时橘黄色，内有种子1~4；种子扁圆盘状，宽2~4cm，表面灰黄色，密被银色绒毛。花期春、夏两季，果期8月至翌年1月。

| **分布区域** | 海南有栽培。亦分布于中国台湾、福建、广东、广西、云南南部。印度、斯里兰卡、缅甸、泰国、越南、老挝、柬埔寨、马来西亚、印度尼西亚、菲律宾也有栽培。

| **资　　源** | 生于深山老林中，喜热带湿润性气候，怕霜冻，而于石灰质壤土或微酸性黏壤土中生长较好。

| **采收加工** | 8月至翌年1月采果实，取种子，晒干。

| **药材性状** | 种子扁圆盘状，表面灰黄色，密被银色绒毛。有大毒。

| **功能主治** | 通络止痛，散结消肿。用于风湿顽痹、麻木瘫痪、跌打损伤、痈疽肿痛、小儿麻痹后遗症、类风湿关节炎。

马钱科 Loganiaceae 马钱属 Strychnos

密花马钱 *Strychnos ovata* A. W. Hill

| 中 药 名 | 马钱子（药用部位：种子）

| 植物形态 | 木质大藤本；枝条无毛，具刺。叶片纸质，卵形、长卵形或长椭圆形，基部圆或钝；基出脉 3~5，紧靠边缘 2 条比较纤细，横出网脉多数；叶柄长达 1.5cm。聚伞花序腋生和顶生，长 1.5~2.5cm，着花稠密，花序梗、花梗、花萼外面、花冠外面和花冠管内面均被短柔毛；花梗长 2~3mm；花 5 数；花萼裂片宽卵形；花冠黄绿色，花冠管远比花冠裂片短，花冠裂片卵状椭圆形；雄蕊着生于花冠管喉部，花丝极短，花药长圆形，基部被毛，药隔具短尖头；子房卵形，上部与花柱均被长柔毛，花柱长约 2mm，柱头头状。浆果圆球状，直径 2~5.5cm，成熟时红色。花期 3~6 月，果期 7~12 月。

密花马钱

| **分布区域** | 产于海南东方、保亭、白沙、陵水、临高、三亚等地。亦分布于中国广东徐闻。 |

| **资　　源** | 生于海拔 200~600m 的山地密林中或山坡灌丛中。 |

| **采收加工** | 7~12 月采成熟的果实，剥取种子，晒干。 |

| **药材性状** | 浆果圆球状，直径 2~5.5cm，成熟时红色。 |

| **功能主治** | 有大毒。通络止痛，散结消肿。用于风湿顽痹、麻木瘫痪、跌打损伤、痈疽肿痛、小儿麻痹后遗症、类风湿关节炎。 |

木犀科 Oleaceae 素馨属 Jasminum

樟叶素馨
Jasminum cinnamomifolium Kobuski

| 中 药 名 | 金丝藤（药用部位：根、叶）

| 植物形态 | 攀缘灌木，全株无毛。小枝圆柱形或具沟纹。叶对生，单叶，叶片纸质或薄革质，椭圆形或狭椭圆形，稀披针形，基部楔形或圆形，叶缘反卷，基出脉5，外侧1对不明显，向上延伸直达上部，并与横脉相连接；叶柄长4~10mm，扭转，有关节。花单生，或呈伞状聚伞花序，顶生或腋生，有花1~5；花序无梗或梗长0.2~2cm；苞片线形；花梗长1.4~2.5cm，向上渐增粗；萼管长2~3mm，裂片5，尖三角形；花冠白色，高脚碟状，花冠管长0.9~1.3cm，裂片9~11，披针形。果实近球形或椭圆形，呈黑色。花期3~9月，果期5~11月。

樟叶素馨

| 分布区域 |

产于海南三亚、五指山、保亭、万宁、文昌等地。
亦分布于中国云南镇康。

| 资　源 |

生于海拔 1400m 以下的林中、沙地上。

| 采收加工 |

全年均可采。根：挖出后，除净泥土，切片，晒干。
叶：多鲜用。

| 功能主治 |

清热解毒，接骨疗伤。用于咽喉肿痛、热毒疮疡、
骨折、外伤出血。

木犀科 Oleaceae 素馨属 Jasminum

扭肚藤 *Jasminum elongatum* (Berjius) Willd.

| **中 药 名** | 扭肚藤（药用部位：枝、叶）

| **植物形态** | 攀缘灌木；小枝圆柱形，疏被短柔毛至密被黄褐色绒毛。叶对生，单叶，叶片纸质，卵形、狭卵形或卵状披针形，基部圆形、截形或微心形，两面被短柔毛，或除下面脉上被毛外，其余近无毛，侧脉 3~5 对；叶柄长 2~5mm。聚伞花序密集，顶生或腋生，通常着生于侧枝先端，有花多朵；苞片线形或卵状披针形；花梗短，长 1~4mm，密被黄色绒毛或疏被短柔毛；花微香；花萼密被柔毛或近无毛，内面近边缘处被长柔毛，裂片 6~8，锥形，边缘具睫毛；花冠白色，高脚碟状，花冠管长 2~3cm，裂片 6~9，披针形。果实长圆形或卵圆形，呈黑色。花期 4~12 月，果期 8 月至翌年 3 月。

扭肚藤

分布区域

产于海南三亚、乐东、昌江、万宁、琼中、儋州、琼海、海口等地。亦分布于中国广东、广西、云南。

资　源

生于海拔850m以下的灌丛、混交林及沙地上。

采收加工

夏、秋季采收，鲜用或晒干。

药材性状

茎呈类圆柱形，多扭曲成团，或截段，长3~5cm，直径1~5mm；幼枝茶褐色，有疏毛或近光滑，节部稍膨大；质坚，断面粗糙，木质部白色，中央具明显的髓部或形成空洞。叶对生或脱落，多卷曲皱缩，展平后呈卵状披针形，长3~7cm，宽1.5~3cm，先端短尖，基部略呈心形，上面茶褐色，下面脉上有柔毛，叶柄短，长约5mm。气微香，味微涩。

功能主治

清热，利湿，解毒。用于湿热腹痛、急性胃肠炎、急性扁桃体炎、痢疾、疥疮、毒蛇咬伤等证。

木犀科 Oleaceae 素馨属 Jasminum

清香藤 *Jasminum lanceolarium Roxb.*

| 中 药 名 | 破骨风（药用部位：根、茎叶）

| 植物形态 | 大型攀缘灌木。小枝圆柱形，稀具棱，节处稍压扁。叶对生或近对生，三出复叶，有时花序基部侧生小叶退化成线状而成单叶；叶柄长（0.3~）1~4.5cm，具沟，沟内常被微柔毛；叶片下面具凹陷的小斑点；小叶片椭圆形、长圆形、卵圆形、卵形或披针形，稀近圆形，基部圆形或楔形，顶生小叶柄稍长或等长于侧生小叶柄，长0.5~4.5cm。复聚伞花序常排列呈圆锥状，顶生或腋生；苞片线形；花梗短或无，无毛或密被毛；花芳香；花萼筒状，光滑或被短柔毛，萼齿三角形或几近截形；花冠白色，高脚碟状，花冠管纤细，裂片4~5，披针形、椭圆形或长圆形；花柱异长。果实球形或椭圆形，2心皮基部相连

清香藤

或仅 1 心皮成熟，黑色，干时呈橘黄色。花期 4~10 月，果期 6 月至翌年 3 月。

| **分布区域** | 产于海南三亚、乐东、东方、白沙、五指山、万宁等地。亦分布于中国长江以南各地，以及陕西、甘肃等。

| **资　　源** | 生于海拔 2200m 以下的山坡、灌丛、山谷密林中。

| **采收加工** | 根：秋、冬季采挖，洗净，切片。茎叶：夏、秋季采收，切段。鲜用或晒干。

| **药材性状** | 根长圆锥形，稍扭曲，长 15~20cm，直径 1~1.5cm。表面黄白色，有残存的黄褐色栓皮。质坚硬，不易折断，横断面有放射状纹理，皮部浅黄色，木质部黄白色。气微，味淡。茎圆柱形，长短不一，直径 0.5~1cm。表面黄褐色，有细纵纹和横向皮孔，有对生小枝或叶痕。质坚硬，断面浅黄色，髓部黄棕色，占茎的 1/3~1/2。气微，味淡。

| **功能主治** | 祛风除湿，凉血解毒。用于风湿痹痛、跌打损伤、头痛、外伤出血、无名毒疮、蛇咬伤。

木犀科 Oleaceae 素馨属 Jasminum

小萼素馨 *Jasminum microcalyx* Hance

| 中 药 名 | 小萼素馨（药用部位：叶）

| 植物形态 | 攀缘灌木。叶对生，单叶，叶片薄革质或革质，窄卵形、宽卵形或椭圆形至卵状披针形，基部宽楔形、圆形或截形，两面除下面脉腋间具黄色簇毛外，其余无毛，侧脉 3~4 对；叶柄长 0.5~1.2cm，中部具关节，被短柔毛。聚伞花序顶生或腋生，有花 2~5，有时仅 1；花序梗纤细，长 0.6~2.5cm；苞片微小，线形；花梗短，长 1~5mm，常呈棍棒状；花芳香，小；花萼坛状，裂片 4~5，圆钝或几近截形；花冠白色，花冠管长 1~1.6cm，裂片 5~6，卵形。果实椭圆形，呈黑色。花期 5~10 月，果期 12 月至翌年 2 月。

| 分布区域 | 产于海南陵水等地。亦分布于中国广东、广西，以及云南勐腊。

小萼素馨

| **资　　源** | 生于低海拔的山谷、疏林或灌丛中。 |

| **采收加工** | 全年均可采。根：挖出后，除净泥土，切片，晒干。叶：多鲜用。 |

| **功能主治** | 清热解毒，接骨疗伤。用于咽喉肿痛、热毒疮疡、骨折、外伤出血。 |

木犀科 Oleaceae 素馨属 Jasminum

青藤仔 *Jasminum nervosum* Lour.

| 中 药 名 | 青藤子（药用部位：茎、叶、花）

| 植物形态 | 攀缘灌木。叶对生，单叶，叶片纸质，卵形、窄卵形、椭圆形或卵状披针形，基部宽楔形、圆形或截形，稀微心形，基出脉 3 或 5；叶柄长 2~10mm，具关节。聚伞花序顶生或腋生，有花 1~5，通常花单生于叶腋；花序梗长 0.2~1.2（~1.5）cm 或缺；苞片线形；花梗长 1~10mm，无毛或微被短柔毛；花芳香；花萼常呈白色，无毛或微被短柔毛，裂片 7~8，线形，果时常增大；花冠白色，高脚碟状，花冠管长 1.3~2.6cm，裂片 8~10，披针形，先端锐尖至渐尖。果实球形或长圆形，成熟时由红变黑色。花期 3~7 月，果期 4~10 月。

| 分布区域 | 产于海南三亚、乐东、白沙、五指山、万宁、澄迈、屯昌、海口等地。亦分布于中国台湾、广东、广西、贵州、云南、西藏。

青藤仔

| 资　　源 | 生于海拔 2000m 以下的山坡、沙地、灌丛及混交林中。

| 采收加工 | 茎、叶：夏、秋季采收，鲜用或切碎晒干。花：3~7 月采收，鲜用或晒干。

| 药材性状 | 茎略呈圆柱形，直径约 5mm，表面光滑无毛，质硬，断面有明显的髓；叶对生或脱落，多卷曲皱缩，叶片展平后呈椭圆状披针形，长 4~12cm，宽 1~3.5cm，先端略呈尾状，三出脉明显，叶柄有节。花常顶生、腋生或脱落，多皱缩成团，浅黄白色，有较长的花萼筒。气香，味淡。

| 功能主治 | 清湿热，解毒，敛疮。用于痢疾、疟疾、疮疡肿毒溃烂不敛。

木犀科 Oleaceae 素馨属 Jasminum

毛萼素馨 *Jasminum pilosicalyx* Kobuski

| 中 药 名 | 素馨（药用部位：根、叶）

| 植物形态 | 木质藤本。小枝圆柱形，密被锈色柔毛。叶对生，单叶，叶片纸质，卵状椭圆形或长卵形，基部微心形或近圆形，叶缘具睫毛，两面疏被黄色长柔毛，下面较密，侧脉5对，下面被较密长柔毛；叶柄长3~10mm，疏被锈色长柔毛。聚伞花序顶生，有花3，常单花顶生或腋生；花序梗及花梗均密被黄色长柔毛，花梗长2~5mm；苞片线形，密被长柔毛；花萼密被长柔毛，萼管长1.5mm，裂片5，锥形；花冠白色。果实未见。花期7月。

| 分布区域 | 产于海南万宁。

毛萼素馨

| 资　源 |

生于海拔 400m 左右的林中。

| 采收加工 |

全年可采。根：洗净，切段，晒干。叶：晒干。

| 功能主治 |

清热解毒，接骨疗伤。用于咽喉肿痛、热毒疮疡、
骨折、外伤出血。

| 附　注 |

在 FOC 中，其学名已被修订为 *Jasminum
craibianum* Kerr。

| 木犀科 | Oleaceae | 素馨属 | *Jasminum*

茉莉花 *Jasminum sambac* (L.) Aiton

| **中 药 名** | 茉莉花（药用部位：花），茉莉花露（药用部位：花经蒸馏而得的液体），茉莉叶（药用部位：叶），茉莉根（药用部位：根）

| **植物形态** | 直立或攀缘灌木；小枝圆柱形或稍压扁状，疏被柔毛。叶对生，单叶，叶片纸质，圆形、椭圆形、卵状椭圆形或倒卵形，基部有时微心形，侧脉 4~6 对；叶柄长 2~6mm，被短柔毛，具关节。聚伞花序顶生，通常有花 3，有时单花或多达 5；花序梗长 1~4.5cm，被短柔毛；苞片微小，锥形；花梗长 0.3~2cm；花极芳香；花萼无毛或疏被短柔毛，裂片线形；花冠白色，花冠管长 0.7~1.5cm，裂片长圆形至近圆形，先端圆或钝。果实球形，直径约 1cm，呈紫黑色。花期 5~8 月，果期 7~9 月。

茉莉花

| **分布区域** | 产于海南万宁、澄迈、西沙群岛、三亚等地。原产于印度，现中国南方和世界各地均广泛栽培。 |

| **资　源** | 栽培。 |

| **采收加工** | 花：夏季花初开时采收，立即晒干或烘干。花露：取茉莉花浸泡 1~2 小时，放入蒸馏锅内，加适量水进行蒸馏，收集初蒸馏液，再蒸 1 次，收集重蒸馏液，过滤，分装，灭菌，即可口服。叶：夏、秋季采收，洗净，鲜用或晒干。根：秋、冬季采挖根部，洗净，切片，鲜用或晒干。 |

| **药材性状** | 花：花多呈扁缩团状，长 1.5~2cm，直径约 1cm。花萼管状，有细长的裂齿 8~10。花瓣展平后呈椭圆形，长约 1cm，宽约 5mm，黄棕色至棕褐色，表面光滑无毛，基部连合成管状；质脆。气芳香，味涩。以朵大、色黄白、气香浓者为佳。花露：无色至浅黄白色液体。气芳香，味淡。叶：叶多卷曲皱缩，展平后呈阔卵形或椭圆形，长 4~12cm，宽 2~7cm，两端较钝，下面脉腋有黄色簇生毛；叶柄短，长 2~6mm，微有柔毛。气微香，味微涩。 |

| **功能主治** | 花：理气止痛，辟秽开郁。用于湿浊中阻、胸膈不舒、泻痢腹痛、头晕头痛、目赤、疮毒。花露：醒脾辟秽，理气，美容泽肌。用于胸膈陈腐之气，并可润泽肌肤。叶：疏风解表，消肿止痛。用于外感发寒、泻痢腹胀、脚气肿痛、毒虫蜇伤。根：麻醉，止痛。用于跌打损伤、龋齿疼痛、头痛、失眠。 |

女 贞 *Ligustrum lucidum* Ait. f.

| **中 药 名** | 女贞子（药用部位：果实），女贞叶（药用部位：叶），女贞皮（药用部位：树皮），女贞根（药用部位：根）

| **植物形态** | 灌木或乔木。枝黄褐色、灰色或紫红色，圆柱形，疏生圆形或长圆形皮孔。叶片革质，卵形、长卵形或椭圆形至宽椭圆形，基部圆形或近圆形，有时宽楔形或渐狭，叶缘平坦，侧脉 4~9 对；叶柄长 1~3cm，上面具沟。圆锥花序顶生，长 8~20cm，宽 8~25cm；花序梗长 0~3cm；花序轴及分枝轴无毛，紫色或黄棕色，果时具棱；花序基部苞片常与叶同形，小苞片披针形或线形，凋落；花无梗或近无梗，长不超过 1mm；花萼无毛，齿不明显或近截形；花冠长 4~5mm，花冠管长 1.5~3mm，裂片长 2~2.5mm，反折；花丝长 1.5~3mm，花药长圆形；花柱长 1.5~2mm，柱头棒状。果实肾形或近肾形，深蓝

女贞

黑色，成熟时呈红黑色，被白粉；果梗长 0~5mm。花期 5~7 月，果期 7 月至翌年 5 月。

| 分布区域 | 产于海南东方、昌江、万宁、儋州、澄迈、屯昌、海口、临高等地。

| 资　　源 | 生于海拔 2900m 以下疏、密林中。

| 采收加工 | 果实：女贞于移栽后 4~5 年开始结果，在每年 12 月果实变黑而有白粉时打下，除去梗、叶及杂质，晒干或置热水中烫过后晒干。叶：全年均可采，鲜用或晒干。树皮：全年或秋、冬季剥取，除去杂质，切片，晒干。根：全年或秋季采挖，洗净，切片，晒干。

| 药材性状 | 果实呈卵形、椭圆形或肾形，长 6~8.5mm，直径 3.5~5.5mm。表面黑紫色或棕黑色，皱缩不平，基部有果梗痕或具宿萼及短梗。外果皮薄，中果皮稍厚而松软，内果皮木质，黄棕色，有数条纵棱，破开后种子通常 1，椭圆形，一侧扁平或微弯曲，紫黑色，油性。气微，味微酸、涩。以粒大、饱满、色黑紫者为佳。

| 功能主治 | 果实：补益肝肾，清虚热，明目。用于头昏目眩、腰膝酸软、遗精、耳鸣、须发早白、骨蒸潮热、目暗不明。叶：清热明目，解毒散瘀，消肿止咳。用于头目昏痛、风热赤眼、口舌生疮、牙龈肿痛、疮肿溃烂、水火烫伤、肺热咳嗽。树皮：强筋健骨。用于腰膝酸痛、两脚无力、水火烫伤。根：行气活血，止咳喘，祛湿浊。用于哮喘、咳嗽、经闭、带下。

木犀科 Oleaceae 木犀榄属 Olea

滨木犀榄
Olea brachiata (Lour.) Merr.

| 中 药 名 | 滨木犀榄（药用部位：果实）

| 植物形态 | 灌木。枝灰白色或灰褐色，圆柱形，小枝灰色或灰褐色，圆柱形，节处压扁。叶片革质，椭圆形、长椭圆形或椭圆状披针形，通常中部以上最宽，基部楔形，叶缘中部以上具不规则锯齿，稀全缘，侧脉 5~7 对；叶柄长 3~5mm，通常被微柔毛或变无毛。花序腋生，圆锥状，有时成总状或伞状，常被柔毛；花白色，杂性异株；两性花长 2~2.5mm；花梗被短柔毛或近无毛；花萼长约 1mm，裂片宽卵形或尖三角形；花冠管长 1~1.5mm，花冠裂片卵圆形，盔状；雄蕊近无花丝，花药椭圆形；子房卵球形，无毛，柱头头状，微 2 裂。果实球形，成熟时紫黑色或蓝紫色。花期 10 月至翌年 3 月，果期 6~8 月。

滨木犀榄

| 分布区域 | 产于海南三亚、乐东、白沙、五指山、万宁、儋州、琼中、屯昌、临高等地。亦分布于中国广东。东南亚地区也有分布。 |

| 资　　源 | 生于海拔 700m 以下的丛林及灌丛中。 |

| 采收加工 | 6~8 月可采果实，晒干或鲜用。 |

| 药材性状 | 果实球形，成熟时紫黑色或蓝紫色。 |

| 功能主治 | 补益肝肾，清虚热，明目。用于头昏目眩、腰膝酸软、遗精、耳鸣、须发早白、骨蒸潮热、目暗不明。 |

木犀科 Oleaceae 木犀榄属 Olea

异株木犀榄
Olea dioica Roxb.

| **中 药 名** | 白茶木（药用部位：树皮）

| **植物形态** | 灌木或小乔木；枝灰白色或灰色，圆柱形，小枝具圆形皮孔，节处压扁。叶片革质，披针形、倒披针形或长椭圆状披针形，基部楔形，全缘或具不规则疏锯齿，叶缘稍反卷，侧脉4~9对；叶柄长0.5~1cm，被微柔毛或变无毛。聚伞花序圆锥状，有时成总状或伞状，腋生；苞片线形；花杂性异株。雄花序长2~10cm；花梗纤细，长1~3mm。两性花序较短；花梗较短粗；花白色或浅黄色；花仅长0.2~0.8mm，裂片卵状三角形，长为花萼的2/3，先端盔状，边缘被短睫毛或几无毛；花冠管长1~1.5（~2）mm，裂片卵圆形；雄蕊几无花丝，花药椭圆形，着生于花冠管中部；子房卵状圆锥形，柱头头状。果实椭圆形或卵形，成熟时黑色或紫黑色。花期3~7月，果期5~12月。

异株木犀榄

| **分布区域** | 产于海南三亚、乐东、白沙、五指山、万宁、琼中、儋州、临高、屯昌等地。亦分布于中国广东、广西、贵州东南部、云南南部。 |

| **资　　源** | 生于海拔 2300m 以下的林中、山谷、海边丛林中。 |

| **采收加工** | 全年均可采，切段，晒干。 |

| **药材性状** | 质硬而脆，易折断，折断面不平坦。 |

| **功能主治** | 清热解毒。 |

木 犀 *Osmanthus fragrans* (Thunb.) Lour.

| 中 药 名 | 桂花（药用部位：花），桂花露（药用部位：花经蒸馏而得的液体），桂花子（药用部位：果实），桂花枝（药用部位：枝叶），桂花根（药用部位：根、根皮）

| 植物形态 | 常绿乔木或灌木。叶片革质，椭圆形、长椭圆形或椭圆状披针形，基部渐狭呈楔形或宽楔形，全缘或通常上半部具细锯齿，腺点在两面连成小水泡状突起，侧脉 6~8 对，多达 10 对；叶柄长 0.8~1.2cm，最长可达 15cm。聚伞花序簇生于叶腋，或近于帚状，每腋内有花多朵；苞片宽卵形，质厚，具小尖头；花梗细弱，长 4~10mm；花极芳香；花萼长约 1mm，裂片稍不整齐；花冠黄白色、淡黄色、黄色或橘红色，花冠管仅长 0.5~1mm；雄蕊着生于花冠管中部，花丝极短，花药长

木犀

约 1mm，药隔在花药先端稍延伸呈不明显的小尖头；雌蕊长约 1.5mm，花柱长约 0.5mm。果实歪斜，椭圆形，呈紫黑色。花期 9~10 月上旬，果期翌年 3 月。

| **分布区域** | 产于海南万宁、海口。原产于中国西南部，现中国黄河以南各地广泛栽培。

| **资　　源** | 栽培。

| **采收加工** | 花：9~10 月花开时采收，拣去杂质，阴干，密闭贮藏。花露：花采收后，阴干，经蒸馏而得的液体。果实：4~5 月果实成熟时采收，用温水浸泡后，晒干。枝叶：全年均可采，鲜用或晒干。根、根皮：秋季采挖老树的根或剥取根皮，洗净，切片，晒干。

| **药材性状** | 花：花小，具细柄；花萼细小，4 浅裂，膜质；花冠 4 裂，裂片矩圆形，多皱缩，长 3~4mm，淡黄至黄棕色。气芳香，味淡。以身干、色淡黄、有香气者为佳。果实：黑色或紫黑色，长卵形，长 1.5~2cm，直径 0.7~0.9cm。果核紫红色，具有突起的棱线 6~8，胞间开裂，内含种子 1，圆锥形，长 1.2~1.3cm，直径约 0.5cm，种皮黄色，种仁类白色，油质性。

| **功能主治** | 花：温肺化饮，散寒止痛。用于痰饮咳喘、脘腹冷痛、肠风血痢、闭经、痛经、寒疝腹痛、牙痛、口臭。花露：疏肝理气，醒脾辟秽，明目，润喉。用于肝气郁结、胸胁不舒、龈肿、牙痛、咽干、口燥、口臭。果实：温中，行气，止疼。用于胃寒疼痛、肝胃气痛。枝叶：发表散寒，祛风止痒。用于风寒感冒、皮肤瘙痒、漆疮。根、根皮：祛风除湿，散寒止痛。用于风湿痹痛、肢体麻木、胃脘冷痛、肾虚牙痛。

夹竹桃科 Apocynaceae 黄蝉属 Allemanda

软枝黄蝉 *Allemanda cathartica* L.

| 中 药 名 | 软枝黄蝉（药用部位：全株）

| 植物形态 | 藤状灌木。枝条软，弯垂，具白色乳汁。叶纸质，通常3~4枚轮生，有时对生或在枝的上部互生，全缘，倒卵形或倒卵状披针形，端部短尖，基部楔形；叶脉两面扁平，侧脉每边6~12；叶柄扁平，长2~8mm，基部和腋间均具腺体。聚伞花序顶生；花具短花梗；花萼裂片披针形；花冠橙黄色，内面具红褐色的脉纹，花冠下部长圆筒状，基部不膨大，花冠筒喉部具白色斑点，向上扩大成冠檐，花冠裂片卵圆形或长圆状卵形，广展，先端圆形；雌、雄蕊和花盘特征与黄蝉相同。蒴果球形，具长达1cm的刺；种子长约2cm，扁平，边缘膜质或具翅。花期春、夏两季，果期冬季。

软枝黄蝉

分布区域	产于海南各地。亦分布于中国广西、广东、福建和台湾等地。原产于巴西，现广泛栽培于世界热带地区。
资　　源	栽培，生于路旁、公园、村边。
采收加工	全年均可采，切段，晒干。
药材性状	根：干燥根呈圆柱形，稍弯曲，有分枝，长20~42cm，直径1.5~7mm。表面黄棕色，具纵向皱纹及根痕。质脆，易折断，断面皮部黄褐色，木质部黄白色，断面有细小的放射状纹理。味微。茎：干燥茎呈圆柱形，直径3~8mm，表面黄棕色，具较高皮孔及纵沟纹，枝粗壮，叶痕大而明显。质脆，易折断，断面皮部棕褐色，木质部黄白色，中央具较大的髓部。味微。
功能主治	外用于皮肤湿疹、疮疡肿毒。植株乳汁、树皮和种子有毒，人畜误食会引起腹痛、腹泻。

夹竹桃科 Apocynaceae 黄蝉属 Allemanda

黄 蝉
Allemanda neriifolia Hook.

| 中 药 名 | 黄蝉（药用部位：乳汁）

| 植物形态 | 直立灌木，具乳汁；枝条灰白色。叶 3~5 轮生，全缘，椭圆形或倒卵状
长圆形，基部楔形；侧脉每边 7~12，未达边缘即行网结；叶柄极短，
基部及腋间具腺体。聚伞花序顶生；总花梗和花梗被糠秕状小柔毛；
花橙黄色，张口直径约 4cm；苞片披针形，着生在花梗的基部；花
萼 5 深裂，裂片披针形，内面基部具少数腺体；花冠漏斗状，内面
具红褐色条纹，花冠下部圆筒状，基部膨大，花喉向上扩大成冠檐，
冠檐先端 5 裂，花冠裂片向左覆盖，卵圆形或圆形；雄蕊 5，着生
在花冠筒喉部，花丝短，花药卵圆形；花盘肉质全缘，环绕子房基
部；子房全缘，1 室，花柱丝状，柱头先端钝，基部环状。蒴果球形，
具长刺；种子扁平，具薄膜质边缘。花期 5~8 月，果期 10~12 月。

黄蝉

分布区域

产于海南各地。亦分布于中国广西、广东、福建、台湾及北京（温室内）的庭院间。本种原产于巴西，现广泛栽培于世界热带地区。

资　　源

栽培。

采收加工

全年均可采，多鲜用。

药材性状

鲜乳汁为白色，有毒。

功能主治

除湿，消肿。用于皮肤湿疹、疮疡肿毒，亦可灭蝇、灭蛆。

附　　注

植株乳汁有毒，人、畜误食中毒会刺激心脏，致循环及呼吸系统障碍，妊娠动物误食会引发流产。

夹竹桃科 Apocynaceae 糖胶树属 *Alstonia*

糖胶树 *Alstonia scholaris* (L.) R. Br.

| 中 药 名 | 象皮木（药用部位：树皮、枝、叶）

| 植物形态 | 乔木；枝轮生，具乳汁。叶 3~8，轮生，倒卵状长圆形、倒披针形或匙形，稀椭圆形或长圆形，基部楔形；侧脉每边 25~50，密生而平行，近水平横出至叶缘联结；叶柄长 1~2.5cm。花白色，多朵花组成稠密的聚伞花序，顶生；总花梗长 4~7cm；花梗长约 1mm；花冠高脚碟状，花冠筒长 6~10mm，中部以上膨大，裂片在花蕾时或裂片基部向左覆盖，长圆形或卵状长圆形；雄蕊长圆形，着生在花冠筒膨大处，内藏；子房由 2 离生心皮组成，花柱丝状，柱头棍棒状，先端 2 深裂；花盘环状。蓇葖果 2，细长，线形，外果皮近革质，灰白色；种子长圆形，红棕色，两端被红棕色长缘毛，缘毛长 1.5~2cm。花期 6~11 月，果期 10 月至翌年 4 月。

糖胶树

| 分布区域 | 海南乐东、海口有栽培。亦分布于中国广西南部、西部和云南南部，野生。

| 资　　源 | 生于海拔 650m 以下的低丘陵山地疏林中、路旁或水沟边。喜湿润、肥沃土壤，在水边生长良好，为次生阔叶林主要树种。

| 采收加工 | 夏、秋季采收，洗净，晒干或鲜用。

| 药材性状 | 树皮：树皮呈扁平板块状，大小不一，厚 0.6~1.5cm；外表面灰棕色至淡褐色，龟裂，粗糙，易剥落，剥去栓皮后，内皮黄棕色，具条形沟槽或凹洼；内表面淡黄褐色，粗糙，具纵直纹理。质松脆，易折断，断面层状。气微，味微苦、辣。枝、叶：枝条圆柱形，有的具叶。叶长圆形或倒卵状长圆形，长 7~28cm，宽 2~11cm，光滑，先端圆或钝，基部楔形，全缘，灰绿色，羽状脉于边缘处联结；叶柄短，革质，不易破碎。气微，味微苦，有毒。

| 功能主治 | 清热解毒，祛痰止咳，止血消肿。用于感冒发热、肺热咳喘、百日咳、黄疸型肝炎、胃痛吐泻、疟疾、疮疡痈肿、跌打肿痛、外伤出血。

夹竹桃科 Apocynaceae 链珠藤属 *Alyxia*

海南链珠藤 *Alyxia hainanensis* Merr. et Chun

海南链珠藤

| 中 药 名 |

瓜子藤（药用部位：根或全株）

| 植物形态 |

藤状灌木，具乳汁；除花梗、苞片及萼片外，其余无毛。叶革质，对生或 3 枚轮生，通常圆形或卵圆形、倒卵形，先端圆或微凹，边缘反卷；侧脉不明显；叶柄长 2mm。聚伞花序腋生或近顶生；总花梗长不及 1.5cm，被微毛；花小，长 5~6mm；小苞片与萼片均有微毛；花萼裂片卵圆形，近钝头，内面无腺体；花冠先淡红色后退变为白色，花冠筒长 2.3mm，内面无毛，近花冠喉部紧缩，喉部无鳞片，花冠裂片卵圆形；雌蕊长 1.5mm，子房具长柔毛。核果卵形，2~3 组成链珠状。花期 4~9 月，果期 5~11 月。

| 分布区域 |

产于海南万宁等地。亦分布于中国浙江、江西、福建、湖南、广东、广西、贵州等地。

| 资 源 |

常野生于矮林或灌丛中。

| **采收加工** | 夏、秋季采收，洗净，切段，晒干。

| **功能主治** | 祛风除湿，活血止痛。用于风湿痹痛、血瘀经闭、胃痛、泄泻、跌打损伤、湿脚气。

夹竹桃科 Apocynaceae 长春花属 Catharanthus

长春花 *Catharanthus roseus* (L.) G. Don

| 中 药 名 | 长春花（药用部位：全株）

| 植物形态 | 半灌木，有水液；茎近方形，有条纹，灰绿色；节间长 1~3.5cm。叶膜质，倒卵状长圆形，基部广楔形至楔形，渐狭而成叶柄；侧脉约 8 对。聚伞花序腋生或顶生，有花 2~3；花萼 5 深裂，内面无腺体或腺体不明显，萼片披针形或钻状渐尖；花冠红色，高脚碟状，花冠筒圆筒状，喉部紧缩，具刚毛；花冠裂片宽倒卵形；雄蕊着生于花冠筒的上半部，但花药隐藏于花喉之内，与柱头离生；子房和花盘与属的特征相同。蓇葖果双生，直立，平行或略叉开；外果皮厚纸质，有条纹；种子黑色，长圆状圆筒形，两端截形，具有颗粒状小瘤。花果期几全年。

长春花

| 分布区域 | 产于海南三亚、乐东、东方、昌江、万宁、儋州、海口、西沙群岛等地。亦分布于中国西南、中南及华东等。原产于非洲东部，现栽培于世界热带和亚热带地区。 |

| 资　源 | 栽培。 |

| 采收加工 | 当年 9 月下旬至 10 月上旬采收，选晴天时收割其地上部分，先切除植株茎部木质化硬茎，再切成长 6cm 的小段，晒干。 |

| 药材性状 | 全株长 30~50cm。主根圆锥形，略弯曲。茎枝绿色或红褐色，类圆柱形，有棱，折断面具纤维性，髓部中空。叶对生，皱缩，展平后呈倒卵形或长圆形，长 3~6cm，宽 1.5~2.5cm，先端钝圆，具短尖，基部楔形，深绿色或绿褐色，羽状脉明显；叶柄甚短。枝端或叶腋有花，花冠高脚碟形，长约 3cm，淡红色或紫红色。气微，味微甘、苦。 |

| 功能主治 | 解毒抗癌，清热平肝。用于多种癌肿、高血压、痈肿疮毒、烫伤。 |

夹竹桃科 Apocynaceae 长春花属 Catharanthus

白长春花 *Catharanthus roseus* (L.) G. Don cv. Albus

| 中 药 名 | 白长春花（药用部位：全株）

| 植物形态 | 植物形态同"长春花"，花白色。

| 分布区域 | 产于海南三亚、海口。分布于中国广东、广西等地。

| 资 源 | 栽培。

| 采收加工 | 全年均可采，切段，晒干。

| 药材性状 | 全株长30~50cm。主根圆锥形，略弯曲。茎枝绿色或红褐色，类圆柱形，有棱，折断面具纤维性，髓部中空。叶对生，皱缩，展平后呈倒卵形或长圆形，长 3~6cm，宽 1.5~2.5cm，先端钝圆，具短尖，基部楔

白长春花

形，深绿色或绿褐色，羽状脉明显；叶柄甚短。枝端或叶腋有花，花冠高脚碟形，长约 3cm，白色。气微，味微甘、苦。

| **功能主治** | 有毒。抗癌，降血压。用于高血压、白血病，及各种癌症、淋巴肉瘤。

夹竹桃科 Apocynaceae 海杧果属 Cerbera

海杧果 *Cerbera manghas* L.

| 中 药 名 | 海杧果（药用部位：树汁、种仁）

| 植物形态 | 乔木；树皮灰褐色；枝条粗厚，具不明显皮孔；全株具丰富乳汁。叶厚纸质，倒卵状长圆形或倒卵状披针形，稀长圆形，基部楔形；中脉和侧脉在叶面扁平，侧脉在叶缘前网结；叶柄长 2.5~5cm，浅绿色；花白色，芳香；总花梗和花梗绿色，具不明显的斑点，总花梗长 5~21cm，花梗长 1~2cm；花萼裂片长圆形或倒卵状长圆形，黄绿色；花冠筒圆筒形，上部膨大，下部缩小，外面黄绿色，喉部染红色，具 5 枚被柔毛的鳞片，花冠裂片白色，背面左边染淡红色，倒卵状镰刀形，先端具短尖头；雄蕊着生在花冠筒喉部，花丝短，黄色，花药卵圆形，先端具短尖，基部圆形，向内弯；无花盘；心皮 2，离生，花柱丝状，柱头球形，基部环状，先端浑圆而 2 裂。

海杧果

核果双生或单个，阔卵形或球形，外果皮纤维质或木质，未成熟时绿色，成熟时橙黄色；种子通常 1。花期 3~10 月，果期 7 月至翌年 4 月。

| 分布区域 | 产于海南三亚、万宁、儋州、临高、琼海、海口、西沙群岛等地。亦分布于中国广东南部、广西南部、台湾，以广东分布为多。

| 资　　源 | 生于海边或近海边湿润的地方。

| 采收加工 | 树汁：全年均可采。种仁：7 月至翌年 4 月采取成熟果实，取种仁，鲜用或晒干。

| 功能主治 | 树皮、叶、乳汁：制药剂，有催吐、下泻、堕胎效用，但用量需慎重，多服能致死。树汁：催吐、泻下。用于心力衰竭。种仁：有大毒。作麻醉药，入外科膏药用。

| 附　　注 | 核仁、叶、果实有毒，核仁毒性最强，茎显生物碱及酚性物质反应，误食果实中毒时民间用灌鲜羊血或饮椰子水解毒。

夹竹桃科 Apocynaceae 鹿角藤藤属 Chonemorpha

海南鹿角藤 *Chonemorpha splendens* Chun & Tsiang

| **中 药 名** | 海南鹿角藤（药用部位：茎藤）

| **植物形态** | 粗壮木质藤本，具乳汁；小枝、总花梗、叶背和花萼筒被淡黄色短绒毛。叶近革质，宽卵形或倒卵形。聚伞花序总状式，连总花梗长达 35cm，下段总状式，小苞片甚多，上段伞房状，着花 9~13；花萼筒状，先端不规则两唇形，每唇具 2~3 小齿；花冠淡红色，裂片展开直径 4cm；雄蕊着生于花冠筒基部之上；花盘环状，先端 5 浅裂。蓇葖果近平行，向端部渐狭，幼时被短绒毛，老时毛渐落；种子扁平，瓶形，端部紧缩，基部圆形；具白色绢质种毛。花期 5~7 月，果期8 月至翌年 1 月。

| **分布区域** | 产于海南乐东、昌江、五指山、陵水、儋州、海口、西沙群岛等地。亦分布于中国广东、云南。

海南鹿角藤

| 资　　源 | 生于山谷中或疏林中。

| 采收加工 | 全年均可采，切段，晒干。

| 药材性状 | 粗壮木质藤本，具乳汁；小枝、总花梗、叶背和花萼筒被淡黄色短绒毛。

| 功能主治 | 植株含胶乳，可用于制造日常橡胶制品。茎藤药用，用于风湿性腰腿痛、跌打损伤、骨折脱位、外伤出血等。

夹竹桃科 Apocynaceae 花皮胶藤属 Ecdysanthera

酸叶胶藤 *Ecdysanthera rosea* Hook. et Arn.

| 中 药 名 | 红背酸藤（药用部位：根、叶）

| 植物形态 | 高攀木质大藤本，具乳汁。叶纸质，阔椭圆形，基部楔形，叶背被白粉；侧脉每边 4~6，疏距。聚伞花序圆锥状，宽松展开，多歧，顶生，着花多朵；总花梗略具白粉和被短柔毛；花小，粉红色；花萼 5 深裂，外面被短柔毛，内面具有 5 小腺体，裂片卵圆形；花冠近坛状，花冠筒喉部无副花冠，裂片卵圆形，向右覆盖；雄蕊 5，着生于花冠筒基部，花丝短，花药披针状箭头形，基部具耳，先端到达花冠筒喉部，腹面贴生于柱头上；花盘环状，全缘，围绕子房周围，比子房短；子房由 2 离生心皮组成，被短柔毛，花柱丝状，柱头先端 2 裂。蓇葖果 2，叉开成近一直线，圆筒状披针形，外果皮有明显的斑点；

酸叶胶藤

种子长圆形，先端具白色绢质种毛。花期 4~12 月，果期 7 月至翌年 1 月。

| **分布区域** | 产于海南三亚、乐东、东方、保亭、陵水、万宁、澄迈、白沙、儋州等地。亦分布于中国长江以南各地。

| **资　　源** | 生于山地杂木林、山谷中、水沟旁较湿润的地方。

| **采收加工** | 根：全年均可采，挖根，洗净，切片，晒干。叶：多鲜用。

| **药材性状** | 本品为不规则块片，厚 0.3~1cm，直径 1~3cm。外表面棕红色至棕褐色，有的可见灰白色地衣斑，外皮有时脱落。质坚硬。切面皮部浅棕红色，木质部黄白色，具同心环纹，密布细小导管孔。髓部小而明显，略偏心性，棕红色。气微，味苦、涩。

| **功能主治** | 清热解毒，利湿化滞，活血消肿。用于咽喉肿痛、口腔炎、肠炎、慢性肾炎、食滞胀满、痈肿疮毒、风湿痹痛、跌打肿痛。

| **附　　注** | 在 FOC 中，其属名被修订为水壶藤属，学名被修订为 *Urceola rosea* (Hook. et Arn.) D. J. Middleton。

夹竹桃科 Apocynaceae 狗牙花属 Ervatamia

狗牙花 *Ervatamia divaricata* (L.) Burk. cv. Gouyahua

| 中 药 名 | 狗牙花（药用部位：根、根茎、叶）

| 植物形态 | 灌木；除萼片有缘毛外，其余无毛；枝和小枝灰绿色，有皮孔，干
时有纵裂条纹。腋内假托叶卵圆形，基部扩大而合生。叶坚纸质，
椭圆形或椭圆状长圆形，短渐尖，基部楔形；侧脉 12 对；叶柄长
0.5~1cm。聚伞花序腋生，通常双生，近小枝端部集成假二歧状，着
花 6~10；总花梗长 2.5~6cm；花梗长 0.5~1cm；苞片和小苞片卵状
披针形；花蕾端部长圆状，急尖；花萼基部内面有腺体，萼片长圆形，
边缘有缘毛；花冠白色，花冠筒长达 2cm；雄蕊着生于花冠筒中部
以下；花柱长 11mm，柱头倒卵球形。蓇葖果长 2.5~7cm，极叉开或
外弯；种子 3~6，长圆形。花期 6~11 月，果期秋季。

狗牙花

| 分布区域 | 海南有栽培。亦分布于中国云南南部，野生；广西、广东和台湾等地，栽培。印度也有分布，现广泛栽培于亚洲热带和亚热带地区。

| 资　　源 | 栽培。

| 采收加工 | 根：夏、秋季采根，洗净，切片，晒干。叶：鲜用。

| 药材性状 | 茎呈圆柱形，表面暗绿色，可见有皮孔，质坚，不易折断，断面呈纤维性，呈浅黄白色。气微，味微苦。

| 功能主治 | 根和茎有毒。清热解毒，散结利咽，降血压。用于高血压、咽喉肿痛、痈疽疮毒、跌打损伤。

夹竹桃科 Apocynaceae 狗牙花属 Ervatamia

海南狗牙花

Ervatamia hainanensis Tsiang

| 中药名 | 单根木（药用部位：根、叶）

| 植物形态 | 灌木；枝有微小皮孔及小条纹；小枝有棱角。假托叶少数，早落，卵状钻形。叶纸质，倒卵状椭圆形，有时椭圆状长圆形，端部通常极短而猝然急尖，基部宽楔形或猝然窄缩；侧脉近对生；叶柄长2~14mm。花序腋生或稀有假顶生，集成假伞房多歧聚伞花序，有花7~12，比叶为短，结果时则伸长；总花梗第一级长1~1.5cm，第二级长0.5~1cm；花梗长1~1.5cm；苞片与小苞片卵形；花蕾圆筒状；花萼5深裂，萼内腺体约20，虫状，生于萼筒中部以上，到达喉部；萼片梅花式，长圆状披针形，透明；花冠白色，高脚碟状，花冠裂片向右旋转，长圆状镰刀形，基部边缘覆瓦状排列，花冠筒上部膨大；

海南狗牙花

花药到达喉部，披针形，基部由急尖附属物组成；心皮 2，离生，花柱圆筒状，端部膨大，柱头 2 裂。蓇葖果双生，近 180° 叉开，椭圆状披针形，有长喙，外果皮淡灰色；每个果实内种子 10~20，分为 4 排，不规则三角形，长约 12mm，直径相同。花果期 3~12 月。

| 分布区域 | 产于海南乐东、白沙、儋州、东方等地。亦分布于中国广东、广西和云南等地。

| 资　　源 | 生于海拔 100~530m 的山地疏、密林中。

| 采收加工 | 根：全年均可采，挖根，洗净，切片，晒干。叶：鲜用。

| 药材性状 | 根圆柱形或圆锥形，长可达 30cm，直径约 8cm，表面灰棕色或黄棕色，具纵裂纹，皮部易剥落而露出棕黄色木质部，鲜时有乳汁溢出，干后呈棕色稠状物附着。质坚硬，不易折断，断面中央木质部占大部分，淡黄色。气微，味微苦。

| 功能主治 | 清热解毒，降血压，消肿止痛。用于高血压、咽喉肿痛、风湿痹痛、跌打损伤、痈肿疮疖、毒蛇咬伤。

夹竹桃科 Apocynaceae 狗牙花属 Ervatamia

药用狗牙花 *Ervatamia officinalis* Tsiang

| 中 药 名 | 药用狗牙花（药用部位：根）

| 植物形态 | 灌木。叶坚纸质，椭圆状长圆形，稀长圆状披针形，基部近圆形或狭楔形；侧脉 10~12；叶柄长 3~7mm。假托叶呈宽三角状卵圆形。聚伞花序腋生，通常二枝成对，生在小枝先端，成假二叉式，着花约 9，比叶为短；总花梗第一级长 2.5~4.5cm，第二级长 1~2cm，第三级长 3~5mm；苞片与小苞片极小，披针形；花蕾圆筒形，端部近圆球形；花萼钟状，基部内面无腺体或仅有 1~2，萼片梅花式，卵圆形；花冠白色，花冠筒长 2.2cm，近直立或近喉部向右旋转，裂片向左覆盖，近垂直，长圆状披针形，近镰刀形，边缘波状；雄蕊着生于近花冠筒喉部膨大之处，花药披针形，端部有薄膜，基部狭耳形；

药用狗牙花

子房无毛，卵球形，花柱丝状，柱头 2 裂，基部棍棒状，具长硬毛。蓇葖果双生，或有一个不发育，线状长圆形，近肉质，端部有喙，基部有柄，外果皮在干时呈黑色；种子在每个果内有 1~4，不规则卵圆形。花期 5~7 月，果期 8 月至翌年 4 月。

| 分布区域 |

产于海南各地。亦分布于中国广东、云南等地。

| 资　　源 |

生于海拔 150~800m 山地疏林中及山谷中。

| 采收加工 |

全年均可采，洗净，切片，晒干。

| 药材性状 |

根呈圆柱形或圆锥形，长 8~30cm，直径 1~8cm。表面黄棕色或灰棕色，外皮较松软，具纵裂纹，皮部易剥落，露出棕黄色木质部，鲜时碰破皮部会有乳汁溢出，故于根皮部剥落处常可见棕色稠状物附着。质坚，不易折断，断面中央木质部多呈偏心形。气微，味微苦。

| 功能主治 |

清热，降血压，消肿止痛。用于高血压、咽喉肿痛、腹痛。

夹竹桃科 Apocynaceae 止泻木属 Holarrhena

止泻木 *Holarrhena antidysenterica* Wall. ex A. DC.

| 中 药 名 | 止泻木子（药用部位：成熟的种子）

| 植物形态 | 乔木；枝条灰绿色，具皮孔，被短柔毛，全株具乳汁。叶膜质，对生，阔卵形，近圆形或椭圆形，基部急尖或圆形，侧脉每边 12~15，斜曲上升，至叶缘网结；叶柄长约 5mm。伞房状聚伞花序顶生和腋生，长 5~6cm，着花稠密；苞片小，线形；花萼裂片长圆状披针形，内面基部具 5 腺体；花冠白色，向外展开，花冠筒细长，基部膨大，喉部收缩，花冠裂片长圆形；雄蕊着生于花冠筒近基部，花丝丝状，花药长圆状披针形；无花盘；心皮 2，离生，花柱丝状，柱头长圆形，到达花丝基部，短 2 裂；每心皮有胚珠多枚。蓇葖果双生，长圆柱形，具白色斑点；种子浅黄色，长圆形，先端具黄白色绢质种毛；种毛长 5cm。花期 4~7 月，果期 6~12 月。

止泻木

| 分布区域 | 海南万宁有栽培。亦分布于中国云南南部。印度、缅甸、泰国、老挝、越南、柬埔寨、马来西亚也有分布。

| 资　　源 | 生于海拔 500~1000m 的山地疏林中、山坡路旁或密林、山谷水沟边，也散生在山脚平地杂木林中。

| 采收加工 | 6~12 月采收成熟的果实，晒干，取种子。

| 药材性状 | 种子呈长披针形，长 1~1.5cm，直径约 3mm，细小，略扁，一面有纵槽，一端具明显种毛脱落的痕迹，表皮红棕色，种皮薄。子叶呈皱缩折叠状，乳白色，富油性。气微，味极苦。

| 功能主治 | 行气止痢，杀虫。用于痢疾、肠胃胀气。

夹竹桃科 Apocynaceae 仔榄树属 Hunteria

仔榄树
Hunteria zeylanica (Retz.) Gardner ex Thwaites

| 中 药 名 | 仔榄树（药用部位：根）

| 植物形态 | 乔木；枝条灰绿色，含乳汁。叶对生，近革质，长圆形，长圆状披针形或卵状长圆形，基部宽楔形；侧脉两面扁平，纤细、密生几平行，每边 40 条以上；叶柄长 1~1.5cm。花白色，芳香；10~15 花组成伞房状的聚伞花序，顶生或腋生，比叶为短，长达 6cm；花梗长 5mm；萼片卵圆形，钝头，内面无腺体；花冠高脚碟状，花冠筒长 7~10mm，花冠喉部膨大，外面无毛，内面在花丝以下被短柔毛，花冠裂片卵圆状长圆形；雄蕊着生在花冠筒中部以上，花丝丝状，花药长圆状披针形，基部圆形，与柱头分离；无花盘；心皮 2，离生；花柱丝状，柱头圆锥状，先端 2 浅裂。浆果 2，球形，青绿色，熟时橙红色；种子 1~2，直径约 8mm。花期 4~9 月，果期 5~12 月。

仔榄树

| **分布区域** | 产于海南三亚、乐东、昌江、五指山、陵水、万宁、琼中、儋州、屯昌等地。 |

| **资　　源** | 生于低海拔至中海拔山地密林中或疏林中，常散生于山谷、水沟旁土壤肥沃、湿润的地方。 |

| **采收加工** | 全年均可采，洗净，切片，晒干。 |

| **功能主治** | 清热解毒，活血止痛。用于毒蛇咬伤、跌打肿痛。 |

夹竹桃科 Apocynaceae 腰骨藤属 Ichnocarpus

腰骨藤 Ichnocarpus frutescens (L.) W. T. Aiton

| 中 药 名 | 腰骨藤（药用部位：种子）

| 植物形态 | 木质藤本；小枝、叶背、叶柄及总花梗无毛，仅幼枝上有短柔毛，具乳汁。叶卵圆形或椭圆形，长 5~10cm，宽 3~4cm；侧脉每边 5~7。花白色，花序长 3~8cm；花萼内面有腺体或无；花冠筒喉部被柔毛；花药箭头状；花盘 5 深裂，裂片线形，比子房为长；子房被毛。蓇葖果双生，叉开，一长一短，细圆筒状，长 8~15cm，直径 4~5mm，被短柔毛；种子线形，先端具种毛。花期 5~8 月，果期 8~12 月。

| 分布区域 | 产于海南三亚、乐东、昌江、白沙、万宁、琼中、儋州、琼海等地。亦分布于中国云南、广西、广东、福建等地。

腰骨藤

| 资　　源 | 生于海拔150~950m的山地疏林中，常生于低丘陵山坡灌丛中或路旁。 |

| 采收加工 | 秋季果实成熟时采收，晒干，取出种子。 |

| 功能主治 | 祛风除湿，通络止痛。用于风湿痹痛、跌打损伤。 |

| 附　　注 | 同属植物红杜仲（*Ichnocarpus oliganthus* Tsiang）的茎皮亦入药，功能主治与腰骨藤相似。分布于中国广东、海南、广西等地。 |

夹竹桃科 Apocynaceae 蕊木属 Kopsia

海南蕊木 *Kopsia hainanensis* Tsiang

| 中 药 名 | 海南蕊木（药用部位：树皮、叶、果实）

| 植物形态 | 直立灌木，除花外全株无毛；小枝灰白色，具皮孔。叶椭圆状长圆形至椭圆状披针形，先端短渐尖而钝头或偶有微缺，边缘浅波状；侧脉每边 20 条以上。聚伞花序顶生，稀腋生，着花 6~7；总花梗长约 1cm；苞片阔卵形；萼片卵圆形，钝头，仅边缘具睫毛；花冠白色，花冠筒长 2.3cm，直径 1mm，先端膨大处直径 2mm，先端裂片长圆形，钝或急尖；雄蕊着生于花冠筒近顶部，花丝短；花盘舌状片 2，与心皮互生，比心皮短或等长；子房由 2 离生心皮组成，花柱细长，柱头加厚。核果近椭圆形，灰褐色，先端急尖，基部圆。花期 4~12 月，果期冬季至翌年春季。

海南蕊木

| 分布区域 | 产于海南三亚、乐东、东方、五指山、保亭、陵水、琼中、万宁等地。

| 资　　源 | 生于低海拔至中海拔的丘陵和山地林谷中或溪畔处。

| 采收加工 | 树皮：全年均可采，切段，晒干。叶：全年均可采，鲜用或晒干。果实：冬、春季可采收果实，晒干或鲜用。

| 功能主治 | 有毒。清热止痛，通经活络。用于咽喉炎、扁桃体炎、风湿骨痛、四肢麻木。树皮：用于水肿。

夹竹桃科 Apocynaceae 蕊木属 Kopsia

蕊 木 *Kopsia lancibracteolata* Merr.

蕊木

| 中 药 名 |

蕊木（药用部位：果实）

| 植物形态 |

乔木。叶革质，卵状长圆形，基部阔楔形；侧脉每边 10~18，明显；叶柄长 5~7mm。聚伞花序顶生，长约 7cm；苞片长 7mm，披针形；花萼裂片长圆状披针形，边缘有缘毛，两面被微毛；花冠白色，花冠筒长 2.5cm，内面喉部被长柔毛，裂片长圆形；花药长圆状披针形，基部圆；花盘匙形，比心皮长；子房由 2 离生心皮组成，花柱细长，柱头棍棒状，每心皮有胚珠 2。核果未成熟时绿色，成熟后变黑色，近椭圆形，先端圆形；种子 1~2。花期 4~6 月，果期 7~12 月。

| 分布区域 |

产于海南三亚、乐东、保亭、陵水、琼中、儋州、澄迈、琼海等地。亦分布于中国广东信宜、湛江，广西钦州等地。

| 资　　源 |

常生于溪边、疏林中向阳处，也生于山地密林中和山谷潮湿的地方。

| 采收加工 |

7~12 月采收果实，晒干或鲜用。

| 药材性状 |

核果未成熟时绿色，成熟后变黑色，近椭圆形，
先端圆形。

| 功能主治 |

用于麻风。

夹竹桃科 Apocynaceae 蕊木属 *Kopsia*

云南蕊木 *Kopsia officinalis* Tsiang et P. T. Li

| 中 药 名 | 柯蒲木（药用部位：果实、叶）

| 植物形态 | 乔木。叶腋间及叶腋内腺体多数，淡黄色，线状钻形。叶坚纸质，无毛，或在幼叶的面上及叶背脉上有微毛，椭圆状长圆形或椭圆形，基部楔形；侧脉每边约20，小脉网状；叶柄粗壮，上面有槽，长1~1.5cm。聚伞花序复总状，伸长二叉，着花约42；总花梗粗壮，具微毛，长14cm；花梗长3~4mm；苞片与小苞片无毛，卵圆状长圆形；花萼5深裂，裂片双盖覆瓦状排列，仅在边缘有睫毛，卵圆状长圆形，端部锐尖，外面具一黑色腺体，内面基部无腺体；花冠白色，高脚碟状，花冠筒比花萼为长，近端部膨大，花冠裂片向右覆盖，披针形；雄蕊着生于花冠筒喉部，花丝短而柔弱，花药卵圆

云南蕊木

形，锐尖；花盘为 2 枚线状披针形的舌状片所组成，与心皮互生，比心皮微长；心皮 2，离生，每心皮有胚珠 2，倒生，花柱长 2.5cm，柱头加厚，先端短 2 裂。核果椭圆形，成熟后黑色；种子 2。花期 4~9 月，果期 9~12 月。

| 分布区域 |　海南儋州、万宁、海口有栽培。亦分布于中国云南南部。

| 资　　源 |　生于海拔 500~800m 的山地疏林中或山地路旁。

| 采收加工 |　秋季采收果实，叶全年可采，晒干。

| 功能主治 |　消炎止痛，祛风活络。用于咽喉肿痛、风湿痹痛、四肢麻木。

夹竹桃科 Apocynaceae 山橙属 *Melodinus*

山 橙
Melodinus suaveolens Champ. ex Benth.

| **中 药 名** | 山橙（药用部位：果实），山橙叶（药用部位：叶）

| **植物形态** | 攀缘木质藤本；具乳汁，除花序被稀疏的柔毛外，其余无毛；小枝褐色。叶近革质，椭圆形或卵圆形，基部渐尖或圆形，叶面深绿色而有光泽；叶柄长约8mm。聚伞花序顶生和腋生；花蕾先端圆形或钝；花白色；花萼长约3mm，被微毛，裂片卵圆形，先端圆形或钝，边缘膜质；花冠筒外被微毛，裂片长约为花冠筒的1/2，或与之等长，基部稍狭，上部向一边扩大而呈镰刀状或成斧形，具双齿；副花冠钟状或筒状，先端成5裂片，伸出花冠喉部外；雄蕊着生在花冠筒中部。浆果球形，先端具钝头，成熟时橙黄色或橙红色；种子多枚，犬齿状或两侧扁平，干时棕褐色。花期5~11月，果期8月至翌年1月。

山橙

| 分布区域 | 产于海南三亚、乐东、东方、五指山、保亭、陵水、儋州、澄迈、万宁等地。亦分布于中国广东、广西等地。

| 资　　源 | 常生于丘陵、山谷，攀缘在树木或石壁上。

| 采收加工 | 果实：秋季果实成熟时采收，晒干。叶：全年均可采，晒干。

| 药材性状 | 果实圆球形，直径3.5~8cm，外表橙红色，可见深棕色斑纹，有光泽，基部常有宿萼。果皮坚韧，果肉干缩呈海绵状，白色与淡棕色相杂，剖开可见2室，有多枚种子嵌入果肉内。种子扁圆形，长约5mm，棕褐色至黑褐色，表面密布斜细孔；种仁黄色，富油性。气微香，味苦。

| 功能主治 | 果实：行气，消积，杀虫。用于胃气痛、膈症、胸满、小儿疳积、疝气、瘰疬、皮肤热毒、湿癣疥癞。叶：清热利尿，消肿止痛。用于肾炎水肿、小便不利、风湿热痹、跌打肿痛。

夹竹桃科 Apocynaceae 夹竹桃属 Nerium

夹竹桃 *Nerium indicum* Mill.

| **中 药 名** | 夹竹桃（药用部位：叶、枝皮）

| **植物形态** | 常绿直立大灌木；枝条含水液。叶 3~4，轮生，下枝为对生，窄披针形，基部楔形，叶缘反卷；侧脉每边达 120，直达叶缘；叶柄扁平，叶柄内具腺体。聚伞花序顶生，着花数朵；总花梗长约 3cm；花梗长 7~10mm；苞片披针形；花芳香；花萼 5 深裂，红色，披针形，内面基部具腺体；花冠深红色或粉红色，栽培后有白色或黄色，花冠为单瓣呈 5 裂时，其花冠为漏斗状，花冠筒圆筒形，花冠喉部具 5 宽鳞片状副花冠，花冠裂片倒卵形；花冠为重瓣呈 15~18 时，裂片组成三轮，内轮为漏斗状，外面二轮为辐状，分裂至基部或每 2~3 基部连合，裂片长 2~3.5cm，每花冠裂片基部具长圆形而先端撕裂的

夹竹桃

鳞片；雄蕊着生在花冠筒中部以上，花丝短，花药箭头状，内藏，与柱头连生，基部具耳，药隔延长呈丝状；无花盘；心皮 2，离生，花柱丝状，柱头近球圆形；每心皮有胚珠多枚。蓇葖果 2，离生，长圆形，具细纵条纹；种子长圆形，先端具黄褐色绢质种毛；种毛长约 1cm。花期几全年，夏、秋季为最盛；果期一般在冬、春季，栽培者很少结出果实。

| 分布区域 | 海南各地有栽培。中国各地亦有栽培，尤以南部各地为多。野生于伊朗、印度、尼泊尔；现广植于世界热带地区。

| 资　　源 | 常在公园、风景区、道路旁或河旁、湖旁周围栽培；长江以北栽培者须在温室越冬。栽培，野生。

| 采收加工 | 对 2~3 年生以上的植株，结合整枝修剪，采收叶片及枝皮，晒干或烘干。

| 药材性状 | 叶窄披针形，长可达 15cm，宽约 2cm，先端渐尖，基部楔形，全缘稍反卷，上面深绿色，下面淡绿色，主脉于下面突起，侧脉细密而平行；叶柄长约 5mm。厚革质而硬。气特异，味苦，有毒。

| 功能主治 | 强心利尿，祛痰定喘，镇痛，祛瘀。用于心力衰竭、喘咳、癫痫、跌打肿痛、血瘀经闭。

夹竹桃科 Apocynaceae 杜仲藤属 Parabarium

红杜仲藤 *Parabarium chunianum* Tsiang

| 中 药 名 | 杜仲藤（药用部位：茎皮、根皮），杜仲藤叶（药用部位：叶）

| 植物形态 | 攀缘灌木；幼枝有纵长细条纹，老时光滑；幼枝、总花梗、花梗及花萼外面具被长硬毛，老枝无毛，有皮孔。叶腋间及腋内腺体线形。叶纸质，椭圆形或卵圆状长圆形，基部楔形，幼时叶背具白霜，老时灰绿色，具散生黑色乳头状圆点；侧脉 5~6 对，近边缘网结；叶柄长 5mm，上面具槽。聚伞花序总状式，顶生或腋生，与叶等长或比叶为长；总花梗直立开展，长 4~5cm，着花 14~16；苞片长圆状披针形；花梗长 3~5mm；花萼 5 深裂，裂片双盖覆瓦状排列，卵圆状长圆状，外面具有蜡质点，内面基部有腺体，腺体先端齿状；花冠近坛状，花冠筒直径 1.5mm，裂片卵圆形，在花蕾内有一小而膜质的斜形裂片压紧在内；雄蕊着生于花冠筒的基部，花药箭头状；

红杜仲藤

花盘短，肉质，环状不裂或不明显；子房具 2 心皮，半埋于花盘中，花柱短，柱头圆锥状，先端 2 裂。蓇葖果双生或有时 1 个不发育，线状披针形；种子长圆形；种毛白色绢质。花期 4~11 月，果期 8 月至翌年 2 月。

分布区域

产于海南白沙、五指山、乐东等地。亦分布于中国广西、广东等地。

资　　源

生于海拔 250~500m 的山地密林中。

采收加工

茎皮、根皮：秋季采收，剥取茎皮和根皮，切片，晒干。叶：夏、秋季采收，晒干。

药材性状

树皮呈不规则卷筒状或槽状，厚 1~3mm。外表面紫褐色或黑褐色，有皱纹及横向裂纹，皮孔稀疏，呈点状，刮去栓皮显紫红色或红褐色；内表面紫红褐色，具细密纵纹。折断面有白色胶丝相连，稍有弹性。

功能主治

茎皮、根皮：祛风湿，强筋骨。用于风湿痹痛、腰膝酸软、跌打损伤。叶：接骨，止血。用于跌打骨折、外伤出血。

▓夹竹桃科▓ Apocynaceae ▓鸡蛋花属▓ *Plumeria*

鸡蛋花 *Plumeria rubra* L. cv. Acutifolia

| **中 药 名** | 鸡蛋花（药用部位：花、茎枝）

| **植物形态** | 落叶小乔木；枝条带肉质，具丰富乳汁。叶厚纸质，长圆状倒披针形或长椭圆形，基部狭楔形；侧脉每边 30~40，未达叶缘网结成边脉；叶柄长 4~7.5cm，上面基部具腺体。聚伞花序顶生，长 16~25cm；总花梗三歧，长 11~18cm，肉质，绿色；花梗长 2~2.7cm，淡红色；花萼裂片小，卵圆形，不张开而压紧花冠筒；花冠外面白色，花冠筒外面及裂片外面左边略带淡红色斑纹，花冠内面黄色，花冠筒圆筒形，喉部无鳞片；花冠裂片阔倒卵形；雄蕊着生于花冠筒基部，花丝极短，花药长圆形；心皮 2，离生，花柱短，柱头长圆形，中间缢缩，先端 2 裂；每心皮有胚珠多枚。蓇葖果双生，广歧，圆筒形，

鸡蛋花

绿色；种子斜长圆形，扁平，先端具膜质的翅。花期5~10月，果期一般为7~12月，栽培者极少结果。

| 分布区域 | 海南各地有栽培。中国广东、广西、云南、福建等地亦有栽培，云南南部山中有逸为野生的。原产于墨西哥，现广植于亚洲热带及亚热带地区。

| 资　　源 | 栽培，逸为野生。

| 采收加工 | 夏、秋季采茎皮，花开时采花，晒干或鲜用。

| 药材性状 | 花多皱缩成条状，或扁平三角状，淡棕黄或黄褐色。湿润展平后，花萼较小。花冠裂片5，倒卵形，长约3cm，宽约1.5cm，呈旋转排列；下部合生成细管，长约1.5cm。雄蕊5，花丝极短。有时可见卵状子房。气香，味微苦。以花完整、色黄褐、气芳香者为佳。

| 功能主治 | 清热，利湿，解暑。用于感冒发热、肺热咳嗽、湿热黄疸、泄泻、痢疾、尿路结石，亦可预防中暑。

夹竹桃科 Apocynaceae 帘子藤属 Pottsia

帘子藤 *Pottsia laxiflora* (Bl.) O. Kuntze

帘子藤

| 中 药 名 |

花拐藤根（药用部位：根）

| 植物形态 |

常绿攀缘灌木；枝条柔弱，平滑，具乳汁。叶薄纸质，卵圆形、椭圆状卵圆形或卵圆状长圆形，基部圆或浅心形；侧脉每边 4~6，斜曲上升，至叶缘前网结；叶柄长 1.5~4cm。总状式的聚伞花序腋生和顶生，长 8~25cm，具长总花梗，多花；花梗长 0.8~1.5cm；花萼短，裂片宽卵形，内面具腺体；花冠紫红色或粉红色，花冠筒圆筒形，裂片向上展开，卵圆形；雄蕊着生于花冠筒喉部，花丝被长柔毛，花药箭头状，伸出花冠筒喉部之外，腹部中间粘连在柱头上，基部具耳；子房被长柔毛，由 2 离生心皮组成，花柱中部加厚，柱头圆锥状，每心皮有胚珠多枚；花盘环状，围绕子房周围。蓇葖果双生，线状长圆形，细而长，下垂，外果皮薄；种子线状长圆形，先端具白色绢质种毛；种毛长 2~2.5cm。花期 4~8 月，果期 8~10 月。

| 分布区域 | 产于海南三亚、乐东、白沙、万宁、琼中、澄迈、屯昌、文昌、儋州等地。亦分布于中国贵州、云南、广西、广东、湖南、江西和福建等地。

| 资　　源 | 生于海拔 200~1600m 的山地疏林中，或湿润的密林山谷中，攀缘于树上或山坡路旁、水沟边灌丛中。

| 采收加工 | 全年均可采，洗净，切片，晒干或鲜用。

| 药材性状 | 根呈圆柱形，弯曲；断面淡棕色；长短不等。

| 功能主治 | 祛风除湿，活血通络。用于风湿痹痛、跌打损伤、闭经。

夹竹桃科 Apocynaceae 萝芙木属 Rauvolfia

四叶萝芙木 *Rauvolfia tetraphylla* L.

| 中 药 名 | 四叶萝芙木（药用部位：树汁）

| 植物形态 | 灌木；枝有微软毛到无毛，在节上及叶柄间具腺体。4 叶轮生，很少 3 或 5 叶轮生，叶大小不等，膜质，卵圆形、卵状椭圆形或为长圆形，基部圆形或阔楔形；侧脉弧曲，5~12 对；叶柄长 2~5mm。花序顶生或腋生；总花梗长 1~4cm；花萼 5 深裂，裂片卵圆形；花冠坛状，白色，花冠筒长 2~3mm，内面近喉部被较密的长柔毛，裂片卵圆形至近圆形；雄蕊 5，内藏，着生于花冠筒喉部，花药卵圆形；花盘环状；子房具 2 合生心皮，近球形，每室有 1~2 胚珠，柱头先端头状，具不明显的 2 细尖头。果实球形或近球形，由 2 核果合生而成，从绿色转红色，到成熟时为黑色；种子 2，卵圆形，腹面扁平，

四叶萝芙木

背面突起，具明显皱纹；胚倒而弯生。花期 5 月，果期 5~8 月。

| 分布区域 | 海南万宁、儋州有栽培。中国广东、广西和云南亦有栽培。原产于南美洲，现亚洲各地有栽培。

| 资　　源 | 栽培。

| 采收加工 | 全年可采收树汁，多鲜用。

| 药材性状 | 树汁为白色，有毒。

| 功能主治 | 树汁可作为催吐、泻下、祛痰、利尿、消肿药物的原材料。

吊罗山萝芙木 *Rauvolfia tiaolushanensis* Tsiang

| 中 药 名 | 吊罗山萝芙木（药用部位：根）

| 植物形态 | 灌木；茎黑褐色，被稀疏的皮孔；节间长 1.5~7.5cm。叶纸质或较厚，对生或 3 叶轮生，稀为 4 叶轮生，椭圆形，稀为长圆形，先端渐尖，基部渐尖或窄楔形；侧脉两面均不明显，叶缘有向下反卷而成的厚边；叶柄长约 8mm。花黄色；聚伞花序顶生；花序梗长 6mm；花萼钟状，5 裂，裂片长 2.5mm；花冠筒圆筒形，黄色，喉部膨大，被短柔毛，花冠裂片向左覆盖，长卵圆形；雄蕊着生在花冠筒的喉部，花丝短，花药宽卵形，先端短渐尖，基部圆形；花盘环状；子房由 2 离生心皮组成，一半埋藏在花盘内，花柱柔弱，柱头棒状，基部具环状的膜。花期 3 月，果期 5 月。

吊罗山萝芙木

| 分布区域 | 产于海南保亭、陵水、琼海等地。亦分布于中国广东。

| 资　　源 | 生于山地林中。

| 采收加工 | 秋季采挖树根，洗净，切片，晒干。

| 药材性状 | 根呈圆柱形，略弯曲，长短不一。

| 功能主治 | 有小毒。镇静，降血压，活血止痛，清热解毒。

夹竹桃科 Apocynaceae 萝芙木属 *Rauvolfia*

萝芙木 *Rauvolfia verticillata* (Lour.) Baill.

萝芙木

| 中 药 名 |

萝芙木（药用部位：根），萝芙木茎叶（药用部位：茎、叶）

| 植物形态 |

灌木；幼枝绿色，被稀疏的皮孔；节间长1~5cm。叶膜质，干时淡绿色，3~4叶轮生，稀为对生，椭圆形或长圆形，稀披针形，基部楔形或渐尖；侧脉弧曲上升；叶柄长0.5~1cm。伞形式聚伞花序，生于上部的小枝的腋间；总花梗长2~6cm；花小，白色；花萼5裂，裂片三角形；花冠高脚碟状，花冠筒圆筒状，中部膨大；雄蕊着生于花冠筒内面的中部，花药背部着生，花丝短而柔弱；花盘环状，长约为子房的1/2；子房由2离生心皮所组成，一半埋藏于花盘内，花柱圆柱状，柱头棒状，基部有一环状薄膜。核果卵圆形或椭圆形，由绿色变暗红色，然后变成紫黑色，种子具皱纹；胚小，子叶叶状，胚根在上。花期2~10月，果期4月至翌年春季。

| 分布区域 |

产于海南乐东、东方、五指山、保亭、万宁、琼中、儋州、澄迈、海口、琼海等地。

| 资　　源 |

一般生于林边、丘陵地带的林中或溪边较潮湿的灌丛中。

| 采收加工 |

根：定植 2~3 年便可采挖，以 10 月采收时生物碱含量较高。先将离地面 10cm 左右的茎秆砍断，清除枝叶，将根挖出，抖去泥土，粗根切成 1cm 厚的薄片，细根砍成短节，晒干即成。茎、叶：夏、秋季采收，切段，晒干或鲜用。

| 药材性状 |

根呈圆柱形，略弯曲，长短不一，直径约3cm，主根下常有分枝。表面灰棕色至灰棕黄色，有不规则纵沟和棱线，栓皮松软，极易脱落并露出暗棕色皮部或灰黄色木质部。质坚硬，不易折断，切断面皮部很窄，淡棕色；木质部占极大部分，黄白色，具明显的年轮和细密的放射状纹理。气微，皮部极苦，木质部微苦。以质坚、皮部味极苦者为佳。

| 功能主治 |

根：清热，降压，宁神。用于感冒发热、头痛、身疼、咽喉肿痛、高血压、眩晕、失眠。茎、叶：清热解毒，活血消肿，降压。用于咽喉肿痛、跌打瘀肿、疮疖溃疡、毒蛇咬伤、高血压。

夹竹桃科 Apocynaceae 萝芙木属 *Rauvolfia*

海南萝芙木 *Rauvolfia verticillata* (Lour.) Baill. var. *hainanensis* Tsiang

| 中 药 名 | 海南萝芙木（药用部位：全株或叶）

| 植物形态 | 灌木，高约 3m；茎土灰色，被稀疏的皮孔。叶膜质，长圆形或披针形，长 6~25cm，宽 2.5~6cm，叶面浓绿色，叶背绿色，干时成橄榄绿色；叶面中脉微凹，叶背中脉微突起，侧脉两面很清楚，呈缝纫机轧孔状的整齐皱纹。花序与花的特征和"萝芙木"相同。核果卵圆形，长 1.4cm，宽约 6mm。花期 2~10 月，果期 4 月至翌年春季。

| 分布区域 | 产于海南乐东、东方、五指山、保亭、万宁、琼中、儋州、澄迈、海口、琼海等地。亦分布于中国广东、广西。

| 资　　源 | 生于低海拔山地沟谷阴湿处。

海南萝芙木

| **采收加工** | 全年可采收，切段，晒干。 |

| **功能主治** | 全株药用，有毒。用于高血压、白带、淋浊、月经不调、疝气、喉痛。叶外敷，用于恶疮溃疡。 |

夹竹桃科 Apocynaceae 萝芙木属 *Rauvolfia*

催吐萝芙木 *Rauvolfia vomitoria* Afzel. ex Spreng.

| 中 药 名 | 催吐萝芙木（药用部位：根、茎皮、乳汁）

| 植物形态 | 灌木，具乳汁。叶膜质或薄纸质，3~4叶轮生，稀对生，广卵形或
卵状椭圆形，长 5~12cm，宽 3~6cm；侧脉弧曲上升，每边 9~12。
聚伞花序顶生，花淡红色，花冠高脚碟状，花冠筒喉部膨大，内面
被短柔毛；雄蕊着生于花冠筒喉部；花盘环状；心皮离生，花柱基
部膨大，被短柔毛，柱头棍棒状。核果离生，圆球形。花期 8~10 月，
果期 10~12 月。

| 分布区域 | 海南万宁有栽培。中国广东、广西亦有栽培。原产于非洲热带地
区，现南美洲各地也有栽培。

| 资　　源 | 栽培。

催吐萝芙木

│ 采收加工 │

全年可采收。根：洗净，切片，晒干。茎皮：
切段，晒干。乳汁：多鲜用。

│ 药材性状 │

根呈圆柱形，略弯曲，长短不一。乳汁乳白色。

│ 功能主治 │

有小毒。根：清风热，降肝火，消肿毒。用于
高血压、头痛、眩晕、腹痛吐泻、感冒发热。
茎皮：用于高热不退、消化不良、风痒疮疥。
乳汁：用于腹痛、泻下。在非洲西部地区有
用其根来提取利血平生物碱，以代替寿比南
的原料。

夹竹桃科 Apocynaceae 毛药藤属 Sindechites

坭 藤 *Sindechites chinensis* (Merr.) Markgr. & Tsiang

| 中 药 名 | 坭藤（药用部位：根）

| 植物形态 | 木质藤本。叶膜质至近纸质，卵圆形，先端急尖而钝，基部钝或近圆形；侧脉每边 4~6，基部呈三出脉；叶柄长 2~3mm，被紧贴的柔毛；叶柄间具钻状腺体，腺体被紧贴柔毛。圆锥状聚伞花序顶生和腋生，长约 4cm；总花梗和花梗柔弱，幼时被紧贴短柔毛，老时脱落；花蕾圆筒形，先端膨大，圆球形，花开放时长达 1.8cm；苞片小，被紧贴的短柔毛；花萼裂片椭圆状卵圆形、钝头，内面具小腺体；花冠白色，花冠筒圆筒形，裂片斜卵圆形；雄蕊着生在花冠筒中部，花丝短，花药长圆形，腹面中部与柱头基部黏生，花药基部具短耳，药隔先端具长柔毛；子房无毛，由 2 离生心皮组成，花柱丝状，细长，

坭藤

柱头棍棒状，基部膨大呈环状，先端圆锥状，2 裂，心皮有胚珠多枚；花盘环状，先端 5 浅裂，围绕子房，比子房长。蓇葖果双生，线状长披针形；种子线状长圆形，两端较狭窄，扁平，先端具白色绢质种毛；种毛长 2.5~2.7cm。花期 3~7 月，果期 6 月至翌年 2 月。

| **分布区域** | 产于海南三亚、乐东、儋州、白沙等地。亦分布于中国广东。

| **资　　源** | 生于低海拔至中海拔的山地密林中或溪边灌丛中，常攀缘树上。

| **采收加工** | 全年可采挖，洗净，切段，晒干。

| **药材性状** | 根呈圆柱形，略弯曲，长短不一。

| **功能主治** | 祛风除湿，通络活血。用于风湿痹痛、跌打损伤、闭经。

夹竹桃科 Apocynaceae 羊角拗属 Strophanthus

羊角拗

Strophanthus divaricatus (Lour.) Hook. et Arn.

| 中 药 名 | 羊角拗（药用部位：根、茎、叶），羊角拗子（药用部位：种子），羊角纽花（药用部位：丝状绒毛）

| 植物形态 | 灌木，上部枝条蔓延，密被灰白色圆形的皮孔。叶薄纸质，椭圆状长圆形或椭圆形，基部楔形，边缘全缘或有时略带微波状；侧脉通常每边6，斜曲上升，叶缘前网结；叶柄短，长5mm。聚伞花序顶生，通常着花3；总花梗长0.5~1.5cm；花梗长0.5~1cm；苞片和小苞片线状披针形；花黄色；花萼筒长5mm，萼片披针形，内面基部有腺体；花冠漏斗状，花冠筒淡黄色，下部圆筒状，上部渐扩大呈钟状；花冠裂片黄色，外弯，基部卵状披针形，先端延长成一长尾带状，裂片内面具由10舌状鳞片组成的副花冠，高出花冠喉部，白黄色，鳞片每2枚基部合生，生于花冠裂片之间；雄蕊内藏，着生在冠檐基部，

羊角拗

花丝延长至花冠筒上呈肋状突起,花药箭头形,基部具耳,药隔顶部渐尖成一尾状体,不伸出花冠喉部,各药相连,腹部粘于柱头上;子房半下位,由2离生心皮组成,无毛,花柱圆柱状,柱头棍棒状,先端浅裂,每心皮有胚珠多枚;无花盘。蓇葖果广叉开,木质,椭圆状长圆形,先端渐尖,基部膨大,外果皮绿色,干时黑色,具纵条纹;种子纺锤形、扁平,轮生着白色绢质种毛;种毛具光泽。花期3~7月,果期6月至翌年2月。

| 分布区域 |

产于海南三亚、乐东、保亭、万宁等地。亦分布于中国贵州、云南、广西、广东、福建等地。

| 资　　源 |

野生于丘陵山地、路旁疏林中或山坡灌丛中。

| 采收加工 |

根:全年均可采,洗净,切片,晒干。茎、叶:全年均可采,晒干或鲜用。种子:秋、冬季采收成熟未开裂果实(防果实裂开,种子飞走),晒裂,取出种子,除去丝状白毛,晒干。绒毛:秋季果实成熟时采收,剥取种子上的丝状绒毛,晒干。

| 药材性状 |

茎枝圆柱形,略弯曲,多截成30~60cm的长段;表面棕褐色,有明显的纵沟及纵皱纹,粗枝皮孔灰白色,横向突起,嫩枝密布灰白色小圆点皮孔;质硬脆,断面黄绿色,木质,中央可见

髓部。叶对生,皱缩,展平后呈椭圆状长圆形,长 3~8cm,宽 2.5~3.5cm,全缘,中脉于下面突起。气微,味苦,有大毒。以茎枝幼嫩、叶多者为佳。种子呈扁纺锤形,长约 2cm,宽约 5mm,基部钝,先端尖,顶部留有白色丝状长毛的痕迹。上部渐狭延长成喙状,近喙一侧有一突起的棱线至种皮中部。表面棕褐色,有皱纹,微扭曲。质脆,易折断,断面可见白色种仁,富油性。气微,味苦,有大毒。以种子饱满、色棕,种仁色白、富油性者为佳。

| **功能主治** | 根、茎、叶:祛风湿,通经络,解疮毒,杀虫。用于风湿痹痛、小儿麻痹后遗症、跌打损伤、痈疽、疥癣。种子:祛风通络,解毒杀虫。用于风湿痹痛、小儿麻痹后遗症、跌打损伤、痈肿、疥癣。绒毛:止血,散瘀。用于刀伤出血、跌打肿痛。

夹竹桃科 Apocynaceae 黄花夹竹桃属 *Thevetia*

黄花夹竹桃 *Thevetia peruviana* (Pers.) K. Schum.

| 中药名 | 黄花夹竹桃（药用部位：种仁），黄花夹竹桃叶（药用部位：叶）

| 植物形态 | 乔木，全株无毛；树皮棕褐色，皮孔明显；多枝柔软，小枝下垂；全株具丰富乳汁。叶互生，近革质，无柄，线形或线状披针形，两端长尖，全缘，边稍背卷；中脉在叶面下陷，在叶背突起。花大，黄色，具香味；聚伞花序顶生，长 5~9cm；花梗长 2~4cm；花萼绿色，5 裂，裂片三角形；花冠漏斗状，花冠筒喉部具 5 被毛的鳞片，花冠裂片向左覆盖，比花冠筒长；雄蕊着生于花冠筒的喉部，花丝丝状；子房无毛，2 裂，胚珠每室 2，柱头圆形，端部 2 裂。核果扁三角状球形，内果皮木质，生时绿色而亮，干时黑色；种子 2~4。花期 5~12 月，果期 8 月至翌年春季。

黄花夹竹桃

| 分布区域 | 产于海南三亚、万宁、琼中、乐东、澄迈、海口等地。亦分布于中国台湾、福建、广东、广西和云南等地。 |

| 资　源 | 生于干热地区路旁、池边、山坡疏林下；土壤较湿润而肥沃的地方生长较好；耐旱力强，亦稍耐轻霜。栽培，有时野生。 |

| 采收加工 | 种仁：秋季果实成熟时采收，剥取种仁，晒干。叶：全年均可采，晒干或鲜用。 |

| 药材性状 | 种仁：果实呈扁三角状球形，直径 2.5~4cm，表面皱缩，黑色，先端微凹起，基部有宿萼及果柄，外果皮稍厚，中果皮肉质，内果皮坚硬。破碎后内有种子 2~4，卵形，先端稍尖，两面突起。一侧有圆形种脐，贴附于果壳内侧面。外种皮表面淡棕红色，内种皮乳白色，光滑，质脆，易破碎。颓废的胚乳呈白色丝绒状，贴附于子叶的外周。子叶 2，富油性。气微，味极苦。叶：叶片向外卷曲成筒状，完整叶片呈条形，长 10~15cm，展开宽 0.5~1cm，全缘，近无柄，上表面黄绿色，下表面浅黄绿色。两面光滑无毛；叶背面主脉突出；腹面呈槽形。叶质脆而易碎。气微，味苦。 |

| 功能主治 | 种仁：强心，利尿消肿。用于各种心脏病引起的心力衰竭、阵发性室上性心动过速、阵发性心房颤动。叶：解毒消肿。用于蛇头疔。 |

夹竹桃科 Apocynaceae 络石属 *Trachelospermum*

络 石
Trachelospermum jasminoides (Lindl.) Lem.

| 中 药 名 | 络石藤（药用部位：带叶藤茎）

| 植物形态 | 常绿木质藤本，具乳汁；茎圆柱形，有皮孔。叶革质或近革质，椭圆形至卵状椭圆形或宽倒卵形，基部渐狭至钝；侧脉每边 6~12；叶柄短；叶柄内和叶腋外腺体钻形。二歧聚伞花序腋生或顶生；花白色，芳香；总花梗长 2~5cm；苞片及小苞片狭披针形；花萼 5 深裂，裂片线状披针形，顶部反卷，基部具 10 鳞片状腺体；花蕾先端钝，花冠筒圆筒形，花冠裂片长 5~10mm；雄蕊着生在花冠筒中部，花药箭头状，基部具耳，隐藏在花喉内；花盘环状，5 裂，与子房等长；子房由 2 离生心皮组成，花柱圆柱状，柱头卵圆形，先端全缘；每心皮有胚珠多颗，着生于 2 并生的侧膜胎座上。蓇葖果双生，叉开，

络石

线状披针形；种子多枚，褐色，线形，先端具白色绢质种毛；种毛长 1.5~3cm。花期 3~7 月，果期 7~12 月。

| **分布区域** | 产于海南乐东、保亭、海口、儋州等地。中国山东、安徽、江苏、浙江、福建、台湾、江西、河北、河南、湖北、湖南、广东、广西、云南、贵州、四川、陕西等地也有分布。

| **资　　源** | 生于山野、溪边、路旁、林缘或杂木林中，常缠绕于树上或攀缘于墙壁上、岩石上，亦可移栽于园圃以供观赏。

| **采收加工** | 栽种 3~4 年后，于秋末剪取藤茎，截成长 25~30cm，扎成小把，晒干。

| **药材性状** | 藤茎圆柱形，多分枝，直径 0.2~1cm；表面红棕色，具点状皮孔和不定根；质较硬，折断面呈纤维状，黄白色，有时中空。叶对生，具短柄，完整叶片椭圆形或卵状椭圆形，长 2~10cm，宽 0.8~3.5cm，先端渐尖或钝，有时微凹，叶缘略反卷，上表面黄绿色，下表面较浅，叶脉羽状，下表面较清晰，稍突起；革质，折断时可见白色绵毛状丝。气微，味微苦。以叶多、色绿者为佳。

| **功能主治** | 通络止痛，凉血清热，解毒消肿。用于风湿痹痛、腰膝酸痛、筋脉拘挛、咽喉肿痛、疔疮肿毒、跌打损伤、外伤出血。

夹竹桃科 Apocynaceae　盆架树属 Winchia

盆架树
Winchia calophylla A. DC.

| **中 药 名** | 盆架树（药用部位：叶、树皮）

| **植物形态** | 常绿乔木。枝轮生，具纵裂条纹，内皮黄白色，受伤后流出大量白色乳汁，有浓烈的腥甜味；小枝嫩时棱柱形，具纵沟，老时成圆筒形，落叶痕明显。叶 3~4 轮生，间有对生，薄草质，长圆状椭圆形，基部楔形或钝，叶背浅绿色稍带灰白色；侧脉每边 20~50，叶缘网结；叶柄长 1~2cm。花多朵集成顶生聚伞花序，长约 4cm；总花梗长 1.5~3cm；花萼裂片卵圆形，具缘毛；花冠高脚碟状，花冠筒圆筒形，花冠裂片广椭圆形，白色；雄蕊着生在花冠筒中部，花药长 1~1.5mm，先端不伸出花冠喉部外，花丝丝状；无花盘；子房由 2 合生心皮组成，花柱圆柱状，柱头棍棒状，先端 2 裂，每心皮胚珠

盆架树

多数。蓇葖果合生，外果皮暗褐色，有纵浅沟；种子长椭圆形，扁平，两端被棕黄色的缘毛。花期 4~7 月，果期 8~12 月。

| **分布区域** | 产于海南东方、昌江、五指山、万宁、澄迈等地。亦分布于中国云南、广东等地。

| **资　　源** | 生于热带和亚热带山地常绿林中或山谷热带雨林中，也有生于疏林中。其垂直分布可至 1100m，常以海拔 500~800m 的山谷和山腰静风湿度大缓坡地环境为多，常呈群状分布。

| **采收加工** | 全年均可采，剥取树皮，切块，晒干；摘取叶子，晒干。

| **药材性状** | 树皮：树皮呈斑块状、条状或不规则的块状。外表面灰黄色，具不规则纵裂纹，易呈层状剥落，内表面较光滑，易折断。叶：呈长圆状椭圆形，先端渐尖呈尾状，基部楔形，全缘，上面绿色，微有光泽，下面色淡，主脉明显，侧脉较多，横出近平行。气微腥，味微甜而苦、涩。

| **功能主治** | 止咳平喘。用于新久咳嗽、气喘。

夹竹桃科 Apocynaceae　倒吊笔属 *Wrightia*

蓝 树

Wrightia laevis Hook. f.

| 中 药 名 | 蓝树（药用部位：根、叶、树皮）

| 植物形态 | 乔木，除花外，均无毛，具乳汁；树皮具皮孔。叶膜质，长圆状披针形或狭椭圆形至椭圆形，稀卵圆形，基部楔形；侧脉每边 5~9，稀 11，干后呈缝纫机轧孔状的皱纹；叶柄长 5~7mm。花白色或淡黄色，多朵组成顶生聚伞花序，长 6cm；总花梗长 1cm；花梗长 1~1.5cm；苞片小；花萼短而厚，裂片比花冠筒短，卵形，先端钝或圆，内面基部有卵形腺体；花冠漏斗状，花冠筒长 1.5~3mm，裂片椭圆状长圆形，具乳头状突起；副花冠分裂为 25~35 鳞片，呈流苏状，鳞片先端条裂，基部合生；雄蕊着生在花冠筒先端，花药被微柔毛；子房由 2 离生心皮组成，花柱丝状，向上逐渐增大，柱头头状。蓇

蓝树

蓇葖果 2，离生，圆柱状，顶部渐尖，外果皮具斑点；种子线状披针形，先端具白色绢质种毛；种毛长 2~4cm。花期 4~8 月，果期 7 月至翌年 3 月。

分布区域

产于海南乐东、昌江、白沙、万宁、琼中、澄迈等地。亦分布于中国广东、广西、贵州、云南等地。

资　源

生于村中、路旁和山地疏林中或山谷向阳处；适生于土壤湿润、肥沃的地方。

采收加工

全年均可采，洗净，根与皮切片，晒干或鲜用。

药材性状

叶片矩圆状椭圆形，长 7~12cm，宽 2.5~5cm，先端渐尖，基部楔形，全缘，羽状网脉，侧脉呈缝纫机轧孔状皱纹。气微，味微苦、涩。

功能主治

清热解毒，止血敛疮。用于流行性腮腺炎、毒蛇咬伤、刀伤出血、湿疹、疮疡溃烂。

▀夹竹桃科▀ Apocynaceae　▀倒吊笔属▀ *Wrightia*

倒吊笔 *Wrightia pubescens* R. Br.

| 中 药 名 |

倒吊蜡烛（药用部位：根、茎枝），倒吊笔叶（药用部位：叶）

| 植物形态 |

乔木，含乳汁；树皮黄灰褐色，浅裂。叶坚纸质，长圆状披针形、卵圆形或卵状长圆形，基部急尖至钝；侧脉每边 8~15；叶柄长 0.4~1cm。聚伞花序长约 5cm；总花梗长 0.5~1.5cm；花梗长约 1cm；萼片阔卵形或卵形，内面基部有腺体；花冠漏斗状，白色、浅黄色或粉红色，花冠筒长 5mm，裂片长圆形；副花冠分裂为 10 鳞片，呈流苏状，其中 5 鳞片生于花冠裂片上，与裂片对生，先端通常有 3 小齿，其余 5 鳞片生于花冠筒先端与花冠裂片互生，先端 2 深裂；雄蕊伸出花喉之外，花药箭头状；子房由 2 黏生心皮组成，花柱丝状，向上逐渐增大，柱头卵形。菁葵果 2 枚黏生，线状披针形，斑点不明显；种子线状纺锤形，黄褐色，先端具淡黄色绢质种毛；种毛长 2~3.5cm。花期 4~8 月，果期 8 月至翌年 2 月。

| 分布区域 |

产于海南三亚、乐东、昌江、白沙、保亭、

倒吊笔

万宁、儋州、澄迈、定安、海口等地。亦分布于中国广东、广西、贵州、云南等地。

资 源

散生于低海拔热带雨林中和干燥稀树林中。阳性树，常见于海拔300m以下的山麓疏林中，在密林中少见。适生于土壤深厚、肥沃、湿润而无风的低谷地或平坦地，生长良好。

采收加工

根、茎枝：全年均可采，洗净，切片，晒干。叶：全年均可采，切碎，晒干或鲜用。

药材性状

根：多切成不规则的片块状，切面宽2.5~4cm。外皮灰白色、土黄色或灰褐色，具不规则纵皱纹及白色点状突起的皮孔；皮部松浮，易剥落。质轻而硬，断面木质部黄白色。气微，味淡。以片大、切面色黄白者为佳。茎枝：枝圆柱形，长短不一，表面黄灰色，密生点状皮孔，并可见叶痕、芽痕，质脆，折断面木质部占大部分。气微，味微苦。

功能主治

根、茎枝：祛风通络，化痰散结，利湿。用于风湿痹痛、腰膝疼痛、跌打损伤、瘰疬、慢性支气管炎、黄疸型肝炎、肝硬化腹水。叶：祛风解表，清热解毒。用于感冒发热、咽喉肿痛、急慢性支气管炎、急性肾盂肾炎。

萝藦科　Asclepiadaceae　马利筋属　Asclepias

马利筋 *Asclepias curassavica* L.

| 中 药 名 | 莲生桂子花（药用部位：全草）

| 植物形态 | 多年生直立草本，灌木状，全草有白色乳汁。叶膜质，披针形至椭圆状披针形，基部楔形而下延至叶柄，无毛或在脉上有微毛；侧脉每边约 8；叶柄长 0.5~1cm。聚伞花序顶生或腋生，着花 10~20；花萼裂片披针形；花冠紫红色，裂片长圆形，反折；副花冠生于合蕊冠上，5 裂，黄色，匙形，有柄，内有舌状片；花粉块长圆形，下垂，着粉腺紫红色。菁葖果披针形，两端渐尖；种子卵圆形，先端具白色绢质种毛；种毛长 2.5cm。花期几全年，果期 8~12 月。

| 分布区域 | 海南三亚、乐东、白沙、五指山、保亭、琼中、万宁、文昌有栽培。中国广东、广西、云南、贵州、四川、湖南、江西、福建、台湾等

马利筋

地亦有栽培。原产于北美洲的西印度群岛，现广植于热带及亚热带地区。

| 资　　源 |

有栽培，也有逸为野生和驯化。

| 采收加工 |

全年均可采，晒干或鲜用。

| 药材性状 |

茎直，较光滑。单叶对生，叶片披针形，先端急尖，基部楔形，全缘。有的可见伞形花序，花梗被毛，或披针形蓇葖果，内有许多具白色绢毛的种子。气特异，味微苦。

| 功能主治 |

清热解毒，活血止血，消肿止痛。用于咽喉肿痛、肺热咳嗽、热淋、月经不调、崩漏、带下病、痈疮肿毒、湿疹、顽癣、创伤出血。

萝藦科 Asclepiadaceae 牛角瓜属 Calotropis

牛角瓜 *Calotropis gigantea* (L.) Dryand ex Ait. F.

| 中 药 名 | 牛角瓜（药用部位：叶）

| 植物形态 | 直立灌木，全株具乳汁；茎黄白色，枝粗壮，幼枝部分被灰白色绒毛。叶倒卵状长圆形或椭圆状长圆形，基部心形；两面被灰白色绒毛，老渐脱落；侧脉每边 4~6，疏离；叶柄极短，有时叶基部抱茎。聚伞花序伞形状，腋生和顶生；花序梗和花梗被灰白色绒毛，花梗长 2~2.5cm；花萼裂片卵圆形；花冠紫蓝色，辐状，裂片卵圆形，急尖；副花冠裂片比合蕊柱短，先端内向，基部有距。蓇葖果单生，膨胀，端部外弯，被短柔毛；种子广卵形，长 5mm，宽 3mm，先端具白色绢质种毛；种毛长 2.5cm。花果期几全年。

| 分布区域 | 产于海南乐东、东方等地。亦分布于中国云南、四川、广西、广东等地。

牛角瓜

| 资　　源 |

生长于低海拔向阳山坡、旷野地及海边。

| 采收加工 |

夏、秋季采摘，晒干。

| 药材性状 |

叶倒卵状长圆形或椭圆状长圆形，基部心形；两面被灰白色绒毛，老渐脱落；侧脉每边4~6，疏离；叶柄极短，有时叶基部抱茎。

| 功能主治 |

祛痰，定咳喘。用于咳嗽痰多、百日咳。

萝藦科 Asclepiadaceae 杯冠藤属 *Cynanchum*

海南杯冠藤 *Cynanchum insulanum* (Hance) Hemsl.

| 中 药 名 | 断节参（药用部位：根）

| 植物形态 | 柔弱草质藤本，全株无毛。叶对生，长圆状戟形至三角状披针形，长 2~3.5cm，宽 0.5~1.5cm；侧脉 5 对；叶柄长约 1cm。伞形聚伞花序腋生，着花 4~5；花萼 5 深裂，内面基部有腺体 5 个，裂片长圆形；花冠绿白色，裂片长圆形，长约 3mm；副花冠杯状，薄膜质，先端 10 浅裂，裂片先端钝形；花粉块每室 1，下垂，长圆形；花药近四方形；柱头全缘。蓇葖果单生，长披针形，长 4.5~5cm，直径 8mm；种子长圆形，长 3mm；种毛白色绢质，长 2cm。花期 5~10 月，果期 10 月至翌年春季。

海南杯冠藤

分布区域	产于海南乐东、万宁、儋州、临高、海口、文昌等地。亦分布于中国广东、广西等地。
资　　源	生于海边沙地或海拔50m的平原疏林中。
采收加工	全年可采挖，洗净，切片，晒干。
药材性状	根呈圆柱形，略弯曲，长短不一。
功能主治	补肝肾，强筋骨，解毒。

萝藦科 Asclepiadaceae 眼树莲属 *Dischidia*

眼树莲 *Dischidia chinensis* Champ. ex Benth.

| 中 药 名 | 上树鳖（药用部位：全株）

| 植物形态 | 藤本，常攀附于树上或石上，全株含有乳汁；茎肉质，节上生根，绿色，无毛。叶肉质，卵圆状椭圆形，长1.55~2.5cm，宽1cm，先端圆形，无短尖头，基部楔形；叶柄长约2mm。聚伞花序腋生，近无柄，有瘤状突起；花极小，花萼裂片卵圆形，长和宽各约1mm，具缘毛；花冠黄白色，坛状，花冠喉部紧缩，加厚，被疏长柔毛，裂片三角状卵形，钝头，长和宽各约1mm；副花冠裂片锚状，具柄，先端2裂，裂片线形，展开而下折，其中间有细小圆形的乳头状突起；花粉块长圆状，直立，花粉块柄先端增厚。蓇葖果披针状圆柱形；种子先端具白色绢质种毛。花期4~5月，果期5~6月。

眼树莲

| **分布区域** | 产于海南三亚、乐东、万宁、文昌、琼中等地。亦分布于中国广东、广西。 |

| **资　　源** | 生长于山地潮湿杂木林中或山谷、溪边，攀附在树上或附生于石上。 |

| **采收加工** | 夏、秋季采收，切段，晒干或鲜用。 |

| **功能主治** | 清肺化痰，凉血解毒。用于肺热咳痰、咯血、百日咳、小儿疳积、痢疾、疔疮疖肿、跌打肿痛、毒蛇咬伤。 |

萝藦科 Asclepiadaceae 眼树莲属 Dischidia

小叶眼树莲 *Dischidia minor* (Vahl) Merr.

| 中 药 名 | 小叶眼树莲（药用部位：叶）

| 植物形态 | 附生肉质藤本，节上生根。叶圆形，长和宽各约1cm，绿白色，无毛；叶脉不明显；叶柄长 1mm。聚伞花序腋生；花序梗极短；花萼裂片卵圆形，长和宽各 0.5mm，无毛；花冠白色或黄白色，坛状，花冠喉部被长柔毛，裂片卵状三角形，中部加厚；副花冠裂片锚状，比合蕊柱短，先端 2 裂而下弯；花药先端卵状三角形；花粉块长圆状，直立，花粉块柄先端膨大；子房无毛，柱头基部五角形，先端具尖头。蓇葖果披针状圆柱形；种子先端具白色绢质种毛。花期 1~5 月，果期 5~8 月。

小叶眼树莲

| **分布区域** | 产于海南三亚、昌江、五指山、万宁、文昌等地。亦分布于中国云南、广东和福建。 |

| **资　　源** | 生长于山地林谷中。 |

| **采收加工** | 全年均可采，晒干或鲜用。 |

| **功能主治** | 清热凉血，养阴生津。用于高热伤津、口渴欲饮、目赤肿痛。 |

萝藦科 Asclepiadaceae 南山藤属 *Dregea*

南山藤 *Dregea volubilis* (L. f.) Benth. ex Hook. f.

| 中 药 名 | 南山藤（药用部位：全株或块茎）

| 植物形态 | 木质大藤本；茎具皮孔，枝条灰褐色，具小瘤状突起。叶宽卵形或近圆形，基部截形或浅心形；侧脉每边约 4；叶柄长 2.5~6cm。花多朵，组成伞形状聚伞花序，腋生，倒垂；花序梗长 2~4cm；花梗长 2~2.5cm；花萼裂片外面被柔毛，内面有腺体多个；花冠黄绿色，夜吐清香，裂片广卵形；副花冠裂片生于雄蕊的背面，肉质膨胀，内角成延伸的尖角；花粉块长圆形，直立；子房被疏柔毛，花柱短，柱头厚而先端具圆锥状突起。蓇葖果披针状圆柱形，外果皮被白粉，具多皱棱条或纵肋；种子广卵形，扁平，有薄边，棕黄色，先端具白色绢质种毛；种毛长 4.5cm。花期 4~9 月，果期 7~12 月。

南山藤

| **分布区域** | 产于海南三亚、乐东、东方、昌江、万宁、儋州、澄迈、文昌、海口等地。亦分布于中国贵州、云南、广西、广东及台湾等地。 |

| **资　　源** | 生长于海拔500m以下山地林中，常攀缘于大树上，间有栽培于农村者。 |

| **采收加工** | 全年均可采，切段，晒干。 |

| **功能主治** | 祛风，除湿，止痛，清热和胃。用于感冒、风湿关节痛、腰痛、妊娠呕吐、食管癌、胃癌。 |

萝藦科 Asclepiadaceae 天星藤属 Graphistemma

天星藤
Graphistemma pictum (Champ.) Benth. et Hook. f. ex Maxim.

| 中 药 名 | 大奶藤（药用部位：全株）

| 植物形态 | 木质藤本，具乳汁，全株无毛。托叶叶状，抱茎，圆形或卵圆形，有明显的脉纹。叶长圆形，基部近心形或圆形；侧脉每边约10；叶柄扁平，长1~4.5cm，先端丛生小腺体。花序开始为伞形状聚伞花序，后伸长为单歧或二歧总状式聚伞花序，着花3~12；花序梗长1.5~5cm；花梗长0.5~1.5cm；花蕾卵珠状；花长1.2cm；花萼裂片卵圆形，具缘毛，花萼内面基部有5腺体；花冠外面绿色，内面紫红色，有黄色的边，花冠筒很短，裂片长圆形，边缘具细缘毛；副花冠生于合蕊冠上，环状5裂，裂片侧向外卷；花药先端有圆形膜片，贴盖着柱头；子房无毛，柱头五角状，先端突起。蓇葖果通常单生，木

天星藤

质，披针状圆柱形，上部渐狭，基部膨大；种子卵圆形，棕色，有膜质的边缘，先端具白色绢质种毛；种毛长 4cm。花期 4~9 月，果期 7~12 月。

| 分布区域 | 产于海南三亚、乐东、东方、五指山、保亭、陵水、琼海等地。亦分布于中国广东、广西。

| 资　　源 | 生长于丘陵山地疏林中或山谷、溪边灌丛中。

| 采收加工 | 全年均可采，切段，晒干。

| 功能主治 | 解毒，活血，催乳。用于咽喉肿痛、跌打损伤、乳汁不下。

萝藦科 Asclepiadaceae 匙羹藤属 Gymnema

匙羹藤 *Gymnema sylvestre* (Retz.) Schult.

| 中 药 名 |　武靴藤（药用部位：根、嫩枝叶）

| 植物形态 |　木质藤本，具乳汁；茎皮具皮孔，幼枝被微毛。叶倒卵形或卵状长圆形，仅叶脉上被微毛；侧脉每边 4~5；叶柄长 3~10mm，先端具丛生腺体。聚伞花序伞形状，腋生，比叶微短；花序梗长 2~5mm；花梗长 2~3mm；花小，绿白色；花萼裂片卵圆形，被缘毛，花萼内面基部有 5 腺体；花冠绿白色，钟状，裂片卵圆形，略向右覆盖；副花冠着生于花冠裂片弯缺下，厚而成硬条带；雄蕊着生于花冠筒的基部；花药长圆形，先端具膜片；花粉块长圆形；柱头宽而短圆锥状，伸出花药之外。蓇葖果卵状披针形，基部膨大，外果皮硬；种子卵圆形，薄而凹陷，先端截形或钝，有薄边，先端轮生的种毛白色绢质；种毛长 3.5cm。花期 5~9 月，果期 10 月至翌年 1 月。

匙羹藤

分布区域

产于海南三亚、乐东、昌江、万宁、澄迈、海口等地。亦分布于中国云南、广西、广东、福建、浙江和台湾等地。

资　　源

生于山坡林中或灌丛中。

采收加工

根：全年均可采，洗净，切片，晒干或鲜用。枝叶：春季采收，鲜用。

药材性状

根：圆柱形，直径 1~3cm，常切成厚 2~5mm 的斜片；外表面灰棕色，较粗糙，具裂纹及皮孔；切断面黄色，木质部有细密小孔，形成层环波状弯曲，髓部疏松，淡棕色。枝叶：茎类圆柱形，灰褐色，具皮孔，被微毛。叶对生，多皱缩，完整者展平后呈倒卵形或卵状长圆形，长 3~8cm，宽 1.5~4cm，仅叶脉被微毛；嫩、枯叶均具乳汁；叶柄长 3~10mm，被短毛。气微，味苦。以枝嫩、叶多、根粗壮、切面黄色、无杂质者为佳。

功能主治

祛风止痛，解毒消肿。用于风湿痹痛、咽喉肿痛、瘰疬、乳痈、疮疖、湿疹、无名肿毒、毒蛇咬伤。

萝藦科 Asclepiadaceae 球兰属 *Hoya*

荷秋藤 *Hoya lancilimba* Merr.

| 中 药 名 | 荷秋藤（药用部位：茎叶）

| 植物形态 | 附生攀缘灌木，无毛；节间长 5~25cm，生气根。叶披针形至长圆状披针形，两端急尖，干后灰白色而缩皱；侧脉少数，张开，不明显，弧曲上升；叶柄粗壮，长 1~3cm。伞形状聚伞花序腋生；总花梗长 5~7cm；花白色，花冠裂片宽卵形或略作镰刀形；副花冠裂片肉质，中陷，外角圆形；花粉块每室 1，直立。蓇葖果狭披针形；种子先端具白色绢质种毛。花期 8 月。

| 分布区域 | 产于海南乐东、陵水、万宁等地。亦分布于中国云南、广西、广东南部。

荷秋藤

资　　　源	生长于海拔 300~800m 疏、密林中，附生于大树上。
采收加工	全年均可采，晒干。
药材性状	叶披针形至长圆状披针形，两端急尖，干后灰白色而缩皱；侧脉少数，张开，不明显，弧曲上升；叶柄粗壮。
功能主治	祛风除湿，活血散瘀。用于风湿热痹、跌打肿痛、骨折。

萝藦科 Asclepiadaceae 球兰属 *Hoya*

铁草鞋
Hoya pottsii Traill.

| 中 药 名 | 铁草鞋（药用部位：全株或叶）

| 植物形态 | 附生攀缘灌木，除花冠内面外，无毛。叶肉质，干后呈厚革质，卵圆形至卵圆状长圆形，先端急尖，基部圆形至近心形；基脉 3，小脉微纤，不明显；叶柄肉质，先端具有丛生小腺体。聚伞花序伞形状，腋生；花冠白色，心红色，直径 1cm，裂片宽卵形，外面无毛，内面具长柔毛。蓇葖果线状长圆形，向先端渐尖，长约 11cm，直径 8mm，外果皮有黑色斑点；种子线状长圆形，长约 4mm；种毛白色绢质，长 3.5cm。花期 4~5 月，果期 8~10 月。

| 分布区域 | 产于海南三亚、乐东、昌江、白沙、保亭、万宁、琼中、琼海、文昌等地。亦分布于中国云南、广西、广东和台湾等地。

铁草鞋

| 资　　源 |

生于海拔 500m 以下的密林中，附生于大树上。

| 采收加工 |

全年可采，鲜用或晒干。

| 功能主治 |

全株：用于痛经、闭经、风湿疼痛、神经衰弱、骨折。叶：接筋骨，散瘀消肿，拔脓生肌。用于跌打损伤、疮疡肿毒。

萝藦科 Asclepiadaceae 驼峰藤属 *Merrillanthus*

驼峰藤
Merrillanthus hainanensis Chun & Tsiang

| 中 药 名 |　驼峰藤（药用部位：全株）

| 植物形态 |　木质藤本。叶膜质，卵圆形，基部圆形或心形；侧脉每边约 7，至叶缘网结；叶柄长 1.5~5cm，先端具丛生小腺体。聚伞花序广展，腋生，比叶微长或等长；花梗长 0.5~1.5cm，基部着生有卵形的小苞片；花蕾圆球状，花冠裂片的先端向内黏合；花萼裂片卵圆形，具缘毛，花萼内面有 5 个小腺体；花冠黄色，辐状或近辐状，有脉纹，5 裂至中部，裂片广卵形；副花冠 5 裂，肉质，着生于合蕊冠上，裂片卵形，背部隆起，腹部贴生在雄蕊上；花药先端的透明膜片近卵形，覆盖着柱头；花粉块长圆形，先端通过花粉块柄与着粉腺联结；子房无毛，柱头平扁，基部盘状。蓇葖果单生，大形，纺锤状，

驼峰藤

外果皮黄色；种子卵圆形或近圆形，有边缘，先端具白色绢质种毛；种毛长 3.5cm。花期 3~4 月，果期 5~6 月。

分布区域

产于海南乐东、昌江、万宁、海口等地。亦分布于中国广东等地。

资　　源

生于低海拔至中海拔山地林谷中。

采收加工

全年可采收，切段，晒干。

功能主治

散风清热，解毒消肿。用于风热感冒、咳嗽、咽痛、目赤、肝炎、毒蛇咬伤。

萝藦科 Asclepiadaceae 石萝藦属 Pentasacme

石萝藦 *Pentasacme championii* Benth.

| 中 药 名 | 石萝藦（药用部位：全草）

| 植物形态 | 多年生直立草本，通常不分枝，无毛。叶膜质，狭披针形，基部急尖；叶柄极短，长 1~2mm。伞形状聚伞花序腋生，着花 4~8；花序梗极短或近无梗；花梗纤细，长 3~6mm；花蕾急尖或渐尖；花萼裂片狭披针形；花冠白色，裂片狭披针形，远比花冠筒长，长 6mm，基部略宽；副花冠成 5 鳞片，先端具细齿，着生于花冠湾缺处，与花冠裂片互生；花药先端膜片内折，覆盖着柱头基部；花粉块卵圆形，先端具透明钩状的小尖头，中部与花粉块柄联结；子房无毛，柱头盘状五角形，先端 2 裂。蓇葖果双生，圆柱状披针形；种子小，先端具白色绢质种毛；种毛长 1.5cm。花期 4~10 月，果期 7 月至翌年 4 月。

石萝藦

| 分布区域 | 产于海南三亚、乐东、昌江、白沙、保亭、陵水、万宁、琼中、五指山等地。亦分布于中国湖南、广东、广西、云南等地。

| 资　　源 | 生于丘陵山地疏林下或溪边、石缝、林谷中。

| 采收加工 | 4~10 月采收全草，晒干或鲜用。

| 功能主治 | 散风清热，解毒消肿。用于风热感冒、咳嗽、咽痛、目赤、肝炎、毒蛇咬伤。

| 附　　注 | 在 FOC 中，其学名被修订为 *Pentasacme caudatum* Wall.ex Wight。

萝藦科 Asclepiadaceae　肉珊瑚属 Sarcostemma

肉珊瑚

Sarcostemma acidum (Roxb.) Voigt

| 中 药 名 | 无叶藤（药用部位：全株）

| 植物形态 | 无叶藤本，绕生在树上，具乳汁；枝绿色或草绿色，生花的节略粗壮。聚伞花序伞形状，顶生及腋生，无总花梗，着花 6~15；花梗长 3~5mm；小苞片长圆状披针形；花萼裂片卵圆形，边缘透明，花萼内面基部有 5 小腺体；花冠白色或淡黄色，近辐状，花冠筒极短，花冠裂片卵状长圆形或长圆状披针形；副花冠双轮，着生于合蕊冠上，外轮成环状或杯状，膜质，具 5 棱，先端截平或短 5 裂，内轮为 5 裂片，裂片扁平，长圆状，基部被外轮的副花冠所包围；花药先端的膜片直立；花粉块下垂，基部弯；柱头短圆锥状，平头。蓇葖果披针状圆柱形，外果皮薄而平滑；种子阔卵形，扁平，先端具白色绢质种毛；种毛长 2cm。花期 3~11 月，果期冬季至翌年春季。

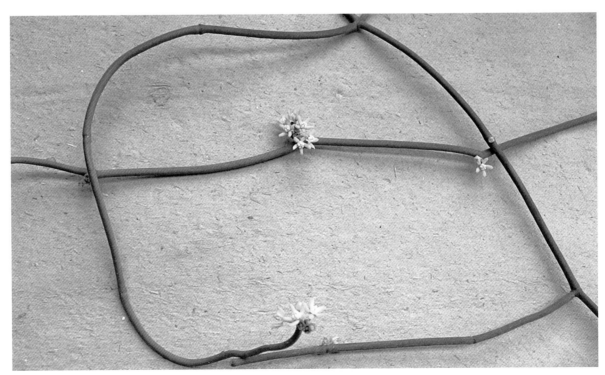

肉珊瑚

| **分布区域** | 产于海南乐东、昌江、万宁、儋州、临高等地。亦分布于中国广东等地。 |

| **资　源** | 生于海边灌丛中或平地林中。为热带红树林和海岸林确限种。 |

| **采收加工** | 夏、秋季采收，洗净，切段，晒干。 |

| **功能主治** | 收敛止咳，催乳。用于久咳、产后缺乳。 |

萝藦科 Asclepiadaceae 鲫鱼藤属 Secamone

鲫鱼藤 *Secamone lanceolata* Bl.

| 中 药 名 | 黄花藤（药用部位：花、叶）

| 植物形态 | 藤状灌木；具乳汁，除花序外全株无毛；枝土灰色。叶纸质，有透明腺点，椭圆形，基部楔形；侧脉不明显；叶柄长 3mm。聚伞花序腋生，着花多朵；花序梗曲折，二叉，长 6cm；花梗长 3mm，被柔毛；花小；花萼裂片卵圆形，花萼内面基部具有腺体；花冠黄色，辐状，花冠筒短，裂片长圆形；雄蕊上的副花冠 5 裂，裂片长圆状镰刀形，向外伸出；花药先端具有膜片；花粉块每室 2，相邻 2 室的 4 个花粉块联结在着粉腺上；子房无毛，心皮离生，胚珠每室多枚，柱头长圆状，伸出花药先端膜片外。蓇葖果广歧，披针形，基部膨大，

鲫鱼藤

长 5~7cm，直径 1cm，无毛；种子褐色，先端截平，具白色绢质种毛；种毛长 3cm。花期 7~8 月，果期 10 月至翌年 1 月。

| **分布区域** | 产于海南三亚、乐东、昌江、保亭、海口、临高、陵水、儋州、琼中等地。亦分布于中国广东、广西、云南等地。

| **资　　源** | 生于海拔 500m 以下的山谷疏林中，攀缘树上。

| **采收加工** | 花：7~8 月采收，晒干。叶：随时可采，晒干。

| **功能主治** | 消肿散结。用于瘰疬。

| **附　　注** | 在 FOC 中，其学名被修订为 *Secamone elliptica* R. Br.。

▓ 萝藦科 ▓ Asclepiadaceae ▓ 夜来香属 ▓ *Telosma*

夜来香 *Telosma cordata* (Burm. f.) Merr.

| 中 药 名 |

夜香花（药用部位：花、叶）

| 植物形态 |

柔弱藤状灌木。叶膜质，卵状长圆形至宽卵形，基部心形；叶脉上被微毛；基脉 3~5，侧脉每边约 6；叶柄长 1.5~5cm，被微毛或脱落，先端具丛生 3~5 小腺体。伞形状聚伞花序腋生，着花多达 30；花序梗长 5~15mm，花梗长 1~1.5cm；花芳香，夜间更盛；花萼裂片长圆状披针形，花萼内面基部具有 5 小腺体；花冠黄绿色，高脚碟状，花冠筒圆筒形，喉部被长柔毛，裂片长圆形，具缘毛，干时不折皱，向右覆盖；副花冠 5，膜质，着生于合蕊冠上，腹部与花药黏生，下部卵形；花药先端具内弯的膜片；花粉块长圆形；子房无毛，心皮离生，每室有胚珠多枚，花柱短柱状，柱头头状，基部 5 棱。蓇葖果披针形，渐尖，外果皮厚；种子宽卵形，先端具白色绢质种毛。花期 5~8 月，极少结果。

| 分布区域 |

产于海南万宁、海口等地。亦分布于中国华南其他区域，现中国南部各地均有栽培。

夜来香

| 资　　源 |

生于山坡灌丛中。

| 采收加工 |

5~8 月采收，晒干或鲜用。

| 功能主治 |

清肝明目，去翳，拔毒生肌。用于目赤肿痛、翳膜遮睛、痈疮溃烂。

萝藦科 Asclepiadaceae 弓果藤属 Toxocarpus

圆叶弓果藤 *Toxocarpus ovalifolius* Tsiang

| 中 药 名 | 弓果藤（药用部位：全株）

| 植物形态 | 攀缘灌木。叶薄革质，宽椭圆形或卵圆状圆形，基部圆形或近截形或浅心形，边缘略为外卷；侧脉 6 对，在边缘前网结；叶柄长 1.5cm，上面具凹槽。伞形状聚伞花序腋生；花序梗长 6mm，二歧，着花达 10；花梗长 3mm；花萼 5 深裂，双盖覆瓦状排列，内部有腺体，裂片膜质，卵圆状长圆形；花冠近辐状，花冠筒长 2mm，裂片略为向左覆盖，深裂，线状长圆形；副花冠 5 裂，贴生在雄蕊背面；花药小，舌状；花粉块每室 2；心皮 2，花柱圆柱状，伸出于雄蕊之外。蓇葖果圆柱状，成熟后叉开而成 200° 角，外果皮被黄色绒毛，向顶部渐狭；种子扁平，卵圆状长圆形；种毛白色，长约 4cm。花期 8~9 月，果期 10~12 月。

圆叶弓果藤

| 分布区域 | 产于海南三亚、乐东、昌江、保亭、万宁、文昌、海口等地。亦分布于中国广东。越南也有分布。 |

| 资　　源 | 生于海拔 100m 的旷野灌丛中。 |

| 采收加工 | 全年均可采，切段，晒干。 |

| 功能主治 | 清肝明目，去翳，拔毒生肌。用于目赤肿痛、翳膜遮睛、痈疮溃烂。 |

■茜草科■ Rubiaceae ■水团花属■ *Adina*

水团花
Adina pilulifera (Lam.) Franch. ex Drake

| **中 药 名** | 水团花（药用部位：枝叶、花、果实），水团花根（药用部位：根、根皮）

| **植物形态** | 常绿灌木至小乔木；顶芽不明显，由开展的托叶疏松包裹。叶对生，厚纸质，椭圆形至椭圆状披针形，或有时倒卵状长圆形至倒卵状披针形，基部钝或楔形；侧脉 6~12 对，脉腋窝陷有稀疏的毛；叶柄长 2~6mm；托叶 2 裂，早落。头状花序明显腋生，极稀顶生，不计花冠直径为 4~6mm，花序轴单生，不分枝；小苞片线形至线状棒形；总花梗长 3~4.5cm，中部以下有轮生小苞片 5；花萼管基部有毛，萼裂片线状长圆形或匙形；花冠白色，窄漏斗状，花冠管被微柔毛，花冠裂片卵状长圆形；雄蕊 5，花丝短，着生于花冠喉部；子房 2 室，

水团花

每室有胚珠多数，花柱伸出，球形或卵圆球形。果序直径 8~10mm；小蒴果楔形；种子长圆形，两端有狭翅。花期 6~7 月。

| 分布区域 | 产于海南乐东、昌江、白沙、五指山、万宁、琼中、澄迈、临高、琼海等地。亦分布于中国长江以南各地。日本和越南也有分布。

| 资　　源 | 生于海拔 200~350m 山谷疏林下或旷野路旁、溪边水畔。

| 采收加工 | 枝叶：全年均可采，切碎，鲜用或晒干。花、果实：夏季采摘，洗净，鲜用或晒干。根：全年均可采挖，鲜用或晒干。

| 功能主治 | 枝叶、花、果实：清热祛湿，散瘀止痛，止血敛疮。用于痢疾、肠炎、浮肿、痈肿疮毒、湿疹、溃疡不敛、创伤出血。根、根皮：清热利湿，解毒消肿。用于感冒发热、肺热咳嗽、腮腺炎、肝炎、风湿关节痛。

茜草科 Rubiaceae 毛茶属 Antirhea

毛 茶

Antirhea chinensis (Champ. ex Benth.) Forbes et Hemst.

| 中 药 名 | 毛茶（药用部位：树皮）

| 植物形态 | 直立灌木；小枝有明显的皮孔和叶柄的疤痕；幼嫩时被平压的柔毛。叶纸质，长圆形或长圆状披针形，基部楔形，边全缘，略背卷，下面和叶柄同被浓密的绢毛；侧脉每边 4~6，在上面陷入；叶柄长 4~10mm；托叶三角形，上部渐尖，被绢毛，迟落。聚伞花序腋生，有被绢毛、长达 1~3cm 的总花梗；小苞片线形，锥尖；花萼长不超过 2mm，密被紧贴短柔毛，管极短，萼檐略扩大，4（~5）裂，裂片线形或披针形；花冠外面密被灰色紧贴绢毛，顶部 4 裂，裂片卵圆形；柱头 2 裂。核果长圆形或近椭圆形，具棱，2~5 室，常 4 室，被稀疏短柔毛，顶部冠以宿存的萼檐，基部有不脱落的苞片；种子圆柱形，细长。花期 4 月。

毛茶

| 分布区域 |

产于海南三亚、东方、昌江、白沙、五指山、陵水、万宁、琼中、琼海等地。亦分布于中国广东、香港。

| 资　源 |

生于林下或灌丛中。在干旱瘦瘠的砾土上的植株矮小，叶变细；在溪旁或密林下的往往高达3~4m，叶长达8cm。

| 采收加工 |

全年均可采，切段，晒干。

| 药材性状 |

质硬而脆，易折断，折断面不平坦。

| 功能主治 |

据记载，本属植物的树皮有退热之效，但此说法尚待证明。

茜草科 Rubiaceae　雪花属 Argostemma

异色雪花 *Argostemma discolor* Merr.

| 中 药 名 | 异色雪花（药用部位：全草）

| 植物形态 | 草本，通常矮小，高 7~15cm；茎不分枝或有少数分枝，被糙伏毛，下部常卧地生根。叶对生，一大一小，小的近圆形或阔卵形，近无柄或有短柄，大的椭圆形、长圆形或阔卵形，基部楔形或圆钝，上面疏生糙伏毛；侧脉 4~6 对，边脉明显；叶柄稍粗壮，长 5~8mm；托叶阔卵形，有缘毛。聚伞花序伞形状，顶生，有花 2~3，总花梗长 5~20mm，被糙伏毛，先端有 2 或 4 卵形、长 1~2mm 的苞片；花梗长 10~25mm；萼管长约 3mm，裂片 5，三角形；花冠白色，辐状，管短，裂片卵状披针形；雄蕊 5，花药黏合成圆锥形，药室纵裂，药隔伸长；柱头头状。蒴果近球形或倒卵形。花期 3~5 月，果期 9~10 月。

异色雪花

| 分布区域 |

产于海南保亭、三亚和白沙等地。

| 资　　源 |

常生于海拔 500~1500m 的密林下。

| 采收加工 |

全年可采，切段，晒干。

| 功能主治 |

活血祛瘀。

茜草科 Rubiaceae 丰花草属 *Borreria*

糙叶丰花草 *Borreria articularis* (L. f.) F. N. Williams

| **中 药 名** | 丰花草（药用部位：全草）

| **植物形态** | 平卧草本，被粗毛；枝四棱柱形，棱上具粗毛，节间延长。叶革质，长圆形、倒卵形或匙形，基部楔形而下延，边缘粗糙或具缘毛，干时常背卷；侧脉每边约3；叶柄长1~4mm，扁平；托叶膜质，被粗毛，顶部有数条长于鞘的刺毛。花4~6聚生于托叶鞘内，无梗；小苞片线形，长于花萼；萼管圆筒形，被粗毛，萼檐4裂，裂片线状披针形；花冠淡红色或白色，漏斗形，管长4~4.5mm，顶部4裂，裂片长圆形，背面近顶部被极稀疏的粗毛，先端钝；花丝长约1mm，花药长圆形。蒴果椭圆形，被粗毛，成熟时从顶部纵裂，隔膜不脱落；种子近椭圆形，两端钝，干后黑褐色，无光泽，有小颗粒。花果期5~8月。

糙叶丰花草

| **分布区域** | 产于海南各地。亦分布于中国福建、台湾、广东、香港、广西等地。印度尼西亚、马来西亚和菲律宾等地也有分布。 |

| **资　　源** | 生于低海拔的空旷沙地上，十分常见。 |

| **采收加工** | 全年均可采，切段，晒干。 |

| **功能主治** | 活血祛瘀，消肿解毒。用于跌打损伤、骨折、痈疽肿毒、毒蛇咬伤。 |

| **附　　注** | 在 FOC 中，其属名被修订为 *Spermacoce*，学名被修订为 *Spermacoce hispida* L.。 |

茜草科 Rubiaceae 丰花草属 Borreria

阔叶丰花草
Borreria latifolia (Aubl.) K. Schum.

| 中 药 名 | 丰花草（药用部位：全草）

| 植物形态 | 披散、粗壮草本，被毛；茎和枝均为明显的四棱柱形，棱上具狭翅。叶椭圆形或卵状长圆形，长度变化大，基部阔楔形而下延，边缘波浪形，鲜时黄绿色，叶面平滑；侧脉每边 5~6；叶柄长 4~10mm，扁平；托叶膜质，被粗毛，顶部有数条长于鞘的刺毛。花数朵丛生于托叶鞘内，无梗；小苞片略长于花萼；萼管圆筒形，萼檐 4 裂，裂片长 2mm；花冠漏斗形，浅紫色，罕有白色，内面被疏散柔毛，基部具 1 毛环，顶部 4 裂，裂片外面被毛或无毛；花柱长 5~7mm，柱头 2，裂片线形。蒴果椭圆形，成熟时从顶部纵裂至基部，隔膜不脱落或 1 个分果爿的隔膜脱落；种子近椭圆形，两端钝，干后浅褐

阔叶丰花草

色或黑褐色，无光泽，有小颗粒。花果期 5~7 月。

| **分布区域** | 产于海南三亚、昌江、万宁、儋州、定安、屯昌、东方等地。原产于南美洲，约 1937 年被引进至中国广东等地繁殖，作军马饲料。

| **资　　源** | 本种生长快，现已逸为野生，多见于废墟和荒地上。

| **采收加工** | 全年均可采，切段，晒干。

| **功能主治** | 活血祛瘀，消肿解毒。用于跌打损伤、骨折、痈疽肿毒、毒蛇咬伤。

| **附　　注** | 在 FOC 中，其属名被修订为 *Spermacoce*，学名被修订为 *Spermacoce alata* Aubl.。

茜草科 Rubiaceae　丰花草属 Borreria

丰花草 *Borreria stricta* (L. f.) G. Mey.

|中 药 名|

丰花草（药用部位：全草）

|植物形态|

直立、纤细草本；茎单生，很少分枝，四棱
柱形，粗糙，节间延长。叶近无柄，革质，
线状长圆形，基部渐狭，两面粗糙，干时边
缘背卷，鲜时深绿色；侧脉极不明显；托叶
近无毛，顶部有数条浅红色长于花序的刺
毛。花多朵丛生成球状生于托叶鞘内，无梗；
小苞片线形，透明；萼管长约 1mm，萼檐
4 裂，裂片线状披针形；花冠近漏斗形，白
色，先端略红，冠管极狭，顶部 4 裂，裂片
线状披针形，仅先端有极疏短粗毛；花丝长
1~1.5mm，花药长圆形，花柱纤细，柱头扁
球形。蒴果长圆形或近倒卵形，近顶部被毛，
成熟时从顶部开裂至基部，隔膜脱落；种子
狭长圆形，一端具小尖头，干后褐色，具光
泽并具横纹。花果期 10~12 月。

|分布区域|

产于海南三亚、昌江、保亭、东方、万宁、
屯昌、文昌、海口等地。亦分布于中国安徽、
浙江、江西、台湾、广东、香港、广西、四川、

丰花草

贵州、云南。非洲和亚洲热带地区也有分布。

| 资　　源 | 生于低海拔的草地和草坡上。

| 采收加工 | 夏、秋季采收（海南全年均可采），鲜用或晒干。

| 功能主治 | 活血祛瘀，消肿解毒。用于跌打损伤、骨折、痈疽肿毒、毒蛇咬伤。

| 附　　注 | 在 FOC 中，其属名被修订为 *Spermacoce*，学名被修订为 *Spermacoce pusilla* Wall.。

茜草科 Rubiaceae　鱼骨木属 *Canthium*

猪肚木 *Canthium horridum* Bl.

| 中 药 名 |　猪肚木（药用部位：叶、根、树皮）

| 植物形态 |　灌木，具刺；刺长 3~30mm，对生，劲直，锐尖。叶纸质，卵形，椭圆形或长卵形，长 2~3（~5）cm，宽 1~2cm，基部圆或阔楔形；侧脉每边 2~3；叶柄短，长 2~3mm，略被柔毛；托叶长 2~3mm。花小，具短梗或无花梗，单生或数朵簇生于叶腋内；小苞片杯形，生于花梗顶部；萼管倒圆锥形，萼檐顶部有不明显波状小齿；花冠白色，近瓮形，冠管短，喉部有倒生髯毛，顶部 5 裂，裂片长圆形；花丝短，花药内藏或微突出，基部被柔毛；柱头橄榄形，粗糙。核果卵形，单生或孪生，长 15~25mm，直径 10~20mm，顶部有微小宿存萼檐，内有小核 1~2；小核具不明显小瘤状体。花期 4~6 月。

猪肚木

| **分布区域** | 产于海南三亚、东方、昌江、五指山、儋州、陵水、文昌、澄迈、保亭、白沙、琼海、海口等地。亦分布于中国广东、香港、广西、云南。中南半岛，以及印度、马来西亚、印度尼西亚、菲律宾等地也有分布。 |

| **资　　源** | 生于低海拔的灌丛中。 |

| **采收加工** | 叶：夏季采摘。树皮：夏、秋季采剥树皮。根：四季均可挖根，切片，鲜用或晒干。 |

| **功能主治** | 清热利尿，活血解毒。用于痢疾、黄疸、水肿、小便不利、疮毒、跌打肿痛。 |

茜草科 Rubiaceae 山石榴属 Catunaregam

山石榴 *Catunaregam spinosa* (Thunb.) Tirveng.

| **中 药 名** | 山石榴（药用部位：果实、根、叶）

| **植物形态** | 有刺灌木或小乔木，有时攀缘状；刺腋生，对生。叶纸质或近革质，对生或簇生于抑发的侧生短枝上，倒卵形或长圆状倒卵形，基部楔形或下延，边缘常有短缘毛；侧脉纤细，4~7 对；叶柄长 2~8mm；托叶膜质，卵形，脱落。花单生，或 2~3 簇生于具叶、抑发的侧生短枝的顶部；花梗长 2~5mm，被棕褐色长柔毛；萼管钟形或卵形，外面被棕褐色长柔毛，檐部稍扩大，先端 5 裂，裂片广椭圆形，具 3 脉；花冠钟状，外面密被绢毛，冠管较阔，喉部有疏长柔毛，花冠裂片 5，卵形或卵状长圆形，广展，先端圆；花药线状长圆形；子房 2 室，

山石榴

每室有胚珠多数，花柱长约 4mm，柱头纺锤形，先端浅 2 裂。浆果大，球形，顶冠以宿存的萼裂片，果皮常厚；种子多枚。花期 3~6 月，果期 5 月至翌年 1 月。

| 分布区域 | 产于海南三亚、乐东、昌江、白沙、万宁、儋州、澄迈、琼海、海口、保亭等地。亦分布于中国台湾、广东、香港、澳门、广西，以及云南勐海、普洱、耿马、景洪、河口、思茅。印度尼西亚、马来西亚、越南、老挝、柬埔寨、泰国、缅甸、孟加拉国、尼泊尔、印度、巴基斯坦、斯里兰卡及非洲东部热带地区也有分布。

| 资　源 | 生于海拔 30~1600m 的旷野、丘陵、山坡、山谷沟边的林中或灌丛中。

| 采收加工 | 果实：成熟时采收，晒干。叶：夏、秋季采收，鲜用或晒干。根：全年均可采，洗净，切段，鲜用或晒干。

| 药材性状 | 果实近球形，直径 2.5~3.5cm，先端有残存宿萼。表面暗黄色，果皮厚约 3mm。种子多枚，长圆形，稍压扁，两端圆钝，长 5~6mm，直径约 3mm，表面红棕色，光滑；胚乳角质。叶多皱缩，完整者展平后呈宽倒卵形至匙形，长 2.5~8cm，宽 1.5~3.5cm，钝头，下面中脉和叶缘有毛；叶柄长 3~8mm。气微，味淡。

| 功能主治 | 根：利尿，驳骨，祛风湿。用于跌打损伤、腹痛。叶：止血。果实：在印度多用于脓肿、溃疡、肿瘤、皮肤病、痔疮、发疹、风湿、支气管炎等。

弯管花
Chassalia curviflora Thwaites

| 中 药 名 | 弯管花（药用部位：根或全株）

| 植物形态 | 直立小灌木，通常全株被毛。叶膜质，长圆状椭圆形或倒披针形，基部楔形，边全缘，干时黄绿色；侧脉每边 8~10；叶柄长 1~4cm；托叶宿存，阔卵形或三角形，长 4~4.5mm，短尖或钝，全缘或 2 浅裂，基部短合生。聚伞花序多花，顶生，总花轴和分枝稍压扁，带紫红色；苞片小，披针形；花近无梗，三型；花药伸出而柱头内藏，或柱头伸出而花药内藏，或柱头和花药均伸出；花萼倒卵形，檐部 5 浅裂，裂片长不及 0.5mm，短尖；花冠管弯曲，裂片 4~5，卵状三角形，顶部肿胀，具浅沟。核果扁球形，平滑或分核间有浅槽。花期春、夏季间。

弯管花

分布区域	产于海南三亚、乐东、东方、白沙、五指山、陵水、万宁、琼中、澄迈等地。亦分布于中国广东、广西、云南及西藏墨脱、察隅、芒康。中南半岛和印度东北部，安达曼群岛、不丹、斯里兰卡、孟加拉国、马来西亚、加里曼丹岛等地也有分布。
资　　源	常生于低海拔的林中湿地上。
采收加工	全年均可采，洗净，切片，晒干。
功能主治	清热解毒，祛风胜湿。用于肺热咳嗽、咽喉肿痛、风湿关节痛。
附　　注	在 FOC 中，其学名被修订为 *Coelospermum truncatum* (Wall.) Baill. Ex.K.Schum.

茜草科 Rubiaceae 穴果木属 *Coelospermum*

穴果木
Coelospermum kanehirae Merr.

| 中 药 名 | 穴果木（药用部位：全株）

| 植物形态 | 藤本，常呈灌木状或小乔木状。叶对生，革质或厚纸质，干后棕黄色或有时带淡黑色，椭圆形、卵圆形或倒卵形，基部楔形或圆形，全缘；侧脉每边 4~7；叶柄长 1~2.5cm；托叶生叶柄间，每侧 2 片合生成半圆环形或略呈扁三角形，顶截平或具 2 短尖齿。聚伞状圆锥花序由 3~9 伞形花序组成，长达 17cm，有时兼腋生；伞形花序梗和花梗被粉状微柔毛；花梗长约 6mm；花萼杯形或钟形，革质，背面被粉状微毛，檐部环状，顶截平或具 4~5 细齿；花冠高脚碟形，白色或乳黄色，外面无毛或疏具乳突状毛；管部内面和喉部密被柔毛，檐部 4~5 裂，裂片线形或长圆状线形；雄蕊 4~5，着生于冠管口处，

穴果木

花丝扁，花药"丁"字着生，线形，2室，纵裂；花柱棱柱形，自下向上扩大，2裂，裂片线形，叉开或粘连；子房4室，每室胚珠1，有时1~2室不育而成假2~3室；胚珠着生于子房室内下角，2枚扁圆形，侧边着生于隔膜，横生，另2枚扁长圆形，侧上部着生于隔膜，下垂。核果浆果状，近球形；分核（2或3~）4，坚纸质，扁或稍钝三棱形，稍内弯，内具种子1；胚直，胚轴与子叶近等长，外包以一薄层胚乳。花期4~5月，果期7~9月。

| **分布区域** | 产于海南三亚、昌江、白沙、琼中、文昌、五指山、定安、琼海、保亭等地。亦分布于中国广东西部。

| **资　　源** | 生于山地和丘陵的疏林下或灌丛中。

| **采收加工** | 全年均可采，切段，晒干。

| **功能主治** | 清热解毒，祛风胜湿。用于肺热咳嗽、咽喉肿痛、风湿关节痛。

| **附　　注** | 在FOC中，其学名被修订为 *Coelospermum truncatum* (Wall.) Baill. ex. K. Schum.。

中粒咖啡　*Coffea canephora* Pierre ex A. Froehner

|中药名|

咖啡（药用部位：种子）

|植物形态|

小乔木或灌木；侧枝长，下垂，表皮灰白色，嫩枝无毛，压扁形。叶厚纸质，椭圆形、卵状长圆形或披针形，基部楔形，全缘或呈浅波形，下面脉腋内无小窝孔或具无丛毛的窝孔；侧脉每边 10~12；叶柄粗壮，长 10~20mm；托叶三角形，生于老枝上的阔三角形。聚伞花序 1~3，簇生于叶腋内，每个聚伞花序有花 3~6，具极短的总花梗；苞片基部稍合生，二型，其中 2 枚阔三角形，长和宽近相等，另 2 枚则为披针形或长圆形；萼管短管形，萼檐顶部截平或具不明显的小齿；花冠白色，罕有浅红色，冠管在花蕾时较短，盛开时延长，顶部 5~7 裂，稀 4 或 8 裂；花丝短，花药伸出花冠管外；花柱突出，柱头 2 裂。浆果近球形，长和直径近相等，均为 10~12mm，先端冠以隆起的花盘，外果皮薄，有 2 条纵槽和极纤细的纵条纹；种子背面隆起，腹面平坦。花期 4~6 月。

中粒咖啡

分布区域

海南万宁有引种。亦分布于中国广东、海南、云南等地。

资　源

本种原产于非洲赤道森林内，性喜荫蔽，不耐强阳光，耐寒性比大粒咖啡强，根系浅而不耐旱，枝条脆弱，不耐强风，抗病虫害力强，结果期早，种子含咖啡因稍高，香味较差。

采收加工

果皮开始变红时采收。中粒种 11 月至翌年 6 月采收，2~4 月为盛果期。湿制法：将鲜果用脱皮机脱皮，分开豆粒与果皮，将脱去皮的豆粒放在水中浸泡脱胶，洗净，干燥，再脱去种皮，即得商品咖啡豆。此法可用于大规模生产。

药材性状

种子稍大，卵球形，长 9~11mm，直径 7~9mm，背面隆起，腹面平坦。

功能主治

醒神，利湿，健胃。用于精神倦怠、食欲不振。

茜草科 Rubiaceae 咖啡属 *Coffea*

大粒咖啡 *Coffea liberica* W. Bull ex Hiern

| 中 药 名 | 咖啡（药用部位：种子）

| 植物形态 | 小乔木或大灌木。叶薄革质，椭圆形、倒卵状椭圆形或披针形，先端阔急尖，渐尖部分长 4~10mm，全缘，两面无毛，下面脉腋有小窝孔，窝孔内具短丛毛；侧脉每边 8~10；叶柄粗壮，长 8~20mm；托叶基部合生，阔三角形，先端钝，罕有突尖。聚伞花序短小，2 至数个簇生于叶腋或在老枝的叶痕上，有极短的总花梗；苞片合生，二型，通常 2 枚阔卵形，先端截平，2 枚线形，有时呈叶形。花未见。浆果大，阔椭圆形，长 19~21mm，直径 15~17mm，成熟时鲜红色，先端冠以宽 4~7mm、突起的花盘；种子长圆形，平滑。花期 1~5 月。

| 分布区域 | 海南三亚、万宁、琼海、海口、文昌、儋州有栽培。中国广东、云

大粒咖啡

南亦有栽培。原产于非洲西海岸利比里亚的低海拔森林内，现广植于世界热带地区。

| **资　　源** | 栽培。

| **采收加工** | 果皮开始变红时采收。①干制法：鲜果晒干或烘干后，用脱皮机脱去果皮和种皮，筛去杂质即成。②湿制法：将鲜果用脱皮机脱皮，分开豆粒与果皮，将脱去皮的豆粒放在水中浸泡脱胶，洗净，干燥，再脱去种皮即得商品咖啡豆。此法可用于大规模生产。

| **药材性状** | 种子长圆形，长约 15mm，直径约 10mm，平滑。

| **功能主治** | 醒神，利湿，健胃。用于精神倦怠、食欲不振。

茜草科 Rubiaceae 狗骨柴属 Diplospora

狗骨柴 *Diplospora dubia* (Lindl.) Masam.

| **中 药 名** | 狗骨柴（药用部位：根）

| **植物形态** | 灌木或乔木。叶革质，少为厚纸质，卵状长圆形、长圆形、椭圆形或披针形，先端短渐尖、骤然渐尖或短尖，尖端常钝，全缘，常稍背卷，有时两侧稍偏斜，干时常呈黄绿色而稍有光泽；侧脉纤细，5~11 对，在两面稍明显或稀在下面稍突起；叶柄长 4~15mm；托叶长 5~8mm，下部合生，先端钻形。花腋生，密集成束或组成具总花梗、稠密的聚伞花序；总花梗短，有短柔毛；花梗长约 3mm；萼管长约 1mm，萼檐稍扩大，顶部 4 裂；花冠白色或黄色，花冠裂片长圆形，约与冠管等长，向外反卷；雄蕊 4，花丝长 2~4mm，与花药近等长；花柱长约 3mm，柱头 2 分枝，线形。浆果近球形，成熟时红色，顶

狗骨柴

部有萼檐残迹；果柄纤细，有短柔毛；种子 4~8，近卵形，暗红色。花期 4~8 月，
果期 5 月至翌年 2 月。

| **分布区域** | 产于海南三亚、乐东、东方、昌江、陵水、保亭、五指山、万宁、澄迈等地。
亦分布于中国江苏、安徽、浙江、江西、福建、台湾、湖南、广东、香港、广西、
四川、云南。日本、越南也有分布。

| **资　　源** | 生于海拔 40~1500m 的山坡、山谷沟边、丘陵、旷野的林中或灌丛中。

| **采收加工** | 夏、秋季采挖，洗净，切片，晒干或鲜用。

| **药材性状** | 干燥核果呈圆形或类圆形，直径 7~8mm，外表面浅褐色至棕褐色，皱缩，顶端
有宿存花柱残基，基部有果柄痕及残存的花萼。外果皮质脆、易碎，内面有分果核，
呈球体的四等分状，外表面黄棕色，极坚硬。以果实大、褐色、无杂质者为佳。

| **功能主治** | 清热解毒，消肿散结。用于瘰疬、背痈、头疖、跌打肿痛。

长柱山丹 *Duperrea pavettaefolia* (Kurz) Pitard

| 中 药 名 | 长柱山丹（药用部位：全株）

| 植物形态 | 直立灌木至小乔木。叶长圆状椭圆形或长圆状披针形或倒披针形，基部阔楔形，下面有乳头状微柔毛，脉上被紧贴短柔毛；侧脉每边7~12；叶柄长3~8mm，被紧贴的短粗毛；托叶膜质，卵状长圆形，先端芒尖。花序密被锈色短粗毛，有线形、被毛的苞片；花具被毛、长3~5mm的花梗；萼管长约2mm，顶部裂片线形；花冠白色，外面密被锈色、紧贴短粗毛，冠管纤细，顶部裂片有明显脉纹；花丝极短或无，花药线状长圆形，药隔微突出；花柱纤细，中部被疏毛，柱头近椭圆形，粗糙。浆果扁球形，顶部冠以环形、宿存的萼檐；种子扁球形，背面隆起，腹面略扁。花期4~6月。

长柱山丹

| **分布区域** | 产于海南乐东、东方、白沙、五指山、保亭、万宁、琼中等地。亦分布于中国广西、云南等地。缅甸、越南、老挝、泰国、柬埔寨也有分布。 |

| **资　　源** | 生于中海拔或低海拔的杂木林内。 |

| **采收加工** | 全年可采收，晒干即可。 |

| **药材性状** | 枝呈黄褐色，叶为皱缩的长圆披针状，叶背面有微柔毛，叶柄覆有短粗毛，果实扁球形。 |

| **功能主治** | 利水，消肿止痛。用于黄疸、跌打损伤。 |

| **附　　注** | 在 FOC 中，其学名被修订为 *Duperrea pavettifolia* (Kurz) Pit.。 |

茜草科 Rubiaceae 浓子茉莉属 Fagerlindia

浓子茉莉
Fagerlindia scandens (Thunb.) Tirveng.

| 中 药 名 | 浓子茉莉（药用部位：根）

| 植物形态 | 有刺灌木；小枝无毛，圆柱形，有些侧生的枝抑发而成短枝；刺腋生，对生，劲直。叶纸质或薄革质，对生，疏生或簇生于侧生短枝上，卵形、宽椭圆形或近圆形，基部楔形，两面无毛，下面脉腋内常有小窝孔；侧脉稀疏，2~3 对；叶柄长 2~5mm；托叶卵形，长约 2mm，基部合生。花单生或 2~3 朵聚生，腋生或生于侧生短枝的顶部；花梗长约 5mm，近基部有合生的小苞片 2；花萼无毛，萼管钟形，檐部稍扩大，先端 5 裂，裂片三角形；花冠白色，高脚碟状，冠管长 14~20mm，花冠裂片 5，披针形，长 6~12mm；雄蕊着生于花冠喉部，花药线状披针形，花丝缺或极短；子房 2 室，花柱纤细，

浓子茉莉

与柱头共长 12~20mm，柱头纺锤形，顶部端 2 浅裂。浆果球形，顶冠以宿存萼檐，果柄长 5~8mm；种子 16~20。花期 3~5 月，果期 5~12 月。

| **分布区域** | 产于海南万宁、昌江、琼海、白沙等地。亦分布于中国广东、广西、云南。越南也有分布。

| **资　　源** | 生于低海拔的丘陵或旷野灌丛中。

| **采收加工** | 全年可采挖，洗净，切片，晒干。

| **药材性状** | 呈圆柱形，有分枝，多已切成短段，长 2 ~ 5cm。表面灰黄色或灰褐色，具有瘤状突起的须根痕。质坚硬，断面白色或灰白色，具放射状纹理。气微，味淡。以根肥大、短段大小均匀、不带茎枝者为佳。

| **功能主治** | 利水，消肿止痛。用于黄疸、跌打损伤。

| **附　　注** | 在 FOC 中，其属名被修订为簕茜属（*Benkara*），学名被修订为 *Benkara scandens* (Thunb.) Ridsdale。

茜草科 Rubiaceae 栀子属 Gardenia

栀 子
Gardenia jasminoides Ellis

| 中 药 名 | 栀子（药用部位：果实），栀子花（药用部位：花），栀子叶（药用部位：叶），栀子根（药用部位：根）

| 植物形态 | 灌木。叶对生，革质，稀为纸质，少为 3 轮生，叶形多样，通常为长圆状披针形、倒卵状长圆形、倒卵形或椭圆形，基部楔形或短尖；侧脉 8~15 对；叶柄长 0.2~1cm；托叶膜质。花芳香，通常单朵生于枝顶，花梗长 3~5mm；萼管倒圆锥形或卵形，有纵棱，萼檐管形，膨大，顶部 5~8 裂，裂片披针形或线状披针形，宿存；花冠白色或乳黄色，高脚碟状，喉部有疏柔毛，冠管狭圆筒形，顶部 5~8 裂，通常 6 裂，裂片广展，倒卵形或倒卵状长圆形；花丝极短，花药线形；花柱粗厚，柱头纺锤形，子房直径约 3mm，黄色，平滑。果实卵形、近球形、椭圆形或长圆形，黄色或橙红色，有翅状纵棱 5~9，顶部

栀子

的宿存萼片长达 4cm；种子多数，扁，近圆形而稍有棱角。花期 3~7 月，果期 5 月至翌年 2 月。

| **分布区域** | 产于海南陵水、万宁、屯昌、定安、琼海、文昌、海口、西沙群岛等地。亦分布于中国山东、江苏、安徽、浙江、江西、福建、台湾、湖北、湖南、广东、香港、广西、四川、贵州和云南，河北、陕西和甘肃有栽培。日本、朝鲜、越南、老挝、柬埔寨、印度、尼泊尔、巴基斯坦，以及太平洋岛屿和美洲北部也有分布。

| **资　　源** | 生于海拔 10~1500m 的旷野、丘陵、山谷、山坡、溪边的灌丛或林中。野生或栽培。

| **采收加工** | 果实：于 10 月中下旬，当果皮由绿色转为黄绿色时采收，除去果柄杂物，置蒸笼内微蒸或放入明矾水中微煮，取出晒干或烘干。亦可直接将果实晒干或烘干。花：6~7 月采摘，鲜用或晾干。叶：春、夏季采收，晒干。根：全年均可采，洗净，鲜用，或切片晒干。

| **药材性状** | 果实：果实倒卵形、椭圆形或长椭圆形，长 1.4~3.5cm，直径 0.8~1.8cm。表面红棕色或红黄色，微有光泽，有翅状纵棱 6~8，每 2 翅棱间有纵脉 1，先端有暗黄绿色残存宿萼，长裂片 6~8，裂片长 1~2.5cm，宽 2~3mm，多碎断。果皮薄而脆，内表面鲜黄色或红黄色，有光泽，具隆起的假隔膜 2~3。折断面鲜黄色，种子多枚，扁椭圆形或扁矩圆形，聚成球状团块，棕红色，表面有细而密的凹入小点；胚乳角质；胚长形，具心形子叶 2。气微，味微酸、苦。以皮薄、饱满、色红黄者为佳。花：本品为不规则团块或类三角锥形。表面淡棕色或棕色。萼筒卵形或倒卵形，先端 5~8 裂，裂片线状披针形。花冠旋卷，花冠下部连成筒状，裂片多数，倒卵形至倒披针形。雄蕊 6，花丝极短。质轻脆，易碎。气芳香，味淡。根：本品呈圆柱形，有分枝，多已切成短段，长 2~5cm。表面灰黄色或灰褐色，具有瘤状突起的须根痕。质坚硬，断面白色或灰白色，具放射状纹理。气微，味淡。以根肥大、短段大小均匀、不带茎枝者为佳。 |

功能主治　果实：泻火除烦，清热利湿，凉血解毒。用于热病心烦、肝火目赤、头痛、湿热黄疸、淋证、吐血、衄血、血痢、尿血、口舌生疮、疮疡肿毒、扭伤肿痛。花：清肺止咳，凉血止血。用于肺热咳嗽、鼻衄。叶：活血消肿，清热解毒。用于跌打损伤、疔毒、痔疮、下疳。根：清热利湿，凉血止血。用于黄疸型肝炎、痢疾、胆囊炎、感冒高热、吐血、衄血、尿路感染、肾炎水肿、乳腺炎、风火牙痛、疮痈肿毒、跌打损伤。

茜草科 Rubiaceae 栀子属 *Gardenia*

狭叶栀子 *Gardenia stenophylla* Merr.

| 中 药 名 | 小果栀子（药用部位：果实、根）

| 植物形态 | 灌木。叶薄革质，狭披针形或线状披针形，宽 0.4~2.3cm，基部渐狭，两面无毛；侧脉纤细，9~13 对；叶柄长 1~5mm；托叶膜质，长 7~10mm，脱落。花单生于叶腋或小枝顶部，芳香，具长约 5mm 的花梗；萼管倒圆锥形，萼檐管形，顶部 5~8 裂，裂片狭披针形；花冠白色，高脚碟状，冠管长 3.5~6.5cm，顶部 5~8 裂，裂片盛开时外反，长圆状倒卵形；花丝短，花药线形，伸出；花柱长 3.5~4cm，柱头棒形，伸出。果实长圆形，长 1.5~2.5cm，直径 1~1.3cm，有纵棱或有时棱不明显,成熟时黄色或橙红色,顶部有增大的宿存萼裂片。花期 4~8 月，果期 5 月至翌年 1 月。

狭叶栀子

分布区域

产于海南三亚、乐东、五指山、陵水、万宁、琼中、东方、琼海等地。亦分布于中国安徽、浙江、广东、广西。越南也有分布。

资　源

生于海拔 90~800m 的山谷、溪边林中、灌丛或旷野河边，常见于岩石上。

采收加工

根：全年均可采，洗净，切片，晒干。果实：秋后采收，晒干。

功能主治

清热利湿，凉血解毒。用于黄疸、感冒发热、吐血、衄血、尿血、肾炎水肿、痈疽疖肿、烫火伤、跌打损伤。

茜草科 Rubiaceae | 爱地草属 Geophila

爱地草 *Geophila herbacea* (Jacq.) K. Schum.

| **中 药 名** | 出山虎（药用部位：全草）

| **植物形态** | 多年生、纤弱、匍匐草本；茎下部的节上常生不定根。叶膜质，心状圆形至近圆形，基部心形，两面近无毛；叶脉掌状，5~8；叶柄长1~5cm，被伸展柔毛；托叶阔卵形，长1~2mm。花单生或2~3排成通常顶生的伞形花序，总花梗长1~4cm；苞片线形或线状钻形；萼管长2~3mm，檐部4裂，裂片线状披针形，被缘毛；冠管狭圆筒状，冠檐裂片4，卵形或披针状卵形，短尖，开放时伸展；雄蕊着生在冠管的中部之下，花丝短，花药内藏；花柱纤弱，顶部2裂。核果球形，光滑，红色，有宿萼裂片；分核平凸，腹面平滑，背面有横皱纹或小横肋。花期7~9月，果期9~12月。

爱地草

| **分布区域** | 产于海南三亚、东方、昌江、琼中、保亭等地。亦分布于中国台湾、广东、香港、广西和云南。广布于世界热带地区。

| **资　　源** | 生于林缘、路旁、溪边等较潮湿的地方。

| **采收加工** | 春、夏季采收，鲜用或晒干。

| **功能主治** | 消肿排脓，散瘀止痛。用于痈疽肿毒、跌打伤痛、毒蛇咬伤。

| **附　　注** | 在 FOC 中，其学名被修订为 *Geophila repens* (L.) I.M.Johnst.。

茜草科 Rubiaceae 耳草属 Hedyotis

广花耳草 *Hedyotis ampliflora* Hance

| 中 药 名 | 亚婆潮（药用部位：全株）

| 植物形态 | 藤状灌木；小枝幼时有明显的纵槽，槽内常有短硬毛。叶对生，纸质，披针形或阔披针形，基部楔形或阔楔形；侧脉明显，每边 3~4，与中脉成锐角伸出；叶柄略宽，长 2~5mm；托叶被毛或无毛，基部合生，顶部撕裂成 3~5 刚毛状的裂片。花序顶生，为伞房花序式排列的聚伞花序，有长 2~3.5cm 的总花梗；苞片微小或缺；花 4 数，有长 1~3mm 的花梗；萼管半球形或陀螺形，萼檐裂片披针形，具羽状脉，与萼管等长或略长，花后外反；花冠白色或绿白色，管形，被粉末状柔毛，喉部密被白色硬毛，花冠裂片披针形，长于冠管，先端内弯；雄蕊生于冠管近基部，花丝长 0.8~1mm，花药伸出，近长

广花耳草

圆形；花柱微伸出，被白色柔毛，柱头厚，2 裂。蒴果球形，略扁，外翻的宿存萼檐裂片在成熟时开裂为 2 果爿，果爿腹部直裂；种子多数，具棱，干后黑褐色。花期 6~8 月。

| 分布区域 | 产于海南海口、临高、澄迈、保亭、万宁、文昌、陵水、儋州等地。

| 资　　源 | 生于疏林下或山坡灌丛中。

| 采收加工 | 夏、秋季采收，晒干或鲜用。

| 药材性状 | 茎为圆柱形，直径 0.2~2.5cm，表面灰黄色或灰黑色，有明显的纵皱纹或扭曲状的沟纹。刮去外表皮，可见紫色内皮。质坚硬，不易折断，断面黄棕色，皮部狭窄，木质部宽广，有车轮纹，中心有髓，有时可见空洞。气微，味淡。

| 功能主治 | 祛风胜湿，强筋骨。用于风寒湿痹、腰腿酸痛、筋骨痿弱、跌打伤痛。

茜草科 Rubiaceae 耳草属 Hedyotis

中华耳草 *Hedyotis cathayana Ko*

| 中 药 名 | 中华耳草（药用部位：全株）

| 植物形态 | 无毛、直立亚灌木；茎粗壮，方柱形。叶对生，纸质，长圆形或椭圆状长圆形，基部阔而下延；中脉初时带紫色，侧脉每边7~8，与中脉成锐角向上伸出；托叶阔三角形，全缘或具疏腺齿。花序腋生，无总花梗或具总花梗，为圆锥花序式或团伞花序式；苞片线状披针形；花4数，有长1~1.2mm的花梗；萼管倒卵形，罕有近球形，萼檐裂片长短不等，狭三角形或圆形；花冠白色或浅绿色，漏斗形，喉部被髯毛，花冠裂片长圆形；雄蕊生于冠管喉部，花丝比花药短，花药长圆形；花柱长4~6.5mm，柱头2裂，裂片近椭圆形。蒴果长2~3mm，宿存萼檐裂片长约为蒴果长度的2倍，成熟时开裂为两个

中华耳草

果爿，每个果爿腹部直裂；种子 4~6，具棱，干后黑褐色，有乳头状小凸点。花期几全年。

| **分布区域** | 产于海南万宁、陵水、保亭、三亚、琼中、定安等地。

| **资　　源** | 生于沟谷和溪涧两旁湿润土壤中。

| **采收加工** | 夏、秋季采收，晒干或鲜用。

| **功能主治** | 祛风胜湿，强筋骨。用于风寒湿痹、腰腿酸痛、筋骨痿弱、跌打伤痛。

茜草科 Rubiaceae 耳草属 Hedyotis

伞房花耳草

Hedyotis corymbosa (L.) Lam.

| 中 药 名 | 伞房花耳草（药用部位：全草）

| 植物形态 | 一年生披散草本；茎和枝方柱形，分枝多，直立或蔓生。叶对生，近无柄，膜质，线形，基部楔形，干时边缘背卷；托叶膜质，鞘状，先端有数条短刺。花序腋生，伞房花序式排列，有花 2~4，罕有退化为单花，具纤细如丝、长 5~10mm 的总花梗；苞片微小，钻形；花 4 数，花梗长 2~5mm；萼管球形，基部稍狭，萼檐裂片狭三角形，具缘毛；花冠白色或粉红色，管形，喉部无毛，花冠裂片长圆形，短于冠管；雄蕊生于冠管内，花丝极短，花药内藏，长圆形，两端截平；花柱长 1.3mm，中部被疏毛，柱头 2 裂，裂片略阔，粗糙。蒴果膜质，球形，有不明显纵棱数条，宿存萼檐裂片长 1~1.2mm，

伞房花耳草

成熟时顶部室背开裂；种子每室 10 以上，有棱，种皮平滑，干后深褐色。花果期几全年。

| **分布区域** | 产于海南陵水等地。亦分布于中国广东、广西、福建、浙江、贵州和四川等地。亚洲热带地区、非洲和美洲等地也有分布。

| **资　　源** | 多生于水田和田埂或湿润的草地上。

| **采收加工** | 全年可采收，切段，晒干。

| **药材性状** | 与白花蛇舌草外观相似，区别为全草缠绕成团状，有分枝，茎四棱形，比白花蛇舌草粗大而硬，伞房花序腋生，有花 2~4，蒴果球形，直径 1.5~1.8mm。

| **功能主治** | 清热解毒，利尿消肿，活血止痛。用于恶性肿瘤、阑尾炎、肝炎、尿路感染、支气管炎、扁桃体炎；外用于疮疖、痈肿和毒蛇咬伤。

茜草科 Rubiaceae 耳草属 Hedyotis

脉耳草 *Hedyotis costata* (Roxb.) Kurz

| 中 药 名 | 黑节草（药用部位：全草）

| 植物形态 | 多年生披散草本，除花和果被短毛外，全部被干后变金黄色疏毛；嫩枝方柱形。叶对生，膜质，披针形或椭圆状披针形，基部楔形而下延；侧脉每边 4~5；叶柄长 5~10mm；托叶膜质，基部合生，上部分裂成数条长 3~5mm 的针状刺。聚伞花序密集呈头状，单个腋生或数个排成总状花序式，有钻形、长达 1mm 的苞片；总花梗长 5~12mm；花 4 数，芳香，无梗或具极短的梗；萼管陀螺状，萼檐裂片披针形；花冠管状，白色或紫色，管长 1.2~1.5mm，喉部以上被毛，花冠裂片长椭圆形；雄蕊与花冠裂片同数，着生于冠管喉部，花丝极短，花药椭圆形、伸出；花柱长 1.2~1.5mm，柱头 2 裂，裂片线形。

脉耳草

果实近球形，成熟时不开裂，宿存萼檐裂片三角形，广展；种子每室 3~4，三棱形，干后黑色。花果期 7~11 月。

| **分布区域** | 产于海南三亚、乐东、昌江、保亭、万宁、澄迈、儋州、琼中等地。亦分布于中国广东、广西、云南。

| **资　　源** | 生于低海拔的山谷林缘或草坡旷地上。

| **采收加工** | 春、夏季采收，洗净，鲜用或切段晒干。

| **功能主治** | 清热除湿，活血消肿。用于疟疾、肝炎、结膜炎、风湿骨痛、骨折肿痛、外伤出血。

| **附　　注** | 在 FOC 中，其学名被修订为 *Hedyotis vestita* R. Br. ex G. Don。

茜草科 Rubiaceae 耳草属 Hedyotis

闭花耳草 *Hedyotis cryptantha* Dunn

闭花耳草

| 中药名 |

闭花耳草（药用部位：全草）

| 植物形态 |

多年生草本，除花外全草无毛；茎粗壮，具棱，节间短。叶大型，纸质，椭圆形，连叶柄长 20~30cm，基部渐狭，下延；中脉常呈紫色，侧脉每边 5~7；叶柄宽 1~1.5cm，常常包着花序的一部分；托叶线形，基部宽 2~3mm，先端分裂成为多条针状刺。花序腋生，密集成团伞状，无总花梗，有线状披针形的苞片；无梗或具极短的花梗；萼管球形，萼檐裂片 4，线状披针形；花冠微带紫色，高脚碟形，管长 1.4~1.6mm，中部以上至喉部被微绒毛，花冠裂片 4，狭卵形，广展；雄蕊着生于冠管喉部，花丝极短，花药内藏，线状长圆形；花柱与冠管等长，中部以上分裂，裂片线形，广展。果实倒卵形，成熟时不开裂，宿存萼檐裂片长达 10mm；种子具棱，干后黑色，有小窝孔。花期 9~11 月。

| 分布区域 |

产于海南三亚、昌江、白沙、万宁、琼中、儋州、琼海等地。

| **资　　源** | 生于潮湿、荫蔽山谷林下或溪旁的岩石隙缝间，十分常见。

| **采收加工** | 全年均可采，切段，晒干。

| **功能主治** | 清热除湿，活血消肿。用于疟疾、肝炎、结膜炎、风湿骨痛、骨折肿痛、外伤出血。

茜草科 Rubiaceae 耳草属 Hedyotis

白花蛇舌草 *Hedyotis diffusa* Willd.

白花蛇舌草

| 中 药 名 |

白花蛇舌草（药用部位：全草）

| 植物形态 |

一年生草本。叶对生，无柄，膜质，线形，长 1~3cm，宽 1~3mm，边缘干后常背卷；中脉在上面下陷，侧脉不明显；托叶长 1~2mm，基部合生。花 4 数，单生或双生于叶腋；花梗略粗壮，长 2~5mm，罕无梗或偶有长达 10mm 的花梗；萼管球形，萼檐裂片长圆状披针形，具缘毛；花冠白色，管形，冠管长 1.5~2mm，喉部无毛，花冠裂片卵状长圆形；雄蕊生于冠管喉部，花丝长 0.8~1mm，花药突出，长圆形，与花丝等长或略长；花柱长 2~3mm，柱头 2 裂，裂片广展，有乳头状凸点。蒴果膜质，扁球形，宿存萼檐裂片长 1.5~2mm，成熟时顶部室背开裂；种子每室约 10，具棱，干后深褐色，有深而粗的窝孔。花期春季。

| 分布区域 |

产于海南三亚、东方、万宁、昌江、白沙、儋州、琼海、琼中、陵水等地。亦分布于中国东南至西南部各地。

| **资　　　源** | 生于潮湿的田边、沟边、路旁和草地上。

| **采收加工** | 夏、秋季采收，洗净，鲜用或晒干。

| **药材性状** | 全草扭缠成团状，灰绿色至灰棕色。主根细长，粗约 2mm，须根纤细，淡灰棕色。茎细，卷曲，质脆，易折断，中心髓部白色。叶多皱缩，破碎，易脱落；托叶长 1~2mm。花、果实单生或成对生于叶腋，花常具短而粗的花梗。蒴果扁球形，直径 2~2.5mm，室背开裂，宿萼先端 4 裂，边缘具短刺毛。气微，味淡。

| **功能主治** | 清热解毒，利湿。用于肺热喘嗽、咽喉肿痛、肠痈、疖肿疮疡、毒蛇咬伤、热淋涩痛、水肿、肠炎、湿热黄疸、癌肿。

茜草科 Rubiaceae　耳草属 Hedyotis

延龄耳草 *Hedyotis paridifolia* Dunn

延龄耳草

| 中 药 名 |

延龄耳草（药用部位：全草）

| 植物形态 |

多年生直立草本，除花冠里面被毛外，全部无毛；茎绿色或带紫色，上部具棱。叶纸质，生于枝顶的2对通常紧接，其他的疏离，卵形、椭圆形至椭圆状卵形，基部阔楔形；侧脉每边5~7；叶柄长0.5mm或无柄；托叶阔三角形，先端芒尖，边缘具疏长齿。聚伞花序密集呈头状，无总花梗，有小而卵形的苞片，顶生的直径2~2.5cm，常为4叶所承托，腋生的较小；花具短梗或无梗；萼管陀螺形，紫色，萼檐通常4裂，间有2或3裂，裂片长圆状椭圆形，散生不透明的条纹；花冠漏斗状，顶部通常4裂，裂片线形，远比管短；雄蕊着生于花冠喉部稍下，花丝极短，花药微突出，长圆形；花柱与花冠等长，柱头2裂，裂片线形。果实倒卵形或近椭圆形，长3~3.5mm，光滑，成熟时草黄色，不开裂，宿存萼檐裂片长达3.5~4mm；种子微小，每室多数（约12），具棱，干后种皮黑色，有窝孔。花期5~11月。

| **分布区域** | 产于海南三亚、乐东、白沙、保亭、陵水、万宁、五指山等地。 |

| **资　　源** | 生于中海拔的丛林内，十分常见。 |

| **采收加工** | 全年均可采，切段，晒干。 |

| **功能主治** | 清热解毒，利湿。用于肺热喘嗽、咽喉肿痛、肠痈、疖肿疮疡、毒蛇咬伤、热淋涩痛、水肿、肠炎、湿热黄疸、癌肿。 |

茜草科 Rubiaceae 耳草属 Hedyotis

松叶耳草
Hedyotis pinifolia Wall. ex G. Don

| **中 药 名** | 鹧哥舌（药用部位：全草）

| **植物形态** | 多分枝披散草本；枝纤细，锐四棱柱形。叶丛生，很少对生，无柄，坚硬而挺直，线形，先端短尖，边缘干时背卷；中脉在上面压入，侧脉不明显；托叶下部合生成短鞘，顶部分裂成长短不等的数条刺毛。团伞花序有花 3~10，顶生和腋生，无总花梗；苞片披针形，被疏毛和具缘毛；花 4 数，花梗长 0.8~1mm；萼管倒圆锥形，萼檐下部管状，裂片钻形，长渐尖，具缘毛；花冠管状，管长 4~4.2mm，裂片长圆形；雄蕊着生于冠管喉部，花丝长约 2mm，花药伸出，长圆形，两端钝，比花丝短 2/3；花柱长 9mm，柱头 2 裂，裂片线形，广展，内弯。蒴果近卵形，成熟时仅顶部开裂，宿存萼檐裂片长 1~1.2mm；种子每室数枚，具棱，干后浅褐色。花期 5~8 月。

松叶耳草

| **分布区域** | 产于海南三亚、乐东、昌江、陵水、万宁、澄迈、屯昌、文昌、海口、儋州、东方等地。亦分布于中国福建、广东、广西、云南。 |

| **资　　源** | 生于低海拔的丘陵、旷地或海滩沙地上。 |

| **采收加工** | 夏、秋季采收，鲜用或切碎晒干。 |

| **药材性状** | 全草多缠绕成团状。茎黑褐色，多分枝，具锐四棱。叶轮生，叶片极狭，状如松针，长 12~25mm，急尖，粗糙；托叶合生成短鞘，顶部裂成数条刚毛；无柄。团伞花序有花 3~10，无总花梗，苞片披针形；花 4 数，萼筒倒圆锥形，被毛，花冠筒状，裂片矩圆形，雄蕊着生于花冠筒喉部。蒴果近卵形，被毛，顶部开裂，有宿萼。气微，味淡。 |

| **功能主治** | 消积，除胀，散瘀，解毒。用于小儿疳积、潮热、疮疖痈疽、跌打肿痛、毒蛇咬伤。 |

茜草科 Rubiaceae 耳草属 Hedyotis

纤花耳草 *Hedyotis tenellifloa* Bl.

纤花耳草

| 中 药 名 |

石枫药（药用部位：全草）

| 植物形态 |

柔弱、披散、多分枝草本；全草无毛；枝的上部方柱形，有4锐棱，下部圆柱形。叶对生，无柄，薄革质，线形或线状披针形，基部楔形，微下延，边缘干后反卷，上面变黑色，密被圆形、透明的小鳞片；中脉在上面压入，侧脉不明显；托叶长3~6mm，基部合生，顶部撕裂，裂片刚毛状。花无梗，1~3簇生于叶腋内，有针形、边缘有小齿的苞片；萼管倒卵状，萼檐裂片4，线状披针形，具缘毛；花冠白色，漏斗形，冠管长约2mm，裂片长圆形；雄蕊着生于冠管喉部，花丝长约1.5mm，花药伸出，长圆形，比花丝略短；花柱长约4mm，柱头2裂，裂片极短。蒴果卵形或近球形，宿存萼檐裂片仅长1mm，成熟时仅顶部开裂；种子每室多枚，微小。花期4~11月。

| 分布区域 |

产于海南乐东、昌江、万宁、琼中等地。亦分布于中国东南和西南各地。

| **资　　源** | 生于田边、路旁或旷野草丛中。

| **采收加工** | 夏、秋季采收，鲜用或晒干。

| **药材性状** | 全草多缠绕成团状，黑色。茎多分枝，上部锐四棱形。叶对生，条形至条状披针形，长 2~4cm，先端渐尖，上面黑褐色，下面较淡；托叶顶部分裂成数条刚毛状刺。花 4 数，无花梗，1~3 簇生于叶腋，有 2 苞片，萼筒倒卵形；花冠白色，漏斗状，裂片长圆形；雄蕊着生于花冠筒喉部。蒴果卵形，长约 2.5mm，先端开裂，具宿萼。气微，味淡。

| **功能主治** | 清热解毒，活血止痛。用于肺热咳嗽、慢性肝炎、鼓胀、阑尾炎、痢疾、风火牙痛、小儿疝气、跌打损伤、蛇咬伤。

| **附　　注** | 在 FOC 中，其学名被修订为 *Hedyotis tenelliflora* Bl.。

茜草科 Rubiaceae 龙船花属 Ixora

团花龙船花 *Ixora cephalophora* Merr.

| **中 药 名** | 团花龙船花（药用部位：全株）

| **植物形态** | 灌木，无毛。叶对生，纸质，长圆形、长圆状披针形，长 10~25
（~30）cm，宽 4~6（~8）cm，基部楔形，不向下延，下面稍带苍白；
侧脉每边 9~10；叶柄长 1~2cm，有纤细纵条纹；托叶近阔卵形，先
端芒尖。聚伞花序密集，排成三歧伞房花序式，无总花梗或具极短
总梗，第一级分枝长 1~1.2cm；花具香气，侧生的有短花梗，中央
的无花梗，具近膜质、披针形、先端渐尖的小苞片；萼管长 1.5~2mm，
萼檐裂片比萼管长，近膜质，长圆状披针形至披针形；花冠白色，
冠管纤细，盛开时长 2~2.5cm，喉部无毛，顶部 4 裂，裂片椭圆形
或长圆形；花丝极短，约 1mm，花药突出，狭长圆形，基部戟形；

团花龙船花

花柱微伸出冠管外，柱头 2，初时靠合，盛开时叉开。果实近椭圆形，微压扁，顶部冠以宿存萼檐，成熟时红黄色至红色。花期 5 月，果期 9 月。

| **分布区域** | 产于海南乐东、昌江、白沙、保亭、陵水、三亚、琼中等地。亦分布于中国广东。

| **资　　源** | 生于荫蔽的杂木林中或林谷溪涧旁。

| **采收加工** | 夏、秋季采收，切碎，晒干。

| **功能主治** | 凉血止血。用于产后恶露不净、崩漏。

茜草科 Rubiaceae 龙船花属 Ixora

龙船花 *Ixora chinensis* Lam.

| 中 药 名 | 龙船花（药用部位：花），龙船花茎叶（药用部位：茎叶），龙船花根（药用部位：根）

| 植物形态 | 灌木，无毛。叶对生，有时由于节间距离极短几成 4 枚轮生，披针形、长圆状披针形至长圆状倒披针形，基部短尖或圆形；侧脉每边 7~8，近叶缘处彼此联结；叶柄极短而粗或无；托叶长 5~7mm，基部合生成鞘形，先端长渐尖，渐尖部分比鞘长。花序顶生，具短总花梗；总花梗长 5~15mm，罕有被粉状柔毛，基部常有 2 小型叶承托；苞片和小苞片微小，生于花托基部的成对；花有花梗或无；萼管长 1.5~2mm，萼檐 4 裂，裂片极短；花冠红色或红黄色，盛开时长 2.5~3cm，顶部 4 裂，裂片倒卵形或近圆形，扩展或外反；花丝

龙船花

极短，花药长圆形，基部 2 裂；花柱短，伸出冠管外，柱头 2，初时靠合，盛开时叉开。果实近球形，双生，中间有 1 沟，成熟时红黑色；种子上面凸，下面凹。花期 5~7 月。

| 分布区域 | 产于海南昌江、万宁、海口等地。亦分布于中国福建、台湾、广东、广西。

| 资　源 | 散生于疏林下、灌丛中或旷野路旁。

| 采收加工 | 花：全年均可采，鲜用或晒干。茎叶：春、秋季采收，切碎，晒干。根：秋后采挖，切片，晒干。

| 药材性状 | 花序卷曲成团，展平后呈伞房花序。花序具短梗，有红色的分枝。花直径 1~5mm，具极短花梗；萼 4 裂，萼齿远较萼筒短；花冠 4 裂，裂片近圆形，红褐色，肉质；花冠筒扭曲，红褐色；雄蕊与花冠裂片同数，着生于花冠筒喉部。气微，味微苦。以花朵完整、色红褐者为佳。

| 功能主治 | 花：清热凉血，散瘀止痛。用于高血压、月经不调、闭经、跌打损伤、疮疡疖肿。茎叶：散瘀止痛，解毒疗疮。用于跌打伤痛、风湿骨痛、疮疡肿毒。根：清热凉血，活血止痛。用于咳嗽、咯血、风湿关节痛、胃痛、闭经、疮疡肿痛、跌打损伤。

海南龙船花 *Ixora hainanensis* Merr.

| **中 药 名** | 海南龙船花（药用部位：根、茎叶、花）

| **植物形态** | 灌木，除花冠喉部被疏毛外全部无毛。小枝有纵条纹。叶对生，纸质，通常长圆形，基部楔形或靠近花序的 1 对叶无叶柄，基部圆形；侧脉每边 8~10，近叶缘处弯拱联结；叶柄长 3~6mm；托叶卵形，渐尖部分长 3~4mm。花序顶生，为三歧伞房式的聚伞花序，长达 7cm；总花梗稍扁，长约 4cm；花具香气，有长 1~2mm 的花梗；苞片线状长圆形；小苞片与苞片同形，但较小；萼管长 1.3~1.5mm，萼檐 4 裂，裂片长卵形，与萼管等长或略短，先端微钝；花冠白色，盛开时冠管长 2.5~3.5cm，喉部有疏毛，顶部 4 裂，裂片长圆形；花丝短，花药突出；花柱长约 4cm，柱头初时彼此靠合，成熟时叉开。果实球形，略扁，老时红色。花期 5~11 月。

海南龙船花

| **分布区域** | 产于海南三亚、乐东、东方、陵水、万宁、儋州、澄迈、屯昌、琼中等地。亦分布于中国广东。 |

| **资　　源** | 生于低海拔沙质土壤的丛林内，多见于密林的溪旁或林谷湿润的土壤上。 |

| **采收加工** | 花：全年均可采，鲜用或晒干。茎叶：春、秋季采收，切碎，晒干。根：秋后采挖，切片，晒干。 |

| **功能主治** | 清热凉血，活血止痛。用于咳嗽、咯血、风湿关节痛、胃痛、闭经、疮疡肿痛、跌打损伤。 |

茜草科 Rubiaceae 龙船花属 Ixora

白花龙船花 *Ixora henryi* Lévl.

| 中 药 名 | 白花龙船花（药用部位：全株）

| 植物形态 | 灌木，无毛。叶对生，纸质，长圆形或披针形，很少近椭圆形，基部楔形至阔楔形；侧脉每边 7~8，网脉疏散；叶柄纤细，长 3~7mm；托叶基部阔，近顶部骤然收狭成长 3~6mm 的芒尖。花序顶生，排成三歧伞房式的聚伞花序，有线形或线状披针形的苞片和小苞片；总花梗短，长 5~15mm；花具梗，两侧的花梗长 2~2.5mm，中央的长 1~1.5mm；萼管长 1.8~2mm，萼檐裂片三角形，短于萼管；花冠白色，干后变暗红色，花盛开时冠管长 2.5~3cm，顶部 4 裂，裂片长圆形；花丝极短，花药突出冠管外，基部 2 裂；花柱长于冠管，柱头 2，初时靠合，后叉开。果实球形，先端有残留细小的萼檐裂片。花期 8~12 月。

白花龙船花

| 分布区域 | 产于海南乐东、昌江、陵水等地。亦分布于中国广东、广西、贵州、云南等地。越南也有分布。 |

| 资　　源 | 生于海拔 500~2000m 的杂木林内或林缘潮湿的岩石溪旁。 |

| 采收加工 | 全年可采收，切段，晒干。 |

| 药材性状 | 花序卷曲成团，展平后呈伞房花序。花序具短梗，有分枝。气微，味微苦。以花朵完整为佳。 |

| 功能主治 | 清热消肿，止痛，接骨。用于痈疮肿毒、骨折。 |

茜草科 Rubiaceae 粗叶木属 Lasianthus

粗叶木 Lasianthus chinensis (Champ.) Benth.

| 中药名 | 粗叶木（药用部位：根），粗叶木叶（药用部位：叶）

| 植物形态 | 灌木，有时为高达 8m 的小乔木。叶薄革质或厚纸质，通常为长圆形或长圆状披针形，基部阔楔形或钝，干时变黑色或黑褐色，下面中脉、侧脉和小脉上均被较短的黄色短柔毛；侧脉每边 9~14，三级小脉分枝联结成网状；叶柄粗壮，长 8~12mm，被黄色绒毛；托叶三角形，被黄色绒毛。花无梗，常 3~5 朵簇生于叶腋，无苞片；萼管卵圆形或近阔钟形，萼檐通常 4 裂，裂片卵状三角形，边缘内折；花冠通常白色，有时带紫色，近管状，管长 8~10mm，喉部密被长柔毛，裂片 6（有时 5），披针状线形，先端内弯，有一长约 1mm 的刺状长喙；雄蕊通常 6，生于冠管喉部，花丝极短，花药线形；

粗叶木

子房通常6室，花柱长6~7mm，柱头线形。核果近卵球形，成熟时蓝色或蓝黑色，通常有6分核。花期5月，果期9~10月。

| 分布区域 | 产于海南三亚、乐东、昌江、保亭、万宁、琼海、澄迈、琼中、五指山、白沙等地。亦分布于中国福建、台湾、广东、广西等地。

| 资　　源 | 生于低海拔山谷溪畔或湿润疏林下。

| 采收加工 | 根：秋后挖根，洗净，切片，晒干。叶：夏、秋季采收，洗净，鲜用或晒干。

| 药材性状 | 叶薄革质或厚纸质，通常为长圆形或长圆状披针形，基部阔楔形或钝，干时变黑色或黑褐色。

| 功能主治 | 根：祛风胜湿，活血止痛。用于风寒湿痹、筋骨疼痛。叶：清热除湿。用于湿热黄疸。

茜草科 Rubiaceae 粗叶木属 Lasianthus

鸡屎树 *Lasianthus hirsutus* (Roxb.) Merr.

| 中 药 名 | 粗叶木（药用部位：根）

| 植物形态 | 灌木。叶纸质，长圆状椭圆形、长圆状倒卵形、长圆形或有时倒披针形，基部楔形、阔楔形或钝；侧脉每边 8~12；叶柄长 8~15mm 或稍过之，密被贴伏的硬毛；托叶卵状三角形，密被长硬毛；花无梗，常数朵簇生于叶腋；苞片多数，卵形或披针形、线状披针形，均密被暗褐色长硬毛；萼管近钟形，裂片 4 或 5，钻形，被长约 1mm 的刚毛；花冠白色，漏斗状，管长 1.2~1.3cm，上部明显扩大，外面疏被腺毛状柔毛，裂片 4 或 5，长圆形或披针形，边缘被腺毛，毛的先端明显乳头状，里面被皱曲长柔毛；雄蕊 4~5，生于冠管近中部，花丝很短，花药长约 2mm；子房 4~5 室，花柱长约 6.5mm，柱头长

鸡屎树

约 1mm，被花药环绕。核果近球形，直径 7~8mm 或稍过之，成熟时蓝色或紫蓝色，被疏毛或近无毛，通常含 4 分核。花期秋、冬季最盛，果期春、夏季。

| **分布区域** | 产于海南东方、白沙、昌江、五指山、保亭、陵水、琼中、儋州、定安、琼海等地。亦分布于中国台湾、广东、香港、广西十万大山。菲律宾、印度尼西亚、马来西亚、缅甸、印度东北部及安达曼群岛、越南等地也有分布。

| **资　　源** | 常生于密林中。

| **采收加工** | 秋后挖根，洗净，切片，晒干。

| **药材性状** | 根呈圆柱形，弯曲。木质坚硬，难折断，断面淡棕色，长短不等。

| **功能主治** | 祛风胜湿，活血止痛。用于风寒湿痹、筋骨疼痛。

茜草科 Rubiaceae 粗叶木属 *Lasianthus*

黄毛粗叶木 *Lasianthus koi* Merr. et Chun

| 中 药 名 |　粗叶木（药用部位：根、叶）

| 植物形态 |　灌木。叶薄革质，披针形或长圆状披针形，基部圆或钝，常有缘毛；侧脉每边 8~10，很少 7，和横行的小脉均在下面突起；叶柄粗壮，长 5~10mm 或稍过之；托叶小，隐于毛被中。花序极多花，生于腋生、粗壮、长 0.5~1.2cm 的总梗上，或总梗有时缩至很短；苞片和小苞片很多，直或弯卷，通常线形，密被褐黄色长柔毛；花无梗；萼管长约 4mm，被疏柔毛，萼檐 6 裂，裂片狭披针形，密被长柔毛；花冠白色或微染紫色，冠管长约 4mm，裂片常 5，长圆形；雄蕊 5，生于冠管喉部，花丝很短，花药长圆形，内藏；花柱长约 5mm。核果成熟时蓝色，卵球形或近球形，顶部冠以宿存的萼裂片，含 5、稀 4 分核。

黄毛粗叶木

| 分布区域 | 产于海南各地。亦分布于中国广西。越南也有分布。

| 资　　源 | 常生于密林中。

| 采收加工 | 根：秋后挖根，洗净，切片，晒干。叶：夏、秋季采收，洗净，鲜用或晒干。

| 功能主治 | 根：祛风除湿，活血止痛。用于风寒湿痹、筋骨疼痛。叶：清热除湿。用于湿热黄疸。

| 附　　注 | 在 FOC 中，其学名被修订为 *Lasianthus rhinocerotis* subsp. *pedunculatus* (Pit.) H. Zhu。

茜草科 Rubiaceae 粗叶木属 *Lasianthus*

钟萼粗叶木 *Lasianthus trichophlebus* Hemsl.

| 中 药 名 | 钟萼粗叶木（药用部位：茎）

| 植物形态 | 灌木；枝近圆柱状，干时红褐色，被糙伏毛，节间的毛稀疏。叶纸质，长圆形，有时长圆状倒披针形，基部楔形或稍钝，有时两侧稍不对称，边全缘或微浅波状，干时通常灰色或灰褐色，下面中脉和侧脉上密被伸展的长硬毛，横行小脉上被稀疏硬毛；侧脉每边 7~9，小脉近平行；叶柄长不超过 1cm，被糙伏毛；托叶披针状三角形，密被长硬毛；无苞片。核果无梗，2 至多个簇生于叶腋，卵圆形，被伸展硬毛，成熟时紫蓝色，顶部冠以 4~5 卵状三角形、被长硬毛的宿萼裂片，含 4 或 5 分核。花期 4~5 月，果期 9~10 月。

| 分布区域 | 产于海南三亚、东方、昌江、五指山、万宁、保亭等地。

钟萼粗叶木

| **资   源** | 常生于林下。 |

| **采收加工** | 全年均可采，切段，晒干。 |

| **药材性状** | 枝近圆柱状，干时红褐色，被糙伏毛，节间的毛稀疏。 |

| **功能主治** | 用于面黄、四肢无力。 |

茜草科 Rubiaceae 石核木属 Litosanthes

石核木 *Litosanthes biflora* Bl.

| 中 药 名 | 石核木（药用部位：根、叶）

| 植物形态 | 小灌木；小枝圆柱状，被柔毛。叶小，纸质或近膜质，椭圆形或近卵形，基部近楔形，干时榄绿色，上面无毛，下面中脉被短柔毛，边缘被稀疏长硬毛；侧脉每边 7~9；叶柄极短或近无柄。花小，有梗，2 朵聚生于腋生、长 5~17mm 的总梗上；苞片小，披针形；花萼长 1.5mm，檐部稍扩大，裂片三角形，长约 0.5mm；花冠白色，里面喉部被长柔毛，冠檐裂片卵形，比冠管短，先端喙状内弯。核果球形或扁球形，成熟时黑色，无毛。花期秋、冬季间。

| 分布区域 | 产于海南乐东、东方、昌江、白沙、五指山、万宁、琼中、定安等地。亦分布于中国台湾。菲律宾也有分布。

石核木

| **资　　源** | 常生于中海拔和低海拔的山地密林中，喜稍潮湿的环境。

| **采收加工** | 全年可采。根：挖根，洗净，切段，晒干。叶：晒干。

| **药材性状** | 根呈圆柱形，弯曲；木质坚硬，难折断，断面淡棕色；长短不等。叶小，纸质或近膜质，椭圆形或近卵形，基部近楔形，干时榄绿色，上面无毛，下面中脉被短柔毛，边缘被稀疏长硬毛；侧脉每边 7~9；叶柄极短或近无柄。

| **功能主治** | 清热解毒。

茜草科 Rubiaceae 巴戟天属 Morinda

海滨木巴戟 *Morinda citrifolia* L.

| **中 药 名** | 橘叶巴戟（药用部位：根）

| **植物形态** | 灌木至小乔木；枝近四棱柱形。叶交互对生，长圆形、椭圆形或卵圆形，两端渐尖或急尖，全缘；中脉上面中央具一凹槽，侧脉每边（5~）6（~7），下面脉腋密被短束毛；叶柄长5~20mm；托叶生叶柄间，每侧1，全缘。头状花序每隔一节有1，与叶对生，具长1~1.5cm的花序梗；花无梗；萼管彼此间多少黏合，萼檐近截平；花冠白色，漏斗形，喉部密被长柔毛，顶部5裂，裂片卵状披针形；雄蕊5，罕4或6，着生于花冠喉部，花丝长约3mm，花药内向，上半部露出冠口，线形，2室，纵裂；花柱约与冠管等长，顶2裂，裂片线形，略叉开，子房4室，有时有1~2室不育，每室具胚珠1，胚珠略扁。果柄长约2cm；聚花核果浆果状，卵形，熟时白色，约如初生鸡蛋大，

海滨木巴戟

每核果具分核（2或3~）4，分核倒卵形，坚纸质，具2室，具1种子；种子小，扁，长圆形，下部有翅；胚直，胚根下位，子叶长圆形；胚乳丰富，质脆。花果期全年。

| 分布区域 |

产于海南三亚、文昌、万宁、西沙群岛等地。亦分布于中国台湾、广东。

| 资　　源 |

生于海岸地上。

| 采收加工 |

秋季挖根，洗净，晒干。

| 功能主治 |

清热解毒。用于痢疾、肺结核。

茜草科 Rubiaceae 巴戟天属 *Morinda*

大果巴戟 *Morinda cochinchinensis* DC.

| **中 药 名** | 大果巴戟（药用部位：根）

| **植物形态** | 木质藤本；幼枝圆或略呈四棱柱形，密被锈黄色长柔毛。叶对生，纸质，椭圆形、长圆形或倒卵状长圆形，具长约 5mm 的柄，基部圆或有时略呈心形；侧脉每边 7~10；托叶管状，膜质，每侧具 2 硬尖。顶生头状花序 3~18，排列成伞形；花序梗长 1~3cm，基部具多数丝状总苞片；头状花序具花 5~15；每朵花通常具 1~2 钻形或丝状苞片，无花梗；花萼下部一侧与邻近花萼合生或贴生，顶部具裂片 4~5，裂片近钻形；花冠白色，冠管短，檐部 4~5 裂，裂片长圆形至披针形，自基部至中部密具长髯毛，顶部内折成喙状；雄蕊 4~5，着生于花冠裂片侧基部，花丝长 1~1.5mm，花药长圆状线形，2 室；花柱内藏，

大果巴戟

子房 4 室，每室具 1 胚珠；胚珠扁，着生于子房室内侧基部，2 枚半圆形或近正圆形，另 2 枚长圆形。聚花核果由（1~）2~8 核果组成，近球形或长圆球形或不规则形，熟时由橙黄色变橘红色；果柄长 2.5~4cm，被锈毛；核果具 4 分核；分核三棱形，具种子 1；种子角质，胚直，具胚乳。花期 5~7 月，果期 7~11 月。

| 分布区域 |

产于海南三亚、白沙、五指山、琼中、万宁等地。亦分布于中国广东、广西、云南等地。

| 资　　源 |

生于中海拔的沟谷潮湿地上。

| 采收加工 |

秋季挖根，洗净，晒干。

| 药材性状 |

干燥的根呈圆柱形，弯曲，直径 0.3~1.2cm。表面灰黄色，具有不规则的纵皱纹、纵沟和疣状突起，粗糙，横裂纹少。皮部偶有断裂，露出木质部，木质部表面有明显的深纵沟。质坚韧，断面不齐。皮部薄，淡紫色，木质部宽广，直径 0.25~1.1cm，木质部呈齿轮状或星状，黄色。气微，味淡。

| 功能主治 |

祛风除湿，宣肺止咳。用于风湿痹痛、感冒、支气管炎、上呼吸道感染。

巴戟天 *Morinda officinalis* How

| 中 药 名 | 巴戟天（药用部位：根）

| 植物形态 | 藤本；肉质根不定位肠状缢缩，根肉略紫红色，干后紫蓝色。叶薄或稍厚，纸质，长圆形、卵状长圆形或倒卵状长圆形，基部钝、圆或楔形，边全缘；侧脉每边（4~）5~7；叶柄长 4~11mm；托叶长3~5mm，干膜质，易碎落。花序 3~7 伞形排列于枝顶；花序梗长5~10mm，基部常具卵形或线形总苞片 1；头状花序具花 4~10；花（2~）3（~4）数，无花梗；花萼倒圆锥状，顶部具波状齿 2~3，外侧一齿特大，三角状披针形；花冠白色，近钟状，冠管长 3~4mm，顶部收狭而呈壶状，檐部通常 3 裂，有时 2 或 4 裂，裂片卵形或长圆形，内面中部以下至喉部密被髯毛；雄蕊与花冠裂片同数，着生于裂片

巴戟天

侧基部，花丝极短，花药背着；花柱外伸，柱头长圆形或花柱内藏，2 等裂或 2 不等裂，子房（2~）3（~4）室，每室有胚珠 1。聚花核果由多花或单花发育而成，熟时红色，扁球形或近球形；核果具（2~）3（~4）分核；分核三棱形，外侧弯拱，内面具种子 1，果柄极短；种子熟时黑色，略呈三棱形。花期 5~7 月，果熟期 10~11 月。

| 分布区域 | 产于海南东方、五指山、陵水、琼中、屯昌、儋州等地。亦分布于中国福建、广东、广西等地的热带和亚热带地区。中南半岛也有分布。

| 资　　源 | 生于山地疏、密林下和灌丛中，常攀于灌木或树干上，亦有引作家种。

| 采收加工 | 栽种 6~7 年即可采收。在秋、冬季采挖，挖出后，摘下肉质根，洗去泥沙，在阳光下晒至五六成干，用水棒轻轻打扁，再晒至全干即成。

| 药材性状 | 根扁圆柱形，略弯曲，长度不等，直径 1~2cm；表面灰黄色或灰黄棕色，有的微带紫色，具纵皱及深陷的横纹，有的呈缢缩状或皮部横向断离而露出木质部，形如鸡肠。质坚韧，折断面不平，皮部厚 5~7mm，淡紫色，木质部直径 2~4mm。气微，味苦、略涩。

| 功能主治 | 补肾助阳，强筋壮骨，祛风除湿。用于肾虚阳痿、遗精早泄、少腹冷痛、小便不禁、宫冷不孕、风寒湿痹、腰膝酸软、风湿脚气。

茜草科 Rubiaceae 巴戟天属 Morinda

鸡眼藤
Morinda parvifolia Bartl. ex DC.

| 中 药 名 | 百眼藤（药用部位：全株）

| 植物形态 | 攀缘灌木。叶形多变，生于旱阳裸地者，叶为倒卵形，具大、小二型叶，生于疏阴旱裸地者，叶为线状倒披针形或近披针形，攀缘于灌木者，叶为倒卵状倒披针形、倒披针形、倒卵状长圆形，基部楔形，边全缘或具疏缘毛；侧脉每边 3~4（~6），脉腋有毛；叶柄长3~8mm；托叶筒状，干膜质，每侧常具刚毛状伸出物 1~2，花序（2~）3~9，伞状排列于枝顶；花序梗长 0.6~2.5cm，基部常具钻形或线形总苞片 1；头状花序近球形或稍呈圆锥状，具花 3~15（~17）；花4~5 数，无花梗；花萼下部各花彼此合生，常具 1~3 针状或波状齿，背面常具毛状或钻状苞片 1；花冠白色，管部长约 2mm，略呈四或五棱形，棱处具裂缝，顶部稍收狭，檐部 4~5 裂，裂片长圆形，顶

鸡眼藤

部向外隆出和向内钩状弯折，内面中部以下至喉部密被髯毛；雄蕊与花冠裂片同数，花药长圆形，花丝长 1.8~3mm；花柱外伸，柱头长圆形，2 裂，子房下部与花萼合生，2~4 室，每室胚珠 1；胚珠扁长圆形。聚花核果近球形，熟时橙红至橘红色；核果具分核 2~4；分核三棱形，具种子 1。种子与分核同形，角质。花期 4~6 月，果期 7~8 月。

| 分布区域 |

产于海南乐东、白沙、万宁、保亭、儋州、文昌、澄迈、海口等地。亦分布于中国华南其他区域、东南。

| 资　　源 |

生于山野灌丛中。

| 采收加工 |

夏、秋季采收，洗净，晒干。

| 功能主治 |

清热止咳，和胃化湿，散瘀止痛。用于感冒咳嗽、百日咳、消化不良、湿疹、跌打损伤、腰肌劳损。

茜草科 Rubiaceae 巴戟天属 *Morinda*

羊角藤（亚种）

Morinda umbellata L. subsp. *obovata* Y. Z. Ruan

| 中 药 名 | 羊角藤（药用部位：根、根皮），羊角藤叶（药用部位：叶）

| 植物形态 | 藤本、攀缘或缠绕，有时呈披散灌木状。叶纸质或革质，倒卵形、倒卵状披针形或倒卵状长圆形，基部渐狭或楔形，全缘，上面常具蜡质，干时淡棕色至棕黑色，下面淡棕黄色或禾秆色；侧脉每边4~5；叶柄长 4~6mm；托叶筒状，干膜质，长 4~6mm。花序 3~11，伞状排列于枝顶；花序梗长 4~11mm；头状花序直径 6~10mm，具花 6~12；花 4~5 数，无花梗；各花萼下部彼此合生，无齿；花冠白色，稍呈钟状，檐部 4~5 裂，裂片长圆形，内面中部以下至喉部密被髯毛；雄蕊与花冠裂片同数，花药长约 1.2mm，花丝长约 1.5mm；柱头圆锥状，常 2 裂，着生于子房顶或子房顶凹洞内，子房下部与花萼合生，2~4 室，每室胚珠 1。果序梗长 5~13mm；聚花核果由 3~7 花发育而

羊角藤（亚种）

成，成熟时红色，近球形或扁球形；核果具分核 2~4；分核近三棱形，具种子 1；种子角质，棕色，与分核同形。花期 6~7 月，果熟期 10~11 月。

| **分布区域** | 产于海南三亚、乐东、白沙、五指山、儋州、保亭、陵水、澄迈等地。亦分布于中国西南至东南部各地。

| **资　源** | 生于低海拔地区灌丛中。

| **采收加工** | 根、根皮：全年均可采，晒干或鲜用。叶：夏、秋季采摘，鲜用。

| **药材性状** | 根多呈圆柱状，长短不等，直径 0.8~2.0cm。根皮呈不规则片状、槽状或卷筒状，外表面灰褐色或灰棕色，具不规则皱纹或较粗的纵皱纹，具少数横缢纹，有的皮部断裂而露出粗糙木质部，形成长短不等的节。质坚硬，柴性，易折断，断面呈颗粒状，皮部较薄，内表面浅灰紫色，木质部粗而脆，直径 0.5~1.4cm，占断面直径的 60%~70%。无臭，味淡、微甜。

| **功能主治** | 根、根皮：祛风除湿，补肾止血。用于风湿关节痛、肾虚腰痛、阳痿、胃痛。叶：解毒止血。用于蛇咬伤、创伤出血。

茜草科 Rubiaceae 巴戟天属 *Morinda*

狭叶鸡眼藤（变种） *Morinda brevipes* S. Y. Hu var. *stenophylla* Chun et How

| 中 药 名 | 细叶巴戟天（药用部位：全株）

| 植物形态 | 攀缘、缠绕或平卧藤本；嫩枝密被短粗毛，老枝棕色或稍紫蓝色，具细棱。叶披针状线形，长 7~11cm，宽 0.8~1.3cm。头状花序近球形或稍呈圆锥状，罕呈柱状，直径 5~8mm，具花 3~15（~17）；花 4~5 数，无花梗；花萼下部各花彼此合生，上部环状，顶端平截，常具 1~3 针状或波状齿，有时无齿，背面常具毛状或钻状苞片 1；花冠白色，长 6~7mm，管部长约 2mm，直径 2~3mm，略呈四或五棱形，棱处具裂缝，顶部稍收狭，内面无毛，檐部 4~5 裂，裂片长圆形，顶部向外隆出和向内钩状弯折，内面中部以下至喉部密被髯毛；雄蕊与花冠裂片同数，着生于裂片侧基部，花药长圆形，长 1.5~2mm，外露，花丝长 1.8~3mm；花柱外伸，柱头长圆形，2 裂，外反，或

狭叶鸡眼藤（变种）

无花柱，柱头圆锥状，2 裂或不裂，直接着生于子房顶或其凹洞内，子房下部与花萼合生，2~4 室，每室有胚珠 1；胚珠扁长圆形，着生于子房隔侧基部。聚花核果近球形，直径 6~10（~15）mm，熟时橙红至橘红色；核果具分核 2~4；分核三棱形，外侧弯拱，具种子 1。种子与分核同形，角质，无毛。花期 5 月。

| 分布区域 | 产于海南乐东。

| 资　　源 | 生于丘陵地林下湿处。

| 采收加工 | 夏季采收，切片，晒干。

| 功能主治 | 清热止咳，和胃化湿，散瘀止痛。用于感冒咳嗽、百日咳、消化不良、湿疹、跌打损伤、腰肌劳损。

楠 藤 *Mussaenda erosa* Champ.

| 中 药 名 | 楠藤（药用部位：茎叶）

| 植物形态 | 攀缘灌木。叶对生，纸质，长圆形、卵形至长圆状椭圆形，基部楔形；侧脉 4~6 对；叶柄长 1~1.5cm；托叶长三角形，2 深裂。伞房状多歧聚伞花序顶生，花序梗较长，花疏生；苞片线状披针形；花梗短；花萼管椭圆形，萼裂片线状披针形，基部被稀疏的短硬毛；花叶阔椭圆形，有纵脉 5~7，先端圆或短尖，基部骤窄，柄长 0.9~1cm；花冠橙黄色，花冠管外面有柔毛，喉部内面密被棒状毛，花冠裂片卵形，宽与长近相等，先端锐尖，内面有黄色小疣突。浆果近球形或阔椭圆形，顶部有萼檐脱落后的环状疤痕；果柄长 3~4mm。花期 4~7 月，果期 9~12 月。

楠藤

分布区域	产于海南三亚、乐东、昌江、白沙、五指山、万宁、儋州、琼中、琼海、定安、澄迈等地。亦分布于中国华南其他区域、西南等地。
资　　源	生于山坡、山谷、河边灌丛和疏林中。
采收加工	夏、秋季采收，鲜用或晒干。
功能主治	清热解毒。用于疥疮、疮疡肿毒、烫火伤。

海南玉叶金花 *Mussaenda hainanensis* Merr.

| 中 药 名 |

加辽菜藤（药用部位：全株）

| 植物形态 |

攀缘灌木。叶对生，纸质，长圆状椭圆形，稀为倒卵形，基部楔形，上面暗绿色，脉上被毛更密；侧脉 7~8 对；叶柄长 3~5mm；托叶常 2 裂，裂片披针形。聚伞花序顶生和生于上部叶腋；苞片线状披针形；花梗短或无梗；花萼管椭圆形，萼裂片线状披针形，被粗毛，比花萼管长 2 倍；花叶阔椭圆形，有纵脉 5~7，横脉明显，基部狭窄，柄长 1.3cm；花冠黄色，外面密被糙伏毛，喉部内面密被棒状毛；花冠裂片三角状卵形，内面有密的黄色疣突。浆果椭圆形，干时黑色，顶部有萼檐脱落后的环状疤痕；果柄长 3~4mm，被毛。花期 3~6 月，果期 7~8 月。

| 分布区域 |

产于海南各地。

| 资　　源 |

常见于中等海拔的林地。

海南玉叶金花

| **采收加工** | 全年可采收，切段，晒干。

| **功能主治** | 民间传言，本种有清热解毒功能，可用于癌症。

茜草科 Rubiaceae　玉叶金花属 *Mussaenda*

粗毛玉叶金花 *Mussaenda hirsutula* Miq.

| 中 药 名 | 玉叶金花（药用部位：茎、叶）

| 植物形态 | 攀缘灌木。叶对生，膜质，椭圆形或长圆形，有时近卵形，基部楔形，两面被稀疏的柔毛；侧脉 6~7 对；叶柄长 3~5mm；托叶 2 深裂或 2 全裂，裂片披针形。聚伞花序顶生和生于上部叶腋，被贴伏的灰黄色长绒毛，总花序梗长 8~11mm；苞片线状披针形；花梗短或无梗；花萼管椭圆形，萼裂片线形；花叶阔椭圆形，通常有纵脉 7，基部近圆形，背面密被长柔毛，柄长 1.4cm；花冠黄色，花冠管内有橙黄色棒状毛，花冠裂片椭圆形，里面有金黄色小疣突。浆果椭圆状，有时近球形，干时褐色，有浅褐色小斑点，顶部宿存萼裂片紧贴，果柄被毛。花期 4~6 月，果期 7 月至翌年 1 月。

粗毛玉叶金花

| **分布区域** | 产于海南三亚、乐东、东方、昌江、白沙、五指山、陵水、万宁、儋州、屯昌、琼海等地。亦分布于中国广东、湖南、贵州和云南。 |

| **资　　源** | 生于海拔340m的山谷、溪边和旷野灌丛中，常攀缘于林中树冠上。 |

| **采收加工** | 全年可采收，切段，晒干。 |

| **功能主治** | 清热解毒，祛风利湿。用于风热感冒、中暑、咽喉炎、暑湿泄泻、痢疾、疮疡肿毒、跌打损伤、蛇咬伤。 |

薷草科 Rubiaceae 玉叶金花属 *Mussaenda*

玉叶金花 *Mussaenda pubescens* Ait. f.

| 中 药 名 | 山甘草（药用部位：茎、叶），白常山（药用部位：根）

| 植物形态 | 攀缘灌木。叶对生或轮生，膜质或薄纸质，卵状长圆形或卵状披针形，基部楔形，下面密被短柔毛；叶柄长 3~8mm；托叶三角形，2 深裂，裂片钻形。聚伞花序顶生，密花；苞片线形，有硬毛；花梗极短或无梗；花萼管陀螺形，萼裂片线形，通常比花萼管长 2 倍以上，基部密被柔毛，向上毛渐稀疏；花叶阔椭圆形，有纵脉 5~7，先端钝或短尖，基部狭窄，柄长 1~2.8cm；花冠黄色，花冠管长约 2cm，内面喉部密被棒形毛，花冠裂片长圆状披针形，内面密生金黄色小疣突；花柱短，内藏。浆果近球形，疏被柔毛，顶部有萼檐脱落后的环状疤痕，干时黑色；果柄长 4~5mm，疏被毛。花期 6~7 月。

玉叶金花

| 分布区域 | 产于海南乐东、东方、昌江、白沙、保亭、陵水、万宁、儋州、澄迈等地。亦分布于中国长江以南各地。

| 资　　源 | 生于海拔 400~500m 的山坡、路旁及灌丛中。

| 采收加工 | 茎、叶：夏季采收，晒干。根：8~10 月采挖，晒干。

| 药材性状 | 茎：茎圆柱形，直径 3~7mm；表面棕色或棕褐色，具细纵皱纹、点状皮孔及叶痕；质坚硬，不易折断，断面黄白色或淡黄绿色，髓部明显，白色。气微，味淡。根：主根多粗直而长，或作不规则弯曲，直径 6~20mm；侧根多数，并有无数细根，表面灰棕色，具不规则纵横裂纹；质坚硬，不易折断，断面黄白色或淡黄色，皮部厚，鲜时易剥离，内面光滑，富有黏质。根的外形极似常山，断面为白心，因此称"白常山"。气微，味淡。

| 功能主治 | 茎、叶：清热利湿，解毒消肿。用于感冒、中暑发热、咳嗽、咽喉肿痛、泄泻、痢疾、肾炎水肿、湿热小便不利、疮疡脓肿、毒蛇咬伤。根：解热抗疟。用于疟疾。

茜草科 Rubiaceae 乌檀属 *Nauclea*

乌 檀 *Nauclea officinalis* (Pierre ex Pit.) Merr. & Chun

| 中 药 名 | 胆木（药用部位：枝、树皮）

| 植物形态 | 乔木；小枝纤细，光滑；顶芽倒卵形。叶纸质，椭圆形，稀倒卵形，先端渐尖，略钝头，基部楔形，干时上面深褐色，下面浅褐色；侧脉 5~7 对，纤细，近叶缘处联结，两面微隆凸；叶柄长 10~15mm；托叶早落，倒卵形，先端圆。头状花序单个顶生；总花梗长 1~3cm，中部以下的苞片早落。果序中的小果融合，成熟时黄褐色，表面粗糙；种子长 1mm，椭圆形，一面平坦，一面拱凸，种皮黑色有光泽，有小窝孔。花期夏季。

| 分布区域 | 产于海南乐东、陵水、万宁、琼中、昌江等地。亦分布于中国广东、广西。

乌檀

| 资　　源 |

生于高山近顶或半山腰隐蔽潮湿地带的杂木林中。

| 采收加工 |

全年均可采，洗净，切片，晒干。

| 药材性状 |

多劈成不规则的片、块，浅黄色或棕黄色，有的带皮部；外皮棕黄色，粗糙，较疏松，易剥离；横切面皮部棕褐色，木质部黄色或棕黄色；质坚硬。气微，味苦。以色黄、味苦者为佳。

| 功能主治 |

清热解毒，消肿止痛。用于感冒发热、支气管炎、肺炎、急性扁桃体炎、咽喉炎、乳腺炎、胆囊炎、肠炎、细菌性痢疾、尿路感染、下肢溃疡、脚癣感染、烧伤感染、疖肿、湿疹。

广州蛇根草

Ophiorrhiza cantoniensis Hance

| 中 药 名 | 朱砂草（药用部位：根茎）

| 植物形态 | 草本或亚灌木；茎基部匍地，节上生根。叶片纸质，通常长圆状椭圆形，基部楔形或渐狭，很少近圆钝，全缘；中脉上面压入呈沟状，侧脉每边 9~12，极少多达 15；叶柄长 1.5~4cm；托叶早落。花序顶生，圆锥状或伞房状，极多花，总花梗长 2~7cm，和多个螺状的分枝均被极短的锈色或带红色的柔毛；花二型，花柱异长。长柱花：花梗长 0.5~1.5mm 或近无梗；小苞片钻形或线形；萼管陀螺状，有5 直棱，裂片 5，近三角形；花冠白色或微红，近管状，冠管长通常1~1.2cm，喉部稍扩大，里面中部有一环白色长柔毛，裂片 5，近三角形，先端内弯呈喙状，背部有阔或稍阔的翅，里面被鳞片状毛；雄蕊 5，花丝短，花药披针状线形；花盘高突，2 全裂；裂片卵圆形，

广州蛇根草

薄或稍粗厚。短柱花：花萼、花冠和花盘均同长柱花；雄蕊生于花冠喉部下方，花丝长约 2.5mm；花柱长约 3.5mm，柱头裂片披针形。蒴果僧帽状，近无毛；种子多数，细小而有棱角。花期冬、春季，果期春、夏季。

| **分布区域** | 产于海南三亚、乐东、白沙、琼中、昌江、儋州、东方、琼海、保亭等地。亦分布于中国华南其他区域、西南。

| **资　　源** | 生于溪边或林下。

| **采收加工** | 秋季采挖，洗净，除去须根，鲜用或晒干。

| **药材性状** | 根呈圆柱形，弯曲。木质坚硬，难折断，断面淡棕色。长短不等。

| **功能主治** | 清热止咳，镇静安神，消肿止痛。用于劳伤咳嗽、霍乱吐泻、神经衰弱、月经不调、跌打损伤。

| **附　　注** | 在 FOC 中，其学名被修订为 *Ophiorrhiza cantonensis* Hance。

茜草科 Rubiaceae 蛇根草属 *Ophiorrhiza*

短小蛇根草 *Ophiorrhiza pumila* Champ. ex Benth.

| 中 药 名 | 短小蛇根草（药用部位：全草）

| 植物形态 | 矮小草本；茎和分枝均稍肉质。叶纸质，卵形、披针形、椭圆形或长圆形，长 2~5.5cm，很少达 9cm，先端钝或圆钝，干时上面灰绿色或深灰褐色，下面苍白，被极密的糙硬毛状柔毛；侧脉每边 5~8；叶柄长通常 0.5~1.5cm；托叶早落。花序顶生，总花梗长约 1cm，和螺状的分枝均被短柔毛；花一型，花柱同长；花梗长 0.5~1.5mm，小苞片小而早落；花萼小，管长约 1.2mm，有 5 直棱，萼裂片近三角形；花冠白色，近管状，冠管基部稍膨胀，里面喉部有一环白色长毛，花冠裂片卵状三角形；雄蕊生于冠管中部，花丝长 1.5~2mm，花药近线形，伸出管口之外；花柱长 3.5~4mm，柱头 2 裂，裂片卵形。蒴果僧帽状或略呈倒心形，干时褐黄色，被短硬毛。花期早春。

短小蛇根草

| 分布区域 | 产于海南五指山、陵水、儋州、澄迈、屯昌、琼海、临高等地。亦分布于中国福建、广东、广西。 |

| 资　　源 | 生于林下潮湿的土壤或水边岩石上。 |

| 采收加工 | 夏、秋季采收，鲜用或晒干。 |

| 药材性状 | 干品全草长 5~20cm。根茎呈不规则状圆柱形，直径 1.8~2.2mm，浅棕色，上着生多数毛须状的不定根，长达 8cm，黄棕色或红棕色。茎呈圆柱形，浅褐色，具有细纵纹和短柔毛，质脆易折。叶对生，多皱缩，薄纸质，上面绿色，下面苍白色，被短毛，尤以叶脉为多，质韧不易碎。花小，白色，管状。蒴果扁心形，宽 4~6mm，荷包状，先端开裂；种子细小，略方形，黄棕色。气微，味淡。 |

| 功能主治 | 清热解毒。用于感冒发热、咳嗽、痈疽肿毒、毒蛇咬伤。 |

鸡爪簕 *Oxyceros sinensis* Lour.

| 中 药 名 | 鸡爪簕（药用部位：全株）

| 植物形态 | 有刺灌木或小乔木；枝粗壮；刺腋生，劲直或稍弯。叶对生，纸质，卵状椭圆形、长圆形或卵形，基部楔形或稍圆形；侧脉 6~8 对；叶柄长 5~15mm；托叶三角形，脱落。聚伞花序顶生或生于上部叶腋，多花而稠密，呈伞形状，总花梗长约 5mm 或极短，密被黄褐色短硬毛；花梗长 1~1.5mm 或近无花梗；花萼外面被黄褐色短硬毛，萼管杯形，檐部稍扩大，先端 5 裂，裂片狭三角形或卵状三角形；花冠白色或黄色，高脚碟状，冠管细长，喉部被柔毛，花冠裂片 5，长圆形，开放时反折；雄蕊 5，花丝极短，花药伸出，线状长圆形；子房 2 室，每室有胚珠数枚，花柱长 12~18mm，柱头纺锤形，先端短 2 裂，伸

鸡爪簕

出。浆果球形，黑色，顶部有环状的萼檐残迹，常多个聚生成球状，果柄长不及 5mm；种子约 9。花期 3~12 月，果期 5 月至翌年 2 月。

| 分布区域 | 产于海南三亚、乐东、昌江、五指山、万宁。亦分布于中国福建、台湾、广东、香港、广西、云南。越南、日本也有分布。

| 资　　源 | 生于海拔 20~1200m 的旷野、丘陵、山地的林中、林缘或灌丛中。

| 采收加工 | 全年均可采收，切片，晒干。

| 功能主治 | 清热解毒，祛风除湿，散瘀消肿。用于痢疾、风湿疼痛、疮疡肿毒、跌打肿痛。

鸡矢藤 *Paederia scandens* (Lour.) Merr.

| 中 药 名 | 鸡屎藤（药用部位：全株或根），鸡屎藤果（药用部位：果实）

| 植物形态 | 藤本。叶对生，纸质或近革质，形状变化很大，卵形、卵状长圆形至披针形，基部楔形或近圆或平截，有时浅心形；侧脉每边 4~6；叶柄长 1.5~7cm；托叶长 3~5mm。圆锥花序式的聚伞花序腋生和顶生，扩展，分枝对生，末次分枝上着生的花常呈蝎尾状排列；小苞片披针形；花具短梗或无；萼管陀螺形，萼檐裂片 5，裂片三角形；花冠浅紫色，管长 7~10mm，外面被粉末状柔毛，里面被绒毛，顶部 5 裂，裂片长 1~2mm，先端急尖而直，花药背着，花丝长短不齐。果实球形，成熟时近黄色，有光泽，平滑，顶冠以宿存的萼檐裂片和花盘；小坚果无翅，浅黑色。花期 5~7 月。

鸡矢藤

| 分布区域 | 产于海南三亚、乐东、东方、五指山、陵水、万宁、昌江、琼中、定安、澄迈、海口、儋州等地。亦分布于中国长江以南各地。

| 资　　源 | 生于溪边、河边、路边及灌木林中，常攀缘于其他植物或岩石上。

| 采收加工 | 全株：在栽后 9~10 月，除留种的植株外，每年都可割取地上部分，晒干或晾干即成。果实：秋季挖根，洗净，切片，晒干。果实：9~10 月采摘，鲜用或晒干。

| 药材性状 | 茎呈扁圆柱形，稍扭曲，无毛或近无毛；老茎灰棕色，直径 3~12mm，栓皮常脱落，有纵皱纹及叶柄断痕，易折断，断面具平坦，灰黄色；嫩茎黑褐色，直径 1~3mm，质韧，不易折断，断面具纤维性，灰白色或浅绿色。叶对生，多皱缩或破碎，完整者展平后呈宽卵形或披针形，长 5~15cm，宽 2~6cm，先端尖，基部楔形、圆形或浅心形，全缘，绿褐色，两面无柔毛或近无毛；叶柄长 1.5~7cm，无毛或有毛。聚伞花序顶生或腋生，前者多带叶，后者疏散少花，花序轴及花均被疏柔毛，花淡紫色。气特异，味微苦、涩。以条匀、叶多、气浓者为佳。

| 功能主治 | 全株、根：祛风除湿，消食化积，解毒消肿，活血止痛。用于风湿痹痛、食积腹胀、小儿疳积、腹泻、痢疾、中暑、黄疸、肝炎、肝脾肿大、咳嗽、瘰疬、肠痈、无名肿毒、脚湿肿烂、烫火伤、湿疹、皮炎、跌打损伤、蛇咬蝎蜇。果实：解毒生肌。用于毒虫蜇伤、冻疮。

毛鸡矢藤 *Paederia scandens* (Lour.) Merr. var. *tomentosa* (Bl.) Hand.-Mazz.

| 中 药 名 |

毛鸡屎藤（药用部位：全株或根）

| 植物形态 |

藤本。小枝密被白色柔毛。叶对生，具叶柄；叶片卵形、卵状长圆形至披针形，长5~7cm，宽3~4.5cm，先端渐尖，基部心形，两面均密被白色柔毛；托叶卵状披针形，老时脱落。蝎尾状聚伞花序排成圆锥花序，腋生或顶生；花白紫色或白色，无梗；花萼狭钟状，长约3mm；花冠筒长7~10mm，被粉状柔毛。果实球形，黄色。花期4~6月。

| 分布区域 |

产于海南三亚、乐东、东方、五指山、陵水、万宁、昌江、琼中、定安、澄迈、海口、儋州等地。亦分布于中国长江以南各地。

| 资　　源 |

生于林下或河边阴湿处。

| 采收加工 |

全株：夏季采收。根：秋季采挖，洗净，晒干。

毛鸡矢藤

药材性状

茎呈扁圆柱形，稍扭曲，被柔毛，易折断，断面平坦，灰黄至灰白色。叶对生，多皱缩或破碎，完整者展平后呈卵形、卵状长圆形至披针形，长 5~7cm，宽 3~4.5cm，先端渐尖，基部心形，两面均被柔毛，尤以下面为密；蝎尾状聚伞花序排成圆锥花序，腋生或顶生，花白色。气特异，味微苦、涩。以条匀、叶多、气浓者为佳。

功能主治

祛风除湿，清热解毒，理气化积，活血消肿。用于偏正头风、湿热黄疸、肝炎、痢疾、食积饱胀、跌打肿痛。

茜草科　Rubiaceae　大沙叶属　*Pavetta*

广东大沙叶
Pavetta hongkongensis Bremek.

| 中 药 名 | 大沙叶（药用部位：全株或茎叶）

| 植物形态 | 灌木或小乔木。小枝常有棱角。叶对生，薄纸质；叶柄长 1~2cm；托叶阔卵状三角形，内面被白色长毛；叶片长圆形至椭圆状倒卵形，先端渐尖，基部楔形，上面无毛，散生多数点状菌瘤，下面近无毛或沿中脉上被短柔毛。聚伞花序顶生，稠密而多花；总花梗长 1~4cm；花大，白色；花梗长 3~6mm；萼管钟形，先端不明显 4 裂；花冠管长约 15mm，先端 4 裂，裂片卵形，内面基部被疏柔毛；花药伸出，线形，开花时部分旋扭。果实球形，直径约 6mm。花期 3~4 月。

广东大沙叶

| **分布区域** | 产于海南三亚、东方、昌江、五指山、保亭、万宁、澄迈、文昌等地。亦分布于中国广东、广西、云南等地。

| **资　　源** | 生于低海拔的灌木林中。

| **采收加工** | 全年均可采，晒干或鲜用。

| **药材性状** | 嫩枝黑色或浅褐色，有棱及明显的节。叶对生，薄纸质，皱缩，展平后呈椭圆状宽披针形，长 8~15cm，宽 3~6cm，先端渐尖，基部楔形，上面浅灰绿色，下面色稍浅，叶面隐约可见黑色小点，对光照视小点清晰；叶柄长约 1cm；托叶三角形，多脱落。枝顶偶见残留的伞房状聚伞花序。气微，味微苦。以枝嫩，叶多、色灰绿，不带花者为佳。

| **功能主治** | 清热解毒，活血祛瘀。用于感冒发热、中暑、肝炎、跌打损伤、风毒疥癞。

茜草科 Rubiaceae 南山花属 *Prismatomeris*

四蕊三角瓣花 *Prismatomeris tetrandra* (Roxb.) K. Schum

| **中 药 名** | 黄根（药用部位：全株）

| **植物形态** | 灌木至小乔木，高 2~8m，小枝四棱柱形。叶长圆形至披针形，近革质，有时卵形或倒卵形，长 4~18cm，宽 2~5cm，全缘，先端渐尖或钝，基部狭楔形；侧脉每边 6~8，两面突起；叶柄长 4~15mm；托叶生于叶柄间，每侧 2，初时钻形，后下部加厚和连合成具 2 尖头的近三角形，宿存。伞形花序顶生，常兼侧生，无梗或因顶叶脱落而成一假花序梗，具花 3~16；花芳香，两性，偶单性；苞片无或不明显；花梗长 8~32mm；花萼杯形，长 3~6mm，背面无毛或具零星腺毛，顶部具 5 萼齿，萼齿三角形或钻形，长约 3mm；花冠碟形，白色，长 21~29mm，冠管向下渐狭，长 14~20mm，檐部 5 裂，裂片披针形，蕾时具棱，镊合状排列；雄蕊 5，与花冠裂片互生，着生于冠管中

四蕊三角瓣花

至上部，花丝长约 3mm，花药背着，早熟，内藏，初时长圆形，裂后线形，长约 3mm；花柱异长，内藏或外伸，柱头扩大，2 裂，裂片蕾时粘连或分离，开放时通常粘连成一扁纺锤体；子房 2 室，其中 1 室内顶角具 1 下垂胚珠，另 1 室隔膜中部着生 1 横生胚珠；胚珠扁圆形，盾着。核果近球形，顶部具环状宿萼，熟时紫蓝色，直径 8~12mm；果柄长 1~3cm；种子 1（~2），球形或半球形，角质，侧面具 1 凹陷种脐；胚小，胚根下位。花期 5~6 月，果熟期冬季。

| 分布区域 | 产于海南万宁、昌江、五指山、保亭、陵水等地。亦分布于中国华南其他区域，以及云南。印度、马来西亚至菲律宾等地也有分布。

| 资　　源 | 生于海拔 300~1400m 的疏、密林下或灌丛中。

| 采收加工 | 全年可采收，切段，晒干。

| 药材性状 | 小枝四棱柱形。叶长圆形至披针形，近革质，有时卵形或倒卵形。伞形花序顶生。核果近球形，顶部具环状宿萼，熟时紫蓝色。味苦、辛。

| 功能主治 | 祛风除湿，散瘀生肌。用于风湿痹痛、肢体麻木、筋脉拘挛、关节屈伸不利、溃疡不敛、烫火伤等。

茜草科 Rubiaceae 九节属 *Psychotria*

九 节 *Psychotria rubra* (Lour.) Poir.

| 中 药 名 | 山大刀（药用部位：嫩枝、叶、根）

| 植物形态 | 灌木或小乔木。叶对生，纸质或革质，长圆形、椭圆状长圆形或倒披针状长圆形，稀长圆状倒卵形，有时稍歪斜，基部楔形，全缘，干时常暗红色或在下面褐红色而上面淡绿色，脉腋内常有束毛；侧脉 5~15 对，近叶缘处不明显联结；叶柄长 0.7~5cm；托叶膜质，短鞘状，顶部不裂，脱落。聚伞花序通常顶生，多花，总花梗常极短，近基部三歧，常呈伞房状或圆锥状；花梗长 1~2.5mm；萼管杯状，檐部扩大，近平截或不明显地 5 齿裂；花冠白色，冠管长 2~3mm，喉部被白色长柔毛，花冠裂片近三角形，开放时反折；雄蕊与花冠裂片互生，花药长圆形，伸出，花丝长 1~2mm；柱头 2 裂，伸出或内藏。核果球形或宽椭圆形，有纵棱，红色；果柄长 1.5~10mm；小

九节

核背面突起，具纵棱，腹面平而光滑。花果期全年。

| 分布区域 | 产于海南三亚、乐东、东方、昌江、白沙、五指山、保亭、万宁、陵水、澄迈、琼海、海口等地。亦分布于中国西南部、南部至东部各地。

| 资　源 | 生于山坡林缘、沟谷疏林中及水边。

| 采收加工 | 嫩枝、叶：夏、秋季采收，晒干或鲜用。根：秋季挖根，洗净，切片，晒干或鲜用。

| 药材性状 | 叶皱缩或破碎，完整叶呈椭圆状矩圆形，长8~20cm，先端尖或钝，基部渐狭，上面暗红色，下面淡红色，侧脉腋内可见簇生短柔毛；叶柄长可达2cm。质脆易碎。气微，味淡。以枝嫩、叶完整、色带红者为佳。

| 功能主治 | 嫩枝、叶：清热解毒，祛风除湿，活血止痛。用于感冒发热、咽喉肿痛、白喉、痢疾、肠伤寒、疮疡肿毒、风湿痹痛、跌打损伤、毒蛇咬伤。根：祛风除湿、清热解毒、消肿。用于风湿关节痛、感冒发热、咽喉肿痛、胃痛、疟疾、痔疮、跌打损伤、疮疡肿毒。

茜草科 Rubiaceae 九节属 Psychotria

蔓九节 *Psychotria serpens* L.

| 中 药 名 | 穿根藤（药用部位：全株）

| 植物形态 | 多分枝、攀缘或匍匐藤本，常以气根攀附于树干或岩石上；嫩枝无毛或有糠秕状短柔毛。叶对生，纸质或革质，叶形变化大，年幼植株的叶多呈卵形或倒卵形，年老植株的叶多呈椭圆形、披针形、倒披针形或倒卵状长圆形，基部楔形或稍圆，边全缘而有时稍反卷，侧脉 4~10 对；叶柄长 1~10mm，无毛或有糠秕状短柔毛；托叶膜质，短鞘状，先端不裂，脱落。聚伞花序顶生，有时被糠秕状短柔毛，常三歧分枝，圆锥状或伞房状，总花梗长达 3cm；苞片和小苞片线状披针形，苞片常对生；花梗长 0.5~1.5mm；花萼倒圆锥形，与花冠外面有时被糠秕状短柔毛，檐部扩大，先端 5 浅裂，裂片三角形；

蔓九节

花冠白色，冠管与花冠裂片近等长，花冠裂片长圆形，喉部被白色长柔毛；花丝长约 1mm，花药长圆形。浆果状核果球形或椭圆形，具纵棱，常呈白色；果柄长 1.5~5mm；小核背面突起，具纵棱，腹面平而光滑。花期 4~6 月，果期全年。

| **分布区域** | 产于海南三亚、乐东、东方、五指山、昌江、保亭、陵水、万宁、儋州、澄迈等地。亦分布于中国南部各地。

| **资　　源** | 生于山野间石上或树上。

| **采收加工** | 全年均可采，洗净，切段，晒干。

| **药材性状** | 茎枝圆柱形，具分枝，多切成段，长 3~5cm，直径 3~8mm，老茎可达 1.5cm；表面黑褐色，有纵皱纹，具节并常有不定根；质坚实，嫩枝较脆，折断面髓部较大或中空；老茎木质，难折断，断面木质部浅棕红色，中央间见深色的小髓。叶对生，薄革质，卵形或椭圆形，长 1.5~3.5cm，宽 1~2.5cm，先端急尖或钝，基部楔形，全缘，上面灰绿色或绿褐色，下面色较浅；叶柄长约 1cm；托叶革质，棕褐色，近方形。间见类球形小核果，直径约 4mm，淡白色。气微，味涩、微甘。以茎枝均匀、叶片多者为佳。

| **功能主治** | 祛风除湿，舒筋活络，消肿止痛。用于风湿关节痛、手足麻木、腰肌劳损、坐骨神经痛、多发性痈肿、骨结核、跌打损伤、骨折、毒蛇咬伤。

茜草科 Rubiaceae **九节属** *Psychotria*

黄脉九节 *Psychotria straminea* Hutch.

| 中 药 名 | 黄脉九节（药用部位：全株）

| 植物形态 | 灌木。叶对生，纸质或膜质，椭圆状披针形、长圆形、倒卵状长圆形，少为椭圆形或披针形，基部楔形或稍圆，全缘，侧脉 5~10 对，弧状弯拱，黄色，网脉在下面亦常明显，黄色；叶柄长 0.5~3.5cm；托叶短鞘状，革质，顶部 2 浅裂，脱落。聚伞花序顶生，总花梗长 1~2.5cm；苞片和小苞片微小；花梗长 1.5~4mm；萼管倒圆锥形，檐部扩大，萼裂片三角形；花冠白色或淡绿色，冠管长约 2mm，喉部被白色长柔毛，花冠裂片卵状三角形，开放时反折；雄蕊着生在花冠裂片间，伸出，花丝长 1.5~2.5mm，花药线状长圆形；花柱长约 2mm，顶部 2 裂至中部。浆果状核果近球形或椭圆形，成熟时黑色，

黄脉九节

无明显的纵棱；小核背面凸，腹面凹陷；果柄长约 1cm。花期 1~7 月，果期 6 至翌年 1 月。

| **分布区域** | 产于海南三亚、东方、乐东、昌江、五指山、保亭、万宁、澄迈、临高、琼海等地。亦分布于中国广东、广西、云南。

| **资　　源** | 生于海拔 170~2700m 的山坡或山谷溪边林中。

| **采收加工** | 全年可采收，切段，晒干。

| **药材性状** | 茎枝圆柱形，具分枝，多切成段；表面黑褐色，有纵皱纹，具节并常有不定根；质坚实，嫩枝较脆，折断面髓部较大或中空；老茎木质，难折断，断面木部浅棕红色，中央间见深色的小髓。叶对生，薄革质，卵形或椭圆形，先端急尖或钝，基部楔形，全缘，上面灰绿色或绿褐色，下面色较浅；托叶膜质，棕褐色，近方形。间见类球形小核果，直径约 4mm，淡白色。气微，味涩、微甘。

| **功能主治** | 解毒，消肿，止血。用于木薯中毒、断肠草中毒、风湿骨痛、刀伤出血。

茜草科 Rubiaceae 墨苜蓿属 *Richardia*

墨苜蓿
Richardia scabra L.

| 中 药 名 | 墨苜蓿（药用部位：全草）

| 植物形态 | 一年生匍匐或近直立草本；主根近白色。茎近圆柱形，被硬毛，节上无不定根，疏分枝。叶厚纸质，卵形、椭圆形或披针形，基部渐狭，两面粗糙，边上有缘毛；叶柄长 5~10mm；托叶鞘状，顶部平截，边缘有数条长 2~5mm 的刚毛。头状花序有花多朵，顶生，总花梗先端有 1 或 2 对叶状总苞；苞片为 2 对时，则里面 1 对较小，总苞片阔卵形；花 6 或 5 数；花萼长 2.5~3.5mm，萼管顶部缢缩，萼裂片披针形或狭披针形，长约为萼管的 2 倍，被缘毛；花冠白色，漏斗状或高脚碟状，管长 2~8mm，里面基部有一环白色长毛，裂片 6，盛开时星状展开，偶有薰衣草的气味；雄蕊 6；子房通常有 3 心皮，

墨苜蓿

柱头头状，3裂。分果瓣3（~6），长圆形至倒卵形，背部密覆小乳凸和糙伏毛，腹面有一条狭沟槽，基部微凹。花期春夏间。

| 分布区域 |

产于海南乐东及西沙群岛等地。亦分布于中国香港、广东罗浮山。原产于美洲热带地区。

| 资　　源 |

野生。

| 采收加工 |

全年可采，切段，晒干。

| 功能主治 |

解毒，消肿，止血。用于木薯中毒、断肠草中毒、风湿骨痛、刀伤出血。

茜草科 Rubiaceae 茜草属 Rubia

茜 草 *Rubia cordifolia* L.

| 中 药 名 | 茜草（药用部位：根），茜草藤（药用部位：地上部分）

| 植物形态 | 草质攀缘藤木；根茎和其节上的须根均红色；茎数至多条，从根茎的节上发出，细长，方柱形，有 4 棱，棱上生倒生皮刺，中部以上多分枝。叶通常 4 轮生，纸质，披针形或长圆状披针形，基部心形，边缘有齿状皮刺，脉上有微小皮刺；基出脉 3，极少外侧有 1 对很小的基出脉。叶柄长通常 1~2.5cm，有倒生皮刺。聚伞花序腋生和顶生，多回分枝，有花 10 余朵至数十朵，花序和分枝均细瘦，有微小皮刺；花冠淡黄色，盛开时花冠檐部直径 3~3.5mm，花冠裂片近卵形，微伸展，外面无毛。果实球形，直径通常 4~5mm，成熟时橘黄色。花期 8~9 月，果期 10~11 月。

茜草

| 分布区域 | 产于海南白沙、保亭、琼中、儋州、定安等地。亦分布于中国大部分地区。 |

| 资　　源 | 生于山坡路旁、沟沿、田边、灌丛中及林缘。 |

| 采收加工 | 根：栽后2~3年，于11月挖取根部，洗净，晒干。地上部分：夏、秋季采收，切段，鲜用或晒干。 |

| 药材性状 | 根圆柱形，有的弯曲，完整的老根留有根头。根长10~30cm，直径0.1~0.5cm；表面红棕色，有细纵纹及少数须根痕；皮、木质部较易分离，皮部脱落后呈黄红色。质脆，易断，断面平坦，皮部狭，红棕色，木质部宽，粉红色，有众多细孔。气微，味微苦。干燥茎下端粗3~4mm，呈圆形，外表面淡紫红色或棕红色；上端茎呈四方形，枯绿色，茎的棱上有粗糙细毛刺。体轻，质脆，易断，断面平整，内心色白而松。茎节上轮生叶片，叶柄及叶背中肋上均有倒刺毛。叶多脱落。气微，味微苦。以条均匀、外皮红紫、内心黄红者为佳。 |

| 功能主治 | 根：凉血止血，活血化瘀。用于血热咯血、吐血、衄血、尿血、便血、崩漏、经闭、产后瘀阻腹痛、跌打损伤、风湿痹痛、黄疸、疮痈、痔肿。地上部分：止血，行瘀。用于吐血、血崩、跌打损伤、风痹、腰痛、痈毒、疔肿。 |

茜草科 Rubiaceae 白马骨属 *Serissa*

白马骨 *Serissa serissoides* (DC.) Druce

| 中 药 名 | 白马骨（药用部位：全株）

| 植物形态 | 小灌木；枝粗壮，灰色，被短毛，后毛脱落变无毛。叶通常丛生，薄纸质，倒卵形或倒披针形，长 1.5~4cm，宽 0.7~1.3cm，先端短尖或近短尖，基部收狭成一短柄；侧脉每边 2~3，在叶片两面均突起；托叶具锥形裂片，基部阔，膜质，被疏毛。花无梗，生于小枝顶部，有苞片；苞片膜质，斜方状椭圆形，长渐尖，具疏散小缘毛；花托无毛；萼檐裂片 5，坚挺延伸呈披针状锥形，极尖锐，具缘毛；花冠管长 4mm，外面无毛，喉部被毛，裂片 5，长圆状披针形；花药内藏；花柱柔弱，2 裂，裂片长 1.5mm。花期 4~6 月。

| 分布区域 | 产于海南昌江、海口、东方等地。亦分布于中国中部及南部各地。

白马骨

| 资　　源 | 生于山坡、路边、溪旁及灌丛中。

| 采收加工 | 栽后 1~2 年，于 4~6 月采收茎叶（能连续收获 4~5 年），秋季挖根，洗净，切段，鲜用或晒干。

| 药材性状 | 根细长圆柱形，有分枝，长短不一，直径 3~8mm，表面深灰色、灰白色或黄褐色，有纵裂隙，栓皮易剥落。粗枝深灰色，表面有纵裂纹，栓皮易剥落；嫩枝浅灰色，微被毛，断面具纤维性，木质，坚硬。叶对生或簇生，薄革质，黄绿色，卷缩或脱落，完整者展平后呈卵形或长圆状卵形，长 1.5~4cm，宽 0.7~1.3cm，先端叶间有时可见黄白色花，花萼裂片几与冠筒等长；偶见近球形的核果。气微，味淡。

| 功能主治 | 祛风利湿，清热解毒。用于感冒、黄疸性肝炎、肾炎水肿、咳嗽、喉痛、角膜炎、痢疾、腰腿疼痛、咯血、尿血、闭经、白带、小儿疳积、惊风、风火牙疼、痈疽肿毒、跌打损伤。

茜草科 Rubiaceae 岭罗麦属 *Tarennoidea*

岭罗麦
Tarennoidea wallichii (Hook. f.) Tirveng. et C. Scstre

| 中 药 名 |　岭罗麦（药用部位：全株）

| 植 物 形 态 |　无刺乔木；枝粗壮，节明显，表皮常裂成糠秕状脱落。叶革质，对生，长圆形、倒披针状长圆形或椭圆状披针形，基部楔形，边常反卷，仅下面脉腋内的小孔中常有簇毛；侧脉 5~13 对；叶柄长 1~3cm；托叶披针形，脱落。聚伞花序排成圆锥花序状，顶生或近枝顶腋生，疏散而多花，分枝开展；苞片和小苞片披针形或丝状；花梗长 1~8mm；萼管钟形，檐部稍扩大，先端 5 浅裂，裂片三角形；花冠黄色或白色，冠管长 3~4mm，喉部有长柔毛，顶部 5 裂，花冠裂片长圆形，开放时反折；雄蕊 5，花丝极短，花药线状长圆形；子房 2 室，每室有胚珠 1~2，花柱长 3.5~5mm，柱头纺锤形，不裂。浆果球形，有种子 1~4。花期 3~6 月，果期 7 月至翌年 2 月。

岭罗麦

分布区域	产于海南东方、琼中、三亚、定安、乐东、陵水、昌江、万宁、保亭、临高。亦分布于中国贵州、云南、广东、广西等地。印度、尼泊尔、不丹、孟加拉国、缅甸、泰国、越南、柬埔寨、马来西亚、印度尼西亚、菲律宾也有分布。
资　　源	生于海拔 400~2200m 的丘陵、山坡、山谷溪边的林中或灌丛中。
采收加工	全年可采，切段，晒干。
功能主治	祛风利湿，清热解毒。用于感冒、黄疸性肝炎、肾炎水肿、咳嗽、喉痛、角膜炎、痢疾、腰腿疼痛、咯血、尿血、闭经、白带、小儿疳积、惊风、风火牙疼、痈疽肿毒、跌打损伤。

毛钩藤　*Uncaria hirsuta* Havil.

| 中 药 名 | 钩藤（药用部位：干燥带钩茎枝）

| 植物形态 | 藤本。嫩枝圆柱形或略具 4 棱角，被硬毛。叶革质，卵形或椭圆形，基部钝，下面被稀疏或稠密糙伏毛；侧脉 7~10 对，下面具糙伏毛，脉腋窝陷有黏液毛；叶柄长 3~10mm；托叶阔卵形，2 深裂至少达 2/3，基部有黏液毛，裂片卵形，有时具长渐尖的顶部。头状花序不计花冠直径 20~25mm，单生叶腋，总花梗具一节，苞片长 10mm，或呈单聚伞状排列，总花梗腋生；小苞片线形至匙形；花近无梗，花萼管长 2mm，萼裂片线状长圆形；花冠淡黄或淡红色，花冠管长 7~10mm，花冠裂片长圆形；花柱伸出花冠喉部外；柱头长圆状棒形。果序直径 45~50mm；小蒴果纺锤形，有短柔毛。花果期全年。

毛钩藤

| **分布区域** |

产于海南东方、昌江、保亭。

| **资　　源** |

多生于山谷林下溪畔或灌丛中。本种在海南的资源量较少，野生。

| **采收加工** |

9 月至翌年 4 月，剪取带钩的茎段，清除残叶、老枝，晒干。

| **药材性状** | 茎枝呈方形或近似圆柱形，直径 2~5mm。表面灰棕色或稍呈灰白色，粗糙，被褐色毛。钩长 1.4~2cm，与茎着生，成 120° ~130°（~140°）角，几呈三角状，基部圆或微扁平。

| **功能主治** | 息风定惊，清热平肝。用于肝风内动、惊痫抽搐、高热惊厥、感冒夹惊、小儿惊啼、妊娠子痫、头痛眩晕。

| **附　　注** | 《中国药典》（2015 年版）收载的中药钩藤来源于钩藤 [*Uncaria rhynchophylla* (Miq.) Miq. ex Havil.]、大叶钩藤（*U. macrophylla* Wall.）、毛钩藤（*U. hirsuta* Havil.）、华钩藤 [*U. sinensis* (Oliv.) Havil.] 或白钩藤（*U. sessilifructus* Roxb.）。海南分布有毛钩藤、大叶钩藤、钩藤，其中大叶钩藤的资源较多。据调查，海南分布的其他钩藤属植物也常混入采收，作钩藤流通使用，如攀茎钩藤 [*U. scandens* (Smith) Hutchins.]。

茜草科 Rubiaceae 钩藤属 Uncaria

大叶钩藤 *Uncaria macrophylla* Wall.

| 中 药 名 | 钩藤（药用部位：干燥带钩茎枝）

| 植物形态 | 大藤本，嫩枝方柱形或略有棱角，疏被硬毛。叶对生，近革质，卵形或阔椭圆形，基部圆形、近心形或心形，下面被稀疏至稠密的黄褐色硬毛；叶脉下面突起，侧脉 6~9 对，脉腋有窝陷；叶柄长 3~10mm；托叶卵形，2 深裂达全长 1/2 或 2/3，裂片狭卵形，基部内面具黏液毛；头状花序单生于叶腋，总花梗具一节，节上苞片长 6mm，或呈单聚伞状排列，总花梗腋生；头状花序不计花冠直径 15~20mm，花序轴有稠密的毛，无小苞片；花梗长 2~5mm；花萼管漏斗状，被淡黄褐色绢状短柔毛，萼裂片线状长圆形；花冠管长 9~10mm，外面被苍白色短柔毛，花冠裂片长圆形；花柱长约

大叶钩藤

6mm，伸出冠管外，柱头长圆形。果序直径 8~10cm；小蒴果长约 20mm，有苍白色短柔毛，宿存萼裂片线形，星状辐射，果柄长 12~18mm；种子长 6~8mm（连翅），两端有白色膜质的翅，仅一端的翅 2 深裂。花期夏季。

| **分布区域** | 产于海南三亚、乐东、昌江、白沙、五指山、保亭、陵水、万宁等地。

| **资　　源** | 生于次生林中，较为常见。

| **采收加工** | 9 月至翌年 4 月，剪取带钩的茎段，清除残叶、老枝，晒干。

| **药材性状** | 茎枝呈方柱形，直径 1.1~5mm。表面灰棕色至棕色，两侧有较深的纵沟，被褐色毛，尤以节部及钩端多，钩长 1.7~3.5cm，与茎着生，成 120°~130°（~140°）角。钩向内深弯成长圆形或圆形，末端膨大成小球，断面髓部多中空。

| **功能主治** | 息风定惊，清热平肝。用于肝风内动、惊痫抽搐、高热惊厥、感冒夹惊、小儿惊啼、妊娠子痫、头痛眩晕。

茜草科 Rubiaceae 钩藤属 *Uncaria*

钩 藤 *Uncaria rhynchophylla* (Miq.) Miq. ex Havil.

| 中 药 名 | 钩藤（药用部位：带钩茎枝），钩藤根（药用部位：根）

| 植物形态 | 藤本；嫩枝较纤细，方柱形或略有 4 棱角，无毛。叶纸质，椭圆形或椭圆状长圆形，基部楔形至截形，有时稍下延；侧脉 4~8 对，脉腋窝陷有黏液毛；叶柄长 5~15mm；托叶狭三角形，2 深裂达全长 2/3，基部具黏液毛，裂片线形至三角状披针形。头状花序不计花冠直径 5~8mm，单生叶腋，总花梗具一节，苞片微小，或呈单聚伞状排列，总花梗腋生，长 5cm；小苞片线形或线状匙形；花近无梗；花萼管疏被毛，萼裂片近三角形；花冠管外面无毛或具疏散的毛花冠裂片卵圆形；花柱伸出花冠喉部外，柱头棒形。果序直径 10~12mm；小蒴果长 5~6mm，宿存萼裂片近三角形，星状辐射。花果期 5~12 月。

钩藤

| 分布区域 | 产于海南乐东、万宁等地。亦分布于中国陕西、安徽、浙江、江西、福建、湖北、湖南、广东、广西、四川、贵州、云南等地。

| 资　　源 | 生于山谷溪边的疏林中。

| 采收加工 | 带钩茎枝：栽后 3~4 年采收，在春季发芽前或在秋季嫩枝已长老时，把带有钩的茎枝剪下，再用剪刀在着生钩的两头平齐或稍长剪下，每段长 3cm 左右，晒干或蒸后晒干。根：夏、秋季采收，洗净，切片，晒干。

| 药材性状 | 茎枝圆柱形或类方柱形，直径 2~6mm。表面红棕色至紫棕色或褐色，上有细纵纹，无毛。茎上具略突起的环节，对生 2 个向下弯曲的钩或仅侧有钩，钩长 1~2cm，形如船锚，先端渐尖，基部稍圆。钩基部的枝上可见叶柄脱落后的凹点及环状的托叶痕。体轻，质硬。横切面外层棕红色，髓部淡棕色或淡黄色。气微，味淡。

| 功能主治 | 带钩茎枝：息风止痉，清热平肝。用于小儿惊风、夜啼、热盛动风、子痫、肝阳眩晕、肝火头胀痛。根：舒筋活络，清热消肿。用于痛风、半身不遂、癫证、水肿、跌仆损伤。

■茜草科■ Rubiaceae ■钩藤属■ *Uncaria*

攀茎钩藤 *Uncaria scandens* (Smith) Hutch.

| 中 药 名 | 攀茎钩藤（药用部位：根、带钩茎枝、叶）

| 植物形态 | 大藤本；嫩枝方柱形或略有 4 棱角，密被锈色短柔毛。叶纸质，卵形、卵状长圆形、椭圆形或椭圆状长圆形，基部钝圆至近心形，罕有短尖至楔形，全缘，下面被疏或密的糙伏毛；侧脉 7~20 对，脉腋窝陷有黏液毛；叶柄长 3~6mm，有硬毛；托叶阔卵形，2 深裂，裂片披针形，外面有糙伏毛，基部有黏液毛。头状花序不计花冠直径 25mm，单生于叶腋，花序梗具一节，苞片长 9mm，或呈单聚伞状排列，总花序梗腋生；小苞片线形或线状匙形；花近无梗；花萼管长 2~3mm，密生灰白色硬毛，萼裂片线形至线状匙形，约与花萼管等长；花冠淡黄色，花冠管纤细，花冠裂片长倒卵形；花柱伸出花冠喉部外，柱头长纺锤形；果序直径 20~25mm；小蒴果无柄，倒披针状长圆锥形，干后有纵棱；种子橙黄色，两端有白色膜质翅，下方的翅 2 深裂。花期夏季。

攀茎钩藤

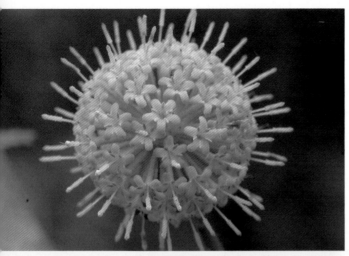

分布区域

产于海南三亚、乐东、昌江、白沙、五指山、陵水、万宁、琼中等地。亦分布于中国广东、广西、云南、四川及西藏。

资　源

生于山地疏林下，亦生于西藏墨脱海拔1300m的山坡阔叶林内。

采收加工

根：全年可采挖，洗净，切段，晒干。带钩茎枝：冬季把带有钩的茎枝剪下，再用剪刀在着生钩的两头平齐或稍长剪下，切段，晒干。叶：夏、秋季可采，晒干。

药材性状

茎枝呈方柱形，四面微有纵凹陷。钩渐尖，顶端微膨大，基部稍扁平，长1~2cm。表面棕黄色或棕红色，密被黄棕色或白色长柔毛，尤以钩尖端及茎节处更密。折断面髓部白色。

功能主治

茎枝：清热平肝，息风定惊。用于高血压、头晕目眩、中毒症。根：祛风除湿，舒筋活血。用于风湿骨痛、腰腿疼痛。茎枝煮水洗澡可用于感冒；鲜叶外敷可用于跌打损伤。

茜草科 Rubiaceae 水锦树属 *Wendlandia*

中华水锦树 *Wendlandia uvariifolia* Hance subsp. *chinensis* (Merr.) Cowan

| 中 药 名 | 水锦树（药用部位：根、叶）

| 植物形态 | 灌木至乔木。小枝被锈色硬毛。叶对生；叶柄粗壮，长 10~15mm，密被锈色毛；托叶大，基部宽，中部收缩，上部扩大成肾形，宽而反折；叶片纸质，宽卵形至宽椭圆形，长 12~18cm，宽 5~8cm，先端短渐尖，基部楔形，上面散生短硬毛，下面被柔毛，脉上毛很密。圆锥花序式排列的聚伞花序顶生，被绒毛；花无梗；小苞片线状披针形，被毛；花小，白色；花萼被绒毛，5 深裂；花冠筒状漏斗形，长约 4mm，喉部有白色硬毛；花药稍突出；柱头 2 裂。蒴果球形，被短柔毛。花期 1~2 月。

| 分布区域 | 产于海南万宁、保亭、琼海、东方、白沙、昌江、琼中、儋州、海口等地。亦分布于中国广东、广西、云南等地。

中华水锦树

| **资　　源** | 生于林下或溪边。 |

| **采收加工** | 全年均可采。根：洗净，切片，晒干。叶：晒干或鲜用。 |

| **药材性状** | 味辛，性凉。 |

| **功能主治** | 祛风除湿，散瘀消肿，止血生肌。用于风湿骨痛、跌打损伤、外伤出血、疮疡溃烂久不收口。 |

忍冬科 Caprifoliaceae 忍冬属 Lonicera

海南忍冬

Lonicera calvescens (Chun & F. C. How) P. S. Hsu & H. J. Wang

| 中 药 名 | 金银花（药用部位：花蕾），金银花露（药用部位：花蕾的蒸馏液），金银花子（药用部位：果实），忍冬藤（药用部位：茎枝）

| 植物形态 | 藤本；除小枝和叶柄常疏生开展的淡黄褐色长糙毛外，全株无明显的毛被。小枝暗红紫色。叶薄革质，卵状矩圆形或卵状披针形，稀卵形，基部圆形、截形或宽楔形，边缘微背卷，具缘毛或无毛；叶柄长 7~15mm，基部相连而在小枝节上呈线状突起。双花生于小枝上部叶腋或集合成短总状花序，味香；总花梗长达 1.5cm；苞片、小苞片和萼齿都有缘毛；苞片狭条状披针形；小苞片圆卵形或卵形，长约为花萼筒的 1/2；花萼筒矩圆形，萼齿三角状披针形；花冠白色，后变淡黄色，唇形，上唇两侧裂矩圆形，中裂卵形，下唇带状，反折；雄蕊略短于花冠，花丝无毛；花柱与花冠几等长。果实白色，椭圆形。

海南忍冬

| 分布区域 | 产于海南三亚、昌江和白沙。海南特有种。

| 资　　源 | 生于海拔 300~1400m 的山谷密林或水边沙地的灌丛中。

| 采收加工 | 在晴天清晨露水刚干时摘取花蕾，摊席上晾晒或阴干。摊晾时注意翻动，否则容易变黑；忌在烈日下曝晒；宜保存于干燥通风处，以防止生虫、变色。

| 药材性状 | 茎枝常捆成束，长圆柱形，直径 1.5~6mm，节间长 5~8mm，有残叶及叶痕。表面暗棕色，光滑。质硬脆，易折断，中心空洞。气微，味微苦。以表面色棕红、质嫩者为佳。

| 功能主治 | 花蕾：清热解毒。用于温病发热、热毒血痢、痈肿疔疮、喉痹及多种感染性疾病。金银花露：清热，消暑，解毒。用于暑热烦渴、恶心呕吐、热毒疮疖、痱子。果实：清肠化湿。用于肠风泄泻、赤痢。茎枝：清热解毒，通络。用于温病发热、疮痈肿毒、热毒血痢、风湿热痹。

忍冬科 Caprifoliaceae　忍冬属 Lonicera

华南忍冬

Lonicera confusa (Sweet) DC.

| 中 药 名 | 金银花（药用部位：花蕾），金银花露（药用部位：花蕾的蒸馏液），金银花子（药用部位：果实），忍冬藤（药用部位：茎枝）

| 植物形态 | 半常绿藤本；幼枝、叶柄、总花梗、苞片、小苞片和花萼筒均被灰黄色卷曲短柔毛，并疏生微腺毛；小枝淡红褐色或近褐色。叶纸质，卵形至卵状矩圆形，基部圆形、截形或近心形；叶柄长 5~10mm。花有香味，双花腋生，或生于小枝或侧生短枝顶集合成具 2~4 节的短总状花序，有明显的总苞叶；总花梗长 2~8mm；苞片披针形；小苞片卵圆形或卵形，有缘毛；萼筒长 1.5~2mm；萼齿披针形或卵状三角形；花冠白色，后变黄色，唇形，花冠筒直或有时稍弯曲，外面被多少开展的倒糙毛和长、短两种腺毛，唇瓣略短于花冠筒；雄蕊和花柱均伸出，比唇瓣稍长，花丝无毛。果实黑色，椭圆形或近

华南忍冬

圆形。花期 4~5 月，有时 9~10 月开第 2 次花，果熟期 10 月。

| **分布区域** | 产于海南万宁、儋州、澄迈、琼海、屯昌、白沙等地。亦分布于中国广东、广西。

| **资　　源** | 生于丘陵、山坡、杂木灌丛中及平原旷野、路旁或河岸边。

| **采收加工** | 花蕾：金银花开花时间集中，必须抓紧时间采摘，一般在 5 月中下旬采第 1 次花，6 月中下旬采第 2 次花。当花蕾上部膨大、尚未开放、呈青白色时采收最适宜，采后应立即晾干或烘干。金银花露：以金银花 500g 计，加水 1000ml，浸泡 1~2 小时，放入蒸馏锅内，同时加适量水进行蒸馏，收集初蒸馏液 1600ml，再继续将初蒸馏液重蒸馏 1 次，收集第 2 蒸馏液 800ml，过滤分装，灭菌。果实：秋末冬初采收，晒干。茎枝：秋、冬两季割取，除去杂质，捆成束或卷成团，晒干。

| **药材性状** | 花蕾长 1.3~5cm，直径 0.5~2mm，红棕色或灰棕色，被倒生短粗毛；萼齿与萼筒均密被灰白色或淡黄色毛；子房有毛。果实：干燥果实圆球形，紫黑色或黄棕色，直径约 2cm；外皮皱缩，质重而结实；内含多数扁小棕褐色的种子。味微甘。茎枝：本品常捆成束或卷成团；茎枝长圆柱形，多分枝，直径 1.5~6mm，节间长 3~6mm，有残叶及叶痕。表面棕红色或暗棕色，有细纵纹，老枝光滑，细枝有淡黄色毛茸；外皮易剥落而露出灰白色内皮。质硬脆，易折断，断面黄白色，中心空洞。气微，老枝味微苦，嫩枝味淡。以表面色棕红、质嫩者为佳。

| **功能主治** | 花蕾：清热解毒。用于温病发热、热毒血痢、痈肿疔疮、喉痹及多种感染性疾病。金银花露：清热，消暑，解毒。用于暑热烦渴、恶心呕吐、热毒疮疖、痱子。果实：清肠化湿。用于肠风泄泻、赤痢。茎枝：清热解毒，通络。用于温病发热、疮痈肿毒、热毒血痢、风湿热痹。

忍冬科 Caprifoliaceae　忍冬属 Lonicera

忍 冬
Lonicera japonica Thunb.

| **中 药 名** | 金银花（药用部位：花蕾），金银花露（药用部位：花蕾的蒸馏液），金银花子（药用部位：果实），忍冬藤（药用部位：茎枝）

| **植物形态** | 半常绿藤本；幼枝呈红褐色，密被黄褐色、开展的硬直糙毛。叶纸质，卵形至矩圆状卵形，有时卵状披针形，基部圆或近心形，有糙缘毛，小枝下部叶常平滑无毛而下面多少带青灰色；叶柄长 4~8mm。总花梗通常单生于小枝上部叶腋，与叶柄等长或稍短，下方者则长达 2~4cm，并夹杂腺毛；苞片大，叶状，卵形至椭圆形；小苞片先端圆形或截形，长为萼筒的 1/2~4/5；萼筒长约 2mm，萼齿卵状三角形或长三角形；花冠白色，有时基部向阳面呈微红，后变黄色，唇形，上唇裂片先端钝形，下唇带状而反曲；雄蕊和花柱均高出

忍冬

花冠。果实圆形，熟时蓝黑色；种子卵圆形或椭圆形，褐色，中部有 1 突起的脊，两侧有浅的横沟纹。花期 4~6 月（秋季亦常开花），果熟期 10~11 月。

| 分布区域 | 产于海南海口、三亚、万宁、儋州、澄迈、琼海、屯昌、白沙等地。亦分布于中国华东、中南、西南，以及辽宁、河北、山西、陕西、甘肃等地。

| 资　　源 | 生于山坡疏林、灌丛中、村寨旁、路边等处，亦有栽培。

| 采收加工 | 花蕾：金银花开花时间集中，必须抓紧时间采摘，一般在 5 月中下旬采第 1 次花，6 月中下旬采第 2 次花。当花蕾上部膨大、尚未开放、呈青白色时采收最适宜，采后应立即晾干或烘干。金银花露：以金银花 500g 计，加水 1000ml，浸泡 1~2 小时，放入蒸馏锅内，同时加适量水进行蒸馏，收集初蒸馏液 1600ml，再继续将初蒸馏液重蒸馏 1 次，收集第 2 蒸馏液 800ml，过滤分装，灭菌。果实：秋末冬初采收，晒干。茎枝：秋、冬两季割取，除去杂质，捆成束或卷成团，晒干。

| 药材性状 | 花蕾：花蕾细棒槌状，上粗下细，略弯曲，长 1.3~5.5cm，上部直径 2~3mm。表面淡黄色或淡黄棕色，久贮色变深，密被粗毛或长腺毛；花萼细小，绿色，萼筒类球形，长约 2mm，无毛，先端 5 裂，萼齿卵状三角形，有毛；花冠筒状，上部稍开裂成二唇形，有时可见开放的花；雄蕊 5，附于筒壁；雌蕊 1，有一细长花柱。气清香，味甘、微苦。果实：干燥果实圆球形，紫黑色或为黄棕色，直径约 2cm；外皮皱缩，质重而结实；内含多数扁小棕褐色的种子。味微甘。茎枝：本品常捆成束或卷成团；茎枝长圆柱形，多分枝，直径 1.5~6mm，节间长 3~6mm，有残叶及叶痕。表面棕红色或暗棕色，有细纵纹，老枝光滑，细枝有淡黄色毛茸；外皮易剥落而露出灰白色内皮。质硬脆，易折断，断面黄白色，中心空洞。气微，老枝味微苦，嫩枝味淡。以表面色棕红、质嫩者为佳。

| 功能主治 | 花蕾：清热解毒。用于温病发热、热毒血痢、痈肿疔疮、喉痹及多种感染性疾病。金银花露：清热，消暑，解毒。用于暑热烦渴、恶心呕吐、热毒疮疖、痱子。果实：清肠化湿。用于肠风泄泻、赤痢。茎枝：清热解毒，通络。用于温病发热、疮痈肿毒、热毒血痢、风湿热痹。

忍冬科 Caprifoliaceae 忍冬属 *Lonicera*

大花忍冬 *Lonicera macrantha* (D. Don) Spreng.

| 中 药 名 | 金银花（药用部位：花蕾）

| 植物形态 | 半常绿藤本；幼枝、叶柄和总花梗均被开展的黄白色或金黄色长糙毛和稠密的短糙毛，并散生短腺毛；小枝红褐色或紫红褐色，老枝赭红色。叶近革质或厚纸质，卵形至卵状矩圆形或长圆状披针形至披针形，基部圆或微心形，边缘有长糙睫毛，并夹杂极少数橘红色或淡黄色短腺毛，下面网脉隆起；叶柄长 3~10mm。花微香，双花腋生，常于小枝稍密集成多节的伞房状花序；总花梗长 1~5（~8）mm；苞片、小苞片和萼齿都有糙毛和腺毛；苞片披针形至条形，与花萼筒等长或略较长；小苞片卵形或圆卵形，为花萼筒长的 2/5~1/2；花萼筒长约 2mm，萼齿长三角状披针形至三角形；花冠白色，后变黄色，唇形，花冠筒长为唇瓣的 2~2.5 倍，唇瓣内面有疏柔毛，上

大花忍冬

唇裂片长卵形，下唇反卷；雄蕊和花柱均略超出花冠。果实黑色，圆形或椭圆形。花期 4~5 月，果熟期 7~8 月。

| **分布区域** | 产于海南白沙、昌江、东方、三亚、保亭、陵水等地。亦分布于中国浙江南部、江西武宁、德兴，福建，台湾，湖南宜章，广东，广西东部，四川南川（今重庆市南部），贵州遵义、榕江，云南东南部西畴、屏边和西藏墨脱。尼泊尔、不丹、印度北部至缅甸和越南也有分布。

| **资　　源** | 生于海拔 400~500m 的山谷、山坡林中或灌丛中，在云南和西藏可达 1200~1500m。

| **采收加工** | 夏、秋季采收茎叶，秋后挖根，均鲜用或切段晒干。

| **药材性状** | 味甘，性寒。花蕾呈棒状，较细瘦、黄色，带有淡绿色或棕褐色的花苞已开放的花朵，全体少毛茸或不显毛茸，质坚脆，握之易碎断，嗅之甜香，嚼之微酸苦而带涩。

| **功能主治** | 清热解毒。用于上呼吸道感染、流行性感冒、扁桃体炎、急性乳腺炎、急性结膜炎、大叶性肺炎、肺脓肿、细菌性痢疾、钩端螺旋体病、急性阑尾炎、痈疖脓肿、丹毒、外伤感染、子宫颈糜烂等。

忍冬科　Caprifoliaceae　接骨木属　Sambucus

接骨草 *Sambucus chinensis* Lindl.

| 中 药 名 | 陆英（药用部位：茎叶、果实、根）

| 植物形态 | 高大草本或半灌木；茎有棱条，髓部白色。羽状复叶的托叶叶状或有时退化成蓝色的腺体；小叶 2~3 对，互生或对生，狭卵形，基部钝圆，两侧不等，边缘具细锯齿，近基部或中部以下边缘常有 1 或数枚腺齿；顶生小叶卵形或倒卵形，基部楔形，有时与第 1 对小叶相连，小叶无托叶，基部 1 对小叶有时有短柄。复伞形花序顶生，大而疏散，总花梗基部托以叶状总苞片，分枝 3~5 出，纤细，被黄色疏柔毛；杯形不孕性花不脱落，可孕性花小；花萼筒杯状，萼齿三角形；花冠白色，仅基部联合，花药黄色或紫色；子房 3 室，花柱极短或几无，柱头 3 裂。果实红色，近圆形；核 2~3，卵形，表面有小疣状突起。花期 4~5 月，果期 8~9 月。

接骨草

| **分布区域** | 产于海南乐东、东方、昌江、五指山、保亭、琼中、临高、定安、琼海、海口等地。亦分布于中国河北、陕西、甘肃、青海、江苏、安徽、浙江、江西、福建、台湾、湖北、湖南、广东、广西、四川、贵州、云南等地。 |

| **资　　源** | 生于林下、沟边或山坡草丛中，也有栽种。 |

| **采收加工** | 茎叶：夏、秋季采收，切段，鲜用或晒干。果实：9~10月采收，鲜用。根：秋后采根，鲜用或切片晒干。 |

| **药材性状** | 茎叶：茎具细纵棱，呈类圆柱形而粗壮，多分枝，直径约1cm。表面灰色至灰黑色。幼时有毛。质脆易断，断面可见淡棕色或白色髓部。羽状复叶，小叶2~3对，互生或对生；小叶片纸质，易破碎，多皱缩，展平后呈狭卵形至卵状披针形，先端长渐尖，基部钝圆，两侧不等，边缘有细锯齿。鲜叶片揉之有臭气。气微，味微苦。以茎质嫩、叶多、色绿者为佳。根：呈不规则弯曲状，长条形，有分枝，长15~30cm，有的长达50cm，直径4~7mm。表面灰色至灰黄色，有纵向细而略扭曲的纹及横长皮孔；偶留有纤细须根。质硬或稍软而韧，难折断，切断面皮部灰色或土黄色，木质部呈纤维质，黄白色，易与皮部撕裂分离。气微，味淡。以条均匀、不带须根及地上茎者为佳。 |

| **功能主治** | 茎叶：祛风，利湿，舒筋，活血。用于风湿痹痛、腰腿痛、水肿、黄疸、跌打损伤、产后恶露不行、风疹瘙痒、丹毒、疮肿。果实：用于蚀疣。根：祛风，利湿，活血，散瘀，止血。用于风湿疼痛、头风、腰腿痛、水肿、淋证、白带、跌打损伤、骨折、癥积、咯血、吐血、风疹瘙痒、疮肿。 |

| **附　　注** | 在FOC中，其学名被修订为 *Sambucus javanica* Blume。 |

菊科 Compositae 下田菊属 *Adenostemma*

下田菊
Adenostemma lavenia (L.) O. Kuntze

| 中 药 名 | 风气草（药用部位：全草）

| 植物形态 | 一年生草本。茎直立，单生，基部直径 0.5~1cm，坚硬，通常自上部叉状分枝，被白色短柔毛，下部或中部以下光滑无毛，全草有稀疏的叶。基部的叶于花期生存或凋萎；中部的茎叶较大，长椭圆状披针形，基部宽或狭楔形，叶柄有狭翼，长 0.5~4cm，边缘有圆锯齿，叶两面有稀疏的短柔毛或脱毛；上部和下部的叶渐小，有短叶柄。头状花序小，少数稀多数在假轴分枝先端排列成松散伞房状或伞房圆锥状花序。花序分枝粗壮；花序梗长 0.8~3cm。总苞半球形，果期变宽。总苞片 2 层，狭长椭圆形，质地薄，几膜质，外层苞片大部合生。花冠长约 2.5mm，下部被黏质腺毛，上部扩大，有 5 齿。瘦果倒披针形，基部收窄，被腺点，熟时黑褐色。冠毛约 4，棒状，

下田菊

基部结合成环状，先端有棕黄色的黏质的腺体分泌物。花果期8~10月。

| 分布区域 |

产于海南定安、儋州、白沙、琼中、保亭、陵水等地。亦分布于中国江苏、浙江、安徽、福建、台湾、广东、广西、江西、湖南、贵州、四川、云南等地。

| 资　　源 |

生于中海拔以下的山地、路旁及林缘阴湿处。

| 采收加工 |

夏、秋季采收，鲜用或切段晒干。

| 功能主治 |

解表祛风，清热利湿。用于感冒发热、黄疸型肝炎、肺热咳嗽、咽喉肿痛、风湿热痹、乳痈、痈肿疮疖、毒蛇咬伤。

| 附　　注 |

同属植物尚有2个变种亦可作风气草入药。①宽叶下田菊 [*Adenostemma lavenia* (L.) O. Kuntze var. *tatifolia* (D.Don) Hand.-Mazz.]，分布于中国福建、台湾、湖北、湖南、广东、广西、四川、云南、西藏等地。②小花下田菊 [*A. lavenia* (L.) O. Kuntze var. *parviflorum* (Bl.) Hochreut.]，分布于中国江西、湖南及海南等地。

菊科 Compositae 藿香蓟属 *Ageratum*

藿香蓟 *Ageratum conyzoides* L.

| 中 药 名 | 胜红蓟（药用部位：全草）

| 植物形态 | 一年生草本。茎枝淡红色，被白色尘状短柔毛。叶对生，有时上部互生，常有腋生的不发育的叶芽。中部茎叶卵形或椭圆形或长圆形；自中部叶向上向下及腋生小枝上的叶卵形或长圆形，有时植株全部叶小形。全部叶基部钝或宽楔形，基出脉 3 或不明显五出脉，边缘有圆锯齿，有长 1~3cm 的叶柄，两面被白色稀疏的短柔毛且有黄色腺点，上部叶的叶柄，或腋生幼枝及腋生枝上的小叶的叶柄通常被白色稠密开展的长柔毛。头状花序 4~18 在茎顶排成紧密的伞房状花序；花序直径 1.5~3cm。花梗长 0.5~1.5cm，被尘球短柔毛。总苞钟状或半球形。总苞片 2 层，长圆形或披针状长圆形，边缘撕裂。花冠长 1.5~2.5mm，檐部 5 裂，淡紫色。瘦果黑褐色，5 棱。冠毛膜片

藿香蓟

5 或 6，长圆形，先端急狭或渐狭，呈长或短芒状；全部冠毛膜片长 1.5~3mm。花果期全年。

| **分布区域** | 产于海南临高、儋州、澄迈、定安、琼海、琼中、万宁、保亭、三亚、东方和昌江等地。亦分布于中国福建、广东、广西、云南、贵州。

| **资　　源** | 生于山谷、山坡林下或林缘，荒坡草地常有生长。栽培或逸为野生。

| **采收加工** | 夏、秋季采收，除去根部，鲜用或切段晒干。

| **药材性状** | 茎略呈方形，基部类圆形，直径 0.3~0.8cm。茎、叶被白色多节长柔毛。茎直立，多分枝，绿色或稍带紫色。有特殊气味。叶对生，上部互生，叶片基部钝或浑圆，长 0.5~13cm，宽 1~5cm，边缘有粗锯齿，叶脉明显。头状花序，伞房状排列，总苞片 2 层；花冠白色或紫色，呈管状。瘦果为管状，具 5 棱，黑色，先端有 5 或 6 芒状的鳞膜片。

| **功能主治** | 清热解毒，止血，止痛。用于感冒发热、咽喉肿痛、口舌生疮、咯血、衄血、崩漏、脘腹冷痛、风湿痹痛、跌打损伤、外伤出血、痈肿疮毒、湿疹瘙痒。

菊科 Compositae 蒿属 *Artemisia*

黄花蒿
Artemisia annua L.

| 中 药 名 | 青蒿（药用部位：全草或果实、根）

| 植物形态 | 一年生草本；植株有浓烈的挥发性香气。根单生，垂直，狭纺锤形；茎单生，基部直径可达 1cm，有纵棱，多分枝。叶纸质，绿色；茎下部叶宽卵形或三角状卵形，绿色，两面具细小脱落性的白色腺点及细小凹点，三至四回栉齿状羽状深裂，每侧有裂片 5~8（~10），裂片长椭圆状卵形，再次分裂，小裂片边缘具多枚栉齿状三角形或长三角形的深裂齿，裂齿长 1~2mm，中肋明显，中轴两侧有狭翅而无小栉齿，叶柄长 1~2cm，基部有半抱茎的假托叶；中部叶有二至三回栉齿状的羽状深裂，小裂片栉齿状三角形。稀少为细短狭线形，具短柄；上部叶与苞片叶一至二回栉齿状羽状深裂，近无柄。头状花序球形，多数，有短梗，下垂或倾斜，基部有线形的小苞叶，在

黄花蒿

分枝上排成总状或复总状花序，并在茎上组成尖塔形的圆锥花序；总苞片 3~4 层，内、外层近等长，外层总苞片长卵形或狭长椭圆形，中肋绿色，边膜质，中层、内层总苞片宽卵形或卵形，花序托突起，半球形；花深黄色，雌花 10~18，花冠狭管状，檐部具 2~3 裂齿，外面有腺点，花柱线形，伸出花冠外，先端二叉，叉端钝尖；两性花 10~30，花冠管状，花药线形，上端附属物尖，长三角形，基部具短尖头，花柱近与花冠等长，先端二叉，叉端截形，有短睫毛。瘦果小，椭圆状卵形，略扁。花果期 8~11 月。

| **分布区域** | 产于海南海口、儋州等地。

| **资　　源** | 生于旷野、山坡、路边、河岸等处。

| **采收加工** | 全草：花蕾期采收，切碎，晒干。果实：秋季果实成熟时，采取果枝，打下果实，晒干。根：秋、冬季采挖，洗净，切段，晒干。

| **药材性状** | 茎圆柱形，上部多分枝，长 30~80cm，直径 0.2~0.6cm；表面黄绿色或棕黄色，具纵棱线；质略硬，易折断，断面中部有髓。叶互生，暗绿色或棕绿色，卷缩，易碎，完整者展平后为三回羽状深裂，裂片及小裂片矩圆形或长椭圆形，两面被短毛。气香特异，味微苦。以色绿、叶多、香气浓者为佳。

| **功能主治** | 全草：清热，解暑，除蒸，截疟。用于暑热、暑湿、湿温、阴虚发热、疟疾、黄疸。果实：清热明目，杀虫。用于劳热骨蒸、痢疾、恶疮、疥癣、风疹。根：用于劳热骨蒸、关节酸疼、大便下血。 |

菊科 Compositae 蒿属 Artemisia

艾

Artemisia argyi Lévl. et Vant.

| **中 药 名** | 艾叶（药用部位：叶），艾实（药用部位：果实）

| **植物形态** | 多年生草本或略成半灌木状，植株有浓烈香气。主根明显，侧根多。茎单生或少数，有明显纵棱，褐色或灰黄褐色，基部稍木质化；茎、枝均被灰色蛛丝状柔毛。叶厚纸质，上面被灰白色短柔毛，并有白色腺点与小凹点，背面密被灰白色蛛丝状密绒毛；基生叶具长柄，花期凋谢；茎下部叶近圆形或宽卵形，羽状深裂，每侧具裂片2~3，裂片椭圆形或倒卵状长椭圆形，每一裂片有2~3小裂齿，叶柄长0.5~0.8cm；中部叶卵形、三角状卵形或近菱形，一至二回羽状深裂至半裂，每侧裂片2~3，裂片卵形、卵状披针形或披针形，不再分裂或每侧有1~2缺齿，叶基部宽楔形，渐狭成短柄，叶柄长0.2~0.5cm，基部通常无假托叶或有极小的假托叶；上部叶与苞片叶

艾

羽状半裂、浅裂或 3 深裂或 3 浅裂，或不分裂，而为椭圆形、长椭圆状披针形、披针形或线状披针形。头状花序椭圆形，每数枚至 10 余枚在分枝上排成小型的穗状花序或复穗状花序，并通常在茎上再组成狭窄、尖塔形的圆锥花序，花后头状花序下倾；总苞片 3~4 层，覆瓦状排列，外层总苞片小，草质，卵形或狭卵形，背面密被灰白色蛛丝状绵毛，边缘膜质，中层总苞片较外层长，长卵形，背面被蛛丝状绵毛，内层总苞片质薄；花序托小；雌花 6~10，花冠狭管状，檐部具 2 裂齿，紫色，花柱细长，伸出花冠外甚长，先端二叉；两性花 8~12，花冠管状或高脚杯状，外面有腺点，檐部紫色，花药狭线形，先端附属物尖，长三角形，基部有不明显的小尖头，花柱与花冠近等长或略长于花冠，先端二叉，花后向外弯曲，叉端截形，并有睫毛。瘦果长卵形或长圆形。花果期 7~10 月。

| **分布区域** | 产于海南乐东、东方、五指山、万宁、澄迈、海口等地。亦分布于中国大部分地区。

| **资　　源** | 生于荒地林缘。

| **采收加工** | 叶：在培育当年 9 月、第二年 6 月花未开时，割取地上部分，摘取叶片嫩梢，晒干。果实：9~10 月，果实成熟后采收。

| **药材性状** | 叶多皱缩，破碎，有短柄。完整叶片展平后呈卵状椭圆形，羽状深裂，裂片椭圆状披针形，边缘有不规则粗锯齿，上面灰绿色或深黄绿色，有稀疏的柔毛及腺点，背面密生灰白色绒毛。质柔软。气清香，味苦。以叶厚、色青、背面灰白色、绒毛多、质柔软、香气浓郁者为佳。

| **功能主治** | 叶：温经止血，散寒止痛，祛湿止痒。用于吐血、衄血、咯血、便血、崩漏、妊娠下血、月经不调、痛经、胎动不安、心腹冷痛、泄泻久痢、霍乱转筋、带下、湿疹、疥癣、痔疮、痈疡。果实：温肾壮阳。用于肾虚腰酸、阳虚内寒。

| **附　　注** | 下列同属植物的叶在分布地区亦作"艾叶"入药。①蒙古蒿 *Artemisia mongolica*（Fisch.ex Bess.）Nakai[*A. vulgaris* L.var. *mongolica* Fisch.ex Bess.]，生于山地林缘或灌丛中，分布于中国东北、华北及华东等地。②魁蒿 *A. princeps* Pamp，分布几遍中国。③五月艾 *A. indica* Willd. [*A. vulgaris* L. var. *indica* (Willd.) Maxim.；*A. myriantha* auct. non Wall. ex Bess.]，分布于中国华北、华东、中南、西南，以及辽宁、台湾、西藏。④野艾蒿 *A. lavandulaefolia* DC.，分布于中国东北、华北、中南、西南，以及陕西、甘肃、山东、江苏、安徽、浙江、江西等地。⑤红足蒿 *A. rubripes* Nakai，分布于中国东北、华北，以及山东、江苏、安徽、浙江、

江西、福建。⑥北艾 *A. vulgaris* L.，分布于中国陕西秦岭、甘肃西部、青海、新疆、四川西部等地。⑦宽叶山蒿 *A. stolonifera* (Maxim.) Kom. [*A. vulgaris* L. var. *solonifera* Maxim.]，分布于中国东北、华北，以及山东、江苏、安徽、浙江、湖北等地。

菊科 Compositae 蒿属 *Artemisia*

五月艾 *Artemisia indica* Willd.

| **中 药 名** |

五月艾（药用部位：干燥地上部分）

| **植物形态** |

多年生草本，有时成半灌木状，全草有香气。茎高 80~150cm，具棱，多分枝；茎、枝、叶上面及总苞片初时被短柔毛，后脱落无毛，叶背面被蛛丝状毛。

| **分布区域** |

产于海南乐东、东方、五指山、万宁、澄迈、海口等地。中国长江以南各地亦常见。

| **资　　源** |

生于荒野、路旁及空旷的草地上，能耐旱。

| **采收加工** |

夏、秋季间枝叶茂盛时割取地上部分，晒干或阴干。

| **药材性状** |

本品全长 80~100cm 或过之。主茎较粗壮，有纵棱，初被灰白色柔毛，常有分枝。叶互生，长 5~8cm 或过之，一至二回羽状分裂，裂片椭圆形、披针形至线形，全缘或有锯齿，

五月艾

上面灰绿色，无腺点，近秃净，下面被白色蛛丝状毛；质柔韧，不易破碎。气清香，味苦、辛。以叶多、色青绿、香气浓者为佳。

| 功能主治 | 祛风消肿，止痛止痒，调经止血。用于偏头痛、月经不调、崩漏下血、风湿痹痛、疟疾、痈肿、疥癣、皮肤瘙痒。

菊科　Compositae　蒿属　Artemisia

牡 蒿 *Artemisia japonica* Thunb.

|中药名|

牡蒿（药用部位：全草），牡蒿根（药用部位：根）

|植物形态|

多年生草本；植株有香气。主根稍明显，侧根多，常有块根；根茎稍粗短，常有若干条营养枝。茎单生或少数，有纵棱，紫褐色或褐色，通常贴向茎或斜向上长。叶纸质；基生叶与茎下部叶倒卵形或宽匙形，自叶上端斜向基部羽状深裂或半裂，裂片上端常有缺齿或无缺齿，具短柄，花期凋谢；中部叶匙形，上端有 3~5 斜向基部的浅裂片或为深裂片，每一裂片的上端有 2~3 小锯齿或无锯齿，叶基部楔形，渐狭窄，常有小型、线形的假托叶；上部叶小，上端具 3 浅裂或不分裂；苞片叶长椭圆形、椭圆形、披针形或线状披针形。头状花序多数，卵球形或近球形，基部具线形的小苞叶，在分枝上通常排成穗状花序或穗状花序状的总状花序，并在茎上组成狭窄或中等开展的圆锥花序；总苞片 3~4 层，外、中层总苞片卵形或长卵形，中肋绿色，边膜质，内层总苞片长卵形或宽卵形，半膜质；雌花 3~8，花冠狭圆锥状，檐部具 2~3 裂齿，花柱伸出花冠外，先端二叉，叉端尖；两性

牡蒿

花 5~10，不孕育，花冠管状，花药线形，先端附属物尖，长三角形，基部钝，花柱短，先端稍膨大，2 裂，不叉开，退化子房不明显。瘦果小，倒卵形。花果期 7~10 月。

| 分布区域 | 产于海南北部地区。亦分布于中国各地。

| 资　　源 | 生于林缘、林下、旷野、山坡、丘陵、路旁及灌丛下。

| 采收加工 | 全草：夏、秋季间采收全草，晒干或鲜用。根：秋季采挖，除去泥土，洗净，晒干。

| 药材性状 | 干燥的全草，茎圆柱形，直径 0.1~0.3cm，表面黑棕色或棕色；质坚硬，折断面呈纤维状，黄白色，中央有白色疏松的髓。残留的叶片黄绿色至棕黑色，多破碎不全，皱缩卷曲，质脆易脱。花序黄绿色，苞片内可见长椭圆形、褐色种子数枚。气香，味微苦。

| 功能主治 | 全草：清热，凉血，解毒。用于夏季感冒、肺结核潮热、咯血、小儿疳热、衄血、便血、崩漏、带下病、黄疸型肝炎、丹毒、毒蛇咬伤。根：祛风，补虚，杀虫，截疟。用于产后伤风感冒、风湿痹痛、劳伤乏力、虚肿、疟疾。

菊科 Compositae 蒿属 Artemisia

白苞蒿
Artemisia lactiflora Wall. ex DC.

| 中 药 名 |

白苞蒿（药用部位：全草或根）

| 植物形态 |

多年生草本。主根明显，侧根细而长。茎通常单生，稀2至少数集生；上部具开展、着生头状花序的分枝。叶薄纸质或纸质；基生叶与茎下部叶宽卵形或长卵形，二回或一至二回羽状全裂，具长叶柄，花期叶多凋谢；中部叶卵圆形或长卵形，二回或一至二回羽状全裂，稀少深裂，每侧有裂片3~4（~5），裂片或小裂片形状变化大，卵形、长卵形、倒卵形或椭圆形，基部与侧边中部裂片最大，边缘常有细裂齿或锯齿或近全缘，中轴微有狭翅，叶柄长2~5cm，两侧有时有小裂齿，基部具细小的假托叶；上部叶与苞片叶略小，羽状深裂或全裂，边缘有小裂齿或锯齿。头状花序长圆形，基部无小苞叶，数枚或10余枚在分枝的小枝上排成密穗状花序，在分枝上排成复穗状花序，而在茎上端组成开展或略开展的圆锥花序；总苞片3~4层，半膜质或膜质，外层总苞片卵形，中、内层总苞片长圆形、椭圆形或近倒卵状披针形；雌花3~6，花冠狭管状，檐部具2裂齿，花柱细长，先端二叉，叉端钝尖；两性花4~10，花冠管

白苞蒿

状，花药椭圆形，先端附属物尖，长三角形，基部圆钝，花柱近与花冠等长，先端二叉，叉端截形，有睫毛。瘦果倒卵形或倒卵状长圆形。花果期8~11月。

分布区域

产于海南定安、琼中、三亚等地。亦分布于中国华东、中南、西南至西部各地。

资　源

生于林下、林缘、路旁、山坡草地及灌丛下。

采收加工

全草：夏、秋季割取地上部分，晒干或鲜用。根：秋季采挖，洗净，鲜用或晒干。

药材性状

全草长短不一，幼株长20~30cm。茎圆柱形或稍扁，有明显的纵向棱线，深绿色至褐色，质稍韧，不易脆断，断面略显纤维性，中空而有较宽广的髓。叶互生，多已皱缩或破碎，完整叶片展平后呈羽状分裂或深裂，似鸭掌状，裂片卵形，近先端一片较大，裂片边缘有疏锯齿，叶面深绿色至褐色，叶背色略浅，无毛；有较长的叶柄。偶见头状花序顶生或腋生，花白色、细小，集成圆锥状花序。气微，味淡。

功能主治

活血散瘀，理气化湿。用于血瘀痛经、经闭、产后瘀滞腹痛、慢性肝炎、肝脾肿大、食积腹胀、寒湿泄泻、疝气、脚气、阴疽肿痛、跌打损伤、水火烫伤。

菊科 Compositae　鬼针草属 Bidens

金盏银盘 *Bidens biternata* (Lour.) Merr. et Sherff.

| 中 药 名 |

金盏银盘（药用部位：全草）

| 植物形态 |

一年生草本。茎直立，略具 4 棱。叶为一回
羽状复叶，顶生小叶卵形至长圆状卵形或卵
状披针形，基部楔形，边缘具稍密且近于均
匀的锯齿，有时一侧深裂为 1 小裂片，侧生
小叶 1~2 对，卵形或卵状长圆形，基部下延，
无柄或具短柄，下部的一对小叶具明显的柄，
三出复叶状分裂或仅一侧具 1 裂片，裂片椭
圆形，边缘有锯齿；总叶柄长 1.5~5cm。头
状花序直径 7~10mm，花序梗长 1.5~5.5cm。
总苞基部有短柔毛，外层苞片 8~10，草
质，条形，内层苞片长椭圆形或长圆状披针
形，背面褐色，有深色纵条纹。舌状花通常
3~5，不育，舌片淡黄色，长椭圆形，先端
3 齿裂，或有时无舌状花；盘花筒状，冠檐
5 齿裂。瘦果条形，黑色，具 4 棱，两端稍狭，
多少被小刚毛，先端芒刺 3~4，具倒刺毛。

| 分布区域 |

产于海南儋州、保亭、三亚、陵水及万宁等地。
亦分布于中国华东、中南、西南，以及辽宁、
河北、山西。

金盏银盘

| 资　　源 | 生于村旁、路边及旷野处。

| 采收加工 | 春、夏季采收，鲜用或切段晒干。

| 药材性状 | 茎略具 4 棱，表面淡棕褐色，基部直径 1~9mm，长 30~150cm。叶对生，一回三出复叶，卵形或卵状披针形，长 2~7cm，宽 1~2.5cm，叶缘具细齿。头状花序干枯，具长梗。瘦果易脱落，残存花托近圆形。气微，味淡。

| 功能主治 | 清热解毒，凉血止血。用于感冒发热、黄疸、泄泻、痢疾、血热吐血、血崩、跌打损伤、痈肿疮毒、疥癣。

菊科 Compositae 鬼针草属 *Bidens*

鬼针草 *Bidens pilosa* L.

| **中 药 名** | 盲肠草（药用部位：全草）

| **植物形态** | 一年生草本，茎直立，钝四棱形。茎下部叶较小，3 裂或不分裂，通常在开花前枯萎，中部叶具长 1.5~5cm 且无翅的柄，三出，小叶 3，很少为具 5（~7）小叶的羽状复叶；两侧小叶椭圆形或卵状椭圆形，基部近圆形或阔楔形，具短柄，边缘有锯齿；顶生小叶较大，长椭圆形或卵状长圆形，基部渐狭或近圆形，具长 1~2cm 的柄，边缘有锯齿，3 裂或不分裂，条状披针形。头状花序直径 8~9mm，有长 1~6cm（果时长 3~10cm）的花序梗。总苞基部被短柔毛，苞片 7~8，条状匙形，草质，外层托片披针形，干膜质，背面褐色，具黄色边缘，内层较狭，条状披针形。无舌状花，盘花筒状，冠檐 5 齿裂。

鬼针草

瘦果黑色、条形,具棱,上部具稀疏瘤状突起及刚毛,先端芒刺 3~4,具倒刺毛。花期春季。

| **分布区域** | 产于海南东方、白沙、保亭、陵水、三亚、万宁、琼中等地。

| **资　　源** | 生于村旁、路边及荒地上。

| **采收加工** | 夏、秋季采收,鲜用或切段晒干。

| **药材性状** | 干燥全草,茎略呈方形,幼茎有短柔毛。叶纸质而脆,多皱缩、破碎,常脱落。茎顶常有扁平盘状花托,着生 10 余个呈针束状、有 4 棱的果实,有时带有头状花序。气微,味淡。

| **功能主治** | 清热,解毒,利湿,健脾。用于流行性感冒、咽喉肿痛、黄疸型肝炎、暑湿吐泻、肠炎、痢疾、肠痈、小儿疳积、血虚黄肿、痔疮、蛇虫咬伤。

菊科 Compositae 鬼针草属 Bidens

白花鬼针草 *Bidens pilosa* L. var. *radiata* Sch.-Bip.

| 中 药 名 | 白花鬼针草（药用部位：全草）

| 植物形态 | 一年生直立草本。茎钝四棱形，茎下部叶较小，3 裂或不分裂，通常在开花前枯萎；中部叶具长 1.5~5cm、无翅的柄，三出，小叶常 3，很少为具 5（~7）小叶的羽状复叶，两侧小叶椭圆形或卵状椭圆形，基部近圆形或圆楔形，边缘有锯齿；顶生小叶较大，长椭圆形或卵状长圆形，基部渐狭或近圆形，具长 1~2cm 的柄，边缘有锯齿；上部叶小，3 裂或不分裂，条状披针形。头状花序有长 1~6cm（果时长 3~10cm）的花序梗；总苞苞片 7~8，条状匙形，外层托片披针形，内层条状披针形；舌状花 5~7，舌片椭圆状倒卵形，白色；盘花筒状，冠檐 5 齿裂。瘦果黑色，条形，先端芒刺 3~4，具倒刺毛。

白花鬼针草

| **分布区域** | 产于海南三亚、琼中、乐东、东方、白沙、五指山、昌江、陵水、儋州、屯昌、海口、西沙群岛等地。亦分布于中国华东、中南、西南，以及西藏等地。 |

| **资　　源** | 生于村旁、路边及旷野上。 |

| **采收加工** | 夏、秋季采收，切段，晒干。 |

| **药材性状** | 茎钝四棱形。下部叶3裂或不分裂；中部叶具柄，三出，小叶3，椭圆形或卵状椭圆形，先端锐尖，基部近圆形或阔楔形，不对称，边缘具锯齿。头状花序边缘具舌状花5~7，舌片椭圆状倒卵形，长5~8mm，宽3~5mm，黄白色，先端钝或有缺刻。气微，味微苦。 |

| **功能主治** | 清热解毒，利湿退黄。用于感冒发热、风湿痹痛、湿热黄疸、痈肿疮疖。 |

菊科 ▎Compositae ▎百能葳属 ▎*Blainvillea*

百能葳
Blainvillea acmella (L.) Philipson

| 中 药 名 |　鱼鳞菜（药用部位：全草）

| 植物形态 |　一年生草本。茎直立，具细沟纹。茎下部叶对生，有长达 1cm 的柄，叶片卵形至卵状披针形，连叶柄长 4~7cm，基部楔形，边缘有疏锯齿，离基三出脉或有时于中脉中上部有 1~2 对细脉，网脉不明显；上部叶较小，通常互生，卵形或卵状长圆形，基部常圆形。头状花序腋生和顶生；花序梗细弱，总苞片近 2 层，外层叶质，卵状长圆形，先端短尖或有时钝，背面密被基部粗肿的糙毛，内层卵状长圆形至长圆状线形。托片长圆状披针形，先端具芒尖。舌状花 1 层，黄色或黄白色，舌片短，先端 2~4 齿裂。管状花钟形，檐部稍扩大，5 齿裂，裂片卵状渐尖。雌花瘦果三棱形，两性花瘦果扁压，全部瘦果干时浅黑色。冠毛短，2~5 刺芒状，基部连合。花期 4~6 月。

百能葳

| 分布区域 | 产于海南定安、琼中、陵水、三亚等地。亦分布于中国云南、广西西部、广东及其沿海岛屿。亚洲热带地区、非洲、美洲，以及澳大利亚也有分布。

| 资　　源 | 生于疏林中或山顶斜坡草地上。

| 采收加工 | 春、夏季采收，鲜用或晒干。

| 药材性状 | 茎分枝，被毛或近无毛。叶对生或有时上部互生，卵形至狭卵形，基部宽楔形，叶缘有锯齿，两面被糙毛，脉基生三出。头状花序顶生或腋生；总苞片短圆形，草质，有毛；花黄棕色，舌状花 1 层，卷缩；管状花先端 5 裂。气微，味微苦。

| 功能主治 | 疏风清热，止咳。用于感冒发热、肺虚痨嗽、咯血、扭挫伤。

菊科 Compositae　艾纳香属 Blumea

艾纳香
Blumea balsamifera (L.) DC.

| 中 药 名 | 艾纳香（药用部位：全草），艾纳香根（药用部位：根）

| 植物形态 | 多年生草本或亚灌木。茎粗壮，直立，有纵条棱，木质部松软，有直径约 12mm 的髓部。下部叶宽椭圆形或长圆状披针形，基部渐狭，具柄，柄两侧有 3~5 对狭线形的附属物，边缘有细锯齿，下面被淡褐色或黄白色密绢状绵毛，侧脉 10~15 对；上部叶长圆状披针形或卵状披针形，基部略尖，无柄或有短柄，柄的两侧常有 1~3 对狭线形的附属物，全缘、具细锯齿或羽状齿裂。头状花序多数，排列成开展、具叶的大圆锥花序；花序梗长 5~8mm；总苞钟形，稍长于花盘；总苞片约 6 层，草质，外层长圆形，中层线形，内层长于外层 4 倍；花托蜂窝状。花黄色，雌花多数，花冠细管状，檐部 2~4 齿裂，裂

艾纳香

片无毛；两性花较少数，花冠管状，檐部 5 齿裂，裂片卵形。瘦果圆柱形，具 5 条棱。冠毛红褐色，糙毛状。花期几全年。

| **分布区域** | 产于海南昌江、白沙、儋州、澄迈、定安、琼海、保亭、陵水等地。

| **资　　源** | 生于海拔 1000m 的林缘或林下，但耐干旱，亦见于草地，常与白茅混生。

| **采收加工** | 全草：于 12 月采收，先把落叶集中，再把带叶的地上茎割下，鲜用或晒干，或用蒸馏法蒸得艾粉。根：秋季采挖，切片，晒干。

| **药材性状** | 本品茎呈圆柱形，大小不等；表面灰褐色或棕褐色，有纵条棱，节间明显，分枝，密被黄褐色柔毛；木质部松软，黄白色，中央有白的髓。干燥的叶略皱缩或破碎，边缘具细锯齿，上面灰绿色或黄绿色，略粗糙，被短毛，背面密被白色长绒毛，嫩叶两面均密被银白色绒毛，叶脉带黄色，背面突出较明显。叶柄短，叶呈半圆形，叶柄两侧有2~4对狭线形的小裂片，密被短毛。叶质脆，易碎。气清凉、香，味辛。

| **功能主治** | 全草：祛风除湿，温中止泻，活血解毒。用于风寒感冒、头风头痛、风湿痹痛、寒湿泻痢、寸白虫病、毒蛇咬伤、跌打伤痛、癣疮。根：祛风活血，利水消肿。用于风湿关节痛、消化不良、泄泻、水肿、血瘀痛经、跌打肿痛。

菊科 Compositae 艾纳香属 Blumea

千头艾纳香 *Blumea lanceolaria* (Roxb.) Druce

| 中 药 名 | 火油草（药用部位：叶）

| 植物形态 | 高大草本或亚灌木。茎直立，基部木质，有棱条，幼枝和花序轴被
毛较密。下部和中部的叶有长达 2~3cm 的柄，叶片近革质，倒披针
形、狭长圆状披针形或椭圆形，基部渐狭，下延，或有时有短的耳
状附属物，边缘有细或粗齿，上面有泡状突起，干时常变黑色，侧
脉 13~20 对，常自中脉发出极细弱、不成对的侧脉；上部叶狭披针
形或线状披针形，基部渐狭，下延成翅状。头状花序多数，几无柄
或有长 5~10mm 的短柄，常 3~4 个簇生，排列成顶生、塔形的大圆
锥花序；总苞圆柱形或近钟形，总苞片 5~6 层，绿色或紫红色，弯
曲，外层卵状披针形，中层狭披针形或线状披针形，边缘干膜质，
内层线形；花托平，蜂窝状。花黄色，雌花多数，花冠细管状，檐

千头艾纳香

部 3 齿裂；两性花少数，花冠管状，约与雌花等长，向上渐宽，檐部 5 浅裂，裂片卵形，先端圆或略尖，被疏毛。瘦果圆柱形，有 5 棱。冠毛黄白色至黄褐色，糙毛状。花期 1~4 月。

| 分布区域 |　产于海南儋州、澄迈、琼中、保亭、陵水等地。亦分布于中国华南其他区域，及台湾、贵州、云南。

| 资　　源 |　生于海拔 420~1500m 的山坡、林缘、路旁草地或溪边。

| 采收加工 |　春、夏季采叶，鲜用或晒干。

| 药材性状 |　本品干燥皱缩。叶片黑色，近革质，倒披针形、狭长圆状披针形或椭圆形，长 15~30cm，宽 5~8cm，基部渐狭，下延，或有时有短的耳状附属物，先端短渐尖，边缘有细或粗齿，上面有泡状突起，无毛，下面无毛或被微柔毛，侧脉在下面突起，网脉明显。气微，味微苦。

| 功能主治 |　祛风活血，通络止痛。用于头风痛、风湿痹痛、跌打肿痛。

菊科 Compositae 艾纳香属 *Blumea*

柔毛艾纳香 *Blumea mollis* (D. Don) Merr.

| 中 药 名 | 红头小仙（药用部位：全草）

| 植物形态 | 草本；主根粗直，有纤维状叉开的侧根。茎直立，具沟纹，被开展的白色长柔毛，杂有具柄腺毛。下部叶有长达 1~2cm 的柄，叶片倒卵形，基部楔状渐狭，边缘有不规则的密细齿，两面被绢状长柔毛，侧脉 5~7 对；中部叶具短柄，倒卵形至倒卵状长圆形，长 3~5cm；上部叶渐小，近无柄，长 1~2cm。头状花序多数，无或有短柄，通常 3~5 簇生，密集成聚伞状花序，再排成大圆锥花序，花序柄长达 1cm；总苞圆柱形，总苞片近 4 层，草质，紫色至淡红色，长于花盘，花后反折，外层线形，杂有腺体，中层与外层同形，边缘干膜质，内层狭，长于外层 2 倍；花托多少扁平，蜂窝状。花紫红色或花冠下半部淡白色；雌花多数，花冠细管状，檐部 3 齿裂，裂片无毛；

柔毛艾纳香

两性花约10，花冠管状，檐部5浅裂，裂片近三角形，具乳头状突起及短柔毛。瘦果圆柱形，近有角至表面圆滑。冠毛白色，糙毛状，长约3mm，易脱落。花期几全年。

| 分布区域 |

产于海南各地。分布于中国云南、四川、贵州、湖南、广西、江西、广东、浙江及台湾等地。非洲、大洋洲北部、中南半岛，以及阿富汗、巴基斯坦、不丹、尼泊尔、印度、斯里兰卡、缅甸、菲律宾、印度尼西亚也有分布。

| 资　　源 |

生于中海拔以下的空旷草地或田野上。

| 采收加工 |

夏、秋季采收，鲜用或切段晒干。

| **药材性状** | 茎呈圆柱形，大小不等。表面灰褐色或棕褐色，有纵条棱，节明显，分枝，密生黄褐色柔毛。木质部松软，黄白色，中央有白色的髓，干燥的叶略皱缩或破碎，边缘具细锯齿，上表面灰绿色或黄绿色，略粗糙，被短毛，下表面密被白色长绒毛，嫩叶两面均密被银白色绒毛，叶脉带黄色，下表面突出较明显。叶柄短，叶呈半圆形，叶柄两侧有2~4对狭线形的小裂片，密被短毛。叶质脆，易碎。花紫色或淡白色。气微，味微苦。

| **功能主治** | 清肺止咳，解毒止痛。用于肺热咳喘、小儿疳积、头痛、鼻渊、胸膜炎、口腔炎、乳腺炎。

菊科 Compositae　天名精属　*Carpesium*

天名精 *Carpesium abrotanoides* L.

| 中 药 名 | 天名精（药用部位：全草），鹤虱（药用部位：果实）

| 植物形态 | 多年生草本。茎圆柱状，下部木质，有明显的纵条纹。基叶于开花前凋萎，茎下部叶广椭圆形或长椭圆形，基部楔形，三面深绿色，叶面粗糙，有细小腺点，边缘具不规整的钝齿，齿端有腺体状胼胝体，叶柄长 5~15mm；茎上部节间长 1~2.5cm，叶长椭圆形或椭圆状披针形，基部阔楔形，无柄或具短柄。头状花序多数，生茎端及沿茎、枝生于叶腋，呈穗状花序式排列，着生于茎端及枝端者具椭圆形或披针形、长 6~15mm 的苞叶 2~4，腋生头状花序无苞叶或有时具 1~2 甚小的苞叶。总苞钟球形，成熟时开展成扁球形；苞片 3 层，外层卵圆形，膜质或先端草质，具缘毛，内层长圆形，先端圆钝或具不明显的啮蚀状小齿。雌花狭筒状，两性花筒状，冠檐 5 齿裂。瘦果

天名精

长约 3.5mm。

| 分布区域 | 产于海南定安、琼中等地。分布于中国华南其他区域、华东、华中、西南，以及河北、陕西等地。朝鲜、日本、越南、缅甸、伊朗等地均有分布。

| 资　　源 | 生于村旁、路边荒地、溪边及林缘，垂直分布可达海拔 2000m。

| 采收加工 | 7~8 月采收，洗净，鲜用或晒干。

| 药材性状 | 全草：根茎不明显，有多数细长的棕色须根，茎表面黄绿色或黄棕色，有纵条纹，上部多分枝；质较硬，易折断，断面类白色，髓白色、疏松。叶多皱缩或脱落，完整叶片卵状椭圆形或长椭圆形，长 10~15cm，宽 5~8cm，先端尖或钝，基部狭成具翅的短柄，边缘有不规则锯齿或全缘，上面有贴生短毛，下面有短柔毛或腺点；质脆易碎。头状花序多数，腋生，花序梗极短；花黄色。气特异，味淡、微辛。果实：呈圆柱状，细小，长 3~4mm，直径不及 1mm；表面黄褐色或暗褐色，具多数纵棱。一端收缩成细喙状，先端扩展成灰白色圆环；另一端稍尖，有着生痕迹。果皮薄，具纤维性，种皮菲薄透明，子叶 2，类白色，稍有油性。气特异，味微苦。

| 功能主治 | 全草：祛痰，清热，破血，止血，解毒，杀虫。用于乳蛾、喉痹、急性肝炎、疟疾、急惊风、慢惊风、牙痛、血瘕、吐血、血淋、衄血、创伤出血、疔肿疮毒、痔瘘、皮肤疡疹、毒蛇咬伤、虫积、脚癣。果实：杀虫消积。用于绦虫、蛲虫、蛔虫、钩虫病，小儿疳积。

菊科　Compositae　石胡荽属　Centipeda

石胡荽 *Centipeda minima* (L.) A. Braun & Asch.

| 中 药 名 |　鹅不食草（药用部位：全草）

| 植物形态 |　一年生小草本。茎多分枝，匍匐状，微被蛛丝状毛或无毛。叶互生，楔状倒披针形，基部楔形，边缘有少数锯齿，无毛或背面微被蛛丝状毛。头状花序小，扁球形，单生于叶腋，无花序梗或极短；总苞半球形；总苞片 2 层，椭圆状披针形，绿色，边缘透明膜质，外层较大；边缘花雌性，多层，花冠细管状，淡绿黄色，先端 2~3 微裂；盘花两性，花冠管状，先端 4 深裂，淡紫红色，下部有明显的狭管。瘦果椭圆形，具 4 棱，棱上有长毛，无冠状冠毛。花果期 6~10 月。

| 分布区域 |　产于海南东方、昌江、白沙、三亚、陵水、万宁等地。亦分布于中国除东南地区外各地。朝鲜、日本、印度、马来西亚，以及大洋洲也有分布。

石胡荽

| 资　　源 | 生于稻田或低湿地中。

| 采收加工 | 9~11 月花开时采收，鲜用或晒干。

| 药材性状 | 全草扭集成团。须根纤细，淡黄色；茎细，多分枝，质脆，易折断，断面黄白色。叶小，近无柄；叶片多皱缩或破碎，完整者展平后呈匙形，表面灰绿色或棕褐色，边缘有 3~5 齿。头状花序黄色或黄褐色。气微香，久闻有刺激感，味苦、微辛。以色灰绿、气刺激性强者为佳。

| 功能主治 | 祛风，散寒，胜湿，去翳，通鼻塞。用于感冒、哮喘、喉痹、百日咳、痧气腹痛、阿米巴痢疾、疟疾、疳泻、鼻渊、鼻息肉、目翳涩痒、臁疮、癣疥、跌打损伤。

菊科 Compositae 蓟属 *Cirsium*

大 蓟
Cirsium japonicum Fisch. ex DC.

| 中 药 名 | 大蓟（药用部位：干燥地上部分、根）

| 植物形态 | 多年生草本，高 30~80cm。块根纺锤状或萝卜状；茎直立。基生叶，全形卵形、长倒卵形、椭圆形或长椭圆形，羽状深裂或几全裂，基部渐狭成短或长翼柄，边缘有刺齿；侧裂片 6~12 对，边缘有大小不等的小锯齿；顶裂片披针形或长三角形；自基部向上的叶渐小，与基生叶同形并等样分裂，但无柄，基部扩大半抱茎；全部茎叶两面同为绿色。头状花序直立，少数生茎端而花序极短，不呈明显的花序式排列，少有头状花序单生茎端的。总苞钟状，总苞片约 6 层，覆瓦状排列，向内层渐长，外层与中层卵状三角形至长三角形，有长 1~2mm 的针刺；内层披针形或线状披针形，先端渐尖呈软针刺状；全部苞片外面有微糙毛并沿中肋有黏腺。瘦果压扁，偏斜楔状

大蓟

倒披针形，先端斜截形。小花红色或紫色，檐部长 1.2cm，不等 5 浅裂，细管部长 9mm。冠毛浅褐色，多层，基部联合成环，整体脱落；冠毛刚毛长羽毛状，内层向先端纺锤状扩大或渐细。花果期 4~11 月。

| 分布区域 | 产于海南琼山、澄迈、定安。

| 资　　源 | 生于田边或荒地上。

| 采收加工 | 夏、秋季花开时采割地上部分，或秋末挖根，除去杂质，晒干。

| 药材性状 | 茎呈圆柱形，基部直径可达 1.2cm；表面绿褐色或棕褐色，有数条纵棱，被丝状毛；断面灰白色，髓部疏松或中空。叶皱缩，多破碎，完整叶片展平后呈倒披针形或倒卵状椭圆形，羽状深裂，边缘具不等长的针刺；上表面灰绿色或黄棕色，下表面色较浅，两面均具灰白色丝状毛。头状花序顶生，球形或椭圆形，总苞黄褐色，羽状冠毛灰白色。气微，味淡。根呈长纺锤形，常簇生而扭曲，长 5~15cm，直径 0.2~0.6cm；表面暗褐色，有不规则的纵皱纹；质硬而脆，易折断，断面粗糙，灰白色。气微，味甘、微苦。

| 功能主治 | 凉血止血，祛瘀消肿。用于衄血、吐血、尿血、便血、崩漏下血、外伤出血、痈肿疮毒。

菊科 Compositae　白酒草属 *Conyza*

香丝草
Conyza bonariensis (L.) Cronq.

|中 药 名|

野塘蒿（药用部位：全草）

|植物形态|

一年生或二年生草本。根纺锤状，具纤维状根；茎直立或斜上升，常分枝。叶密集，基部叶花期常枯萎，下部叶倒披针形或长圆状披针形，基部渐狭成长柄，通常具粗齿或羽状浅裂，叶具短柄或无柄，狭披针形或线形，长 3~7cm，中部叶具齿，上部叶全缘。头状花序多数，在茎端排列成总状或总状圆锥花序，花序梗长 10~15mm；总苞椭圆状卵形，总苞片 2~3 层，线形，外层稍短或短于内层 1/2，具干膜质边缘。花托稍平，有明显的蜂窝孔；雌花多层，白色，花冠细管状，无舌片或先端仅有 3~4 细齿；两性花淡黄色，花冠管状，上端具 5 齿裂。瘦果线状披针形，扁压；冠毛 1 层，淡红褐色。花期 5~10 月。

|分布区域|

海南各地常见。亦分布于中国中部、东部、南部至西南部各地。原产于南美洲，现广泛分布于世界热带及亚热带地区。

香丝草

| 资　　源 | 生于路边、田野及山坡草地上。

| 采收加工 | 夏、秋季采收，鲜用或切段晒干。

| 功能主治 | 清热解毒，除湿止痛，止血。用于感冒、疟疾、风湿性关节炎、疮疡脓肿、外伤出血。

菊科 Compositae 野茼蒿属 *Crassocephalum*

野茼蒿
Crassocephalum crepidioides (Benth.) S. Moore

| 中 药 名 | 野木耳菜（药用部位：全草）

| 植物形态 | 直立草本。茎有纵条棱，无毛。叶膜质，椭圆形或长圆状椭圆形，基部楔形，边缘有不规则锯齿或重锯齿，或有时基部羽状裂；叶柄长 2~2.5cm。头状花序数个在茎端排成伞房状，总苞钟状，基部截形，有数枚不等长的线形小苞片；总苞片 1 层，线状披针形，具狭膜质边缘，先端有簇状毛；小花全部管状，两性；花冠红褐色或橙红色，檐部 5 齿裂；花柱基部呈小球状，分枝，被乳头状毛。瘦果狭圆柱形，赤红色，有肋；冠毛极多数，白色，绢毛状，易脱落。花期 7~12 月。

| 分布区域 | 产于海南各地。亦分布于中国江西、福建、湖南、广东、广西、四川、云南、西藏等地。

野茼蒿

资　　源

生于山坡荒地、路旁及沟谷杂草丛中。

采收加工

夏季采收，鲜用或晒干。

功能主治

清热解毒，调和脾胃。用于感冒、肠炎、痢疾、口腔炎、乳腺炎、消化不良。

菊科 Compositae 菊属 *Chrysanthemum*

野 菊 *Chrysanthemum indicum* L.

| **中 药 名** | 野菊花（药用部位：花），野菊（药用部位：根、全草）

| **植物形态** | 多年生草本，有地下长或短匍匐茎。茎直立或铺散，分枝或仅在茎顶有伞房状花序分枝。基生叶和下部叶在花期脱落；茎中部叶卵形、长卵形或椭圆状卵形，羽状半裂、浅裂或分裂不明显而边缘有浅锯齿；基部截形或稍心形或宽楔形，叶柄长 1~2cm，柄基无耳或有分裂的叶耳；两面淡绿色，或干后两面成橄榄色。头状花序直径 1.5~2.5cm，多数在茎枝先端排成疏松的伞房圆锥花序或少数在茎顶排成伞房花序。总苞片约 5 层，外层卵形或卵状三角形，中层卵形，内层长椭圆形。全部苞片边缘白色或褐色宽膜质。舌状花黄色，舌片长 10~13mm，先端全缘或 2~3 齿。瘦果长 1.5~1.8mm。花期 6~11 月。

野菊

| 分布区域 | 产于海南白沙、琼中、保亭等地。

| 资　　源 | 生于山坡草地、灌丛、河边水湿地上，海滨盐渍地及田边、路旁。本种为多型性的种，在形态特征上有极大的多样性。

| 采收加工 | 花：于秋季开花盛期，分批采收，鲜用或晒干。全草、根：夏、秋季间采收，鲜用或晒干。

| 药材性状 | 头状花序类球形，直径1.5~2.5cm，棕黄色。总苞片约5层，外层苞片卵形或卵状三角形，长2.5~3mm，外表面中部灰绿色或淡棕色，常被有白毛，边缘膜质；中层苞片卵形；内层苞片长椭圆形。总苞基部有的残留总花梗。舌状花1轮，黄色，皱缩卷曲，展平后舌片长1~1.3cm，先端全缘或2~3齿；筒状花多数，深黄色。气芳香，味苦。

| 功能主治 | 全草、根：清热解毒，疏风平肝。用于疔疮、痈疽、丹毒、湿疹、皮炎、风热感冒、咽喉肿痛、高血压。花：清热解毒。用于感冒、气管炎、肝炎、高血压、痢疾、痈肿、疔疮、目赤肿痛、瘰疬、湿疹。

菊科 Compositae 鱼眼草属 *Dichrocephala*

鱼眼草
Dichrocephala auriculata (Thunb.) Druce

| 中 药 名 | 蚯疽草（药用部位：根或全草）

| 植物形态 | 一年生草本，直立或铺散。叶卵形、椭圆形或披针形；茎中部叶大头羽裂，顶裂片宽大，侧裂片 1~2 对，通常对生而少有偏斜，基部渐狭成具翅的长或短柄，柄长 1~3.5cm；基部叶通常不裂，常卵形；全部叶边缘重粗锯齿或缺刻状，中下部叶的叶腋通常有不发育的叶簇或小枝。头状花序小，球形，生枝端，多数头状花序在枝端或茎顶排列成疏松或紧密的伞房状花序或伞房状圆锥花序；花序梗长达 3cm 或长达 2mm。总苞片 1~2 层，膜质，长圆形或长圆状披针形，微锯齿状撕裂。外围雌花多层，紫色，花冠极细，线形，先端通常 2 齿；中央两性花黄绿色，管部短，狭细，檐部长钟状，先端 4~5 齿。瘦果压扁，倒披针形，边缘脉状加厚。无冠毛，或两性花瘦果先端有 1~2 细毛状冠毛。花果期全年。

鱼眼草

| 分布区域 |

产于海南儋州、白沙、三亚和万宁等地。亦分布于中国陕西、浙江、福建、台湾、湖北、湖南、广东、广西、四川、贵州、云南。

| 资　源 |

生于山坡、山谷、山坡林下或水沟边。

| 采收加工 |

夏、秋季采收，鲜用或晒干。

| 功能主治 |

全草：活血调经，解毒消肿。用于月经不调、扭伤肿痛、疔毒、毒蛇咬伤。根：利小便。用于五淋、溺时疼痛。

| 附　注 |

在 FOC 中，其学名被修订为 *Dichrocephala integrifolia* (L.f.) Kuntze。

菊科 Compositae 鳢肠属 *Eclipta*

鳢　肠
Eclipta prostrata (L.) L.

| 中 药 名 | 墨旱莲（药用部位：全草）

| 植物形态 | 一年生草本。通常自基部分枝，被糙毛。叶长圆状披针形或披针形，无柄或有极短的柄，边缘有细锯齿或有时仅波状，两面被硬糙毛。头状花序直径 6~8mm，有长 2~4cm 的细花序梗；总苞球状钟形，总苞片绿色，草质，5~6 个排成 2 层，长圆形或长圆状披针形，外层较内层稍短，背面及边缘被白色短伏毛；外围的雌花 2 层，舌状，舌片短，先端 2 浅裂或全缘；中央的两性花多数，花冠管状，白色，先端 4 齿裂；花柱分枝钝，有乳头状突起；花托凸，有披针形或线形的托片；托片中部以上有微毛。瘦果暗褐色，雌花的瘦果三棱形，两性花的瘦果扁四棱形，先端截形，具 1~3 细齿，基部稍缩小，边缘具白色的肋，表面有小瘤状突起。花期 6~9 月。

鳢肠

| 分布区域 |

产于海南各地。中国各地亦常见。

| 资　　源 |

生于路边、湿地、沟边或田间。

| 采收加工 |

夏、秋季割取全草，洗净泥土，去除杂质，阴干或晒干。亦可鲜用或随采随用。

| 药材性状 |

带根或不带根全草，全体被白色粗毛。根须状，长 5~10cm。茎圆柱形，多分枝，直径 2~7mm，表面灰绿色或稍带紫，有纵棱，质脆，易折断，断面黄白色，中央为白色、疏松的髓部，有时中空。叶对生，多卷缩或破碎，墨绿色，完整叶片展平后呈披针形，长 3~10cm，宽 0.5~2.5cm，全缘或稍有细锯齿，近无柄。头状花序单生于枝端，直径 6~8mm，总花梗细长，总苞片 5~6，黄绿色或棕褐色，花冠多脱落。瘦果扁椭圆形，棕色，表面有小瘤状突起。气微香，味淡、微咸、涩。以色墨绿、叶多者为佳。

| 功能主治 |

补益肝肾，凉血止血。用于肝肾不足，头晕目眩、须发早白；吐血、咯血、衄血、便血、血痢、崩漏、外伤出血。

菊科 Compositae 地胆草属 *Elephantopus*

地胆草
Elephantopus scaber L.

| 中 药 名 | 苦地胆（药用部位：全草），苦地胆根（药用部位：根）

| 植物形态 | 根茎平卧或斜上升，具多数纤维状根；茎直立，常多少二歧分枝，密被白色贴生长硬毛。基部叶花期生存，莲座状，匙形或倒披针状匙形，基部渐狭成宽短柄，边缘具圆齿状锯齿；茎叶少数而小，倒披针形或长圆状披针形；全部叶上面被疏长糙毛，下面密被长硬毛和腺点。头状花序多数，在茎或枝端束生的团球状的复头状花序，基部被 3 叶状苞片所包围；苞片绿色，草质，宽卵形或长圆状卵形，具明显突起的脉，被长糙毛和腺点；总苞片绿色或上端紫红色，长圆状披针形，具 1 或 3 脉，被短糙毛和腺点；花 4，淡紫色或粉红色，花冠长 7~9mm，管部长 4~5mm。瘦果长圆状线形，基部缩小，具棱；冠毛污白色，具 5、稀 6 硬刚毛。花期 7~11 月。

地胆草

| **分布区域** | 产于海南澄迈、儋州、定安、琼海、万宁、陵水、保亭、三亚、东方及昌江等地。亦分布于中国江西、福建、台湾、广东、广西、贵州、云南。

| **资　　源** | 生于山坡、路旁、山谷疏林中。

| **采收加工** | 全草：夏末采收，晒干。根：全年可采，鲜用或晒干。

| **药材性状** | 全草：干燥全草，根茎短粗，长 1~2cm，粗约 0.5cm，密被紧贴白绒毛；根生叶多皱缩，黄绿色，匙形或长圆倒披针形，疏被白色长毛，纸质稍柔。茎圆柱形，粗 2~3mm，多剪断，断面中空，茎生叶少而小。有时茎端带有头状花序，花冠多脱落。以叶多、无花者为佳。根：主根圆柱形，弯曲，有很多棕色支根。质坚，折断面外层白色，内层黄色，中空。

| **功能主治** | 全草：凉血，清热，利水，解毒。用于鼻衄、黄疸、淋病、脚气、水肿、痈肿、疔疮、蛇虫咬伤。根：清热，除湿，解毒。用于中暑发热、温毒发斑、赤痢、头风、风火牙痛、痈肿及各种炎症性疾病。

菊科 Compositae 地胆草属 *Elephantopus*

白花地胆草
Elephantopus tomentosus L.

中药名

苦地胆（药用部位：全草），苦地胆根（药用部位：根）

植物形态

根茎粗壮，具纤维状根；茎直立，多分枝，具棱条，被白色开展的长柔毛，具腺点。叶散生于茎上，基部叶在花期常凋萎，下部叶长圆状倒卵形，基部渐狭成具翅的柄，稍抱茎；上部叶椭圆形或长圆状椭圆形，近无柄或具短柄；最上部叶极小；全部叶具有小尖的锯齿，稀近全缘，上面皱而具疣状突起，下面被密长柔毛和腺点。头状花序 12~20 在茎枝先端密集成团球状复头状花序，复头状花序基部有 3 卵状心形的叶状苞片，具细长的花序梗，排成疏伞房状；总苞长圆形，绿色或有时先端紫红色，外层 4，披针状长圆形，具 1 脉，内层 4，椭圆状长圆形，具 3 脉，被疏贴短毛和腺点；花 4，花冠白色，漏斗状，管部细，裂片披针形。瘦果长圆状线形，具 10 肋；冠毛污白色，具 5 硬刚毛，基部急宽成三角形。花期 8 月至翌年 5 月。

白花地胆草

分布区域	产于海南三亚、乐东、昌江、白沙、保亭、万宁、琼中、儋州、澄迈等地。亦分布于中国福建、台湾、广东、海南的沿海地区。
资　　源	生于山坡旷野、路边或灌丛中。
采收加工	全草：夏末采收，洗净，鲜用或晒干。根：全年均可采收，鲜用或晒干。
药材性状	本品全长15~40cm。根茎长2~5cm，直径0.5~1cm；具环节，密被紧贴的灰白色茸毛；质坚，不易折断，断面黄白色；根茎下簇生多数皱缩须根，棕褐色，具不规则的纵皱纹。茎圆柱形，常二歧分枝，密被紧贴的灰白色粗毛。叶多基生，完整叶展平后呈匙形或倒披针形，长6~15cm，宽1~5cm，黄绿色至绿褐色，具较多腺点，先端钝或急尖，基部渐狭，边缘稍具钝齿；两面均被紧贴的灰白色粗毛，幼叶尤甚，叶柄短，稍呈鞘状，抱茎；茎生叶少而小。气微，味微苦。
功能主治	全草：清热，凉血，解毒，利湿。用于感冒、百日咳、扁桃体炎、咽喉炎、眼结膜炎、黄疸、肾炎水肿、月经不调、白带、疮疖、湿疹、虫蛇咬伤。根：清热，除湿，解毒。用于中暑发热、头痛、牙痛、肾炎水肿、细菌性痢疾、肠炎、乳腺炎、月经不调、白带、痈肿。

菊科 Compositae　一点红属 Emilia

一点红 *Emilia sonchifolia* (L.) DC.

| 中 药 名 | 羊蹄草（药用部位：全草）

| 植物形态 | 一年生草本。茎直立或斜上升，通常自基部分枝。叶质较厚，下部叶密集，大头羽状分裂，顶生裂片大，宽卵状三角形，先端钝或近圆形，具不规则的齿，侧生裂片通常 1 对，长圆形或长圆状披针形，具波状齿，上面深绿色，下面常变紫色，两面被短卷毛；茎中部叶疏生，卵状披针形或长圆状披针形，无柄，基部箭状抱茎，全缘或有不规则细齿；上部叶少数，线形。头状花序长 8mm，在开花前下垂、花后直立，在枝端排列成疏伞房状；花序梗细，无苞片，总苞圆柱形，基部无小苞片；总苞片 1 层，长圆状线形或线形，黄绿色，约与小花等长，边缘窄膜质。小花粉红色或紫色，管部细长，檐部渐扩大，具 5 深裂。瘦果圆柱形，具 5 棱，肋间被微毛；冠毛丰富，白色，细软。花果期 7~10 月。

一点红

| 分布区域 |

海南各地常见。

| 资　源 |

常生于疏阴、湿润之处或荒地上；耐旱力强，也生长于干燥的荒坡上。

| 采收加工 |

全年均可采，洗净，鲜用或晒干。

| 药材性状 |

全草长约30cm。根茎细长，圆柱形，浅棕黄色；茎少分枝，细圆柱形，有纵纹，灰青色或黄褐色。叶多皱缩，灰青色，基部叶卵形、琴形，上部叶较小，基部稍抱茎；纸质。头状花序干枯，花多已脱落，花托及总苞残存，苞片茶褐色，膜质。瘦果浅黄褐色，冠毛极多，白色。有干草气，味淡、略咸。

| 功能主治 |

清热解毒，散瘀消肿。用于上呼吸道感染、口腔溃疡、肺炎、乳腺炎、肠炎、细菌性痢疾、尿路感染、疮疖痈肿、湿疹、跌打损伤。

菊科 Compositae 沼菊属 *Enydra*

沼 菊
Enydra fluctuans Lour.

| 中 药 名 |　沼菊（药用部位：全草）

| 植物形态 |　沼生草本。茎粗壮，圆柱形，稍带肉质，下部匍匐，分枝，无毛或稍被柔毛。叶近无柄，长椭圆形至线状长圆形，基部骤狭、抱茎，先端钝或近短尖，边缘有疏锯齿，两面无毛或有时具疏散的泡状小突点，侧脉 6~8 对，网脉不明显。头状花序少数，单生，腋生或顶生；总苞片 4，交互对生，具 7 脉，并有明显网脉，外面 1 对较大，绿色，阔卵形，内面 1 对卵状长圆形；花托稍凸，托片坚硬，背面具 3 棱，基部近截平，先端有规则的齿刻，被疏毛。舌状花长约 3mm，舌片先端 3~4 裂 管状花与舌状花等长，上半部扩大，檐部有 5 深裂或齿刻，裂片先端稍钝，或多裂而齿裂较浅或细齿状；雄蕊 5，稀 6。瘦果倒

沼菊

卵状圆柱形，具明显的纵棱，隐藏于坚硬的托片中；无冠毛。花期 11 月至翌年 4 月。

| **分布区域** | 产于海南的白沙、保亭、陵水、万宁。亦分布于中国广东南部至云南西部。中南半岛，印度、泰国、马来西亚、印度尼西亚、澳大利亚也有分布。

| **资　　源** | 生于湿地或溪流边。

| **采收加工** | 全年可采，切段，晒干。

| **功能主治** | 清热解毒，散瘀消肿。用于上呼吸道感染、口腔溃疡、肺炎、乳腺炎、肠炎、细菌性痢疾、尿路感染、疮疖痈肿、湿疹、跌打损伤。

菊科 Compositae 泽兰属 *Eupatorium*

佩 兰
Eupatorium fortunei Turcz.

| 中 药 名 | 佩兰（药用部位：地上部分），千金花（药用部位：花）

| 植物形态 | 多年生草本。根茎横走，淡红褐色。茎直立，绿色或红紫色。茎中部叶较大，3 全裂或 2 深裂，总叶柄长 0.7~1cm，中裂片较大，长椭圆形或长椭圆状披针形或倒披针形，侧生裂片与中裂片同形但较小；茎上部叶常不分裂或全部茎叶不裂，披针形或长椭圆状披针形或长椭圆形，叶柄长 1~1.5cm；全部茎叶两面光滑，无毛、无腺点，羽状脉，边缘有粗齿或不规则的细齿。中部以下茎叶渐小，基部叶花期枯萎。头状花序多数在茎顶及枝端排成复伞房花序，花序直径 3~6（~10）cm。总苞钟状，2~3 层，呈覆瓦状排列，外层短，卵状披针形，中、内层苞片渐长，长椭圆形；全部苞片紫红色，外面无毛、

佩兰

无腺点。花白色或带微红色。瘦果黑褐色，长椭圆形，5 棱；冠毛白色。花果期 7~11 月。

| 分布区域 | 产于海南保亭、陵水等地。亦分布于中国河北、陕西、山东、江苏、安徽、浙江、江西、湖北、湖南、广东、广西、四川、贵州、云南。

| 资　　源 | 喜阳耐旱，生于较肥的土壤中，在灌丛中常见。

| 采收加工 | 佩兰：每年可收割地上部分 2~3 次，在 7、9 月各收割 1 次，有些地区秋后还可收割 1 次，连续收割 3~4 年。多选晴天中午时收割，因此时植株内含挥发油量最高。收回后立即摊晒至半干，扎成束，放回室内回潮，再晒至全干。亦可晒 12 小时后，切成 10cm 长小段，晒至全干。花：夏、秋季采，洗净，鲜用或阴干。

| 药材性状 | 茎圆柱形，长 30~100cm，直径 2~5mm；表面黄棕色或黄绿色，有明显的节及纵棱线，节间长 3~7cm；质脆，断面髓部白色或中空。叶对生，多皱缩破碎，完整叶展平后，通常 3 裂，裂片长圆形或长圆状披针形，边缘有锯齿，表面绿褐色或暗绿色。气芳香，味微苦。以质嫩、叶多、色绿、香气浓郁者为佳。

| 功能主治 | 佩兰：解暑化湿，辟秽和中。用于感受暑湿之寒热头痛，湿浊内蕴之脘痞不饥、恶心呕吐、口中甜腻，消渴。花：化湿宣气。用于痢疾。

菊科 Compositae 泽兰属 Eupatorium

飞机草

Eupatorium odoratum L.

| 中 药 名 | 飞机草（药用部位：全草）

| 植物形态 | 多年生草本，根茎粗壮，横走。茎直立，有细条纹；分枝粗壮，常对生，水平射出，与主茎成直角；全部茎枝被稠密黄色茸毛或短柔毛。叶对生，卵形、三角形或卵状三角形，质稍厚，有叶柄，柄长1~2cm，被长柔毛及红棕色腺点，基部平截或浅心形或宽楔形，基出脉3，侧面纤细，在叶下面稍突起，边缘有稀疏的粗大而不规则的圆锯齿或全缘或仅一侧有锯齿或每侧各有一个粗大的圆齿或3浅裂状，花序下部的叶小，常全缘。头状花序多数或少数，在茎顶或枝端排成伞房状或复伞房状花序，花序直径常3~6cm；花序梗粗壮，密被稠密的短柔毛。总苞圆柱形，约含20小花；总苞片3~4层，覆瓦状排列，外层苞片卵形，中层及内层苞片长圆形；全部苞片有3

飞机草

条宽中脉，麦秆黄色，无腺点。花白色或粉红色，花冠长 5mm。瘦果黑褐色，5 棱，无腺点。花果期 4~12 月。

| **分布区域** | 产于海南儋州、东方、三亚、保亭、琼中、万宁等地。亦分布于中国广东、广西、云南。

| **资　　源** | 生于村旁、山坡或疏林中，有逸生者。

| **采收加工** | 夏、秋季采收，洗净，鲜用。

| **药材性状** | 全草长 1~1.5m 或过之。茎灰青色，皮部薄，具分枝，有节，节间长 5~15cm。主茎木质，易折断，嫩枝草质，有细密浅纵沟纹，被灰白色短柔毛。叶对生，柄长约 2cm，被白色绒毛；叶片纸质，皱缩，展平后呈三角形或三角状卵形，长 4~10cm，宽 3~5cm，上面浅墨绿色，下面浅灰绿色，两面均被绒毛，下面绒毛较密；边缘有粗大钝锯齿；离基三出脉。间见分枝先端有残留黑色头状花序。微具草腥气，味微苦。

| **功能主治** | 散瘀消肿，解毒，止血。用于跌打肿痛、疮疡肿毒、稻田性皮炎、外伤出血、水蛭咬伤后流血不止。

| **附　　注** | 在 FOC 中，其学名被修订为 *Chromolaena odoratum* (L.) R. King et H. Rob.。

菊科 Compositae　鼠麹草属 *Gnaphalium*

鼠麹草 *Gnaphalium affine* D. Don

| 中 药 名 | 鼠曲草（药用部位：全草）

| 植物形态 | 一年生草本。茎直立或斜上升，高 10~40cm 或更高，基部直径约
3mm，有沟纹，被白色厚绵毛。叶无柄，匙状倒披针形或倒卵状匙形，
基部渐狭，稍下延，具刺尖头，两面被白色绵毛，叶脉 1。头状花
序较多或较少数，近无柄，在枝顶密集成伞房花序，花黄色至淡黄
色；总苞钟形；总苞片 2~3 层，金黄色或柠檬黄色，膜质，外层倒
卵形或匙状倒卵形，内层长匙形；花托中央稍凹入，无毛。雌花多数，
花冠细管状，花冠先端扩大，3 齿裂，裂片无毛；两性花较少，管状，
檐部 5 浅裂，裂片三角状渐尖。瘦果倒卵形或倒卵状圆柱形，有乳
头状突起。冠毛粗糙，污白色，易脱落，基部联合成 2 束。花期 1~4 月，
果期 8~11 月。

鼠麹草

| 分布区域 | 产于海南白沙、五指山、万宁、琼中、文昌、海口。亦分布于中国华东、中南、西南，以及河北、陕西、台湾等地。 |

| 资　　源 | 生于草地干处或湿润处，稻田中常见。 |

| 采收加工 | 春季开花时采收，去尽杂质，晒干，贮藏干燥处。鲜品可随采随用。 |

| 药材性状 | 全草密被灰白色绵毛。根较细，或棕色。茎常自基部分枝成丛，长 15~30cm，直径约 3mm。叶皱缩卷曲，展平后叶片呈条状匙形或倒披针形，长 2~6cm，宽 0.3~1cm，全缘，两面均密被灰白色绵毛；质柔软。头状花序顶生，多数，金黄色或棕黄色，舌状花及管状花多已落脱，花托扁平，有花脱落后的痕迹。气微，味微甘。以色灰白、叶及花多者为佳。 |

| 功能主治 | 化痰止咳，祛风除湿，解毒。用于咳喘痰多、风湿痹痛、泄泻、水肿、蚕豆病、赤白带下、痈肿疔疮、阴囊湿痒、荨麻疹、高血压。 |

菊科　Compositae　鼠麴草属　*Gnaphalium*

秋鼠麴草
Gnaphalium hypoleucum DC.

| 中 药 名 |

天水蚁草（药用部位：全草）

| 植物形态 |

粗壮草本。茎直立，高可达 70cm，基部直
径约 5mm，上部有斜上升的分枝，有沟纹。
下部叶线形，无柄，基部略狭，稍抱茎，叶
脉 1；中部和上部叶较小。头状花序多数，
直径约 4mm，无或有短梗，在枝端密集成
伞房花序；花黄色；总苞球形；总苞片 4 层，
全部金黄色或黄色，有光泽，膜质或上半部
膜质，外层倒卵形，内层线形。雌花多数，
花冠丝状，先端 3 齿裂；两性花较少数，花
冠管状，两端向中部渐狭，檐部 5 浅裂，裂
片卵状渐尖。瘦果卵形或卵状圆柱形。冠毛
绢毛状，粗糙，污黄色，易脱落，基部分离。
花期 8~12 月。

| 分布区域 |

产于海南昌江、白沙、保亭及琼中等地。亦
分布于中国华南其他区域、华东、华中、西
南，以及陕西、甘肃、台湾、河南。

| 资　源 |

生于干燥的沙土草地上。

秋鼠麴草

| 采收加工 | 夏、秋季采收，洗净，鲜用或晒干。

| 药材性状 | 全草仅下面有白色绵毛，先端尖。干燥后全草质硬，多木化。根较细，或棕色。茎常自基部分枝成丛，长可达 70cm，直径约 5mm。叶皱缩卷曲，展平后叶片呈线形，长 2~6cm，宽 0.3~1cm，全缘，两面均密被灰白色绵毛；质柔软。头状花序顶生，多数，金黄色或棕黄色，舌状花及管状花多已脱落，花托扁平，有花脱落后的痕迹。气微，味微甘。

| 功能主治 | 疏风清热，解毒，利湿。用于感冒、咳嗽、泄泻、痢疾、风湿关节痛、疮疡、瘰疬。

菊科 Compositae　田基黄属 Grangea

田基黄
Grangea maderaspatana (L.) Poir.

| 中 药 名 | 田基黄（药用部位：叶）

| 植物形态 | 一年生草本。叶两面被短柔毛、棕黄色小腺点。叶倒卵形、倒披针形或倒匙形，无柄，基部通常耳状贴茎，竖琴状半裂或大头羽状分裂；顶裂片倒卵形或几圆形，边缘有锯齿；侧裂片 2~5 对；上部叶渐小。头状花序中等大小，球形，单生于茎顶或枝端，稀 2 枝组生。总苞宽杯状；总苞片 2~3 层；外层苞片披针形或长披针形，边缘有撕裂状缘毛，内层苞片倒披针形或倒卵形，基部有明显的爪；花托突起；小花花冠外面被稀疏的棕黄色小腺点；雌花 2~6 层，花冠线形，黄色，先端有 3~4 短齿；两性花长约 1.5mm，短钟状，先端有 5 卵状三角形的裂片。瘦果扁，通常多少有明显的加厚边缘，被多数棕黄色小

田基黄

腺点，环状加厚，环缘有鳞片状或片毛状兼锥状的、齿状撕裂的冠毛。花果期 3~8 月。

| **分布区域** | 产于海南海口、定安、澄迈、儋州、白沙、昌江、保亭、三亚、陵水、万宁等地。亦分布于中国台湾、广东中南部、广西及云南南部。

| **资　　源** | 生于海拔 20~1000m 的沙地上或疏林中草地上，但性喜湿润土壤，在溪旁沙土上常见。

| **采收加工** | 春、夏季开花时采收全草，晒干或鲜用。

| **药材性状** | 全草长 10~40cm。根须状，黄褐色。茎单一或基部分枝，光滑，具 4 棱，表面黄绿色或黄棕色；质脆，易折断，断面中空。叶对生，无柄，完整叶片卵形或卵圆形，全缘，具细小透明腺点，基出脉 3~5。头状花序顶生，花小，橙黄色。气无，味微苦。以色黄绿、带花者为佳。

| **功能主治** | 健胃，调经，镇咳。

菊科 Compositae　菊三七属 *Gynura*

白子菜 *Gynura divaricata* (L.) DC.

| 中 药 名 | 白背三七（药用部位：全草）

| 植物形态 | 多年生草本。叶质厚，通常集中于下部，具柄或近无柄；叶片卵形、椭圆形或倒披针形，基部楔状狭或下延成叶柄，近截形或微心形，边缘具粗齿，有时提琴状裂，稀全缘，侧脉 3~5 对；叶柄长 0.5~4cm，基部有卵形或半月形具齿的耳。上部叶渐小，苞叶状，狭披针形或线形，羽状浅裂，无柄，略抱茎。头状花序直径 1.5~2cm，通常（2~）3~5 在茎或枝端排成疏伞房状圆锥花序，常呈叉状分枝；花序梗长 1~15cm，具 1~3 线形苞片。总苞钟状，基部有数个线状或丝状小苞片；总苞片 1 层，11~14，狭披针形，呈长三角形，边缘干膜质，背面具 3 脉。小花橙黄色，有香气；花冠长 11~15mm，裂片长圆状卵

白子菜

形。花药基部钝或徽箭形；花柱分枝细，有锥形附器，被乳头状毛。瘦果圆柱形，褐色，具 10 肋。花果期 8~10 月。

| **分布区域** | 产于海南各地。亦分布于中国浙江、台湾、广东、广西、四川、贵州、云南。

| **资　　源** | 生于山野疏林下或栽培于农舍附近田边地角上。

| **采收加工** | 全年均可采，鲜用或晒干。

| **药材性状** | 根茎块状，具细长须根。茎圆柱形，棕黄色，被短毛。叶互生，多皱缩，完整叶片呈长卵形至长圆状倒卵形，长 5~15cm，宽 2.5~8cm，先端钝或尖，基部有时有两耳，叶缘具不规则缺刻及锯齿，上下表面均具柔毛。有时可见头状花序或总苞。瘦果深褐色，冠毛白色。气微，味淡。

| **功能主治** | 清热凉血，活血止痛，止血。用于咳嗽、疮疡、烫火伤、跌打损伤、风湿痛、崩漏、外伤出血。

菊科　Compositae　菊三七属　*Gynura*

平卧菊三七

Gynura procumbens (Lour.) Merr.

| 中 药 名 |　蛇接骨（药用部位：全草）

| 植物形态 |　攀缘草本，有臭气；茎匍匐，淡褐色或紫色，有条棱，有分枝。叶具柄；叶片卵形，卵状长圆形或椭圆形，先端尖或渐尖，全缘或有波状齿，侧脉 5~7 对，两面无毛，稀被疏毛；叶柄长 5~15mm，上部茎叶和花序枝上的叶退化，披针形或线状披针形。顶生或腋生伞房花序，每个伞房花序具 3~5 头状花序；花序梗细长，常有 1~3 线形苞片。总苞狭钟状或漏斗状，基部有 5~6 线形小苞片；总苞片 1 层，（9~）11~13，长圆状披针形，边缘狭干膜质，具 1~3 中脉。小花 20~30，橙黄色；花冠长 12~15mm，裂片卵状披针形；花药基部钝，先端有尖三角形附片；花柱分枝锥状。瘦果圆柱形，栗褐色，具 10 肋；冠毛丰富，白色，细绢毛状。

平卧菊三七

| 分布区域 | 产于海南琼中、澄迈、白沙、东方、乐东、保亭、三亚、陵水、万宁等地。亦分布于中国广西、云南。 |

| 资　　源 | 生于林中溪旁的坡地沙质土上。 |

| 采收加工 | 全年均可采，鲜用或晒干。 |

| 药材性状 | 全草长约50cm。茎下部弯曲，略肉质，绿褐色。叶互生，多皱缩，完整叶片呈卵形或椭圆形，长7~13cm，宽4.5~8cm，先端渐尖，基部楔形，叶缘具不规则浅锯齿，两面具短粗毛。伞房花序顶生。瘦果小。气微，味微辛。 |

| 功能主治 | 散瘀，消肿，清热止咳。用于跌打损伤、风湿关节痛、肺炎、肺结核、痈疮肿毒。 |

菊科 Compositae　菊三七属 *Gynura*

狗头七

Gynura pseudochina (L.) DC.

| 中 药 名 |

土生地（药用部位：根、根茎）

| 植物形态 |

葶状多年生草本，高 20~50cm。叶常密集于茎基部，莲座状，具叶柄，叶柄长 0.5~3cm，基部宽，稍肉质，无耳。叶片倒卵形、匙形或椭圆形，稀卵形，基部渐狭成柄，羽状浅裂，稀具齿，裂片三角形或卵状长圆形，全缘或具齿。侧脉 4~10 对；中部或上部叶退化，或仅有 1~2 小叶，小叶羽状分裂，羽片狭小，两面被柔毛，叶柄短宽或近无柄。头状花序 1~5，在茎或枝端排列成疏伞房状；花序梗长 0.5~4cm，常有 1~2 线形或丝状线形的苞片。总苞钟状，基部有 8~9 不等长的线形小苞片；总苞片 1 层，13 个，线状披针形或披针形，边缘宽干膜质，具 1~3 明显的肋。小花黄色至红色，花冠长 10~13mm，明显伸出总苞，裂片卵状三角形；花药基部钝；花柱分枝，锥状，被乳头状微毛。瘦果圆柱形，红褐色，具 10 肋，无毛或被微毛；冠毛多数，白色，绢毛状，易脱落。

| 分布区域 |

产于海南陵水、定安、澄迈、琼中、保亭、

狗头七

儋州。亦分布于中国广东、广西、贵州、云南等地。印度、斯里兰卡、缅甸、泰国也有分布。爪哇常有栽培。

| 资　　　源 | 生于海拔 160~2100m 山坡沙质地、林缘或路旁。

| 采收加工 | 掘出根茎，洗净，晒干即可。

| 药材性状 | 根茎肥大、肉质，呈团块状，直径 2~3cm，新鲜时灰黄色，侧生茎芽多枚，短圆锥状，有的可见环节。折断面灰白色。味甘，性寒。

| 功能主治 | 外用于红肿、疮毒、跌打损伤，也可泡酒或煮水内服。

菊科 Compositae 六棱菊属 *Laggera*

六棱菊

Laggera alata (D. Don) Sch.-Bip. ex Oliv.

| 中 药 名 | 鹿耳翎（药用部位：全草），鹿耳翎根（药用部位：根）

| 植物形态 | 多年生草本。茎直立，基部木质，有沟纹，密被淡黄色腺状柔毛。叶长圆形或匙状长圆形，无柄，基部沿茎下延成茎翅，边缘有疏细齿，两面密被贴生、扭曲或头状腺毛，侧脉通常 8~10 对；上部或枝生叶小，狭长圆形或线形，边缘有疏生的细齿或有时不显著。头状花序多数，下垂，呈总状花序式着生于具翅的小枝叶腋内，在茎枝先端排成圆柱形或尖塔形的大型总状圆锥花序；花序梗长 10~20mm，无翅；总苞近钟形；总苞片约 6 层，外层叶质，绿色或上部绿色，长圆形或卵状长圆形，背面密被疣状腺体和杂有扭曲的腺状短柔毛，内层干膜质，线形。雌花多数，花冠丝状，先端 3~4 齿裂，裂片极小；两性花多数，花冠管状，檐部 5 浅裂，裂片三角状或卵状渐尖，

六棱菊

被疏乳头状腺点和杂有疏短柔毛；全部花冠淡紫色。瘦果圆柱形，有10棱，被疏白色柔毛。冠毛白色，易脱落。花期10月至翌年2月。

| **分布区域** | 产于海南白沙、昌江、乐东、保亭等地。

| **资　　源** | 生于荒地或草地上。

| **采收加工** | 全草：秋季采收，鲜用或切段晒干。根：秋季采收，洗净，鲜用或晒干。

| **药材性状** | 本品长短不一。老茎粗壮，直径6~10mm，灰棕色，有不规则纵皱纹；枝条棕黄色，有皱纹及黄色腺毛；茎枝具翅4~6，灰绿色至黄棕色，被有短腺毛；质坚而脆，断面中心有髓。叶互生，多破碎，灰绿色至黄棕色，被黄色短腺毛。气香，味微苦、辛。

| **功能主治** | 全草：祛风除湿，散瘀，解毒。用于感冒发热、肺热咳嗽、风湿性关节炎、腹泻、肾炎水肿、经闭、跌打损伤、疔疮痈肿、瘰疬、毒蛇咬伤、湿疹瘙痒。根：祛风，解毒，散瘀。用于头痛、毒蛇咬伤、肝硬化、闭经。

菊科 Compositae 栓果菊属 *Launaea*

匍枝栓果菊
Launaea sarmentosa (Willd.) Merr. & Chun

| 中 药 名 | 匍枝栓果菊（药用部位：全草）

| 植物形态 | 多年生匍匐草本。根垂直直伸，圆柱状，木质，节上生不定根及莲座状叶，植株全部光滑无毛。基生叶多数，莲座状，倒披针形，羽状浅裂或稍大头羽状浅裂或边缘浅波状锯齿，侧裂片 1~3 对，对生或互生，顶裂片不规则菱形或三角形或椭圆形，先端钝或圆形或急尖；匍茎上的叶莲座状，匍茎有 3~4 个这样的莲座状叶丛，叶形与基生的莲座叶丛的叶同形并等样分裂；全部叶向基部渐狭成短翼柄或无柄。头状花序约含 14 舌状小花，单生于基生叶的莲座状叶丛中与匍茎节上的莲座状叶丛中，花序梗短。总苞圆柱状；总苞片 3~4 层，外层及最外层最短，三角形或长椭圆形，内层及最内层长，披针形，边缘白色膜质。舌状小花黄色，舌片先端 5 齿裂。瘦果钝圆柱状，

匍枝栓果菊

有 4 条大而钝的纵肋，浅青褐色，有横皱纹；冠毛白色，纤细。花果期 6~12 月。

|分布区域|

产于海南琼山、陵水、三亚、昌江、东方以及永兴岛。斯里兰卡、印度、埃及，以及非洲西部、中南半岛有分布。

|资　　源|

生于海滨沙地、空旷处。

|采收加工|

全年可采，切段，晒干。

|功能主治|

用于妇科病、疮疡肿毒。

菊科 Compositae 银胶菊属 Parthenium

银胶菊 *Parthenium hysterophorus* L.

| 中 药 名 | 银胶菊（药用部位：全草）

| 植物形态 | 一年生草本。下部和中部叶二回羽状深裂，全形卵形或椭圆形，连叶柄长 10~19cm，羽片 3~4 对，卵形，小羽片卵状或长圆状，常具齿，上面被基部为疣状的疏糙毛；上部叶无柄，羽裂，裂片线状长圆形，全缘或具齿，或有时指状 3 裂，中裂片较大，通常长于侧裂片的 3 倍。头状花序多数，在茎枝先端排成开展的伞房花序，花序柄长 3~8mm；总苞宽钟形或近半球形；总苞片 2 层，各 5，外层较硬，卵形，先端叶质，内层较薄，几近圆形，边缘近膜质。舌状花 1 层，具 5，白色，舌片卵形或卵圆形，先端 2 裂。管状花多数，檐部 4 浅裂，裂片短尖或短渐尖，具乳头状突起；雄蕊 4。雌花瘦果

银胶菊

倒卵形，基部渐尖，被疏腺点。冠毛2，鳞片状，长圆形，先端截平或有时具细齿。花期4~10月。

| **分布区域** | 产于海南各地。

| **资　　源** | 生于旷野、路旁、河边及坡地上。

| **采收加工** | 春、夏季采收，切段，晒干。

| **功能主治** | 用于妇科病、疮疡肿毒。

菊科 Compositae　阔苞菊属 *Pluchea*

阔苞菊

Pluchea indica (L.) Less.

| 中 药 名 | 栾樨（药用部位：茎、叶、根）

| 植物形态 | 灌木。茎直立，有明显细沟纹。下部叶无柄或近无柄，倒卵形或阔倒卵形，稀椭圆形，基部渐狭成楔形，先端浑圆、钝或短尖，有时仅具泡状小突点，侧脉 6~7 对；中部和上部叶无柄，倒卵形或倒卵状长圆形，基部楔尖，边缘有较密的细齿或锯齿。头状花序直径 3~5mm，在茎枝先端呈伞房花序排列；花序梗细弱；总苞卵形或钟状；总苞片 5~6 层，外层卵形或阔卵形，有缘毛，内层狭，线形。雌花多层，花冠丝状，檐部 3~4 齿裂；两性花较少或数朵，花冠管状，檐部扩大，先端 5 浅裂，裂片三角状渐尖，背面有泡状或乳头状突起。瘦果圆柱形，有 4 棱。冠毛白色，宿存，两性花的冠毛常与下部联合成阔带状。花期全年。

阔苞菊

| 分布区域 | 产于海南三亚、乐东、东方、文昌、海口等地。亦分布于中国南部沿海一带。

| 资　　源 | 生于海滨沙地或近潮水的空旷地上。

| 采收加工 | 全年可采，洗净，鲜用。

| 功能主治 | 暖胃去积，软坚散结，祛风除湿。用于小儿食积、瘿瘤、痰核、风湿骨痛。

菊科 Compositae　千里光属 *Senecio*

千里光
Senecio scandens Buch.-Ham. ex D. Don

| 中 药 名 |　千里光（药用部位：全草）

| 植物形态 |　多年生攀缘草本。叶具柄，叶片卵状披针形至长三角形，基部宽楔形、截形、戟形或稀心形，通常具浅或深齿，稀全缘，有时具细裂或羽状浅裂，至少向基部具 1~3 对较小的侧裂片；羽状脉，侧脉 7~9 对；叶柄长 0.5~1（~2）cm，无耳或基部有小耳；上部叶变小，披针形或线状披针形，长渐尖。头状花序有舌状花，多数，在茎枝端排列成顶生复聚伞圆锥花序；花序梗长 1~2cm，具苞片，小苞片通常 1~10，线状钻形。总苞圆柱状钟形，具外层苞片；苞片约 8，线状钻形；总苞片 12~13，线状披针形，草质，边缘宽干膜质，具 3 脉。舌状花 8~10，管部长 4.5mm，舌片黄色，长圆形，具 3 细齿，具 4 脉；管状花多数，花冠黄色，管部长 3.5mm，檐部漏斗状，裂

千里光

片卵状长圆形，上端有乳头状毛。花药长 2.3mm，基部有钝耳；耳长约为花药颈部的 1/7；附片卵状披针形；花药颈部伸长，向基部略膨大；花柱分枝长 1.8mm，先端截形，有乳头状毛。瘦果圆柱形；冠毛白色。

| 分布区域 | 产于海南西部和西北部地区。

| 资　　源 | 常见于路旁或旷野上。

| 采收加工 | 9~10 月收割全草，晒干或鲜用。

| 药材性状 | 全草长 60~100cm，或切成 2~3cm 长的小段。茎细长，直径 2~7mm，表面深棕色或黄棕色，具细纵棱；质脆，易折断，断面髓部白色。叶多卷缩破碎，完整者展平后呈椭圆状三角形或卵状披针形，边缘具不规则锯齿，暗绿色或灰棕色；质脆。有时枝梢带有枯黄色头状花序。瘦果有纵沟，冠毛白色。气微，味苦。

| 功能主治 | 清热解毒，明目退翳，杀虫止痒。用于流行性感冒、上呼吸道感染、肺炎、急性扁桃体炎、腮腺炎、急性肠炎、细菌性痢疾、黄疸型肝炎、胆囊炎、急性尿路感染、目赤肿痛、翳障、痈肿疔毒、丹毒、湿疹、干湿癣疮、滴虫性阴道炎、烫火伤。

菊科 Compositae 豨莶属 *Siegesbeckia*

豨 莶 *Siegesbeckia orientalis* L.

| **中 药 名** | 豨莶 (药用部位: 地上部分)，豨莶果 (药用部位: 果实)，豨莶根 (药用部位: 根)

| **植物形态** | 一年生草本。茎直立，上部的分枝常成复二歧状。基部叶花期枯萎；中部叶三角状卵圆形或卵状披针形，基部阔楔形，下延成具翼的柄，边缘有规则的浅裂或粗齿，纸质，具腺点，三出基脉；上部叶渐小，卵状长圆形，边缘浅波状或全缘，近无柄。头状花序直径 15~20mm，多数聚生于枝端，排列成具叶的圆锥花序；花梗长 1.5~4cm；总苞阔钟状；总苞片 2 层，叶质，背面被紫褐色头状具柄的腺毛；外层苞片 5~6，线状匙形或匙形，开展；内层苞片卵状长圆形或卵圆形。外层托片长圆形，内弯，内层托片倒卵状长圆形。花黄色；雌花花冠的管部长 0.7mm；两性管状花上部钟状，上端有

豨莶

4~5 卵圆形裂片。瘦果倒卵圆形，有 4 棱，先端有灰褐色环状突起。花期 4~9 月，果期 6~11 月。

| **分布区域** | 海南各地常见。

| **资　　源** | 常生于旷野草地上，性喜湿润，但耐旱力强，生长迅速，又为耕地上不易刈除的杂草。

| **采收加工** | 地上部分：夏季开花前或花期均可采收，割取地上部分，晒至半干时，放置干燥通风处，晾干。果实：夏、秋季采收，晒干。根：秋、冬季采挖，洗净，切断，鲜用。

| **药材性状** | 茎圆柱形，表面灰绿色、黄棕色或紫棕色，有纵沟及细纵纹，枝对生，节略膨大，密被白色短柔毛，质轻而脆，易折断，断面有明显的白色髓部。叶对生，多脱落或破碎；完整的叶片三角状卵形或卵状披针形，长 4~10cm，宽 1.8~6.5cm，先端钝尖，基部宽楔形，下延成齿柄，边缘有不规则浅裂或粗齿；两面被毛，下表面有腺点。有时在茎顶或叶腋可见黄色头状花序。气微，味微苦。

| **功能主治** | 地上部分：祛风湿，通经络，清热解毒。用于风湿痹痛、筋骨不利、腰膝无力、半身不遂、高血压、疟疾、黄疸、痈肿疮毒、风疹湿疮、虫兽咬伤。果实：驱蛔虫。用于蛔虫病。根：祛风，除湿，生肌。用于风湿顽痹、头风、带下病、烫火伤。

菊科 Compositae 裸柱菊属 *Soliva*

裸柱菊
Soliva anthemifolia (Juss.) R. Br.

| 中 药 名 | 裸柱菊（药用部位：全草）

| 植物形态 | 一年生矮小草本。茎极短，平卧。叶互生，有柄，长 5~10cm，2~3 回羽状分裂，裂片线形，全缘或 3 裂，被长柔毛或近于无毛。头状花序近球形，无梗，生于茎基部，直径 6~12mm；总苞片 2 层，矩圆形或披针形，边缘干膜质；边缘的雌花多数，无花冠；中央的两性花少数，花冠管状，黄色，长约 1.2mm，先端 3 裂齿，基部渐狭，常不结实。瘦果倒披针形，扁平，有厚翅，长约 2mm，先端圆形，有长柔毛，花柱宿存，下部翅上有横皱纹。花果期全年。

| 分布区域 | 产于海南海口等地。亦分布于中国江西、福建、台湾、广东等地。

| 资　　源 | 生于荒地、田野上。

裸柱菊

| 采收加工 | 全年均可采，鲜用或晒干。

| 功能主治 | 有小毒。解毒散结。用于痈疽疔肿、风毒流注、瘰疬、痔疮。

菊科 *Compositae* 戴星草属 *Sphaeranthus*

戴星草
Sphaeranthus africanus L.

| 中 药 名 | 戴星草（药用部位：全草）

| 植物形态 | 芳香草本。茎直立或斜上升，分枝叉开或平展，茎与枝均有全缘、具疏点状细齿或小尖头的阔翅。茎下部叶狭倒卵形、倒卵形或椭圆形，沿茎下延成阔翅，边缘有疏离细齿，侧脉约 5 对；中部叶倒披针形或一狭倒披针形，稀椭圆形，向上叶渐小。复头状花序椭圆状至球状，浅白色或绿色，单生于枝顶；头状花序极多数；总苞片 2 层，有 6~9，外层长圆状披针形，背面常有腺点，内层较狭，倒卵状匙形或匙状长圆形，先端浑圆或截平，通常啮齿状。雌花 20~22，花细管状。两性花 1 或 2~3，花冠钟状，有腺点，檐部 5 裂。瘦果圆柱形，有 4 棱。花期 12 月至翌年 5 月。

戴星草

| 分布区域 | 产于海南澄迈、昌江、儋州、东方、乐东、三亚、万宁等地。

| 资　　源 | 生于荒野、旷地湿润处。

| 采收加工 | 全年均可采，切段晒干。

| 功能主治 | 健胃，止痛，利尿。用于消化不良、胃痛、小便不利。

菊科 Compositae　金钮扣属 *Spilanthes*

美形金钮扣 *Spilanthes callimorpha* A. H. Moore

| 中 药 名 | 小铜锤（药用部位：全草）

| 植物形态 | 多年生疏散草本。茎匍匐或平卧，稍带紫色，节上常生次根。叶宽披针形或披针形，基部楔形，边缘有尖锯齿或常近缺刻，有 2 或 3 对细侧脉；叶柄长 5~8mm。头状花序卵状圆锥形，有或无舌状花；花序梗细长，长（3~）4~14cm 或更长，先端常被短柔毛；总苞片约 8，2 层，几等长，绿色，卵状长圆形，边缘有缘毛；花托圆柱状锥形，有长圆状舟形的膜质托片；花黄色；雌花舌状，长约 4mm，舌片短，宽倒卵形，先端 3 浅裂；两性花花冠管状，具 4~5 短裂片。瘦果长圆形，褐色，有白色的细边，两面常有少数疣点及疏短毛或无毛，边缘有缘毛或无毛，先端有 2 不等长的细芒，易脱落。花果期 5~12 月。

美形金钮扣

| **分布区域** | 产于海南乐东、昌江、五指山、保亭、万宁、海口。亦分布于中国云南。 |

| **资　　源** | 生于海拔1000~1900m的山谷溪边、潮湿的沟边、林缘或路旁荒地。 |

| **采收加工** | 秋季采收，鲜用或切段晒干。 |

| **药材性状** | 茎呈圆柱形，长50~100cm，直径0.1~0.4cm。表面黄棕色、棕褐色或黄绿色，具纵沟；质略硬，易折断，断面中部有髓。叶对生，棕绿色，卷缩易碎，完整者展平后披针形或卵圆形，先端渐尖，基部楔形，叶缘具疏锯齿，头状花序圆锥形，花序梗细长，瘦果扁，暗褐色，具白色的软骨质边缘。气微，味辛，麻舌，有小毒。 |

| **功能主治** | 活血祛瘀，消肿止痛。用于跌打损伤、骨折、闭经、痛经、胃痛、牙痛、风湿关节痛、腰痛、外伤出血。 |

| **附　　注** | 在FOC中，其属名被修订为*Acmella*，学名被修订为*Acmella* calva (DC.) R.K.Jansen。 |

菊科 | Compositae | 金钮扣属 | *Spilanthes*

金钮扣
Spilanthes paniculata Wall. ex DC.

| 中 药 名 |　天文草（药用部位：全草）

| 植物形态 |　一年生草本。茎直立或斜升，多分枝，带紫红色，有明显的纵条纹。叶卵形、宽卵圆形或椭圆形，基部宽楔形至圆形，全缘，波状或具波状钝锯齿，侧脉 2~3 对，叶柄长 3~15mm。头状花序单生，或圆锥状排列，卵圆形，有或无舌状花；花序梗较短；总苞片约 8，2 层，绿色，卵形或卵状长圆形；花托锥形，托片膜质，倒卵形；花黄色，雌花舌状，舌片宽卵形或近圆形，先端 3 浅裂；两性花花冠管状，有 4~5 裂片。瘦果长圆形，稍扁压，暗褐色，基部缩小，有白色的软骨质边缘，上端稍厚，有疣状腺体及疏微毛，边缘（有时一侧）有缘毛，先端有 1~2 个不等长的细芒。花果期 4~11 月。

金钮扣

| **分布区域** | 产于海南保亭、乐东。亦分布于中国福建、台湾、广东、广西、四川、云南、西藏。 |

| **资　源** | 生于海拔 800~1900m 的田野沟旁、路边草丛湿处。 |

| **采收加工** | 春、夏季采收，鲜用或切段晒干。 |

| **药材性状** | 全草长 20~50cm 或过之，全体略被细毛，嫩枝及叶片毛较多。茎柔软，有纵纹，呈淡红紫色或带青绿色。叶对生，多皱缩，展平后呈卵状披针形，长 2~4cm，宽约 2cm，浅绿色，先端渐尖，基部楔形，边缘具钝锯齿或近全缘，叶背明显可见三出叶脉突起。叶顶或叶腋向有 1~3 个头状花序，花序卵形，色深黄似纽扣状。气微，味微辛，嚼之有轻微麻舌感。 |

| **功能主治** | 止咳平喘，解毒利湿，消肿止痛。用于感冒、咳嗽、哮喘、百日咳、肺结核、痢疾、肠炎、疟疾、疮疖肿痛、风湿性关节炎、牙痛、跌打损伤、毒蛇咬伤。 |

| **附　注** | 在 FOC 中，其属名被修订为 *Acmella*，学名被修订为 *Acmella paniculata* (Wall. ex DC.) R. K. Jansen。 |

菊科 Compositae 金腰箭属 *Synedrella*

金腰箭
Synedrella nodiflora (L.) Gaertn.

| 中 药 名 | 金腰箭（药用部位：全草）

| 植物形态 | 一年生草本。茎直立，二歧分枝，被粗毛。下部和上部叶具柄，连叶柄长 7~12cm，基部为疣状的糙毛，近基三出主脉，有时两侧的 1 对基部外向分枝而似 5 主脉，中脉中上部常有 1~4 对细弱的侧脉。头状花序直径 4~5mm，常 2~6 簇生于叶腋，或在先端呈扁球状，稀单生；小花黄色；总苞卵形或长圆形；苞片数个，外层总苞片绿色，叶状，卵状长圆形或披针形，内层总苞片干膜质，鳞片状，长圆形至线形。托片线形。舌状花连管部长约 10mm，舌片椭圆形，先端 2 浅裂；管状花向上渐扩大，檐部 4 浅裂，裂片卵状或三角状渐尖。雌花瘦果倒卵状长圆形，扁平，深黑色，边缘有增厚、污白色宽翅，翅缘各有 6~8 长硬尖刺；冠毛 2，挺直，刚刺状；两性花瘦果倒锥

金腰箭

形或倒卵状圆柱形，黑色，有纵棱，腹面压扁，两面有疣状突起，腹面突起粗密；冠毛 2~5，叉开，刚刺状，基部略粗肿。花期 6~10 月。

| 分布区域 | 产于海南东方、保亭、陵水、万宁、文昌及海口等地。

| 资　　源 | 生于旷野耕地、路旁及宅旁。

| 采收加工 | 春、夏季采收，鲜用或切段晒干。

| 药材性状 | 干燥茎呈圆柱形，稍皱缩，略弯曲，粗细不一，直径 0.3~0.8cm，纵向具细皱纹。嫩茎浅紫色至深紫色。老茎黄灰色，质脆，易折断，断面皮部较薄，黄白色。木质部窄，黄白色，髓部较大，米白色。干燥叶披针形，薄，叶缘锯齿状，两面贴黄白色茸毛，展开宽 0.5~3.8cm，先端渐尖，叶基楔形，具叶柄。聚伞形花序长于茎节或分枝节处。花成簇，黄色。

| 功能主治 | 清热透疹，解毒消肿。用于感冒发热、斑疹、疮痈肿痛。

菊科 Compositae 万寿菊属 Tagetes

万寿菊 *Tagetes erecta* L.

| 中 药 名 | 万寿菊（药用部位：花、叶）

| 植物形态 | 一年生草本。茎直立，粗壮，具纵细条棱，分枝向上平展。叶羽状分裂，裂片长椭圆形或披针形，边缘具锐锯齿，上部叶裂片的齿端有长细芒；沿叶缘有少数腺体。头状花序单生，花序梗先端棍棒状膨大；总苞长1.8~2cm，杯状，先端具齿尖；舌状花黄色或暗橙色；舌片倒卵形，基部收缩成长爪，先端微弯缺；管状花花冠黄色，先端具5齿裂。瘦果线形，基部缩小，黑色或褐色；冠毛有1~2长芒和2~3短而钝的鳞片。花期7~9月。

| 分布区域 | 海南有栽培。亦分布于中国各地（栽培）。

| 资　　源 | 生于向阳温暖湿润环境。

万寿菊

| **采收加工** | 花：7~9 月采摘，除去杂质，阴干或晒干。叶：夏、秋季采收，鲜用或晒干。 |

| **药材性状** | 茎粗壮而光滑，常具褐色纵纹及沟槽。叶对生或互生，羽状全裂，裂片披针形，叶缘背面具油腺点，有强臭味。头状花序顶生，花有黄色、橙色、枯黄色、混合色等不一。瘦果灰褐色，呈直或微弯的短棒状。 |

| **功能主治** | 清热解毒，化痰止咳。用于上呼吸道感染、百日咳、结膜炎、口腔炎、牙痛、咽炎、眩晕、小儿惊风、闭经、血瘀腹痛、痈疮肿痛。花：平肝清热，祛风降火，化痰止咳。用于头晕目眩、风火眼痛、小儿惊风、感冒咳嗽、百日咳、乳痈、疟腮、子宫下垂。叶：清热解毒，消肿止痛。用于疮毒肿痛。 |

菊科　Compositae　蒲公英属　*Taraxacum*

蒲公英 *Taraxacum mongolicum* Hand.-Mazz.

| **中 药 名** | 蒲公英（药用部位：全草）

| **植物形态** | 多年生草本。叶倒卵状披针形、倒披针形或长圆状披针形，边缘有时具波状齿或羽状深裂，有时倒向羽状深裂或大头羽状深裂，先端裂片较大，三角形或三角状戟形，全缘或具齿，每侧裂片 3~5，裂片三角形或三角状披针形，通常具齿，平展或倒向，裂片间常夹生小齿，基部渐狭成叶柄，叶柄及主脉常带红紫色。花葶 1 至数个，上部紫红色；头状花序直径 30~40mm；总苞钟状，淡绿色；总苞片2~3 层，外层总苞片卵状披针形或披针形，边缘宽膜质，基部淡绿色，上部紫红色，先端增厚或具小到中等的角状突起；内层总苞片线状披针形，先端紫红色，具小角状突起；舌状花黄色，舌片长约8mm，边缘花舌片背面具紫红色条纹，花药和柱头暗绿色。瘦果倒

蒲公英

卵状披针形，暗褐色，上部具小刺，下部具成行排列的小瘤，先端逐渐收缩为长约 1mm 的圆锥至圆柱形喙基，喙长 6~10mm，纤细；冠毛白色。花期 4~9 月，果期 5~10 月。

| **分布区域** | 产于海南各地。亦分布于中国东北、华北、华东、华中、西南及陕西、甘肃、青海等地。

| **资　　源** | 生于山坡草地、路旁、河岸沙地及田间。

| **采收加工** | 4~5 月开花前或刚开花时连根挖取，除净泥土，晒干。

| **药材性状** | 全草呈抽缩卷曲的团块。根圆锥形，多弯曲，长 3~7cm，表面棕褐色，抽皱，根头部有棕褐色或黄白色的茸毛，有点已脱落。叶基生，多皱缩破碎，完整叶倒披针形，长 6~15cm，宽 2~3.5cm，绿褐色或暗灰色，先端尖或钝，边缘倒向浅裂或羽状分裂，裂片齿牙状或三角形，基部渐狭，下延成柄状，下表面主脉明显，被蛛丝状毛。花茎 1 至数条，每条顶生头状花序，线段有或无小角，内面一层长于外层 1.5~2 倍，先端有小角，花冠黄褐色或淡黄白色。有的可见多数具白色冠毛的长椭圆瘦果。气微，味微苦。

| **功能主治** | 清热解毒，消痈散结。用于乳痈、肺痈、肠痈、疟腮、瘰疬、疔毒疮肿、目赤肿痛、感冒发热、咳嗽、咽喉肿痛、胃炎、肠炎、痢疾、肝炎、胆囊炎、尿路感染、蛇虫咬伤。

菊科 Compositae 肿柄菊属 Tithonia

肿柄菊
Tithonia diversifolia A. Gray

| 中 药 名 | 肿柄菊叶（药用部位：叶）

| 植物形态 | 一年生草本。茎直立，有粗壮的分枝，被稠密的短柔毛或通常下部脱毛。叶卵形或卵状三角形或近圆形，3~5 深裂，有长叶柄，上部的叶有时不分裂，裂片卵形或披针形，边缘有细锯齿，下面被尖状短柔毛，沿脉的毛较密，基出脉 3。头状花序大，顶生于假轴分枝的长花序梗上。总苞片 4 层，外层椭圆形或椭圆状披针形，基部革质；内层苞片长披针形，上部叶质或膜质，先端钝。舌状花 1 层，黄色，舌片长卵形，先端有不明显的 3 齿；管状花黄色。瘦果长椭圆形，扁平，被短柔毛。花果期 9~11 月。

| 分布区域 | 产于海南各地。亦分布于中国广东、广西、云南等地。

肿柄菊

资　　源	生于路旁，常栽培作绿篱。

采收加工	春、夏季采收，鲜用或晒干。

药材性状	多皱缩扭折，脱落，易破碎。完整叶片展开呈卵形、卵状三角形或近圆形，长 7~20cm，3~5 深裂，有时不分裂，边缘有细锯齿，下面有短柔毛，基出脉 3。味苦，性凉。

功能主治	清热解毒。用于急性胃肠炎、疮疡肿毒。

菊科 Compositae 羽芒菊属 *Tridax*

羽芒菊 *Tridax procumbens* L.

| 中 药 名 | 长柄菊（药用部位：叶、花）

| 植物形态 | 多年生铺地草本。基部叶略小，花期凋萎；中部叶有长达 1cm 的柄，叶片披针形或卵状披针形，基部渐狭或几近楔形，边缘有不规则的粗齿和细齿，近基部常浅裂，基生三出脉；上部叶小，卵状披针形至狭披针形，基部近楔形，边缘有粗齿或基部近浅裂。头状花序少数，单生于茎、枝先端；花序梗长 10~20cm，花序下方的毛稠密；总苞钟形；总苞片 2~3 层，外层绿色，叶质或边缘干膜质，卵形或卵状长圆形，内层长圆形，干膜质，最内层线形，鳞片状；花托稍突起，托片长约 8mm，先端芒尖或近于凸尖。雌花 1 层，舌状，舌片长圆形，先端 2~3 浅裂，管部长 3.5~4mm；两性花多数，花冠管状，上部稍大，檐部 5 浅裂，裂片长圆状或卵状渐尖，边缘有时带波浪状。瘦果陀

羽芒菊

螺形、倒圆锥形或稀圆柱状，干时黑色。冠毛上部污白色，下部黄褐色，羽毛状。花期 11 月至翌年 3 月。

| **分布区域** | 产于海南三亚、乐东、东方、昌江、万宁、儋州、南沙群岛、西沙群岛。亦分布于中国台湾至东南部沿海各省及其南部一些岛屿。印度、印度尼西亚及中南半岛、美洲热带地区等也有分布。

| **资　　源** | 生于低海拔旷野、荒地、坡地以及路旁阳处。

| **采收加工** | 全年可采收，切段，晒干或鲜用。

| **药材性状** | 全株皱缩呈团状。全株被有短刚毛。叶易碎，完整叶片展开，叶对生，短柄，不规则锯齿缘。花具长柄，单生，周围有 5 舌状花组合，中心为黄色，多数管状花结构。瘦果圆筒形，具有灰白色冠毛。味苦，性凉。

| **功能主治** | 清热，解毒，利湿。用于肺炎、肝炎、高血压、小便不利。羽芒菊叶和花有抗菌消炎的作用，经常用于割伤、擦伤、创伤伤口止血，同时还可以有效阻止脱发。

菊科　Compositae　斑鸠菊属　*Vernonia*

夜香牛
Vernonia cinerea (L.) Less.

| 中 药 名 |

伤寒草（药用部位：全草或根）

| 植物形态 |

一年生或多年生草本。下部和中部叶具柄，
菱状卵形，菱状长圆形或卵形，基部楔状狭
成具翅的柄，边缘有具小尖的疏锯齿，或波
状，侧脉 3~4 对，两面均有腺点；叶柄长
10~20mm；上部叶渐尖，狭长圆状披针形或
线形，具短柄或近无柄。头状花序多数，或
稀少数，具 19~23 花，在茎枝端排列成伞房
状圆锥花序；花序梗细长 5~15mm，具线形
小苞片或无苞片；总苞钟状；总苞片 4 层，
绿色或有时变紫色，背面被短柔毛和腺，外
层线形，中层线形，内层线状披针形，具 1
脉或有时上部具多少明显 3 脉；花托平，具
边缘，具细齿的窝孔；花淡红紫色，花冠管
状，具腺，裂片线状披针形。瘦果圆柱形，
基部缩小，被密短毛和腺点；冠毛白色，2 层，
外层多数而短，内层近等长，糙毛状。花期
全年。

| 分布区域 |

产于海南三亚、乐东、东方、白沙、五指
山、保亭、万宁、儋州、澄迈、文昌、海口、

夜香牛

西沙群岛、南沙群岛等地。亦分布于中国浙江、江西、福建、台湾、湖北、湖南、广东、广西、四川、贵州、云南、西藏。

| 资　　源 | 生于山坡、旷野、田边、路旁或密林、灌丛中。

| 采收加工 | 全草：夏、秋季采收，洗净，晒干切段或鲜用。根：秋冬挖根，洗净，切片，晒干。

| 药材性状 | 全草长20~80cm。根黄色，多数。茎少分枝，有细纵棱线，稍被白色短毛。叶互生，多皱缩或脱落，质脆，润展后呈披针形至卵形。茎先端常残留苞片及头状花序，呈淡紫红色，间见圆柱形瘦果，灰褐色，冠毛多数白色，气微，味甘淡。

| 功能主治 | 疏风清热，除湿，解毒。用于外感发热、咳嗽、急性黄疸型肝炎、清热腹泻、白带、疔疮肿痛、乳腺炎、鼻炎、毒蛇咬伤。

菊科 Compositae 斑鸠菊属 *Vernonia*

毒根斑鸠菊 *Vernonia cumingiana* Benth.

| **中 药 名** | 发痧藤（药用部位：藤茎、根）

| **植物形态** | 攀缘灌木或藤本。叶具短柄，厚纸质，卵状长圆形，长圆状椭圆形或长圆状披针形，基部楔形或近圆形，全缘或稀具疏浅齿，侧脉5~7对，弧状向近边缘相联结，两面均有树脂状腺；叶柄5~15mm。头状花序较多数，直径8~10mm，具18~21花，通常在枝端或上部叶腋排成顶生或腋生疏圆锥花序；花序梗长5~10mm，常具1~2线形小苞片；总苞卵状球形或钟状；总苞片5层，覆瓦状，卵形至长圆形，外层短，内层长圆形；花托平，具窝孔；花淡红或淡红紫色，花冠管状，具腺，向上部稍扩大，裂片线状披针形，先端外面具腺。瘦果近圆柱形，长4~4.5mm，具10肋，被短柔毛；冠毛红色或红褐色，外层少数或无，易脱落，内层糙毛状。花期10月至翌年4月。

毒根斑鸠菊

| 分布区域 | 产于海南三亚、乐东、东方、昌江、白沙、五指山、万宁、儋州、澄迈、文昌。亦分布于中国福建、台湾、广东、广西、四川、贵州、云南等地。

| 资　　源 | 生于山沟、溪边或路旁灌丛中。

| 采收加工 | 全年均可采收，洗净，切片，晒干或鲜用。

| 药材性状 | 藤茎长条状，常绕成小把，伸平后长 2~3m 或过之。茎纤细，棕褐色，密被黄锈色柔毛。叶互生，微卷缩、展平后呈矩圆状披针形，长 5~10cm，宽 3~6cm，先端短渐尖，基部圆形或稍心形，全缘或具疏浅齿；叶面深绿色，主脉突起，无毛或有稀疏黄色柔毛，叶背浅绿色，密被黄棕色柔毛；叶柄短。枝梢或叶腋处间有干缩的头状花序，花冠白色或紫色。气无，味苦、涩。有毒。

| 功能主治 | 祛风解表，舒筋活络。用于感冒、疟疾、喉痛、牙痛、风火赤眼、风湿痹痛、腰肌劳损、跌打损伤。

菊科 Compositae 斑鸠菊属 *Vernonia*

咸虾花
Vernonia patula (Dryand.) Merr.

| 中 药 名 | 咸虾花（药用部位：全草）

| 植物形态 | 一年生粗壮草本。基部和下部叶在花期常凋落，中部叶具柄，卵形，卵状椭圆形，稀近圆形，基部宽楔状狭成叶柄，边缘具圆齿状具小尖的浅齿，波状，或近全缘，侧脉 4~5 对，具腺点，叶柄长 1~2cm，上部叶向上渐小。头状花序通常 2~3 个生于枝先端，或排列成分枝宽圆锥状或伞房状；直径 8~10mm，具 75~100 花；花序梗长 5~25mm，无苞片；总苞扁球状，基部圆形；总苞片 4~5 层，绿色，披针形，最外层开展，近刺状渐尖，背面绿色或多少紫色，杆边缘黄色，近革质，杂有腺体，中层和内层狭长圆状披针形，先端具短刺尖；花托稍突起，有边缘具细齿的窝孔；花淡红紫色，花冠管状，向上稍扩大，裂片线状披针形，外面被疏微毛和腺。瘦果近圆柱状，

咸虾花

具 4~5 棱，无毛，具腺点；冠毛白色，1 层，糙毛状，近等长，易脱落。花期 7
月至翌年 5 月。

| **分布区域** | 产于海南三亚、乐东、东方、昌江、白沙、五指山、保亭、万宁、澄迈、屯昌、海口、
西沙群岛。亦分布于中国浙江、福建、台湾、广东、广西、贵州、云南等地。

| **资　　源** | 生于荒地、旷野、田边、路旁。

| **采收加工** | 全年均可采收，洗净，晒干或鲜用。

| **药材性状** | 茎粗 4~8mm，茎枝均呈灰棕色或黄绿色，有明显的纵条纹及灰色短柔毛，质坚
而脆，断面中心有髓。叶互生，多破碎，灰绿色至黄棕色，被灰色短柔毛。小
枝通常带果序，瘦果圆柱形，有 4~5 棱，无毛，有腺点，冠毛白色，易脱落。
气微，味微苦。

| **功能主治** | 疏风解表，利湿解毒，散瘀消肿。用于感冒发热、疟疾、头痛、高血压、泄泻、
痢疾、风湿痹痛、湿疹、荨麻疹、疮疖、乳腺炎、颈淋巴结核、跌打损伤。

菊科　Compositae　斑鸠菊属　*Vernonia*

茄叶斑鸠菊　*Vernonia solanifolia* Benth.

| 中 药 名 | 斑鸠木（药用部位：根、茎、叶）

| 植物形态 | 直立灌木或小乔木。叶具柄，卵形或卵状长圆形，基部圆形或近心形，或有时截形，多少不等侧，全缘，浅波状或具疏钝齿，侧脉 7~9 对，叶柄粗壮，长 1~2.5cm，被密绒毛。头状花序小，在茎枝先端排列成具叶宽达 20cm 的复伞房花序，花序梗长 4~6mm；总苞半球形，宽 4~5mm，总苞片 4~5 层，卵形，椭圆形或长圆形，背面被淡黄色短绒毛；花托平，具小窝孔；花约 10，有香气，花冠管状，粉红色或淡紫色，管部细，檐部狭钟状，具 5 线状披针形裂片，外面有腺，先端常有白色短微毛。瘦果 4~5 棱，长 2~2.5mm，稍扁压，无毛；冠毛淡黄色，2 层，外层极短，内层糙毛状。花期 11 月至翌年 4 月。

茄叶斑鸠菊

| 分布区域 | 产于海南澄迈、白沙、昌江、琼中、保亭及三亚等地。

| 资　　源 | 生于低海拔至中海拔的溪旁、路旁或较干燥的坡地灌丛或疏林中。

| 采收加工 | 春、夏、秋季均可采收，晒干或鲜用。

| 功能主治 | 润肺止咳，祛风止痒。用于咽喉肿痛、肺结核咳嗽、咯血、支气管炎、肠胃炎、风湿痹痛、外伤出血、皮肤瘙痒。

菊科 Compositae 蟛蜞菊属 *Wedelia*

孪花蟛蜞菊 *Wedelia biflora* (L.) DC.

| 中 药 名 | 黄泥菜（药用部位：全草）

| 植物形态 | 攀缘状草本。茎粗壮，分枝，无毛或被疏贴生的短糙毛。下部叶有长达 2~4cm 的柄，叶片卵形至卵状披针形，连叶柄长 9~25cm，基部截形、浑圆或稀有楔尖，边缘有规则的锯齿，主脉 3，两侧的 1 对近基部发出，中脉中上部常有 1~2 对侧脉；上部叶较小，卵状披针形或披针形，连叶柄长 5~7cm，基部通常楔尖。头状花序少数，生叶腋和枝顶，有时孪生，花序梗细弱；总苞半球形或近卵状；总苞片 2 层；外层卵形至卵状长圆形，内层卵状披针形，先端三角状短尖；托片稍折叠，倒披针形或倒卵状长圆形，全缘。舌状花 1 层，黄色，舌片倒卵状长圆形，先端 2 齿裂，被疏柔毛，筒部长近 3mm；管状花花冠黄色，下部骤然收缩成细管状，檐部 5 裂，裂片

孪花蟛蜞菊

长圆形。瘦果倒卵形具 3~4 棱，基部尖，被密短柔毛。无冠毛及冠毛环。花期几全年。

| **分布区域** | 产于海南三亚、陵水、万宁、琼海、海口等地。亦分布于中国台湾、广东南部及其沿海岛屿、广西、云南等地。印度、印度尼西亚、马来西亚、菲律宾、日本及中南半岛、大洋洲等也有分布。

| **资　　源** | 生于近海岸的沙质土壤或丛林、灌丛中。

| **采收加工** | 春、夏季采收，鲜用或切段晒干。

| **功能主治** | 散瘀消肿。用于风湿骨痛、跌打损伤、疮疡肿毒。

菊科 Compositae 蟛蜞菊属 *Wedelia*

蟛蜞菊
Wedelia chinensis (Osbeck) Merr.

| 中 药 名 | 蟛蜞菊（药用部位：全草）

| 植物形态 | 多年生草本。茎匍匐，有阔沟纹，疏被贴生的短糙毛或下部脱毛。叶无柄，椭圆形、长圆形或线形，基部狭，全缘或有 1~3 对疏粗齿，侧脉 1~2 对。头状花序少数，直径 15~20mm，单生于枝顶或叶腋内；花序梗长 3~10cm；总苞钟形；总苞 2 层，外层叶质，绿色，椭圆形，内层较小，长圆形；托片折叠，呈线形，无毛，有时具 3 浅裂。舌状花 1 层，黄色，舌片卵状长圆形，先端 2~3 深裂，管部细短，长为舌片的 1/5。管状花较多，黄色，花冠近钟形，檐部 5 裂，裂片卵形。瘦果倒卵形，多疣状突起，先端稍收缩，舌状花的瘦果具 3 边，边缘增厚。无冠毛，而有具细齿的冠毛环。花期 3~9 月。

蟛蜞菊

| 分布区域 | 产于海南各地。

| 资　　源 | 生于路旁、田边、沟边或湿润草地上。

| 采收加工 | 全草：春、夏季采收全草。根：秋季挖。鲜用或切段晒干。

| 药材性状 | 茎呈圆柱形，弯曲，表面灰绿色或淡绿色，有总皱纹，节上有的有细根，嫩茎被短毛。叶对生，近无柄；叶多皱缩，展平后呈椭圆形或长圆状披针形，长3~7cm，宽0.7~1.3cm；先端短尖或渐尖，边缘有粗锯齿或呈波状；上表面绿褐色，下表面灰绿色，两面均被白色短毛。头状花序通常单生于茎顶或叶腋，花序梗及苞片均被短毛，苞片2层，长6~8mm，宽1.5~3mm，灰绿色。舌状花和管状花均为黄色。气微，味微涩。

| 功能主治 | 清热解毒，凉血散瘀。用于感冒发热、咽喉炎、扁桃体炎、腮腺炎、白喉、百日咳、肺炎、肺结核咯血、鼻衄、尿血、传染性肝炎、痢疾、痔疮、疔疮肿毒。

菊科 Compositae　苍耳属 *Xanthium*

苍 耳
Xanthium sibiricum Patrin ex Widder

| **中 药 名** | 苍耳（药用部位：全草），苍耳花（药用部位：花），苍耳子（药用部位：带总苞的果实），苍耳根（药用部位：根）

| **植物形态** | 一年生草本。根纺锤状，分枝或不分枝。茎直立，上部有纵沟，被糙伏毛。叶三角状卵形或心形，近全缘，或有 3~5 不明显浅裂，基部稍心形或截形，与叶柄连接处呈相等的楔形，边缘有不规则的粗锯齿，基出脉 3；叶柄长 3~11cm。雄性的头状花序球形，有或无花序梗，总苞片长圆状披针形，花托柱状，托片倒披针形，有多数的雄花，花冠钟形，管部上端有 5 宽裂片，花药长圆状线形；雌性的头状花序椭圆形，外层总苞片小，披针形，内层总苞片结合成囊状，宽卵形或椭圆形，淡黄绿色或有时带红褐色，在瘦果成熟时变坚硬，连同喙部长 12~15mm，外面有疏生的具钩状的刺；喙坚硬，锥形，

苍耳

上端略呈镰刀状，少有结合而成1个喙。瘦果2，倒卵形。花期7~8月，果期9~10月。

｜分布区域｜

产于海南海口、定安、澄迈、昌江、白沙、陵水及三亚等地。

｜资　　源｜

生于平地、丘陵、低山、荒野路边、田边。

｜采收加工｜ 全草：夏季割取全草，去泥，切段晒干或鲜用。花：夏季采收，鲜用或阴干。果实：9~10月果实成熟，由青转黄，叶已大部分枯萎脱落时，选晴天，割下全株，脱粒，扬净，晒干。根：秋后采挖，鲜用或切片晒干。

｜药材性状｜ 果实包在总苞内，呈纺锤形或卵圆形，长1~1.5cm，直径0.4~0.7cm。表面黄棕色或黄绿色，全体有钩刺，先端有2较粗的刺，分离或连生，基部有梗痕。质硬而韧，横切面中间有一隔膜，2室，各有1瘦果。瘦果略呈纺锤形，一面较平坦，先端具一突起的花柱基，果皮薄，灰黑色，具纵纹。种皮膜质，浅灰色，有纵纹；子叶2，有油性。气微，味微苦。以粒大、饱满、色黄棕者为佳。

| **功能主治** | 全草：祛风，散热，除湿，解毒。用于感冒、头风、头晕、鼻渊、目赤、目翳、风湿痹痛、拘挛麻木、风癞、疔疮、疥癣、皮肤瘙痒、痔疮、痢疾。花：祛风，除湿，止痒。用于白癜顽癣、白痢。果实：散风寒，通鼻窍，祛风湿，止痒。用于鼻渊、风寒头痛、风湿痹痛、风疹、湿疹、疥癣。根：清热解毒，利湿。用于疔疮、痈疽、丹毒、缠喉风、阑尾炎、宫颈炎、痢疾、肾炎水肿、乳糜尿、风湿痹痛。 |

菊科 Compositae 黄鹌菜属 Youngia

黄鹌菜
Youngia japonica (L.) DC.

黄鹌菜

|中 药 名|

黄鹌菜（药用部位：全草或根）

|植物形态|

一年生草本。基生叶全形倒披针形、椭圆形、长椭圆形或宽线形，大头羽状深裂或全裂，叶柄长 1~7cm，有狭或宽翼或无翼，顶裂片卵形、倒卵形或卵状披针形，边缘有锯齿或几全缘，侧裂片 3~7 对，椭圆形，最下方的侧裂片耳状，全部侧裂片边缘有锯齿或细锯齿或边缘有小尖头；无茎叶或极少有 1~2 茎生叶，且与基生叶同形并等样分裂；全部叶及叶柄被皱波状长或短柔毛。头状花序含 10~20 舌状小花，少数或多数在茎枝先端排成伞房花序，花序梗细。总苞圆柱状；总苞片 4 层，外层及最外层极短，宽卵形或宽形，内层及最内层长，披针形，边缘白色宽膜质。舌状小花黄色，花冠管外面有短柔毛。瘦果纺锤形，压扁，褐色或红褐色，向先端有收缢，先端无喙，有 11~13 粗细不等的纵肋，肋上有小刺毛。冠毛长 2.5~3.5mm，糙毛状。花果期 4~10 月。

分布区域	产于海南各地。分布于中国北京、陕西、甘肃、山东、江苏、安徽、浙江、江西、福建、河南、湖北、湖南、广东、广西、四川、云南、西藏等地。日本、印度、菲律宾、马来半岛、朝鲜等地也有分布。
资　　源	生于山坡、山谷及山沟林缘、林下、林间草地及潮湿地、河边沼泽地、田间与荒地上。
采收加工	全草：春季采收全草。根：秋季采收。鲜用或切段晒干。
功能主治	清热解毒，利尿消肿。用于感冒、咽痛、眼结膜炎、乳痈、疮疖肿痛、毒蛇咬伤、痢疾、肝硬化腹水、急性肾炎、淋浊、血尿、白带、风湿性关节炎、跌打损伤。

龙胆科 Gentianaceae 穿心草属 Canscora

罗星草
Canscora andrographioides Griff. ex C. B. Clarke

| 中 药 名 | 罗星草（药用部位：全草）

| 植物形态 | 一年生草本，全草光滑无毛。叶无柄，卵状披针形，愈向茎上部叶愈小，基部圆形或楔形，叶脉 3~5。复聚伞花序呈假二叉分枝或聚伞花序顶生和腋生；花多数；花萼筒形，浅裂，萼筒膜质，裂片狭三角形，脉 3，基部向萼筒下延成突起的 8 脉纹，弯缺楔形；花冠白色，冠筒筒状，裂片平展，十字形、椭圆形或矩圆状匙形，全缘；雄蕊着生于冠筒上部，1 枚发育，花丝丝状，花药椭圆形，3 枚不发育，花丝短，花药小，不发育；子房无柄，圆柱形，花柱极长，丝状，柱头 2 裂，裂片矩圆形。蒴果内藏，无柄，膜质，矩圆形；种子小，扁压，黄褐色，近圆形。花果期 9~10 月。

罗星草

| **分布区域** | 产于海南乐东、三亚、白沙、五指山、陵水。亦分布于中国广西、云南等地。

| **资　　源** | 生于海拔 200~1400m 的山谷林下。

| **采收加工** | 夏、秋季采收，洗净，晒干或鲜用。

| **功能主治** | 清热解毒，散瘀接骨。用于肝炎、胆囊炎、急性肠炎、痢疾、扁桃体炎、跌打骨折、关节肿痛。

| **附　　注** | 在 FOC 中，其学名被修订为 *Canscora andrographioides* Griff. ex C. B. Clarke。

报春花科 Primulaceae 珍珠菜属 Lysimachia

延叶珍珠菜 Lysimachia decurrens Forst. f.

| 中 药 名 | 疬子草（药用部位：全草）

| 植物形态 | 多年生草本，全体无毛。叶互生，有时近对生，叶片披针形或椭圆状披针形，基部楔形，下延至叶柄成狭翅，干时膜质，两面均有不规则的黑色腺点，有时腺点仅见于边缘，并常联结成条；叶柄长 1~4cm，基部沿茎下延。总状花序顶生；苞片钻形；花梗长 2~9mm，斜展或下弯，果时伸长达 10~18mm；花萼长 3~4mm，分裂近达基部，裂片狭披针形，边缘有腺状缘毛，背面具黑色短腺条；花冠白色或带淡紫色，裂片匙状长圆形，裂片间弯缺近圆形；雄蕊明显伸出花冠外，花丝密被小腺体，贴生于花冠裂片的基部；花药卵圆形，紫色；花粉粒具 3 孔沟，长球形，表面具网状纹饰；子房球形，花柱细长。蒴果球形或略扁。花期 4~5 月，果期 6~7 月。

延叶珍珠菜

| **分布区域** | 产于海南海口、万宁、琼中、白沙等地。亦分布于中国云南、贵州、广西、广东、湖南、江西、福建、台湾。中南半岛，以及日本、菲律宾也有分布。 |

| **资　源** | 生于村旁荒地、路边、山谷溪边疏林下及草丛中。 |

| **采收加工** | 春、夏季采收，鲜用或晒干。 |

| **功能主治** | 清热解毒，活血散结。用于瘰疬、喉痹、疔疮肿毒、月经不调、跌打损伤。 |

报春花科 Primulaceae 珍珠菜属 Lysimachia

小 茄
Lysimachia japonica Thunb.

| 中 药 名 | 大散血（药用部位：全草）

| 植物形态 | 茎细弱，四棱形，常自基部分枝成簇生状，初倾斜，后匍匐伸长。叶对生，阔卵形至近圆形，基部圆形或近截形，密布半透明腺点，干后腺点呈粒状突起，侧脉 2~3 对，纤细，网脉不明显；叶柄长 2~5（~10）mm，具草质狭边缘。花单生叶腋；花梗长 3~8mm，果时下弯；花萼长 3~4mm，分裂近达基部，裂片披针形；花冠黄色，与花萼近等长，裂片三角状卵形，通常具透明腺点；花丝长 2~3mm，基部合生成浅环；花药卵形；花粉粒具 3 孔沟，近长球形，表面具网状纹饰；子房被毛，花柱长 2~3mm。蒴果近球形，褐色，顶部被疏长柔毛。花期 3~4 月，果期 4~5 月。

小茄

| **分布区域** | 产于海南白沙、五指山、陵水。亦分布于中国江苏、安徽、浙江、台湾、广东、广西等地。 |

| **资　源** | 生于田埂上，落叶、常绿阔叶混交林下及路旁岩石缝中。 |

| **采收加工** | 春、夏季采收，切段，晒干或鲜用。 |

| **功能主治** | 散瘀接骨。用于跌打瘀肿、骨折。 |

白花丹科 Plumbaginaceae 补血草 *Limonium*

补血草

Limonium sinense (Girard) O. Kuntze

补血草

| 中 药 名 |

补血草（药用部位：根或全草）

| 植物形态 |

多年生草本。叶基生，倒卵状长圆形、长圆状披针形至披针形，先端通常钝或急尖，下部渐狭成扁平的柄。花序伞房状或圆锥状；花序轴通常 3~5（~10），具 4 棱角或沟棱，常由中部以上作数回分枝，末级小枝二棱形；不育枝少，位于分枝的下部或分叉处；穗状花序有柄至无柄，排列于花序分枝的上部至先端，由 2~6（~11）小穗组成；小穗含 2~3（~4）花，被第一内苞包裹的 1~2 花常迟放或不开放；外苞卵形，第一内苞长5~5.5mm；萼长 5~6（~7）mm，漏斗状，萼筒直径约 1mm，下半部或全部沿脉被长毛，萼檐白色，开张幅径 3.5~4.5mm，裂片宽短而先端通常钝或急尖，有时微有短尖，常有间生裂片，脉伸至裂片下方而消失；花冠黄色。花期在北方 7~11 月，在南方 4~12 月。

| 分布区域 |

产于海南沿海。亦分布于中国滨海各地。越南也有分布。

| 资　　源 | 生于海岸沙地、沙滩或盐田，常见。 |

| 采收加工 | 根：全年可采。全草：夏、秋季采收，洗净，晒干或鲜用。 |

| 药材性状 | 根圆柱形，棕褐色。茎丛生，细圆柱形，呈"之"字形弯曲，长30~60cm，光滑无毛，断面中空。叶多脱落，基生叶匙形或长倒卵形，长约20cm，宽1~4cm，近于全缘，基部渐窄呈翅状。外苞片长圆状宽卵形，边缘狭膜质，第一内苞片与外苞片相似，边缘宽膜质。花萼漏斗状，沿脉密生细硬毛，萼檐紫色、粉红色或白色，花冠黄色。味甘、微苦，性微温。 |

| 功能主治 | 清热，利湿，止血，解毒。用于湿热便血、脱肛、血淋、月经过多、白带、痈肿疮毒。 |

白花丹科 Plumbaginaceae 白花丹属 Plumbago

白花丹
Plumbago zeylanica L.

| 中 药 名 | 白花丹（药用部位：全株或根）

| 植物形态 | 常绿半灌木；枝条开散或上端蔓状，常被明显钙质颗粒，除具腺外无毛。叶薄，长卵形，下部骤狭成钝或截形的基部而后渐狭成柄；叶柄基部无或有常为半圆形的耳。穗状花序通常含（3~）25~70花；总花梗长5~15mm；花轴长2~15cm，与总花梗皆有头状或具柄的腺；苞片长4~8mm，狭长卵状三角形至披针形；小苞长约2mm，线形；花萼10.5~11.5mm，萼筒中部直径约2mm，先端有5三角形小裂片，沿绿色部分着生具柄的腺；花冠白色或微带蓝白色，花冠筒长1.8~2.2cm，冠檐直径1.6~1.8cm，裂片长约7mm，倒卵形；雄蕊约与花冠筒等长，花药长约2mm，蓝色；子房椭圆形，有5棱，花柱

白花丹

无毛。蒴果长椭圆形，淡黄褐色；种子红褐色。花期 10 月至翌年 3 月，果期 12 月至翌年 4 月。

| **分布区域** | 产于海南各地。亦分布于中国西南及福建、台湾、广东、广西等地。

| **资　　源** | 多生于气候炎热的地区，常见于阴湿的沟边或村边路旁的旷地。

| **采收加工** | 全年均可采，切段晒干或鲜用。

| **药材性状** | 主根呈细长圆柱形，多分枝，长可达 30cm，直径约 5mm，略弯曲，上端着生多数细根，表面灰褐色或棕黄色，茎圆柱形，直径 4~6mm，有分枝，表面黄绿色至淡褐色，节明显，具细纵棱；质硬，易折断，断面皮部呈纤维状，淡棕黄色，中间呈颗粒状，淡黄白色，髓部白色。叶片多皱缩破碎，完整者展平后呈卵形或长圆状卵形，长 4~9cm，宽 3~6cm；上面淡绿色至黄绿色，下面淡灰绿色至淡黄绿色，穗状花序顶生，萼管状，被有柄腺体，花白色至淡黄色。气微，味辛辣。

| **功能主治** | 祛风除湿，行气活血，解毒消肿。用于风湿痹痛、心胃气痛、肝脾肿大、血瘀经闭、跌打扭伤、痈肿瘰疬、疥癣瘙痒、毒蛇咬伤。

车前科 Plantaginaceae 车前属 Plantago

车 前 *Plantago asiatica* L.

| 中 药 名 | 车前草（药用部位：全草），车前子（药用部位：种子）

| 植物形态 | 二年生或多年生草本。须根多数。叶基生呈莲座状，平卧、斜展或直立；叶片薄纸质或纸质，宽卵形至宽椭圆形，边缘波状、全缘或中部以下有锯齿、牙齿或裂齿，基部宽楔形或近圆形；脉5~7；叶柄长2~15（~27）cm，基部扩大成鞘。花序3~10，直立或弓曲上升；花序梗长5~30cm，有纵条纹；穗状花序细圆柱状；苞片狭卵状三角形或三角状披针形，龙骨突宽厚。花具短梗；花萼长2~3mm，萼片先端钝圆或钝尖，龙骨突不延至先端，前对萼片椭圆形，龙骨突较宽，后对萼片宽倒卵状椭圆形或宽倒卵形。花冠白色，裂片狭三角形。雄蕊着生于冠筒内面近基部，与花柱明显外伸，花药卵状椭圆形，先端具宽三角形突起，白色，干后变淡褐色。胚珠7~15（~18）。

车前

蒴果纺锤状卵形、卵球形或圆锥状卵形，于基部上方周裂。种子卵状椭圆形或椭圆形，具角，黑褐色至黑色，背腹面微隆起；子叶背腹向排列。花期 4~8 月，果期 6~9 月。

| 分布区域 |

产于海南三亚、昌江、保亭、五指山、琼中、乐东、澄迈、儋州。中国大部分地区均有分布。朝鲜、俄罗斯、日本、尼泊尔、马来西亚、印度尼西亚也有分布。

| 资　源 |

生于草地、沟边、河岸湿地、田边、路旁或村边空旷处，海拔 3~3200m。

| 采收加工 |

全草：播种第 2 年秋季采收，挖起全株，洗净泥沙，晒干或鲜用。种子：在 6~10 月陆续剪下黄色成熟果穗，晒干，搓出种子，去掉杂质。

| 药材性状 |

须根丛生。叶在基部密生，具长柄；叶片皱缩，展平后为卵形或宽卵形，长 4~12cm，宽 2~5cm，先端钝或短尖，基部宽楔形，边缘近全缘，波状或有疏钝齿，基出脉 7，明显，表面灰绿色或污绿色。穗状花序数条，花在花茎上排列疏离，长 5~15cm。蒴果椭圆形，周裂，萼宿存。气微香，味微苦。以叶片完整、色灰绿者为佳。种子略呈椭圆形或不规则长圆形，稍扁，长约 2mm，宽约 1mm。表面淡棕色或棕色，略粗糙不平。于放大镜下可见微细纵纹，于稍平一面的中部有淡黄色凹点状种脐。质硬，切

断面灰白色。种子放入水中,外皮有黏液释出。气微,嚼之带黏液性。以粒大、均匀饱满、色棕红者为佳。

| **功能主治** | 全草:清热利尿,凉血,解毒。用于热结膀胱、小便不利、淋浊带下、暑湿泻痢、衄血、尿血、肝热目赤、咽喉肿痛、痈肿疮毒。种子:清热利尿,渗湿止泻,明目,祛痰。用于小便不利、淋浊带下、水肿胀满、暑湿泻痢、目赤障翳、痰热咳喘。

桔梗科 Campanulaceae 金钱豹属 *Campanumoea*

金钱豹 *Campanumoea javanica* Bl.

| **中 药 名** | 土党参（药用部位：根）

| **植物形态** | 草质缠绕藤本，具乳汁，具胡萝卜状根。茎无毛，多分枝。叶对生，极少互生的，具长柄，叶片心形或心状卵形，边缘有浅锯齿，极少全缘的，长 3~11cm，宽 2~9cm，无毛或有时背面疏生长毛。花单朵生叶腋，各部无毛，花萼与子房分离，5 裂至近基部，裂片卵状披针形或披针形，长 1~1.8cm；花冠上位，白色或黄绿色，内面紫色，钟状，裂至中部；雄蕊 5；柱头 4~5 裂，子房和蒴果 5 室。浆果黑紫色，紫红色，球状。种子不规则，常为短柱状，表面有网状纹饰。

| **分布区域** | 产于海南琼中、儋州、乐东等地。

| **资　源** | 生于中海拔及其以下地区的山地、山谷疏林下，少见。

金钱豹

采收加工

秋季采挖，洗净，晒干。

药材性状

根呈圆柱形，少分枝，扭曲不直，长10~25cm，直径0.5~1.5cm。顶部有密集的点状茎痕。表面灰黄色，全体具纵皱纹，质硬而脆，易折断。断面较平坦，可见明显的形成层。木质部黄色，木化程度较强，气微，味淡而微甜。

功能主治

健脾益气，补肺止咳，下乳。用于虚劳内伤、气虚乏力、心悸、多汗、脾虚泄泻、白带、乳汁稀少、小儿疳积、遗尿、肺虚咳嗽。

桔梗科 Campanulaceae 半边莲属 Lobelia

半边莲
Lobelia chinensis Lour.

| 中 药 名 | 半边莲（药用部位：带根全草）

| 植物形态 | 多年生草本。茎匍匐，节上生根，分枝直立。叶互生，无柄或近无柄，椭圆状披针形至条形，基部圆形至阔楔形，全缘或顶部有明显的锯齿。花通常 1，生分枝的上部叶腋；花梗细，长 1.2~2.5（~3.5）cm，基部有长约 1mm 的小苞片 1~2 或无小苞片；花萼筒倒长锥状，裂片披针形，全缘或下部有 1 对小齿；花冠粉红色或白色，背面裂至基部，喉部生白柔毛，裂片平展于下方，2 侧裂片披针形，中间 3 裂片椭圆状披针形；雄蕊长约 8mm，花丝中部以上连合，花丝筒无毛，未连合部分的花丝侧面生柔毛，花药管长约 2mm。蒴果倒锥状。种子椭圆状，稍扁压，近肉色。花果期 5~10 月。

半边莲

| **分布区域** | 产于海南海口、儋州、万宁等地。亦分布于中国长江中下游及长江以南各地。印度以东的亚洲其他各国也有分布。 |

| **资　　源** | 生于水田埂，水沟旁，湿润草地。 |

| **采收加工** | 栽种后可连续收获多年。夏、秋季生长茂盛时，选晴天，带根拔起，洗净，晒干。鲜用，随采随用。 |

| **药材性状** | 全体长 15~35cm，常缠结成团。根细小，侧生纤细须根。根茎细长圆柱形，直径 1~2mm；表面淡黄色或黄棕色，具细纵纹。茎细长，有分枝，灰绿色，节明显。叶互生，无柄；叶片多皱缩，绿褐色，展平后叶片呈狭披针形或长卵形，长 1~2.5cm，宽 0.2~0.5cm，叶缘具疏锯齿。花梗细长；花小，单生于叶腋；花冠基部连合，上部 5 裂，偏向一边。气微，味微甘而辛。以茎叶色绿、根黄者为佳。 |

| **功能主治** | 清热解毒，利水消肿。用于毒蛇咬伤、痈肿疔疮、扁桃体炎、湿疹、足癣、跌打损伤、湿热黄疸、阑尾炎、肠炎、肾炎、肝硬化腹水及多种癌症。 |

桔梗科 Campanulaceae 半边莲属 *Lobelia*

卵叶半边莲 *Lobelia zeylanica* L.

| 中 药 名 | 卵叶半边莲（药用部位：全草）

| 植物形态 | 多汁草本。茎平卧，四棱状，稀疏分枝，基部的节上生根。叶螺旋状排列，叶片三角状阔卵形或卵形，边缘锯齿状，基部截形、浅心形或宽楔形，下面沿叶脉疏生短糙毛；柄长 3~12mm，生短柔毛。花单生叶腋；花梗长 1~1.5cm，疏生短柔毛，基部有长 1~2mm 的小苞片 2，有时脱落。花萼钟状，裂片披针状条形，生缘毛；花冠紫色、淡紫色或白色，二唇形，背面裂至基部，上唇裂片倒卵状矩圆形，下唇裂片阔椭圆形，背面中肋常疏生柔毛；花丝在 2/3 处以上连合成筒，花药管长 1~1.5mm，5 花药先端均生髯毛；子房下位，2 室。蒴果倒锥状至矩圆状，具明显的脉络。种子三棱状，红褐色。花果期全年。

卵叶半边莲

| 分布区域 |

产于海南三亚、乐东、白沙、陵水、万宁、澄迈、琼中、儋州。亦分布于中国云南、广西、广东、福建和台湾。中南半岛，以及斯里兰卡、巴布亚新几内亚也有分布。

| 资　　源 |

生于海拔 1500（~2000）m 以下的水田边或山谷沟边等阴湿处。

| 采收加工 |

全年均可采收，晒干。

| 功能主治 |

清热解毒。

桔梗科 Campanulaceae 五膜草属 *Pentaphragma*

五膜草
Pentaphragma spicatum Merr.

| 中 药 名 | 五膜草（药用部位：全草）

| 植物形态 | 多年生肉质草本，植物体在茎的幼嫩部分、叶柄、叶背面及花序轴、苞片、花梗、花萼上均被腺毛，并混生有星状毛。根茎长而粗壮。茎短粗。叶生于茎的一侧，叶柄长 3~10cm，叶片卵形，各处均不对称，主脉呈弧状，偏向一侧，全缘或有不明显瘤状齿。花序 1~2 生于叶腋，强烈卷曲，具 2~4cm 长的总梗。苞片卵形，腋内生 2 花；花梗长 1~2mm；花萼筒部钟状，裂片长 6mm，宽的为广椭圆形，窄的为狭矩圆形；花冠白色，深裂过半，裂片长椭圆形；雄蕊贴生于花冠筒下部，药隔超出药室，药室长椭圆状，近于侧向地纵裂；花柱短，柱头圆锥状，几乎平滑。蒴果倒卵状。种子卵状，黄色，有明显的网状纹饰。花果期 5~11 月。

五膜草

| 分布区域 |

产于海南三亚、乐东、白沙、五指山、保亭、陵水。亦分布于中国云南东南部。越南北部也有分布。

| 资　源 |

生于林下及沟边潮湿处。

| 采收加工 |

全年可采，切段，晒干。

| 功能主治 |

解疫毒，消肿胀，清热解毒。用于水肿、跌打肿痛、黄疸性肝炎。

| 附　注 |

在 FOC 中，其学名被修订为 *Pentaphragma sinense* Hemsl. et Wils.。

桔梗科 Campanulaceae 铜锤玉带草属 *Pratia nummularia*

铜锤玉带草 *Pratia nummularia* (Lam.) A. Br. et Aschers.

| 中 药 名 | 铜锤玉带草（药用部位：全草），地茄子（药用部位：果实）

| 植物形态 | 多年生草本，有白色乳汁。茎平卧，节上生根。叶互生，叶片圆卵形、心形或卵形，基部斜心形，边缘有牙齿，叶脉掌状至掌状羽脉；叶柄长 2~7mm。花单生叶腋；花梗长 0.7~3.5cm；花萼筒坛状，裂片条状披针形，每边生 2 或 3 小齿；花冠紫红色、淡紫色、绿色或黄白色，檐部二唇形，裂片 5，上唇 2 裂片条状披针形，下唇裂片披针形；雄蕊在花丝中部以上连合，花药管长 1mm 余，下方 2 花药先端生髯毛。果实为浆果，紫红色，椭圆状球形。种子多数，近圆球状，稍压扁，表面有小疣突。在热带地区全年可开花结果。

| 分布区域 | 产于海南中部地区。

铜锤玉带草

| 资　　源 | 生于低海拔至中海拔地区的山谷或路旁荫蔽处、林下、水坑或石隙，少见。 |

| 采收加工 | 全草：夏季采收，洗净，鲜用或晒干。果实：8~9 月采收，鲜用或晒干。 |

| 药材性状 | 全草：样品为干燥皱缩全草，颜色深绿色，茎细长，扁圆柱形，密生柔毛，匍匐茎（节上有不定根）有纵沟或纵细纹；节间明显，长 1.5~4cm；单叶互生，卵形、阔卵形；叶柄较长，2~6mm，基部稍偏斜，叶缘钝锯齿状，叶上面绿色，下面灰绿色，两面或多或少有疏柔毛；叶腋常有小叶着生。果实：椭圆状球形或球形。质脆；气微，味淡。粉末草绿色，味淡，稍刺鼻。 |

| 功能主治 | 全草：祛风除湿，活血，解毒。用于风湿疼痛、跌打损伤、月经不调、目赤肿痛、乳痈、无名肿毒。果实：祛风，利湿，理气，散瘀。用于风湿痹痛、疝气、跌打损伤、遗精、白带。 |

| 附　　注 | 在 FOC 中，其学名被修订为 *Lobelia nummularia* Lamarck。 |

桔梗科 Campanulaceae 尖瓣花属 Sphenoclea

尖瓣花

Sphenoclea zeylanica Gaertn.

| 中 药 名 | 尖瓣花（药用部位：全草）

| 植物形态 | 植株全体无毛。茎直立，通常多分枝。叶互生，有长达 1cm 的叶柄，叶片长椭圆形，长椭圆状披针形或卵状披针形，全缘，上面绿色，下面灰色或绿色。穗状花序与叶对生，或生于枝顶，长 1~4cm。苞片卵形，先端渐尖，小；小苞片宽条形而小；花小，长不过 2mm；花萼裂片卵圆形；花冠白色，浅裂，裂片开展。蒴果直径 2~4mm。种子棕黄色。无固定花果期。

| 分布区域 | 产于海南各地。亦分布于中国台湾、广东、广西、云南。东半球热带广布，且引入美洲热带地区。

| 资 源 | 生于稻田及潮湿处。

尖瓣花

| 采收加工 | 全年可采收，切段，晒干。

| 功能主治 | 祛风，利湿，理气，散瘀。用于风湿痹痛、疝气、跌打损伤。

桔梗科 Campanulaceae　蓝花参属 Wahlenbergia

蓝花参

Wahlenbergia marginata (Thunb.) A. DC.

中药名

蓝花参（药用部位：根或全草）

植物形态

多年生草本，有白色乳汁。根细长，外面白色，细胡萝卜状。茎自基部多分枝，直立或上升，无毛或下部疏生长硬毛。叶互生，无柄或具长至 7mm 的短柄，常在茎下部密集，下部的匙形、倒披针形或椭圆形，上部的条状披针形或椭圆形，边缘波状或具疏锯齿，或全缘，无毛或疏生长硬毛。花梗极长，细而伸直，长可达 15cm；花萼无毛，筒部倒卵状圆锥形，裂片三角状钻形；花冠钟状，蓝色，分裂达 2/3，裂片倒卵状长圆形。蒴果倒圆锥状或倒卵状圆锥形，有不甚明显的肋 10。种子矩圆状，光滑，黄棕色。花果期 2~5 月。

分布区域

产于海南昌江、琼中、万宁、澄迈、三亚。亦分布于中国长江以南各地。

资　源

生于低海拔的田边、路边和荒地中，有时生于山坡或沟边。

蓝花参

| 采收加工 | 夏、秋季采收，洗净，鲜用或晒干。

| 药材性状 | 本品长 10~30cm。根细长，稍扭曲，有的有分枝，长 4~8cm，直径 0.3~0.5cm；表面棕褐色或淡棕黄色，具细纵纹，断面黄白色。茎丛生，纤细。叶互生；无柄；叶片多皱缩，展开后呈条形或倒披针状匙形，长 1~3cm，宽 0.2~0.4cm；灰绿色或棕绿色。花单生于枝顶，浅蓝紫色。蒴果圆锥形，长约 5mm。种子多数，细小；气微，味微甜，嚼之有豆腥气。

| 功能主治 | 益气健脾，止咳祛痰，止血。用于虚损劳伤、自汗、盗汗、小儿疳积、妇女白带、感冒、咳嗽、衄血、疟疾、瘰疬。

小草海桐
Scaevola hainanensis Hance

| 中 药 名 | 小草海桐（药用部位：根、叶）

| 植物形态 | 蔓性小灌木，老枝细长而秃净，叶腋处有一簇长绒毛。叶螺旋状着生，在枝顶较密集，有时侧枝不发育而极端缩短，使叶簇生，叶无柄或具短柄，肉质，条状匙形，全缘，只背面一条主脉可见。花单生叶腋；花梗长约 1mm；小苞片对生，位于花梗先端，宽条形，腋内有一簇绒毛；花萼无毛，筒部倒卵状矩圆形，先端波状 5 浅裂，形成一个浅杯；花冠淡蓝色，后方开裂至基部，其余裂至中部，筒内面密生长毛，裂片向一方展开，裂片狭长椭圆形，有宽的膜质翅，翅缘下部多少流苏状；药隔超出药室；子房 2 室，花柱下部有短毛。

小草海桐

| 分布区域 | 产于海南东方、儋州、澄迈、海口、万宁、西沙群岛。分布于中国广东、福建和台湾。越南沿海地区也有分布。

| 资　　源 | 生于海边盐田或与红树同生。

| 采收加工 | 根：全年可采挖，洗净，切段，晒干。叶：晒干或鲜用。

| 功能主治 | 根：用于心胃气痛、风湿骨痛。叶：用于扭伤、风湿痹痛。

草海桐科 Goodeniaceae 草海桐属 *Scaevola*

草海桐
Scaevola sericea Vahl

| 中 药 名 | 草海桐（药用部位：根、叶）

| 植物形态 | 直立或铺散灌木，有时枝上生根，或为小乔木，中空，但叶腋里密生一簇白色须毛。叶螺旋状排列，大部分集中于分枝先端，颇像海桐花，无柄或具短柄，匙形至倒卵形，基部楔形，全缘，或边缘波状，稍稍肉质。聚伞花序腋生。苞片和小苞片小，腋间有一簇长须毛；花梗与花之间有关节；花萼无毛，筒部倒卵状，裂片条状披针形；花冠白色或淡黄色，后方开裂至基部，外面无毛，檐部开展，裂片中间厚，披针形，中部以上每边有宽而膜质的翅，翅常内叠，边缘疏生缘毛；花药在花蕾中围着花柱上部，和集粉杯下部粘成一管，花开放后分离，药隔超出药室，

草海桐

先端成片状。核果卵球状，有两条径向沟槽，将果分为2片，每片有4棱，2室，每室有种子1。花果期4~12月。

| 分布区域 |

产于海南三亚、东方、万宁、琼海、儋州、澄迈、文昌、西沙群岛、南沙群岛、昌江、海口。亦分布于中国台湾、福建、广东、广西。日本、东南亚地区、马达加斯加、密克罗尼西亚，以及夏威夷、大洋洲热带地区也有分布。

| 资　源 |

生于海边，通常在开阔的海边沙地上或海岸峭壁上。

| 采收加工 |

根：全年可采挖，洗净，切段，晒干。叶：晒干或鲜用。

| 功能主治 |

根：用于心胃气痛、风湿骨痛。叶：用于扭伤、风湿痹痛。

田基麻科 **Hydrophyllaceae** 田基麻属 *Hydrolea*

田基麻 *Hydrolea zeylanica* (L.) Vahl

| 中 药 名 | 田基麻（药用部位：全草）

| 植物形态 | 一年生草本；茎直立或平卧，分枝，无毛或上部多少被腺毛。叶披针形或披针状椭圆形，先端骤尖或渐尖，基部渐狭，全缘，两面无毛；叶柄长 2~3mm。花着生在侧枝上成顶生的、短的总状花序，有腺毛；花梗长 1~3mm，花后延长；花萼分裂至近基部，裂片披针形；花冠蓝色，裂片卵形。蒴果卵形，为宿存萼片包被，室间开裂。种子长圆形，微小，长 0.33mm，黄褐色，微有棱。

| 分布区域 | 产于海南乐东、三亚、昌江、白沙、五指山、琼中。亦分布于中国台湾、福建、广东、广西、云南。亚洲热带地区也有分布。

田基麻

| **资　　源** | 生于海拔 1000m 以下的田野湿润处、池沼边、稻田内或水沟边疏林下。

| **采收加工** | 全年可采收，切段，晒干。

| **功能主治** | 用于尿淋、尿血、尿石、水肿。

基及树

Carmona microphylla (Lam) G. Don

| 中 药 名 |

基及树（药用部位：全株或叶）

| 植物形态 |

灌木；分枝细弱；腋芽圆球形。叶革质，倒卵形或匙形，先端圆形或截形、具粗圆齿，基部渐狭为短柄，上面有短硬毛或斑点。团伞花序开展，宽 5~15mm；花序梗细弱，长 1~1.5cm，被毛；花梗极短，长 1~1.5mm，或近无梗；花萼长 4~6mm，裂至近基部，裂片线形或线状倒披针形，中部以下渐狭，被开展的短硬毛，内面有稠密的伏毛；花冠钟状，白色，或稍带红色，裂片长圆形，伸展，较筒部长；花丝长 3~4mm，着生花冠筒近基部，花药长圆形，伸出；花柱长 4~6mm。核果直径 3~4mm，内果皮圆球形，具网纹，直径 2~3mm，先端有短喙。

| 分布区域 |

产于海南海口、澄迈、临高、东方、三亚、陵水、万宁、琼中、白沙等地。亦分布于中国广东西南部、台湾。

| 资　　源 |

生于低海拔至中海拔的疏林或灌丛中。

基及树

采收加工

全年可采叶，晒干。

功能主治

收敛止吐，止泻，消食，消炎。全株：用于便血、咯血。叶：用于跌打肿痛、黄疸型肝炎、疔疮。

紫草科 Boraginaceae **厚壳树属** *Ehretia*

宿苞厚壳树
Ehretia asperula Zoll. & Moritzi

| 中 药 名 | 宿苞厚壳树（药用部位：树皮、叶）

| 植物形态 | 攀缘灌木；枝灰褐色，粗糙，小枝褐色或淡褐色。叶革质，宽椭圆形或长圆状椭圆形，先端钝或具短尖，基部圆，通常全缘，无毛；叶柄长 6~15mm，具瘤状突起。聚伞花序顶生于高年生小枝上，呈伞房状。苞片线形或线状倒披针形，有时弯曲，宿存；花梗长 1.5~3mm，细弱；花萼长 1.5~2.5mm，被褐色短柔毛；花冠白色，漏斗形，长 3.5~4mm，基部直径 1.5mm，喉部直径 5mm，裂片三角状卵形，较筒部稍长；花药长约 1mm，花丝长 3.5~4.5mm，着生花冠筒基部以上 1mm 处；花柱长 3~4mm，分枝长约 1mm。核果红色或橘黄色，直径 3~4mm，内果皮成熟时分裂为 4 个具单种子的分核。

宿苞厚壳树

分布区域	产于海南三亚、乐东、保亭、陵水、万宁、琼海、文昌、琼中、白沙、昌江。越南、印度尼西亚也有分布。
资　　源	生于干燥山坡疏林，喜中性土壤。
采收加工	全年可采收。皮：切段，晒干。叶：晒干。
功能主治	清热解毒，利尿。用于肺炎、脓胸、咽痛、口腔糜烂、膀胱结石、痈肿。

紫草科 Boraginaceae　厚壳树属 *Ehretia*

毛萼厚壳树 *Ehretia laevis* Roxb.

| 中 药 名 | 毛萼厚壳树（药用部位：树皮、叶）

| 植物形态 | 乔木，具灰褐色树皮；枝灰色，粗糙，具椭圆形皮孔，小枝褐色。叶卵状椭圆形或倒卵形，先端钝，基部圆形或宽楔形，上面通常无毛，下面脉腋间有簇生的短毛；叶柄长 1~2cm。聚伞花序顶生及腋生，二叉状稀疏分枝，密生黄褐色短柔毛，无苞片；花无花梗；花萼长约 2mm，具三角形裂片；花冠白色，近辐状，裂片长圆形，反卷；雄蕊伸出花冠外，花药椭圆形，花丝钻形，着生花冠筒基部以上 0.5mm 处；花柱长约 2mm。核果黄色或橘黄色，核多皱纹，成熟时裂为 4 个具单种子的分核。花期 2~4 月。

| 分布区域 | 产于海南保亭、昌江、东方。越南、缅甸、印度也有分布。

毛萼厚壳树

| 资　　源 | 生于路边及山坡密林，喜中性土壤。

| 采收加工 | 全年可采收。皮：切段，晒干。叶：晒干。

| 功能主治 | 清热解毒，利尿。用于肺炎、脓胸、咽痛、口腔糜烂、膀胱结石、痈肿。

紫草科 Boraginaceae 天芥菜属 Heliotropium

大尾摇
Heliotropium indicum L.

| 中 药 名 | 大尾摇（药用部位：全草或根）

| 植物形态 | 一年生草本。叶互生或近对生，卵形或椭圆形，基部圆形或截形，下延至叶柄呈翅状，叶缘微波状或波状，上下面均被短柔毛或糙伏毛，侧脉 5~7 对；叶柄长 2~5cm。镰状聚伞花序长 5~15cm，单一，不分枝，无苞片；花无梗，呈 2 列排列于花序轴的一侧；萼片披针形；花冠浅蓝色或蓝紫色，高脚碟状，基部直径约 1mm，喉部收缩为 0.5mm，檐部直径 2~2.5mm，裂片小，近圆形，皱波状；花药狭卵形，着生花冠筒基部以上 1mm 处；子房无毛，花柱长约 0.5mm，柱头短，呈宽圆锥体状。核果无毛或近无毛，具肋棱，深 2 裂，每裂瓣又分裂为 2 个具单种子的分核。花果期 4~10 月。

大尾摇

分布区域

产于海南澄迈、临高、昌江、东方、乐东、三亚、陵水、万宁等地。在海南西部尤为普遍。

资　　源

生长于低海拔的丘陵、路边、河边及旷地上。

采收加工

秋季采收，鲜用或晒干。

药材性状

叶互生或近于对生，叶片皱缩状，长 5~10cm，卵形或三角状卵形。味苦，性平。

功能主治

清热解毒，利尿。用于肺炎、脓胸、咽痛、口腔糜烂、膀胱结石、痈肿。

紫草科 Boraginaceae 砂引草属 Messerschmidia

银毛树
Messerschmidia argentea (L. f.) I. M. Johnst.

| 中 药 名 | 银毛树（药用部位：叶）

| 植物形态 | 小乔木或灌木。叶倒披针形或倒卵形，生小枝先端，先端钝或圆，自中部以下渐狭为叶柄，上下两面密生丝状黄白色毛。镰状聚伞花序顶生，呈伞房状排列，密生锈色短柔毛；花萼肉质，无柄，5深裂，裂片长圆形，倒卵形或近圆形，长约为花冠的 1/2；花冠白色，筒状，裂片卵圆形，开展，比花筒长，外面仅中央具 1 列糙伏毛，其余无毛；雄蕊稍伸出，花药卵状长圆形，花丝极短，不明显，着生花冠筒基部以上 4~5mm 处；子房近球形，无毛，花柱不明显，柱头 2 裂，基部为膨大的肉质环状物围绕。核果近球形，无毛。花果期 4~6 月。

| 分布区域 | 产于海南各地。亦分布于中国台湾。日本、越南及斯里兰卡也有分布。

银毛树

|资　　源|

生于海边沙地。

|采收加工|

全年可采，晒干。

|功能主治|

解痉止痛，抑制分泌。用于胃及十二指肠溃疡，胃肠道、肾、胆绞痛，呕恶，盗汗，流涎。

茄科 Solanaceae 茄属 Solanum

颠 茄

Solanum surattense Burm. f.

| 中 药 名 | 颠茄草（药用部位：全草）

| 植物形态 | 直立草本至亚灌木，高 30~60cm，除茎、枝外各部均被具节的纤毛，茎及小枝具淡黄色细直刺，细直刺长 1~5mm 或更长。叶阔卵形，长 5~10.5cm，宽 4~12cm，先端短尖至渐尖，基部心形，5~7 浅裂或半裂，边缘浅波状；侧脉与裂片数相等，分布于每裂片的中部，脉上均具直刺；叶柄粗壮，长 2~5cm，微具纤毛及较长大的直刺。聚伞花序腋外生，短而少花，长不超过 2cm，单生或多至 4 朵；萼杯状，外面具细直刺及纤毛，先端 5 裂，裂片卵形；花冠白色，筒部隐于萼内，长约 2.5mm，冠檐 5 裂，裂片披针形，长约 1.1cm，宽约 4mm；花药长为花丝长度的 2.4 倍，顶端延长，顶孔向上。子房球形，花柱

颠茄

长于花药而短于花冠裂片，柱头头状。浆果扁球状，直径约 3.5cm，初绿白色，成熟后橙红色，果柄长 2~2.5cm，具细直刺；种子干后扁而薄，边缘翅状，直径约 4mm。

| **分布区域** | 产于海南三亚、乐东、昌江、五指山、陵水、万宁、文昌、儋州、保亭。中国各地药物种植场有引种栽培。原产于欧洲中部、西部和南部。

| **资　源** | 生于路边或村旁。

| **采收加工** | 1 年可采收 2~3 次，6 月底地上部分封垄时采收下部老叶，以利通风透光。7 月采收第 2 次，留茬 20cm 左右。8 月割下地上部分并挖根。分别晒干或 60℃低温烘干备用。

| **药材性状** | 老根木质；细根质脆，易折断，断面平坦，皮部狭，灰白色，木质部棕黄色，形成层环纹明显。气微，味苦、辛。茎圆柱形，直径 3~6mm，表面黄绿色，皮孔点状，稀疏分布，断面中空，嫩茎有毛。叶互生，表面黄绿色至深棕色，两面均有少数毛，沿叶脉处较多。气微，味微苦、辛。以叶完整、嫩茎多者为佳。

| **功能主治** | 解痉止痛，抑制分泌。用于胃及十二指肠溃疡，胃肠道、肾、胆绞痛，呕恶，盗汗，流涎。

茄科 Solanaceae　辣椒属 Capsicum

朝天椒
Capsicum annuum L. var. *conoides* (Mill.) Irish

| 中 药 名 | 指天椒（药用部位：果实）

| 植物形态 | 植物体多二歧分枝。叶长 4~7cm，卵形。花常单生于二分叉间，花梗直立，花稍俯垂，花冠白色或带紫色。果梗及果实均直立，果实较小，圆锥状，长 1.5（~3）cm，成熟后红色或紫色，味极辣。花果期几全年。

| 分布区域 | 海南各地有栽培，有时逸为野生。亦分布于中国各地。

| 资　　源 | 栽培，常见。

| 采收加工 | 全年均可采收，鲜用或晒干。

朝天椒

药材性状

果实鲜品圆锥形，长 2~3cm，直径 1cm，先端渐尖，基部稍圆，具宿萼及果柄。表面红色，有光泽，光滑，果肉稍厚。横切可见中轴胎座，每室有类白色扁圆形种子。气特异，具催嚏性，味辛辣如灼。

功能主治

活血，消肿，解毒。用于疮疡、脚气、狂犬咬伤。

茄科 Solanaceae 夜香树属 Cestrum

夜香树
Cestrum nocturnum L.

| 中 药 名 | 夜香树（药用部位：叶）

| 植物形态 | 直立或近攀缘状灌木，全体无毛；枝条细长而下垂。叶有短柄，柄长 8~20mm，叶片矩圆状卵形或矩圆状披针形，全缘，先端渐尖，基部近圆形或宽楔形，两面秃净而发亮，有 6~7 对侧脉。伞房式聚伞花序，腋生或顶生，疏散，有极多花；花绿白色至黄绿色，晚间极香。花萼钟状，5 浅裂，裂片长约为筒部的 1/4；花冠高脚碟状，筒部伸长，下部极细，向上渐扩大，喉部稍缢缩，裂片 5，直立或稍开张，卵形，急尖，长约为筒部的 1/4；雄蕊伸达花冠喉部，每一花丝基部有 1 齿状附属物，花药极短，褐色；子房有短的子房柄，卵状，花柱伸达花冠喉部。浆果矩圆状，有 1 种子。种子长卵状。

夜香树

| 分布区域 | 海南各地有栽培。亦分布于中国福建、广东、广西、云南。原产于南美洲，现广泛栽培于世界热带地区。 |

| 资　　源 | 栽培，可作园林绿化树种。 |

| 采收加工 | 全年可采收，晒干或鲜用。 |

| 功能主治 | 清热消肿。外用于乳腺炎、痈疮。 |

茄科 Solanaceae 曼陀罗属 *Datura*

洋金花 *Datura metel* L.

中 药 名	洋金花（药用部位：花），曼陀罗子（药用部位：果实或种子），曼陀罗叶（药用部位：叶），曼陀罗根（药用部位：根）
植物形态	一年生直立草本，呈半灌木状，全体近无毛；茎基部稍木质化。叶卵形或广卵形，基部不对称圆形、截形或楔形，边缘有不规则的短齿或浅裂，或者全缘而呈波状，侧脉每边 4~6；叶柄长 2~5cm。花单生于枝杈间或叶腋，花梗长约 1cm。花萼筒状，裂片狭三角形或披针形，果时宿存部分增大，呈浅盘状；花冠长漏斗状，檐部直径 6~10cm，筒中部以下较细，向上扩大呈喇叭状，裂片先端有小尖头，白色、黄色或浅紫色，单瓣，在栽培类型中有 2 重瓣或 3 重瓣；雄蕊 5，在重瓣类型中常变态成 15 左右，花药长约 1.2cm；子房疏生短刺毛，

洋金花

花柱长 11~16cm。蒴果近球状或扁球状，疏生粗短刺，不规则 4 瓣裂。种子淡褐色。花果期 3~12 月。

| 分布区域 | 产于海南各地。

| 资　　源 | 生于低海拔的路边及荒地上。

| **采收加工** | 花：在 7 月下旬至 8 月下旬盛花期，于下午 4~5 时采摘，晒干；遇雨于 50~60℃烘 4~6 小时即干。果实或种子：夏、秋季果实成熟时采收，亦可晒干后取出种子。叶：7~8 月采收，鲜用，亦可晒干或烘干。根：夏、秋季挖取，洗净，鲜用或晒干。

| **药材性状** | 花：花萼已除去，花冠及附着的雄蕊皱缩呈卷条状，长 6~10cm，黄棕色。展平后，花冠上部呈喇叭状，先端 5 浅裂，裂片先端短尖，短尖下有 3 条明显的纵脉纹，裂片间微有凹陷；雄蕊 5，花丝下部紧贴花冠筒，花药扁平，长 1~1.2cm。质脆易碎，气微臭，味辛、苦。果实或种子：蒴果近球形或扁球形，直径约 3cm，茎部有浅盘状宿萼及短果柄。表面黄绿色，疏生粗短刺。果皮木质化，成熟时作不规则 4 瓣裂。种子多数，扁平，三角形，宽约 3mm，淡褐色。气特异，味微苦。有毒。以果实饱满、种子数多、成熟者为佳。叶：叶多皱缩卷曲，灰绿色或灰褐色，完整者展平后呈卵形或广卵形，长 8~20cm，宽 6~14cm，先端渐尖，基部稍圆或近于截形，不对称，全缘或每边具 3~4 浅锯齿，侧脉 4~6 对，约呈 45° 离开中脉至近缘处向上弯曲，中脉与侧脉在下面突起；叶柄近圆柱形，长 2~3cm，上面中央有浅槽。气微酸臭，味苦。

| 功能主治 | 花：平喘止咳，麻醉止痛，解痉止搐。用于哮喘咳嗽、脘腹冷痛、风湿痹痛、癫痫、惊风、外科麻醉。果实或种子：平喘，祛风，止痛。用于喘咳、惊痫、风寒湿痹、脱肛、跌打损伤、疮疖。叶：镇咳平喘，止痛拔脓。用于喘咳、痹痛、脚气、脱肛、痈疽疮疖。根：镇咳，止痛，拔脓。用于喘咳、风湿痹痛、疥癣、恶疮、狂犬咬伤。

红丝线
Lycianthes biflora (Lour.) Bitter

| 中 药 名 | 毛药（药用部位：全株）

| 植物形态 | 灌木或亚灌木。上部叶常假双生；大叶片椭圆状卵形，偏斜，先端渐尖，基部楔形渐窄至叶柄而成窄翅；叶柄长 2~4cm；小叶片宽卵形，基部宽圆形而后骤窄下延至柄而成窄翅；叶柄长 0.5~1cm，两种叶均膜质，全缘，被简单、具节、分散的短柔毛。花序无柄，通常 2~3 花，少 4~5 花着生于叶腋内；花梗短；萼杯状，萼齿 10，钻状线形；花冠淡紫色或白色，星形，先端深 5 裂，裂片披针形，外面在中上部及边缘被有单毛；花冠筒隐于萼内，冠檐长约 7.5mm，基部具深色斑点，花丝长约 1mm，花药近椭圆形，顶孔向内。子房卵形，花柱柱头头状。果柄长 1~1.5cm，浆果球形，成熟果实绯红色，

红丝线

宿萼盘形；种子多数，淡黄色，近卵形至近三角形，水平压扁，外面具突起的
网纹。花期 5~8 月，果期 7~11 月。

| **分布区域** | 产于海南儋州、白沙、东方、乐东、琼中、陵水、万宁、保亭、三亚等地。

| **资　　源** | 生于低海拔的土壤肥沃潮湿处或林边、路旁。

| **采收加工** | 夏季采收，通常鲜用。

| **功能主治** | 清热解毒，祛痰止咳。用于咳嗽、哮喘、痢疾、热淋、狂犬咬伤、疔疮红肿、
外伤出血。

茄科 Solanaceae 枸杞属 Lycium

枸 杞 *Lycium chinense* Mill.

| 中 药 名 | 枸杞子（药用部位：果实），地骨皮（药用部位：根皮），枸杞叶（药用部位：嫩茎叶）

| 植物形态 | 多分枝灌木；枝条弓状弯曲或俯垂，淡灰色，有纵条纹，棘刺长0.5~2cm，生叶和花的棘刺较长，小枝先端锐尖呈棘刺状。叶纸质或栽培者质稍厚，单叶互生或2~4簇生，卵形、卵状菱形、长椭圆形、卵状披针形，基部楔形；叶柄长0.4~1cm。花在长枝上单生或双生于叶腋，在短枝上则同叶簇生；花梗长1~2cm。花萼长3~4mm，通常3中裂或4~5齿裂；花冠漏斗状，淡紫色，筒部向上骤然扩大，稍短于或近等于檐部裂片，5深裂，裂片卵形，平展或稍向外反曲，边缘有缘毛，基部耳显著；雄蕊较花冠稍短，或因花冠裂片外展而伸出花冠，花丝在近基部处密生一圈绒毛并交织成椭圆状的毛丛，

枸杞

与毛丛等高处的花冠筒内壁亦密生一环绒毛；花柱稍伸出雄蕊，上端弓弯，柱头绿色。浆果红色，卵状，栽培者可呈长矩圆状或长椭圆状。种子扁肾形，黄色。花果期 6~11 月。

| **分布区域** | 海南万宁、海口、儋州等地有栽培。亦分布于中国各地。

| **资　　源** | 生于山坡、田埂或丘陵地带。

| **采收加工** | 果实：6~11 月果实陆续红熟，要分批采收，迅速将鲜果摊在芦席上，厚不超过 3cm，一般以 1.5cm 为宜，放阴凉处晾至皮皱，然后曝晒至果皮起硬、果肉柔软时去果柄，再晒干；晒干时切忌翻动，以免影响质量。遇多雨时宜用烘干法，先用 45~50℃烘至七八成干，再用 55~60℃烘至全干。根皮：早春、晚秋采挖根部，洗净泥土，剥取皮部，晒干。或将鲜根切成 6~10cm 长的小段，再纵剖至木质部，置蒸笼中略加热，待皮易剥离时，取出剥下皮部，晒干。嫩茎叶：春季至初夏采摘，洗净，多鲜用。

| 药材性状 | 根皮：根皮呈筒状、槽状或不规则卷片，大小不一，一般长 3~10cm，直径 0.5~2cm，厚 1~3mm。外表面土黄色或灰黄色，粗糙，有不规则纵裂纹，易呈鳞片状脱落；内表面黄白色，具细纵条纹。质松脆，易折断，折断面分内外两层，外层（落皮层）较厚，土黄色；内层灰白色。气微，味微甘，后苦。以筒粗、肉厚、整齐、无木心及碎片者为佳。果实：果实长卵形或椭圆形，略扁，长 0.6~2cm，直径 3~8mm。表面鲜红色或暗红色，微有光泽，有不规则皱纹，先端略尖，有小突起状的花柱痕，基部有白色的果柄痕。果皮柔韧，皱缩；果肉厚，柔润而有黏性，内有种子多数。种子扁肾形，长 1.5~2mm，直径约 1mm。气微，味甜、微酸。以粒大、色红、肉厚、质柔润、籽少、味甜者为佳。嫩茎叶：单叶或数叶簇生于嫩枝上。叶片皱缩，展平后卵形或长椭圆形，长 2~6cm，宽 0.5~2.5cm，全缘。表面深绿色。质脆，易碎。气微，味苦。

| 功能主治 | 根皮：清虚热，泻肺火，凉血。用于阴虚劳热、骨蒸盗汗、小儿疳积发热、吐血、衄血、尿血、消渴。果实：养肝，滋肾，润肺。用于肝肾亏虚、头晕目眩、目视不清、腰膝酸软、阳痿遗精、虚劳咳嗽、消渴引饮。嫩茎叶：补虚益精，清热明目。用于虚劳发热、烦渴、目赤昏痛、障翳夜盲、崩漏带下、热毒疮肿。

| 附 注 | 除枸杞根皮作地骨皮药用外，宁夏枸杞 *Lycium barbarum* L. 的根皮亦可作地骨皮入药。

茄科 Solanaceae 番茄属 Lycopersicon

番 茄 *Lycopersicon esculentum* Mill.

| 中 药 名 | 番茄（药用部位：新鲜果实）

| 植物形态 | 一年生或多年生草本植物，体高 0.6~2m，全体生黏质腺毛，有强烈
气味。茎易倒伏。叶为羽状复叶或羽状深裂，长 10~40cm，小叶极
不规则，大小不等，常 5~9，卵形或矩圆形，长 5~7cm，边缘有不
规则锯齿或裂片。花序总梗长 2~5cm，常 3~7 花；花梗长 1~1.5cm；
花萼辐状，裂片披针形，果时宿存；花冠辐状，直径约 2cm，黄色。
浆果扁球状或近球状，肉质而多汁液，橘黄色或鲜红色，光滑；种
子黄色。花果期夏、秋季。

| 分布区域 | 产于海南各地。亦分布于中国各地。原产于南美洲。

| 资　　源 | 栽培，常见。

番茄

| 采收加工 | 夏、秋季果实成熟时采收，洗净，鲜用。

| 功能主治 | 生津止渴，健胃消食。用于口渴、食欲不振。

茄科　Solanaceae　烟草属　Nicotiana

烟　草
Nicotiana tabacum L.

| 中 药 名 |

烟草（药用部位：叶）

| 植物形态 |

一年生或多年生草本，全体被腺毛；根粗壮。
茎高 0.7~2m，基部稍木质化。叶矩圆状披
针形、披针形、矩圆形或卵形，先端渐尖，
基部渐狭至茎呈耳状而半抱茎，柄不明显或
呈翅状柄。花序顶生，圆锥状，多花；花梗
长 5~20mm。花萼筒状或筒状钟形，裂片三
角状披针形，长短不等；花冠漏斗状，淡红色，
筒部色更淡，稍弓曲，檐部宽 1~1.5cm，裂
片急尖；雄蕊中 1 枚显著较其余 4 枚短，不
伸出花冠喉部，花丝基部有毛。蒴果卵状或
矩圆状，长约等于宿存萼。种子圆形或宽矩
圆形，褐色。夏、秋季开花结果。

| 分布区域 |

产于海南各地。亦分布于中国各地。

| 资　　源 |

栽培，常见。

烟草

采收加工

常于 7 月间，当烟叶由深绿变为淡黄、叶尖下垂时，可按叶的成熟先后顺序，分数次采摘。采后晒干或烘干，再经回潮、发酵、干燥后即可。亦可鲜用。

药材性状

完整叶片呈卵形或椭圆状披针形，长约 60cm，宽约 25cm，先端渐尖，基部稍下延成翅状柄，全缘或带微波状，上面黄棕色，下面色较淡，主脉宽而突出，具腺毛，稍经湿润，则带黏性。气特异，味苦、辣，作呕性。

功能主治

行气止痛，燥湿消肿，解毒杀虫。用于食滞饱胀、气结疼痛、关节痹痛、痈疽、疔疮、疥癣、湿疹、毒蛇咬伤、扭挫伤。

茄科 Solanaceae 　酸浆属 Physalis

苦 蘵 *Physalis angulata* L.

| 中 药 名 | 苦蘵（药用部位：全草），苦蘵果实（药用部位：果实），苦蘵根（药用部位：根）

| 植物形态 | 一年生草本，被疏短柔毛或近无毛；茎多分枝，分枝纤细。叶柄长1~5cm，叶片卵形至卵状椭圆形，先端渐尖或急尖，基部阔楔形或楔形，全缘或有不等大的牙齿，两面近无毛。花梗长5~12mm，纤细，和花萼一样生短柔毛，5 中裂，裂片披针形，生缘毛；花冠淡黄色，喉部常有紫色斑纹；花药蓝紫色或有时黄色。果萼卵球状，薄纸质，浆果直径约 1.2cm。种子圆盘状，长约 2mm。花果期 5~12 月。

| 分布区域 | 产于海南各地。

苦蘵

| 资　　源 | 生于低海拔至中海拔的田边、路边、草地或山坡。 |

| 采收加工 | 全草：夏、秋季采收，鲜用或晒干。果实：秋季果实成熟时采收，鲜用或晒干。根：夏、秋季采挖，洗净，鲜用或晒干。 |

| 药材性状 | 茎有分枝，具细柔毛或近光滑。叶互生，黄绿色，多皱缩或脱落，完整者卵形，长 3~6cm，宽 2~4cm，用水泡开后展平，先端渐尖，基部偏斜，全缘或有疏锯齿，厚纸质；叶柄长 1~5cm。花淡黄棕色，钟形，先端 5 裂。有时可见果实，球形，橙红色，外包淡绿黄色膨大的宿萼，长约 2.5cm，有 5 条较深的纵棱。气微，味苦。以全草幼嫩、色黄绿、带宿萼多者为佳。 |

| 功能主治 | 全草：清热利尿，解毒消肿。用于感冒、肺热咳嗽、咽喉肿痛、牙龈肿痛、湿热黄疸、痢疾、水肿、热淋、天疱疮、疔疮。果实：解毒，利湿。用于牙痛、天疱疮、疔疮。根：利水通淋。用于水肿腹胀、黄疸、热淋。 |

茄科 Solanaceae **酸浆属** *Physalis*

小酸浆 *Physalis minima* L.

| 中 药 名 | 天泡子（全草或果实）

| 植物形态 | 一年生草本，根细瘦；主轴短缩，先端多二歧分枝，分枝披散而卧于地上或斜升，生短柔毛。叶柄细弱，长 1~1.5cm；叶片卵形或卵状披针形，基部歪斜楔形，全缘而呈波状或有少数粗齿，两面脉上有柔毛。花具细弱的花梗，花梗长约 5mm，生短柔毛；花萼钟状，外面生短柔毛，裂片三角形，先端短渐尖，缘毛密；花冠黄色；花药黄白色。果梗细瘦，俯垂；果萼近球状或卵球状；果实球状。

| 分布区域 | 产于海南三亚、白沙、万宁、西沙群岛等地。

| 资　　源 | 生于旷野、荒地及路旁等处。

小酸浆

| 采收加工 |

6~7 月采收果实或带果全草，洗净，鲜用或晒干。

| 药材性状 |

全草长 40~70cm。茎呈圆柱形，多分枝，表面黄白色。叶互生，具柄；叶片灰绿色或灰黄绿色，干缩，展平后呈卵形或卵状披针形，长 2~6cm，宽 1~5cm，先端渐尖，基部渐狭，叶缘浅波状或具不规则粗齿，两面被短茸毛，下面较密。叶腋处有灯笼状宿萼，呈压扁状，薄膜质，黄白色，内有近球形浆果。气微，味苦。以全草幼嫩、色黄白、带果宿萼多者为佳。

| 功能主治 |

清热利湿，祛痰止咳，软坚散结。用于湿热黄疸、小便不利、慢性咳喘、疳疾、瘰疬、天疱疮、湿疹、疖肿。

茄科 Solanaceae 茄属 *Solanum*

野 茄 *Solanum coagulans* Forsk.

| 中 药 名 | 黄水茄（药用部位：根、叶、果实）

| 植物形态 | 直立草本至亚灌木，小枝，叶下面、叶柄、花序均密被 5~9 分枝的灰褐色星状绒毛。上部叶常假双生；叶卵形至卵状椭圆形，基部不等形、圆形、截形或近心形，边缘浅波状圆裂，裂片通常 5（~7），上面密被 4~9 分枝的星状绒毛，下面被 7~9 分枝的星状绒毛；中脉两面均具细直刺，侧脉每边 3~4，在两面均具细直刺或无刺；叶柄长 1~3cm，密被星状绒毛及直刺，蝎尾状花序超腋生，总花梗短或近于无，花梗长约 1.7cm，有时有细直刺，花后下垂。不孕花蝎尾状，与能孕花并出；能孕花较大，萼钟形，萼片 5，三角状披针形，花冠辐状星形，紫蓝色，花冠筒长 3mm，冠檐长 1.5cm，5 裂，裂片宽三角形；花丝长 1.5~1.8mm，花药椭圆状，长约为花丝长度的 3 倍，

野茄

顶孔向上；柱头头状。浆果球状，成熟时黄色；种子扁圆形。花期夏季，果期冬季。

分布区域

产于海南海口、澄迈、白沙、昌江、乐东、保亭、三亚、陵水、万宁等地。亦分布于中国云南、广西、广东、台湾。

资　源

生于低海拔的荒地或灌丛中。

采收加工

根、叶：夏、秋季采收根、叶。果实：秋、冬季采收果实。鲜用或晒干。

功能主治

止咳平喘，解毒消肿，止痛。用于咳嗽、哮喘、风湿性关节炎、热淋、睾丸炎、牙痛、痈疮溃烂。

茄科 Solanaceae 茄属 Solanum

毛 茄 *Solanum ferox* L.

| 中 药 名 | 毛茄（药用部位：全株）

| 植物形态 | 直立草本至亚灌木，小枝、叶、花序及果实均密被长硬毛及长星状硬毛及直刺。叶大而厚，卵形，基部截形，近戟形，边缘有 5~11 三角形波状浅裂，裂片有时有 1~2 浅齿，侧脉约与裂片同数，其两面均着生细直刺；叶柄多被具星状毛及直刺。蝎尾状花序腋外生，疏花，总花梗短，花梗长约 1cm；萼杯状，端 5 裂，裂片卵状披针形；花冠白色近辐形，筒部隐于萼内，冠檐长约 13mm，端 5 裂，裂片卵状披针形，基部宽 3~4mm，外面被具柄或无柄的星状毛；雄蕊 5，近无柄，花药先端延长，卵状渐尖，顶孔向上；子房近卵形，中部以上被星状硬毛，花柱长约 9mm，柱头截形。浆果球状，外面密被黄土色星状硬毛；种子扁平，黑褐色。花期夏、秋季，果期冬季。

毛茄

| 分布区域 |

产于海南万宁、陵水、三亚、保亭、乐东、白沙、儋州等地。

| 资　　源 |

生于低海拔的荒地或灌丛中。

| 采收加工 |

夏、秋季采收全株，切段，晒干。

| 功能主治 |

行气，活血，止痛。用于疝气、跌打损伤。

茄科 Solanaceae 茄属 *Solanum*

疏刺茄
Solanum nienkui Merr. & Chun

| 中 药 名 |

疏刺茄（药用部位：全株）

| 植物形态 |

直立灌木，茎木质。叶卵形至长圆状卵形，基部圆形或楔形，边缘近波状，被5~7分枝、粗短的星状毛，密被7~9分枝、细长、具柄的星状短柔毛，中脉具极小的钩刺，侧脉每边4~5；叶柄密被星状毛，无刺或具极小的钩刺。蝎尾状花序顶生或腋外生，花梗长约1cm，毛被与叶下面的相似，花萼钟状，外面密被具短柄、分枝多的星状短柔毛，端5裂，裂片长圆状卵形，花冠蓝紫色，辐形，外面被星状毛，花冠筒冠檐长约10mm，先端5裂，裂片三角形，通常3长2短，长的连花丝约长7mm，花药黄色，花丝长约为花药长度的1/6；子房长圆形，光滑，花柱丝状，柱头小，先端浅2裂。浆果圆球形，光滑，果柄长约1.2cm，被星状毛，上端膨大；种子扁，近肾形，外面具网纹。花期6~12月。

| 分布区域 |

产于海南三亚、乐东、东方、昌江、白沙、临高、五指山、保亭。海南特有种。

疏刺茄

| **资　　源** | 喜生于海拔约 250m 的林下或灌丛中。

| **采收加工** | 夏、秋季采收全株，切段，晒干。

| **功能主治** | 行气，活血，止痛。用于疝气、跌打损伤。

茄科 Solanaceae 茄属 *Solanum*

少花龙葵 *Solanum americanum* Mill.

| 中 药 名 | 古钮菜（药用部位：全草）

| 植物形态 | 纤弱草本，茎无毛或近于无毛。叶薄，卵形至卵状长圆形，基部楔形下延至叶柄而成翅，叶缘近全缘，波状或有不规则的粗齿，两面均具疏柔毛；叶柄纤细，长 1~2cm，具疏柔毛。花序近伞形，腋外生，纤细，着生 1~6 花，总花梗长 1~2cm，花梗长 5~8mm，花小；萼绿色，5 裂达中部，裂片卵形；花冠白色，筒部隐于萼内，冠檐长约 3.5mm，5 裂，裂片卵状披针形；花丝极短，花药黄色，长圆形，为花丝长度的 3~4 倍，顶孔向内；子房近圆形，花柱纤细，头状。浆果球状，幼时绿色，成熟后黑色；种子近卵形，两侧压扁。花果期几全年。

| 分布区域 | 产于海南澄迈、白沙、昌江、东方、乐东、三亚、保亭、万宁等地。

少花龙葵

资　　源	喜生于田边、荒地及村庄附近。
采收加工	春、夏、秋季采收，鲜用或晒干。
药材性状	茎圆柱形，多分枝，长 30~70cm，直径 2~10mm，表面黄绿色，具纵皱纹。质硬而脆，断面黄白色，中空。叶皱缩或破碎，完整者呈卵形或椭圆形，长 2~12cm，宽 2~6cm，先端锐尖或钝，全缘或有不规则波状锯齿，暗绿色，两面光滑或疏被短柔毛；叶柄长 1~2cm。花、果少见，聚伞花序蝎尾状，腋外生，花 4~6，花萼棕褐色，花冠棕黄色。浆果球形，黑色或绿色，皱缩。种子多数，棕色。气微，味淡。
功能主治	清热解毒，利湿消肿。用于高血压、痢疾、热淋、目赤、咽喉肿痛、疔疮疖肿。

茄科 Solanaceae　茄属 Solanum

海南茄 *Solanum procumbens* Lour.

|中 药 名|

海南茄（药用部位：根）

|植物形态|

灌木，具黄土色、基部宽扁的倒钩刺；嫩枝、叶下面、叶柄及花序柄，均被分枝多、无柄或具短柄的星状短绒毛及小钩刺。叶卵形至长圆形，基部楔形或圆形，近全缘或 5 粗大波状浅圆裂，上疏被 4~8 分枝、平贴的星状绒毛，在边缘较密，星状绒毛相互交织密被，中脉两面均着生 1~4 小尖刺，侧脉每边 3~4，具 1~2 小尖刺；叶柄长 4~10mm，具有与中脉相同的小尖刺或无刺。蝎尾状花序顶生或腋外生，毛被较叶下面薄，花梗长 4~10mm；花萼杯状，4 裂，裂片三角形；花冠淡红色，花冠筒长约 1.5mm，冠檐长约 9mm，先端深 4 裂，裂片披针形；雄蕊 4，花丝长约 1mm；子房球形，花柱长约 7mm，先端 2 裂。浆果球形，宿存萼向外反折，果柄长约 2cm；种子淡黄色，近肾形，扁平。花期春、夏季，果期秋、冬季。

|分布区域|

产于海南各地。

海南茄

| 资　　源 | 生于低海拔的灌丛中或林下。 |

| 采收加工 | 秋、冬季挖取地下根，洗净，晒干。 |

| 药材性状 | 具黄土色基部宽扁的倒钩刺。 |

| 功能主治 | 散风热，活血止痛。用于感冒、头痛、咽喉疼痛、关节肿痛、月经不调、跌打损伤。 |

茄科 Solanaceae 茄属 Solanum

水 茄
Solanum torvum Swartz

| 中 药 名 |

水茄（药用部位：根、老茎）

| 植物形态 |

灌木，小枝、叶下面、叶柄及花序柄，均被具长柄、短柄或无柄稍不等长 5~9 分枝的尘土色星状毛。小枝具皮刺，皮刺淡黄色，基部疏被星状毛。叶单生或双生，卵形至椭圆形，基部心形或楔形，边缘半裂或作波状，裂片通常 5~7，密被分枝多而具柄的星状毛；中脉在下面少刺或无刺，侧脉每边 3~5，有刺或无刺。叶柄长 2~4cm，具 1~2 皮刺或不具。伞房花序腋外生，2~3 歧，总花梗长 1~1.5cm，具 1 细直刺或无，花梗长 5~10mm；花白色；萼杯状，端 5 裂，裂片卵状长圆形；花冠辐形，筒部隐于萼内，冠檐长约 1.5cm，端 5 裂，裂片卵状披针形；花丝长约 1mm，花药长为花丝长度的 4~7 倍，顶孔向上；子房卵形，不孕花的花柱短于花药，能孕花的花柱长于花药；柱头截形。浆果黄色，光滑无毛，圆球形，果柄长约 1.5cm，上部膨大；种子盘状。花果期全年。

| 分布区域 |

产于海南文昌、万宁等地。

水茄

| 资　　源 | 生于低海拔的路旁荒地及村庄附近。 |

| 采收加工 | 全年均可采，洗净，切片，鲜用或晒干。 |

| 药材性状 | 根呈不规则圆柱形，多扭曲，多分枝，表面灰黄色或棕黄色，粗糙，可见突起细根及斑点，皮薄，有的剥落，剥落处显淡黄色。质硬，断面淡黄色或黄白色，呈纤维性。茎的皮刺长 5mm 以上。味苦，性凉，有毒。 |

| 功能主治 | 活血消肿止痛。用于胃痛、痧证、闭经、跌打瘀痛、腰肌劳损、痈肿、疔疮。 |

茄科 Solanaceae 茄属 Solanum

假烟叶树

Solanum verbascifolium L.

| 中 药 名 | 野烟叶（药用部位：根皮、叶或全株）

| 植物形态 | 小乔木。叶大而厚，卵状长圆形，基部阔楔形或钝，上面绿色，被具短柄的 3~6 不等长分枝的簇绒毛，被具柄的 10~20 不等长分枝的簇绒毛，全缘或略作波状，侧脉每边 7~9，叶柄长 1.5~5.5cm，密被与叶下面相似的毛被。聚伞花序多花，形成近顶生圆锥状平顶花序，总花梗长 3~10cm，花梗长 3~5mm，均密被与叶下面相似的毛被。花白色，萼钟形，外面密被与花梗相似的毛被，5 半裂，萼齿卵形；花冠筒隐于萼内，冠檐深 5 裂，裂片长圆形；雄蕊 5，花丝长约 1mm，花药长约为花丝长的 2 倍，顶孔略向内；子房卵形，密被硬毛状簇绒毛，花柱光滑，柱头头状。浆果球状，具宿存萼，黄褐色。种子扁平。花果期几全年。

假烟叶树

| 分布区域 | 海南各地常见。亦分布于中国四川、贵州、云南、广西、广东、福建、台湾等地。

| 资　　源 | 生于中海拔以下的荒地或村旁。

| 采收加工 | 叶：于开花前采收。全株：全年可采，洗净，切段鲜用或晒干。

| 功能主治 | 味苦，性温；有毒。行气血，消肿毒，止痛。用于胃痛、腹痛、痛风、骨折、跌打损伤、痈疖肿毒、皮肤溃疡、外伤出血。

| 附　　注 | 在 FOC 中，其学名被修订为 *Solanum erianthum* D. Don。

旋花科 Convolvulaceae 银背藤属 Argyreia

白鹤藤 *Argyreia acuta* Lour.

| 中 药 名 | 一匹绸（药用部位：茎、叶），白鹤藤根（药用部位：根）

| 植物形态 | 攀缘灌木。叶椭圆形或卵形，基部圆形或微心形，叶面无毛，背面密被银色绢毛，全缘，侧脉多至 8 对；叶柄被银色绢毛。聚伞花序腋生或顶生，总花梗长达 3.5~7（~8）cm，有棱角或侧扁，次级及三级总梗长 5~8mm，具棱，花梗长 5mm；苞片椭圆形或卵圆形，外面被银色绢毛；萼片卵形，外萼片长 9~10mm，内萼片长 6~7mm；花冠漏斗状，白色，外面被银色绢毛，冠檐深裂，裂片长圆形，花冠管长 6~7mm；雄蕊着生于基部 6~7mm 处，花丝长 15mm，具乳突，向基部扩大，花药长圆形；子房无毛，近球形，2 室，每室 2 胚珠，花柱长 2cm，柱头头状，2 裂。果实球形，红色，为增大的萼片包围，萼片突起，内面红色。种子 2~4，卵状三角形，褐色，种脐基生，心形。

白鹤藤

| **分布区域** | 产于海南海口、文昌、琼海、万宁、陵水、三亚、东方等地。 |

| **资　　源** | 生于低山或河边的灌丛或疏林中，常见。 |

| **采收加工** | 茎、叶：全年或夏、秋季采收，鲜用或晒干。根：全年或秋季采挖，洗净，切片，晒干。 |

| **药材性状** | 茎、叶：藤茎呈细圆柱形，常扭曲，长短不一，通常切成短段，长约5cm，直径0.5~1.5cm，表面暗灰棕色，有纵沟纹，断面淡棕色，木质部可见针眼状小孔。叶卷曲或破碎，完整者展平后呈卵形至椭圆形，长5~11cm，宽3~9cm，先端锐尖或钝圆，基部圆形或微心形，上面暗棕色至紫色，下面浅灰绿色，贴生丝光毛，触之柔软；叶柄长2~3.5cm。有时可见花序，花冠漏斗状，花序轴、花萼、花冠密被丝光毛。质脆，易碎。气微，味苦。 |

| **功能主治** | 茎、叶：祛风除湿，化痰止咳，散瘀止血，解毒消痈。用于风湿痹痛、水肿、鼓胀、咳喘痰多、带下、崩漏、内伤吐血、跌打积瘀、乳痈、疮疖、烂脚、湿疹。根：祛风湿，舒筋络。用于风湿痹痛、跌打损伤。 |

银背藤
Argyreia obtusifolia Lour.

| 中 药 名 | 银背藤（药用部位：全株）

| 植物形态 | 攀缘灌木，幼枝密被短柔毛，老枝无毛，淡褐色，具皱纹。叶卵形、椭圆形至长圆形，基部宽楔形，叶面被疏柔毛，背面密被短柔毛，呈灰白色，侧脉 7~11 对；叶柄长 1.5~3.8cm，被短柔毛。聚伞花序有花 5~8，腋生或顶生，总花梗长 2~3cm，苞片早落；萼片卵形，内面的稍小，外面密被长柔毛，内面无毛；花冠漏斗状，外面疏被柔毛，瓣中密被长柔毛，内面无毛，冠檐 5 浅裂；雄蕊及花柱内藏；雄蕊着生于距花冠基部 7mm 处，花丝丝状，基部稍扩大，密被长柔毛，花药长圆形。花盘环状。子房无毛，花柱长 32mm，柱头头状。果实圆球形，红色，4 室，每室 1 种子。花期 9~11 月。

银背藤

| **分布区域** | 产于海南及其沿海岛屿。

| **资　　源** | 生于海拔 250~1800m 的沟谷密林中。

| **采收加工** | 全年或夏、秋季采收，切段或片，晒干。

| **功能主治** | 散瘀止血。用于内伤吐血、血崩、赤白带下、跌打肿痛。

| **附　　注** | 在 FOC 中，其学名被修订为 *Argyreia formosana* Ishigami ex T. Yamazaki。

旋花科 Convolvulaceae **菟丝子属** *Cuscuta*

菟丝子
Cuscuta chinensis Lam.

| 中 药 名 | 菟丝子（药用部位：种子），菟丝（药用部位：全草）

| 植物形态 | 一年生寄生草本。茎缠绕，黄色，纤细，无叶。花序侧生，少花或多花簇生成小伞形或小团伞花序，近于无总花序梗；苞片及小苞片小，鳞片状；花梗稍粗壮；花萼杯状，中部以下连合，裂片三角状；花冠白色，壶形，裂片三角状卵形，先端锐尖或钝，向外反折，宿存；雄蕊着生于花冠裂片弯缺微下处；鳞片长圆形，边缘长流苏状；子房近球形，花柱 2，柱头球形。蒴果球形，几乎全为宿存的花冠所包围，成熟时整齐地周裂。种子 2~4，淡褐色，卵形，表面粗糙。

| 分布区域 | 产于海南乐东等地。

菟丝子

| 资　　源 | 生于中海拔的田边、山坡阳处、路边灌丛或海边沙丘，通常寄生于豆科、菊科、藜藜科等多种植物上。 |

| 采收加工 | 种子：菟丝子种子在 9~10 月收获，采收成熟果实，晒干。打出种子，簸去果壳、杂质。全草：秋季采收全草，晒干或鲜用。 |

| 药材性状 | 种子类圆形或卵圆形，腹棱线明显，两侧常凹陷，长径 1.4~1.6mm，短径 0.9~1.1mm。表面灰棕色或黄棕色，微粗糙，种喙不明显；于放大镜下可见表面有细密深色小点，并有分布不均匀的白色丝状条纹；种脐近圆形，位于种子先端。种皮坚硬，不易破碎，用沸水浸泡，表面有黏性，煮沸至种皮破裂，露出黄白色细长卷旋状的胚，称"吐丝"。除去种皮可见中央卷旋 3 周的胚，胚乳膜质套状，位于胚周围。气微，味微苦、涩。以粒饱满者为佳。全草：干燥茎多缠绕成团，呈棕黄色，柔细，直径约 1mm。叶退化成鳞片状，多脱落。花簇生于茎节，呈球形。果实圆形或扁球形，大小不一，棕黄色。气微，味苦。以干燥、色黄棕、无夹杂者为佳。 |

| 功能主治 | 种子：补肾益精，养肝明目，固胎止泄。用于腰膝酸痛、遗精、阳痿、早泄、不育、消渴、淋浊、遗尿、目昏耳鸣、胎动不安、流产、泄泻。全草：清热解毒，凉血止血，健脾利湿。用于痢疾、黄疸、吐血、衄血、便血、血崩、淋浊、带下、便溏、目赤肿痛、咽喉肿痛、痈疽肿毒、痱子。 |

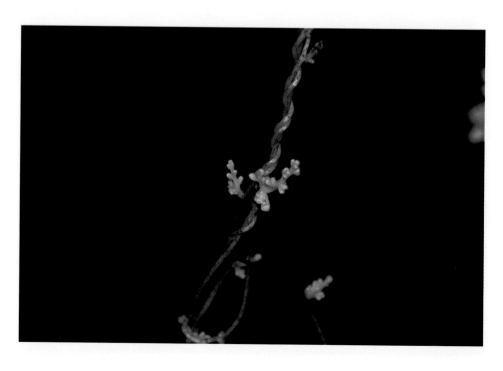

旋花科　Convolvulaceae　马蹄金属　*Dichondra*

马蹄金 *Dichondra micrantha* Urb.

| 中 药 名 | 小金钱草（药用部位：全草）

| 植物形态 | 多年生匍匐小草本，茎细长，节上生根。叶肾形至圆形，先端宽圆形或微缺，基部阔心形，叶面微被毛，背面被贴生短柔毛，全缘；具长的叶柄，叶柄长（1.5~）3~5（~6）cm。花单生于叶腋，花柄短于叶柄，丝状；萼片倒卵状长圆形至匙形，背面及边缘被毛；花冠钟状，较短至稍长于萼，黄色，深 5 裂，裂片长圆状披针形，无毛；雄蕊 5，着生于花冠 2 裂片间弯缺处，花丝短；子房被疏柔毛，2 室，具 4 胚珠，花柱 2，柱头头状。蒴果近球形，短于花萼，膜质。种子 1~2，黄色至褐色，无毛。花期 4 月，果期 7~8 月。

| 分布区域 | 产于海南文昌等地。

马蹄金

| 资　　源 | 通常生于稍干燥的地方。

| 采收加工 | 全年随时可采，鲜用或洗净晒干。

| 药材性状 | 全草缠绕成团。茎细长，被灰色短柔毛，节上生根，质脆，易折断，断面中有小孔。叶互生，多皱缩，青绿色、灰绿色或棕色，完整者展平后圆形或肾形，直径0.5~2cm，基部心形，上面微被毛，下面具短柔毛，全缘；叶柄长约2cm；质脆易碎。偶见灰棕色近圆球形的果实，直径约2mm；种子1~2，黄色或褐色。气微，味辛。以叶多、色青绿者为佳。

| 功能主治 | 清热，利湿，解毒。用于黄疸、痢疾、砂淋、白浊、水肿、疔疮肿毒、跌打损伤、毒蛇咬伤。

旋花科 Convolvulaceae 丁公藤属 Erycibe

九来龙
Erycibe elliptilimba Merr. et Chun

| 中 药 名 | 凹脉丁公藤（药用部位：茎、叶）

| 植物形态 | 木质藤本，幼枝稍被柔毛，老枝有明显的纵长木栓棱。叶厚革质，椭圆形至长圆状椭圆形，基部宽楔形，两面无毛，侧脉约 6 对，与中脉在叶面明显下陷，网脉在背面明显下陷；叶柄长 2~2.5cm。花序腋生和顶生，总状或狭圆锥状，有时 2~3 枝同生叶腋，被锈色短的二叉状柔毛；花梗长 2~4mm；小苞片长圆形，早落；萼片近圆形，密被二叉状短柔毛；花冠白色，小裂片长圆形，有脉，边缘稍啮蚀状；雄蕊长约 3mm，花药披针形，基部心形；子房长 1.3~1.6mm，柱头圆锥状，具 5 条明显的脊。浆果椭圆形，黑褐色。花期 8~10 月，果期 1~4 月。

九来龙

| **分布区域** | 产于海南文昌、万宁、保亭、陵水、三亚等地。

| **资　　源** | 生于低山或河边以及海滨的疏林中。

| **采收加工** | 全年可采，切段，晒干。

| **功能主治** | 民间以茎、叶煮水服，作为轻泻剂。用于高血压。

旋花科 Convolvulaceae 丁公藤属 Erycibe

丁公藤 *Erycibe obtusifolia* Benth.

| 中 药 名 | 丁公藤（药用部位：藤茎）

| 植物形态 | 高大木质藤本；小枝干后黄褐色，明显有棱，不被毛。叶革质，椭圆形或倒长卵形，基部渐狭呈楔形，两面无毛，侧脉 4~5 对，在叶面不明显，在背面微突起，至边缘以内网结上举；叶柄长 0.8~1.2cm，无毛。聚伞花序腋生和顶生，腋生的花少至多数，顶生的排列成总状，长度均不超过叶长的一半，花序轴、花序梗被淡褐色柔毛；花梗长 4~6mm；花萼球形，萼片近圆形，外面被淡褐色柔毛和有缘毛，毛不分叉；花冠白色，小裂片长圆形，全缘或浅波状，无齿；雄蕊不等长，花丝长可达 1.5mm，花药与花丝近等长，花丝之间有鳞片，子房圆柱形，柱头圆锥状贴着子房，两者近等长。浆果卵状椭圆形。

丁公藤

| **分布区域** | 产于海南琼中、保亭、陵水、三亚、乐东、东方等地。

| **资　　源** | 生于中海拔山地、密林中，常见。

| **采收加工** | 全年均可采，洗净，切成段，隔水蒸 2~4 小时，取出晒干。

| **药材性状** | 茎呈圆柱形，直径 1~3cm。商品多为斜切片或短段，直径 2~5cm，斜片厚 1~2.5cm，短段长 3~5cm。粗茎外表面灰黄色、灰褐色或棕褐色，粗糙，并有不规则细密的纵裂纹，皮孔多数，黄白色，点状或呈疣状突起。小枝外表面黄绿色或深黄色，具明显的断续纵棱，皮孔细点状，类白色。粗茎切面灰黄色或淡黄色，皮部菲薄，木质部宽广，有异型维管束排列成数个环轮或形成不规则花纹，各维管束的木质部黄白色，微突起，导管孔密集，髓小。质坚硬，不易折断。气微，味淡。

| **功能主治** | 祛风除湿，消肿止痛。用于风湿痹痛、半身不遂、跌打肿痛。

旋花科 Convolvulaceae 丁公藤属 *Erycibe*

光叶丁公藤 *Erycibe schmidtii* Craib

| 中 药 名 | 丁公藤（药用部位：藤茎）

| 植物形态 | 高大攀缘灌木。叶革质，卵状椭圆形或长圆状椭圆形，基部宽楔形或稍钝圆，两面无毛，中脉在叶面下陷，侧脉 5~6 对，至边缘网结，网脉在背面稍微突起；叶柄长 1~2（~3.5）cm，幼时被微柔毛，老时无毛。聚伞花序呈圆锥状，腋生和顶生，比叶短很多，间有二叉状毛；花梗长 2~5mm，萼片近圆形，外面稍密被锈色短柔毛，内萼片毛较密，被缘毛；花冠白色，芳香，深 5 裂，瓣中带密被黄褐色绢毛，小裂片长圆形，边缘啮蚀状；花丝长约 1mm，基部扩大，花药长 1.8~2mm，圆锥状，基部心形；雌蕊长约 2mm，子房圆柱形；柱头冠状，边缘有小裂片。浆果球形，干后黑褐色。

光叶丁公藤

| 分布区域 | 产于海南乐东、保亭、琼中、琼海、昌江。亦分布于中国广东、广西、云南。

| 资　　源 | 生于海拔 250~1200m 的山谷密林或疏林中，攀生于乔木上。

| 采收加工 | 全年均可采，洗净，切成段，隔水蒸 2~4 小时，取出晒干。

| 药材性状 | 茎圆柱形，直径达 5.5cm。外表面灰色，稍光滑，有明显的纵向纹理及稀疏的龟裂纹，皮孔细点状，黄白色；细枝外皮深褐色。切面黄白色，皮部较薄，髓射线棕色，将木质部隔成数束，呈花瓣状；较粗的茎可见异型维管束，呈不规则纹理，木质部类白色，导管呈多数小孔洞，髓明显，2cm 以上的茎，则髓小或不明显。质坚硬，不易折断。气清香，味淡。

| 功能主治 | 祛风除湿，消肿止痛。用于风湿痹痛、半身不遂、跌打肿痛。

旋花科 Convolvulaceae 土丁桂属 *Evolvulus*

土丁桂
Evolvulus alsinoides (L.) L.

| 中 药 名 |

土丁桂（药用部位：全草）

| 植物形态 |

多年生草本，茎少数至多数，平卧或上升，细长，具贴生的柔毛。叶长圆形、椭圆形或匙形，基部圆形或渐狭，中脉在下面明显，上面不显，侧脉不显；叶柄短至近无柄。总花梗丝状，被贴生毛；花单生或数朵组成聚伞花序，花柄与萼片等长或通常较萼片长；苞片线状钻形至线状披针形；萼片披针形，锐尖或渐尖；花冠辐状，蓝色或白色；雄蕊 5，内藏，花丝丝状，贴生于花冠管基部，花药长圆状卵形，基部钝；子房无毛；花柱 2，每一花柱 2 尖裂，柱头圆柱形，先端稍棒状。蒴果球形，4 瓣裂；种子 4 或较少，黑色，平滑。花期 5~9 月。

| 分布区域 |

产于海南各地。

| 资　源 |

生于矮山坡的疏林下、干燥旷地或干草原，常见。

土丁桂

| **采收加工** | 夏、秋季采收，洗净，鲜用或晒干。

| **药材性状** | 全草纤细，长 20~50cm。根细长稍曲，棕褐色，直径约 3mm。茎细圆柱形，直径约 1mm，灰绿色或淡黄色，茎枝及叶均密被灰白色丝绒毛。叶互生，皱缩，展平后呈卵形或长矩圆形，长 0.4~1cm，宽 2~4mm，先端短尖，基部钝圆，全缘，中脉明显；质柔软。偶见残留小花于叶腋。气微，味苦。以叶多、茎叶密被灰白色丝绒毛者为佳。

| **功能主治** | 清热，利湿，解毒。用于黄疸、痢疾、淋浊、带下、疔疮、疥疮。

旋花科　Convolvulaceae　番薯属　*Ipomoea*

蕹　菜
Ipomoea aquatica Forsk.

| 中 药 名 | 蕹菜（药用部位：茎叶），蕹菜根（药用部位：根）

| 植物形态 | 一年生草本，蔓生或漂浮于水。茎圆柱形，有节，节间中空，节上生根，无毛。叶片形状、大小有变化，卵形、长卵形、长卵状披针形或披针形，先端锐尖或渐尖，具小短尖头，全缘或波状，或有时基部有少数粗齿；叶柄长 3~14cm。聚伞花序腋生，花序梗基部被柔毛，具1~3（~5）花；苞片小鳞片状；花梗长 1.5~5cm，无毛；萼片近等长，卵形，具小短尖头，外面无毛；花冠白色、淡红色或紫红色，漏斗状；雄蕊不等长，花丝基部被毛；子房圆锥状，无毛。蒴果卵球形至球形。种子密被短柔毛或有时无毛。

| 分布区域 | 产于海南各地。

蕹菜

资　　源	栽培于旱地、水田或池塘，或逸生于水沟。
采收加工	茎叶：夏、秋季采收，多鲜用。根：秋季采收，洗净，鲜用或晒干。
药材性状	茎叶常缠绕成把。茎圆柱形，皱缩，有纵沟，具节，表面浅青黄色至淡棕色，节上或有分枝，节处色较深，近下端节处多带有少许淡棕色小须根；质韧，不易折断，断面中空，叶片皱缩，灰青色，展平后呈卵形、三角形或披针形；具长柄。气微，味淡。以茎叶粗大、色灰青者为佳。
功能主治	茎叶：凉血清热，利湿解毒。用于鼻衄、便血、尿血、便秘、淋浊、痔疮、痈肿、折伤、蛇虫咬伤。根：健脾利湿。用于妇女白带、虚淋。

旋花科 Convolvulaceae 番薯属 *Ipomoea*

番 薯
Ipomoea batatas (L.) Lam.

| 中 药 名 | 番薯（药用部位：块根）

| 植物形态 | 一年生草本，地下部分具圆形、椭圆形或纺锤形的块根。茎平卧或上升，偶有缠绕，多分枝，圆柱形或具棱，绿色或紫色，茎节易生不定根。叶片通常为宽卵形，全缘或 3~5（~7）裂，裂片宽卵形、三角状卵形或线状披针形，叶片基部心形或近于平截，顶叶的颜色为品种的特征之一；叶柄长 2.5~20cm。聚伞花序腋生，由 1~3（~7）花聚集成伞形，花序梗长 2~10.5cm；苞片小，披针形；花梗长 2~10mm；萼片长圆形或椭圆形；花冠粉红色、白色、淡紫色或紫色，钟状或漏斗状；雄蕊及花柱内藏，花丝基部被毛；子房 2~4 室。蒴果卵形或扁圆形，由假隔膜分为 4 室。种子 1~4，通常 2，无毛。

番薯

由于番薯属于异花授粉，自花授粉常不结实，所以有时只见开花不见结果。

| **分布区域** | 产于海南各地，栽培。原产于南美洲及安的列斯群岛，现已广泛栽培于世界的热带、亚热带地区（主产于北纬 40° 以南），中国大部分地区普遍栽培，包括在一些较北的地区如黑龙江也已栽种成功。

| **资　　源** | 栽培。

| **采收加工** | 秋、冬季采挖，洗净，切片，晒干。亦可窖藏。

| **药材性状** | 常呈类圆形斜切片，宽 2~4cm，厚约 2mm，偶见未去净的淡红色或灰褐色外皮。切面白色或淡黄白色，粉性，可见淡黄棕色的筋脉点或线纹，近皮部可见一圈淡黄棕色的环纹，质柔软，具弹性，手弯成弧状而不折断。气清香，味甘甜。

| **功能主治** | 补中和血，益气生津，宽肠胃，通便秘。用于脾虚水肿、便秘、疮疡肿毒、大便秘结。

■ 旋花科 ■ Convolvulaceae ■ 番薯属 ■ *Ipomoea*

五爪金龙
Ipomoea cairica (L.) Sweet

| 中 药 名 | 五叶藤（药用部位：茎叶、根），五爪金龙花（药用部位：花）

| 植物形态 | 多年生缠绕草本，全体无毛。叶掌状 5 深裂或全裂，裂片卵状披针形、卵形或椭圆形，中裂片较大，两侧裂片稍小，先端渐尖或稍钝，具小短尖头，全缘或不规则微波状，基部 1 对裂片通常再 2 裂；叶柄长 2~8cm，基部具小的掌状 5 裂的假托叶（腋生短枝的叶片）。聚伞花序腋生，花序梗长 2~8cm，具 1~3 花，或偶有 3 朵以上；苞片及小苞片均小，鳞片状；花梗长 0.5~2cm，有时具小疣状突起；萼片不等长，外方 2 片较短，卵形，外面有时有小疣状突起，内萼片稍宽，萼片边缘干膜质；花冠紫红色、紫色或淡红色，偶有白色，漏斗状；雄蕊不等长，花丝基部稍扩大下延，贴生于花冠管基部以

五爪金龙

上；子房无毛，花柱纤细，长于雄蕊，柱头 2，球形。蒴果近球形，2 室，4 瓣裂。种子黑色，边缘被褐色柔毛。

| 分布区域 | 产于海南各地。

| 资　　源 | 栽培或逸为野生。

| 采收加工 | 茎叶、根：全年或秋季采收，洗净，切段或片，鲜用或晒干。花：夏季采收，晒干或鲜用。

| 药材性状 | 茎叶、根：老根上具块根。茎细长，有细棱，偶有小疣状突起；叶掌状 5 深裂或全裂，裂片卵状披针形，中裂片较大，两侧裂片稍小，先端渐尖或稍钝，具小短尖头，基部楔形渐狭，全缘或不规则微波状，基部 1 对裂片通常再 2 裂；基部具小的掌状 5 裂的假托叶。花：聚伞花序腋生，具花 1~3，苞片及小苞片均小，萼片稍不等长，花冠紫红色、紫色，偶有白色，漏斗状。

| 功能主治 | 茎叶、根：清热解毒，利水通淋。用于肺热咳嗽、小便不利、淋病、水肿、痈肿疔毒。花：止咳除蒸。用于骨蒸劳热、咳嗽溢血。

旋花科　Convolvulaceae　番薯属　*Ipomoea*

七爪龙
Ipomoea digitata L.

| 中 药 名 |　藤商陆（药用部位：块根、叶）

| 植物形态 |　多年生大型缠绕草本，具粗壮而稍肉质的根。茎有细棱，无毛。叶掌状 5~7 裂，裂至中部以下但未达基部，裂片披针形或椭圆形，全缘或不规则波状，先端渐尖或锐尖，具小短尖头，两面无毛或叶面沿中脉疏被短柔毛；叶柄长 3~11cm。聚伞花序腋生，各部分无毛，花序梗通常比叶长，具少花至多花；苞片早落；花梗长 0.9~2.2cm；萼片不等长，外萼片长圆形，内萼片宽卵形；花冠淡红色或紫红色，漏斗状，花冠管圆筒状，基部变狭，冠檐开展；雄蕊花丝基部被毛；子房无毛。蒴果卵球形，4 室，4 瓣裂。种子 4，黑褐色，基部被长绢毛，毛比种子长约 1 倍，易脱落。

七爪龙

| **分布区域** | 产于海南海口、儋州、三亚等地。

| **资　　源** | 生于低海拔地区稍荫蔽的灌丛或树林中。

| **采收加工** | 全年可采，根挖出后，洗净，切片，晒干；叶多鲜用。

| **功能主治** | 逐水消肿，解毒散结。用于水肿腹胀、痈肿疮毒、瘰疬。

旋花科 Convolvulaceae 番薯属 Ipomoea

小心叶薯
Ipomoea obscura (L.) Ker-Gawl.

| **中 药 名** | 小心叶薯（药用部位：根、叶）

| **植物形态** | 缠绕草本。叶心状圆形或心状卵形，有时肾形，基部心形，全缘或微波状，两面被短毛并具缘毛，侧脉 3 对，基出掌状；叶柄细长，长 1.5~3.5cm，被开展的或疏或密的短柔毛。聚伞花序腋生，通常有 1~3 花，花序梗纤细，长 1.4~4cm；苞片小，钻状；花梗长 0.8~2cm，结果时先端膨大；萼片近等长，椭圆状卵形，先端具小短尖头，无毛或外方 2 片外面被微柔毛，萼片于果熟时通常反折；花冠漏斗状，白色或淡黄色，具 5 深色的瓣中带，花冠管基部深紫色；雄蕊及花柱内藏；花丝极不等长，基部被毛；子房无毛。蒴果圆锥状卵形或近于球形，先端有锥尖状的花柱基，2 室，4 瓣裂。种子 4，黑褐色，密被灰褐色短茸毛。

小心叶薯

│分布区域│

产于海南三亚、乐东、东方、昌江、五指山、保亭、万宁、临高、海口、西沙群岛、南沙群岛。亦分布于中国台湾、广东、云南。非洲热带地区（马斯克林群岛）、亚洲热带地区，经菲律宾、马来西亚至大洋洲北部及斐济岛也有分布。

│资　　源│

生于海拔 100~580m 的旷野沙地、海边、疏林或灌丛。

│采收加工│

全年可采，切段，晒干。

│功能主治│

全草有小毒，种子毒性较大，有催吐作用。

旋花科 Convolvulaceae 番薯属 *Ipomoea*

厚 藤
Ipomoea pes-caprae (L.) Sweet

| 中 药 名 | 马鞍藤（药用部位：全草或根）

| 植物形态 | 多年生草本，全株无毛；茎平卧，有时缠绕。叶肉质，干后厚纸质，卵形、椭圆形、圆形、肾形或长圆形，先端微缺或 2 裂，裂片圆，裂缺浅或深，有时具小凸尖，基部阔楔形、平截至浅心形；在背面近基部中脉两侧各有 1 腺体，侧脉 8~10 对；叶柄长 2~10cm。多歧聚伞花序，腋生，有时仅 1 花发育；花序梗长 4~14cm，花梗长 2~2.5cm；苞片小，阔三角形，早落；萼片厚纸质，卵形，先端圆形，具小凸尖，外萼片长 7~8mm，内萼片长 9~11mm；花冠紫色或深红色，漏斗状；雄蕊和花柱内藏。蒴果球形，2 室，果皮革质，4 瓣裂。种子三棱状圆形，密被褐色茸毛。花期几全年，尤以夏、秋季最盛。

厚藤

| **分布区域** | 海南各地海滨及邻近岛屿有分布。

| **资　　源** | 沙滩上常见，沿海一带村旁灌丛中也有生长。

| **采收加工** | 全年或夏、秋季采收，除去杂质，切段或片，晒干。

| **功能主治** | 祛风除湿，消痈散结。用于风湿痹痛、痈肿疔毒、乳痈、痔漏。

| **附　　注** | 在 FOC 中，其学名被修订为 *Ipomoea pescaprae* (L.) Sweet。

旋花科 Convolvulaceae 番薯属 Ipomoea

虎掌藤
Ipomoea pes-tigridis L.

|中 药 名|

虎掌藤（药用部位：根）

|植物形态|

一年生缠绕草本或有时平卧。叶片轮廓近圆
形或横向椭圆形，掌状（3~）5~7（~9）深裂，
裂片椭圆形或长椭圆形，先端钝圆，锐尖至
渐尖，有小短尖头，基部收缢，两面被疏长
微硬毛；叶柄长 2~8cm，毛被同茎。聚伞花
序有数朵花，密集成头状，腋生，花序梗长
4~11cm，毛被同茎；具明显的总苞，外层苞
片长圆形，内层苞片较小，卵状披针形，两
面均被疏长硬毛；近于无花梗；萼片披针形，
外萼片长 1~1.4cm，内萼片较短小；雄蕊花
柱内藏，花丝无毛；子房无毛。蒴果卵球形，
2 室。种子 4，椭圆形，表面被灰白色短绒毛。

|分布区域|

产于海南三亚、乐东、东方、昌江、五指山、
万宁、儋州、澄迈、西沙群岛。亦分布于中
国台湾、广东、广西南部、云南南部。亚洲
热带地区、非洲以及波利尼西亚也有分布。

虎掌藤

资　　源	生于海拔 100~400m 的河谷灌丛、路旁或海边沙地。
采收加工	全年可采挖，洗净，切段，晒干。
药材性状	圆柱状根，以粗根为好，通常斜切成片状。
功能主治	泻下通便，消炎。用于肠道积滞、大便秘结、咯血、痈疮、犬咬伤。

旋花科 Convolvulaceae 鳞蕊藤属 Lepistemon

鳞蕊藤
Lepistemon binectariferum (Wall.) Kuntze

| 中 药 名 | 鳞蕊藤（药用部位：全草）

| 植物形态 | 缠绕草本；茎密被平展或倒向褐色疏柔毛。叶宽卵形，基部深心形，边缘全缘，稀具不规则齿，偶为浅 3~5 裂，裂片锐尖或渐尖；两面被贴生疏长柔毛；叶梗长 2~16cm。聚伞花序簇生于叶腋，少花至多花，较叶柄短，总花梗短或近无；花柄长 7mm；苞片小，早落；萼片近等长或内面 1 个较短小，卵形至披针形，草质，外面被长而平展的毛；花冠坛状，白色或黄白色，管下部扩大，上面缢缩，管上部及冠檐的瓣中带被毛，冠檐平展，5 浅裂；雄蕊着生于花冠基部凹形、具乳突的鳞片背面，鳞片拱盖着子房。花盘 5 裂。子房无毛，2 室，柱头头状，2 裂。蒴果球形或卵形，具小短尖头。种子 4 或更少，卵形，黑色，无毛。

鳞蕊藤

| 分布区域 | 产于海南乐东、东方、昌江、保亭、陵水、五指山、琼中、儋州、澄迈。亦分布于中国广东。中南半岛，以及印度、马来半岛至印度尼西亚（苏门答腊岛、爪哇岛）也有分布。

| 资　　源 | 生于林下。

| 采收加工 | 全年均可采，切段，晒干。

| 功能主治 | 用于血虚。

金钟藤 *Merremia boisiana* (Gagn.) v. Ooststr.

| 中 药 名 | 多花山猪菜（药用部位：全草）

| 植物形态 | 大型缠绕草本或亚灌木。叶近于圆形，偶为卵形，基部心形，全缘，侧脉 7~10 对，第三次脉近于平行；叶柄长 4.5~12cm。花序腋生，为多花的伞房状聚伞花序，有时为复伞房状聚伞花序，总花序梗长 5~24（~35）cm，稍粗壮，下部圆柱形，灰褐色，向上稍扁平，连同花序梗和花梗被锈黄色短柔毛；苞片小，狭三角形；花梗长 1~2cm，结果时伸长增粗；外萼片宽卵形，内萼片近圆形；花冠黄色，宽漏斗状或钟状，中部以上于瓣中带密被锈黄色绢毛，冠檐浅圆裂；雄蕊内藏，花药稍扭曲，花冠内面基部自花丝着生点向下延成两纵列的乳突状毛；子房圆锥状。蒴果圆锥状球形，4 瓣裂，外面褐色，内面银白色。种子三棱状宽卵形，沿棱密被褐色糠秕状毛。

金钟藤

| **分布区域** | 产于海南各地。

| **资　　源** | 生于海拔 120~680m 的树林湿润处或次生杂木林中。

| **采收加工** | 全年可采，切段，晒干。

| **功能主治** | 用于血虚。

旋花科 Convolvulaceae 鱼黄草属 *Merremia*

篱栏网
Merremia hederacea (Burm. f.) Hall. f.

| 中 药 名 | 篱栏子（药用部位：全草或种子）

| 植物形态 | 缠绕或匍匐草本，匍匐时下部茎上生须根。茎细长，有细棱，有时散生小疣状突起。叶心状卵形，基部心形或深凹，全缘或通常具不规则的粗齿或锐裂齿，有时为深或浅3裂；叶柄细长，长1~5cm，具小疣状突起。聚伞花序腋生，有3~5花，有时更多或偶为单生，花序梗长0.8~5cm，第1次分枝为二歧聚伞式，以后为单歧式；花梗长2~5mm，连同花序梗均具小疣状突起；小苞片早落；萼片宽倒卵状匙形，或近于长方形，先端截形，明显具外倾的凸尖；花冠黄色，钟状，内面近基部具长柔毛；雄蕊与花冠近等长，花丝下部扩大，疏生长柔毛；子房球形，花柱与花冠近等长，柱头球形。蒴果扁球

篱栏网

形或宽圆锥形，4 瓣裂，果瓣有皱纹，内含种子 4，三棱状球形，种脐处毛簇生。花期 10~12 月。

| **分布区域** | 产于海南昌江、东方、三亚、万宁等地。

| **资　　源** | 生于平原或低海拔地区的灌丛或草地上，少见。

| **采收加工** | 全草：全年或夏、秋季采收，洗净，切碎，鲜用或晒干。种子：秋、冬季成熟时采收，除去果壳，晒干。

| **药材性状** | 全草长 100~300cm。茎圆柱形，稍扭曲，直径 1~3mm；表面浅棕色至棕褐色，有细纵棱，具疣状小突起和不定根，节处常具毛；质韧，断面灰白色，中空。叶皱缩破碎，完整叶展平后呈卵形，长 2~5cm，全缘或 3 裂，灰绿色或橘红色；叶柄细长。花少见，聚伞花序腋生，花小，黄色。蒴果扁球形或宽圆锥形，黄棕色，常开裂成 4 瓣。种子卵状三棱形，种脐处具簇毛。气微，味淡。以藤茎长、棕褐色、果多者为佳。

| **功能主治** | 清热，利咽，凉血。用于风热感冒、咽喉肿痛、乳蛾、尿血、急性眼结膜炎、疮疥。

旋花科 Convolvulaceae 鱼黄草属 *Merremia*

尖萼鱼黄草

Merremia tridentata (L.) Hall. f. subsp. *hastata* (Desr.) v. Ooststr.

| 中 药 名 | 过腰蛇（药用部位：全草）

| 植物形态 | 平卧或攀缘草本。茎细长，具细棱至近于具狭翅。单叶互生；无叶柄或具长 1~3mm 的叶柄；叶片线形、线状披针形、长圆状披针形或狭圆形，至基部稍扩大，先端锐尖或钝，有明显的小尖头，基部戟形，有时抱茎，全缘，仅于基部扩大部分疏生锐齿，两面近于无毛。聚伞花序腋生，有花 1~3；苞片小，钻状；萼片 5，卵状披针形，等长或外萼片稍短；花冠黄色或白色，漏斗状；雄蕊 5，花丝基部稍宽，散生柔毛，花药不扭曲；子房无毛。蒴果球形或卵形，4 瓣裂，种子 4，卵圆形，黑色。花期几全年。

| 分布区域 | 产于海南三亚、保亭、乐东、昌江、万宁。亦分布于中国台湾、广东、广西、云南等地。

尖萼鱼黄草

资　　源	生于海拔 40~260m 的旷野沙地、路旁或疏林中。

采收加工	全年均可采，洗净，鲜用。

功能主治	通络止痛。用于骨节疼痛。

旋花科 Convolvulaceae 鱼黄草属 Merremia

掌叶鱼黄草
Merremia vitifolia (Burm. f.) Hall. f.

| 中 药 名 | 掌叶山猪菜（药用部位：全草）

| 植物形态 | 缠绕或平卧草本。叶片轮廓近圆形，基部心形，通常掌状 5 裂，有时 3 裂或 7 裂，裂片宽三角形或卵状披针形，基部不收缩或有时稍收缩，边缘具粗锯齿或近全缘，两面被平伏而长的黄白色微硬毛；叶柄长 1~3（~19）cm，毛被同茎。聚伞花序腋生，有 1~3 花至数花，花序比叶长或与叶近等长，花序梗长 2~5cm，连同花梗、外萼片被黄白色开展的微硬毛；苞片小，钻形；萼片长圆形至卵状长圆形，内萼片稍长，萼片至结果时显著增大，近草质，内面灰白色，有很多窝点；花冠黄色，漏斗状，冠檐具 5 钝裂片，瓣中带有 5 显著的脉；雄蕊短于萼片，花药螺旋扭曲；子房无毛。蒴果近球形，果皮干后纸质，4 瓣裂。种子 4 或较少，三棱状卵形，黑褐色。

掌叶鱼黄草

| **分布区域** | 产于海南白沙、保亭、三亚、乐东等地。分布于中国广东、广西、云南。印度、斯里兰卡、缅甸、越南，经马来西亚至印度尼西亚也有分布。 |

| **资　　源** | 生于海拔（90~）400~1600m的路旁、灌丛或林中。 |

| **采收加工** | 全年可采，切段，晒干。 |

| **功能主治** | 利尿止痛。用于尿道炎、尿痛、跌打损伤、疔疮。 |

旋花科 Convolvulaceae 鱼黄草属 Merremia

山猪菜
Merremia umbellata (L.) Hall. f. subsp. *orientalis* (Hall. f.) v. Ooststr.

| 中 药 名 | 山猪菜（药用部位：全草）

| 植物形态 | 本亚种的特征是茎较粗壮；叶大；花序梗较长，通常具多花，花较大；萼片长 7~10mm；花冠通常黄色；蒴果近球形而不为卵形至圆锥形；种子具短柔毛或短绒毛，仅边缘具稍长的毛。

| 分布区域 | 产于海南各地。

| 资　　源 | 生于低山或平原的疏林、灌丛中。

| 采收加工 | 全年可采，切段，晒干。

| 功能主治 | 用于乳汁不下。广西民间以根入药，外敷用于疮毒。

山猪菜

旋花科 Convolvulaceae 盒果藤属 *Operculina*

盒果藤
Operculina turpethum (L.) S. Manso

| 中 药 名 | 盒果藤（药用部位：全草或根皮）

| 植物形态 | 多年生缠绕草本。根肉质，多分枝。茎圆柱状，时而螺旋扭曲，有
3~5 翅。叶形不一，心状圆形、卵形、宽卵形、卵状披针形或披针形，
基部心形、截形或楔形，边缘全缘或浅裂，叶面被小刚毛，侧脉 6 对；
叶柄长 2~10cm，有狭翅。聚伞花序生于叶腋，花序梗长 1.5~2cm，
通常有 2 花；苞片显著，长圆形或卵状长圆形，纸质，具小短尖；
花梗粗壮，长 1.5~2cm，与花序梗均密被短柔毛；萼片宽卵形或卵
状圆形，外 2 革质，内 3 稍短，近膜质，结果时萼片增大；花冠白
色或粉红色、紫色，宽漏斗状，外面具黄色小腺点，冠檐 5 裂，裂
片圆；雄蕊内藏，花丝下部被短柔毛，花药纵向扭曲；花柱内藏。
蒴果扁球形。种子 4，卵圆状三棱形，黑色。花期 10 月至翌年 4 月。

盒果藤

| **分布区域** | 产于海南三亚、昌江等地。 |

| **资　源** | 生于低海拔的山谷、溪边或村庄附近。 |

| **采收加工** | 全年或秋季采收，洗净，切片或段，晒干。 |

| **药材性状** | 全草多缠绕成团。茎细长，圆柱形，表面淡紫棕色，具明显的棱角或狭翅。叶枯绿色，互生，多卷缩，完整者展平后呈卵状三角形，先端渐尖，基部近平截，全缘；具短柄，质脆。有时可见淡黄白色花，呈钟状，先端 5 浅裂，萼片 5，枯绿或淡棕紫色，具柔毛。气微香，味淡。 |

| **功能主治** | 利水，通便，舒筋。用于水肿、大便秘结。煎水外洗，用于久伤筋硬，不能伸缩。 |

旋花科 Convolvulaceae 茑萝属 Ipomoea

茑萝松
Ipomoea quamoclit L.

| 中 药 名 | 茑萝松（药用部位：全草或根）

| 植物形态 | 一年生柔弱缠绕草本。叶卵形或长圆形，羽状深裂至中脉，具 10~18 对线形至丝状的平展细裂片，裂片先端锐尖；叶柄长 8~40mm，基部常具假托叶。花序腋生，由少数花组成聚伞花序；总花梗大多超过叶，花直立，花柄较花萼长，在果时增厚，呈棒状；萼片绿色，椭圆形至长圆状匙形，外面 1 个稍短，先端钝而具小凸尖；花冠高脚碟状，深红色，管柔弱，上部稍膨大，冠檐开展，5 浅裂；雄蕊及花柱伸出；花丝基部具毛；子房无毛。蒴果卵形，4 室，4 瓣裂，隔膜宿存，透明。种子 4，卵状长圆形，黑褐色。

| 分布区域 | 产于海南三亚、万宁等地。

茑萝松

资　　源	栽培或逸为野生。

采收加工	夏、秋季采收，晒干；鲜用，多随采随用。

药材性状	茎纤细，黄绿色，光滑无毛。叶枯绿色，互生，多皱缩，完整者展平后，长3~6cm，羽状细裂，裂片条状，有的基部再2裂，枯绿色，质脆，易碎。有的可见聚伞花序，花条形，湿润后花冠筒较长，外表面淡红色，先端膨大，5浅裂，呈五角星状，深红色。气微，味淡。

功能主治	清热解毒，凉血止血。用于耳疔、痔漏、毒蛇咬伤。

附　　注	在FOC中，其学名被修订为 *Ipomoea quamoclit* L.。

玄参科 Scrophulariaceae 毛麝香属 Adenosma

毛麝香
Adenosma glutinosum (L.) Druce

| 中 药 名 |

毛麝香（药用部位：全草）

| 植物形态 |

直立草本。茎圆柱形，上部四方形，中空。
叶对生，少互生，有长 3~20mm 的柄；叶
片披针状卵形至宽卵形，其形状、大小均多
变异，基部楔形至截形或亚心形，边缘具不
整齐的齿，有时为重齿，上下两面均被长柔
毛；下面沿中肋有黄色腺点，腺点脱落后留
下褐色凹窝。花单生于叶腋或在茎、枝先端
集成较密的总状花序；花梗长 5~15mm；苞
片叶状而较小，在花序先端的几为条形而全
缘；小苞片条形，贴生于萼筒基部；萼 5 深
裂；萼齿全缘，与花梗、小苞片同被多细胞
长柔毛及腺毛，并有腺点；花冠紫红色或蓝
紫色，上唇卵圆形，下唇 3 裂，偶有 4 裂，
侧裂稍大于中裂；雄蕊后方 1 对较粗短，药
室均成熟；前方 1 对较长，花药仅一室成熟，
另一室退化为腺状；花柱向上逐渐变宽而具
薄质的翅。蒴果卵形，先端具喙，有 2 纵沟；
种子矩圆形，褐色至棕色，有网纹。花果期
7~10 月。

毛麝香

| 分布区域 |

产于海南三亚、琼海、白沙等地。

| 资　　源 |

生于低海拔、中海拔地区的荒山坡地。

| 采收加工 |

夏、秋季采收，切段晒干或鲜用。

| 药材性状 |

全草长 20~30cm。根残存。茎直径 2~4mm，有分枝，外表黑褐色，有浅纵纹，被疏长毛；质坚，易折断，中空，稍呈纤维性。叶极皱缩，上面黑褐色，下面浅棕褐色，被柔毛，密具下凹的腺点。有的可见花或果实，萼宿存，茶褐色，5裂，其中1裂片显著长大。蒴果茶褐色或黄棕色。气香浓烈，味稍辣而凉。以气芳香、无杂质者为佳。

| 功能主治 |

祛风湿，消肿毒，行气血，止痛痒。用于风湿骨痛、小儿麻痹、气滞腹痛、疮疖肿毒、皮肤湿疹、跌打伤痛、蛇虫咬伤。

假马齿苋 *Bacopa monnieri* (L.) Wettst.

| 中 药 名 | 白花猪母菜（药用部位：全草）

| 植物形态 | 匍匐草本，节上生根，多少肉质，无毛，体态极似马齿苋。叶无柄，矩圆状倒披针形，先端圆钝，极少有齿。花单生于叶腋，花梗长 0.5~3.5cm，萼下有一对条形小苞片；萼片前后 2 枚卵状披针形，其余 3 枚披针形至条形；花冠蓝色、紫色或白色，不明显二唇形，上唇 2 裂；雄蕊 4；柱头头状。蒴果长卵状，先端急尖，包在宿存的花萼内，4 片裂。种子椭圆状，一端平截，黄棕色，表面具纵条棱。花期 5~10 月。

| 分布区域 | 产于海南三亚、东方等地。

假马齿苋

| 资　　源 | 生于旷野草地和海滨瘠土上。

| 采收加工 | 夏、秋季采收，切段晒干。

| 功能主治 | 清热凉血，解毒消肿。用于痢疾、目赤肿痛、痔疮肿痛、象皮肿。

玄参科 Scrophulariaceae 胡麻草属 Centranthera

矮胡麻草
Centranthera tranquebarica (Spreng.) Merr.

| 中 药 名 | 矮胡麻草（药用部位：全草）

| 植物形态 | 柔弱草本。茎直立或倾卧，自下部分枝；枝细弱，多匍匐而后上升。叶对生，下部的偶有互生，无柄，全缘，条状披针形，无毛或在背面突起的中脉及多少背卷的边缘上被短毛，两面有粗糙鳞片状突起；苞片与叶同形，超过花冠；花冠长约 9mm，黄色，具褐色条纹；上唇长 3mm，喉部密被黑色细点，裂片近圆形；下唇裂片多少矩圆形；雄蕊前方 1 对长 5mm，花丝上部密被白色绵状长柔毛；后方 1 对长 4mm，花丝上部疏被长柔毛；成熟药室矩圆形，不成熟药室退化成锥状而较长；子房矩圆形，花柱顶部略呈倒卵形。蒴果近于圆形，与宿萼等长。种子柱状圆锥形，黄色，具网纹。花果期 7~10 月。

矮胡麻草

| **分布区域** | 产于海南乐东、东方、万宁、三亚。亦分布于中国广东中部等地。南亚及东南亚也有分布。 |

| **资　　源** | 生于山坡草地、路旁瘠土上。 |

| **采收加工** | 全年可采，切段，晒干。 |

| **功能主治** | 清热凉血，解毒消肿。用于痢疾、目赤肿痛、痔疮肿痛、象皮肿。 |

玄参科 Scrophulariaceae　石龙尾属 *Limnophila*

中华石龙尾 *Limnophila chinensis* (Osb.) Merr.

| 中 药 名 | 中华石龙尾（药用部位：全草）

| 植物形态 | 草本；茎简单或自基部分枝，下部匍匐而节上生根，与花梗及萼同被多细胞长柔毛至近于无毛。叶对生或 3~4 轮生，无柄，卵状披针形至条状披针形，稀为匙形，多少抱茎，边缘具锯齿；脉羽状，不明显；上面近于无毛至疏被多细胞柔毛，下面脉上被多细胞长柔毛。花具长 3~15mm 的花梗，单生于叶腋或排列成顶生的圆锥花序；小苞片长约 2mm；萼长 5~7mm，在果实成熟时具突起的条纹；花冠紫红色、蓝色，稀为白色。蒴果宽椭圆形，两侧扁，浅褐色。花果期 10 月至翌年 5 月。

中华石龙尾

| 分布区域 | 产于海南三亚、保亭、昌江等地。分布于中国广东、广西、云南等地。南亚、东南亚及澳大利亚也有分布。

| 资　　源 | 生于水旁或田边湿地。

| 采收加工 | 夏、秋季采收，切段晒干或鲜用。

| 功能主治 | 清热利尿，凉血解毒。用于水肿、结膜炎、风疹、天疱疮、蛇虫咬伤。

玄参科　Scrophulariaceae　石龙尾属　*Limnophila*

石龙尾 *Limnophila sessiliflora* (Vahl) Bl.

| 中 药 名 | 虱婆草（药用部位：全草）

| 植物形态 | 多年生两栖草本。茎细长，沉水部分无毛或几无毛；气生部分长6~40cm，简单或多少分枝，被多细胞短柔毛，稀几无毛。沉水叶长5~35mm，多裂；裂片细而扁平或呈毛发状；气生叶全部轮生，椭圆状披针形，具圆齿或开裂，密被腺点，有脉 1~3。花无梗或稀具长不超过 1.5mm 的花梗，单生于气生茎和沉水茎的叶腋；小苞片无或稀具 1 对长不超过 1.5mm 的全缘小苞片；萼长 4~6mm，被多细胞短柔毛，在果实成熟时不具突起的条纹；萼齿长 2~4mm，卵形，长渐尖；花冠长 6~10mm，紫蓝色或粉红色。蒴果近于球形，两侧扁。花果期 7 月至翌年 1 月。

石龙尾

| **分布区域** | 产于海南定安等地。

| **资　　源** | 生于水田、沼泽及浅水中。

| **采收加工** | 春、夏季采收，晒干或鲜用。

| **功能主治** | 消肿解毒，杀虫灭虱。用于烫火伤、疮疖肿毒、头虱。

玄参科　Scrophulariaceae　泥花草属　Lindernia

泥花草
Lindernia antipoda (L.) Alston

| 中 药 名 | 水虾子草（药用部位：全草）

| 植物形态 | 一年生草本，根须状成丛；茎幼时亚直立，长大后多分枝，枝基部匍
匐，下部节上生根，弯曲上升，茎枝有沟纹。叶片矩圆形、矩圆状
披针形、矩圆状倒披针形或几为条状披针形，基部下延有宽短叶柄，
而近于抱茎，边缘有不明显的锯齿至有明显的锐锯齿或近于全缘，
两面无毛。花多在茎枝之顶呈总状着生，花序长者可达 15cm，含花
2~20；苞片钻形；花梗有条纹，先端变粗，花期上升或斜展，在果
期平展或反折；萼仅基部联合，齿 5，条状披针形，沿中肋和边缘
略有短硬毛；花冠紫色、紫白色或白色，管长可达 7mm，上唇 2 裂，
下唇 3 裂，上、下唇近等长；后方 1 对雄蕊有性，前方 1 对退化，
花药消失，花丝端钩曲有腺；花柱细，柱头扁平，片状。蒴果圆柱形，

泥花草

先端渐尖，长约为宿萼的 2 倍或较多；种子为不规则三棱状卵形，褐色，有网状孔纹。花果期春季至秋季。

| **分布区域** | 产于海南万宁、三亚、东方、昌江、白沙、儋州等地。

| **资　　源** | 通常生于田边及潮湿的低地。

| **采收加工** | 夏、秋季采收，鲜用或切段晒干。

| **药材性状** | 多皱缩，全株无毛。茎圆柱状，有纵纹，下部茎节间有时具须根，断面实心。叶对生，多皱缩，叶片展平后呈长圆形、狭椭圆形或线状倒披针形，长 0.8~4.5cm，宽 0.6~1.2mm，先端圆或有时急尖，基部楔形，下延成柄，边缘具细锯齿或有时近全缘，两面无毛。花紫色、淡紫蓝色或白色，略呈二唇形，上唇 2 浅裂，下唇 3 裂，与上唇近等长。蒴果柱形，长约 2mm，先端渐尖。气微，味淡。

| **功能主治** | 清热解毒，利尿通淋，活血消肿。用于肺热咳嗽、咽喉肿痛、泄泻、热淋、目赤肿痛、痈疽疔毒、跌打损伤、毒蛇咬伤。

玄参科 Scrophulariaceae 泥花草属 Lindernia

刺齿泥花草
Lindernia ciliata (Colsm.) Pennell

| 中 药 名 | 锯齿草（药用部位：全草）

| 植物形态 | 一年生草本，直立或在多枝的个体中铺散，高达 20cm，在大植株中占地直径可达 30cm 以上，枝倾卧，最下部一节上有时稍有不定根。叶无柄或几无柄，或有极短而抱茎的叶柄；叶片矩圆形至披针状矩圆形，长 7~45mm，宽 3~12mm，先端急尖或钝，边缘有紧密而带芒刺的锯齿，齿缘略角质化而稍变厚，两面均近于无毛。花序总状，生于茎枝之顶；苞片披针形，长约为花梗的一半；花梗有条纹，无毛；萼长约 5mm，仅基部联合，齿狭披针形，有刺尖头，边缘略带膜质；花冠小，浅紫色或白色，长约 7mm，管细，长达 4.5mm，向上稍稍扩大，上唇卵形，下唇约与上唇等长，常作不等的 3 裂，中裂片很大，向前突出，圆头；后方 2 雄蕊有性，前方 2 退化雄蕊在下唇基部突

刺齿泥花草

起为褶襞；花柱约与有性雄蕊等长。蒴果长荚状圆柱形，先端有短尖头，长约为宿萼的 3 倍；种子多数，呈不整齐的三棱形。花果期夏季至冬季。

| 分布区域 | 产于海南澄迈、儋州、昌江等地。亦分布于中国西藏东南部、云南、广西、广东、福建和台湾。从越南、缅甸、印度到澳大利亚北部的热带和亚热带地区广布。

| 资　　源 | 生于海拔 1300m 以下的旷野草地、荒地和路边低湿处。

| 采收加工 | 夏、秋季采收，鲜用或切段晒干。

| 功能主治 | 清热解毒，祛瘀消肿。用于毒蛇咬伤、疮疖肿毒、跌打损伤、产后腹痛。

玄参科 Scrophulariaceae 母草属 Lindernia

母 草
Lindernia crustacea (L.) F. Muell

| 中 药 名 |　母草（药用部位：全草）

| 植物形态 |　草本，根须状；高 10~20cm，常铺散成密丛，多分枝，枝弯曲上升，微方形，有深沟纹，无毛。叶柄长 1~8mm；叶片三角状卵形或宽卵形，先端钝或短尖，基部宽楔形或近圆形，边缘有浅钝锯齿，上面近于无毛，下面沿叶脉有稀疏柔毛或近于无毛。花单生于叶腋或在茎枝之顶呈极短的总状花序，花梗细弱，长 5~22mm，有沟纹，近于无毛；花萼坛状，成腹面较深，而侧、背均开裂较浅的 5 齿，齿三角状卵形，中肋明显，外面有稀疏粗毛；花冠紫色，管略长于萼，上唇直立，卵形，钝头，有时 2 浅裂，下唇 3 裂，中间裂片较大，仅稍长于上唇；雄蕊 4，全育，二强；花柱常早落。蒴果椭圆形，与宿萼近等长；种子近球形，浅黄褐色，有明显的蜂窝状瘤突。花果期全年。

母草

分布区域	产于海南文昌、澄迈、儋州、昌江、保亭、三亚、陵水、万宁等地。
资 源	生于田边、溪边或疏林低湿处。
采收加工	夏、秋季采收，鲜用或晒干。
药材性状	全草干缩呈团状，伸展后长10~20cm。茎方柱形，柔弱，多分枝，基部茎节处有纤细的黄白色须根。单叶对生，浅绿色，皱缩，多脱落。完整叶片展平后呈卵形至卵圆状三角形，长0.5~1.5cm，先端钝或短尖，基部宽楔形至截平形或浑圆形，叶缘有稀疏三角状锯齿；叶柄短。叶腋常有干缩小花3~4，花梗长约2cm，间见椭圆形蒴果藏于宿存花萼内。气微，味微苦。
功能主治	清热利湿，活血止痛。用于风热感冒、湿热泻痢、肾炎水肿、白带、月经不调、痈疖肿毒、毒蛇咬伤、跌打损伤。

玄参科 Scrophulariaceae 母草属 Lindernia

红骨草
Lindernia montana (Bl.) Koord.

| 中 药 名 | 狗毛草（药用部位：全草）

| 植物形态 | 一年生匍匐草本，全草除花冠外均被白色闪光的细刺毛，尤以幼时为密；匍枝节间很长，节上生根。根须状；茎多少弯曲，先端上升，有条纹，较少分枝，高达 5~20cm 或更多。叶有时几无柄，但有时柄长达 1cm，密被伸展的白毛；叶片大小和形状多变，披针状矩圆形至卵形，长 2~6cm，宽 7~25mm，先端急尖或钝，基部宽楔形至近心形，边缘有不规则锯齿或浅圆齿，两面均密被有丝光而基部膨大的压平白色粗毛，有时较稀疏。花呈短总状花序或有时近伞形，顶生或腋生，有时亦单生，花数可达 10；苞片小，钻形；花梗长者达 25mm，有白色绢毛；萼长 5~7mm，仅基部联合，齿 5，条状披针形，有白色绢毛；花冠紫色或黄白色，长 8~10mm，上唇直立，2

红骨草

浅裂，下唇开展，3 裂；雄蕊 4，全育，前方 2 枚的花丝基部附属物齿状；柱头 2 裂。蒴果长卵圆形，比宿萼短；种子有格状瘤点。花期 7~10 月，果期 9~11 月。

| 分布区域 | 产于海南澄迈、儋州、白沙、保亭、三亚、陵水、万宁等地。亦分布于中国云南南部、广东、广西、福建、江西南部等地。印度、印度尼西亚也有分布。

| 资　　源 | 生于海拔 1400m 以下的荒芜田野、阳坡、山谷灌丛、林边、水流旁等地。

| 采收加工 | 春、夏季采收，鲜用或晒干。

| 功能主治 | 清热解毒，活血消肿。用于乳痈、疮肿、跌打损伤。

玄参科 Scrophulariaceae 母草属 Lindernia

旱田草
Lindernia ruellioides (Colsm.) Pennell

| 中 药 名 | 旱田草（药用部位：全草）

| 植物形态 | 一年生草本，茎直立，分枝而长蔓，节上生根。叶柄长 3~20mm，前端渐宽而连于叶片，基部多少抱茎；叶片矩圆形、椭圆形、卵状矩圆形或圆形，基部宽楔形，边缘除基部外密生整齐而急尖的细锯齿，但无芒刺，两面有粗涩的短毛或近于无毛。花为顶生的总状花序，有花 2~10；苞片披针状条形，花梗短，向先端渐粗而连于萼；萼在花期长约 6mm，果期达 10mm，仅基部联合，齿条状披针形；花冠紫红色，管长 7~9mm，上唇直立，2 裂，下唇开展，3 裂，裂片几相等，或中间稍大；前方 2 雄蕊不育，后方 2 能育，但无附属物；花柱有宽而扁的柱头。蒴果圆柱形，向先端渐尖，比宿萼长约 2 倍。种子椭圆形，褐色。花期 6~9 月，果期 7~11 月。

旱田草

分布区域	产于海南澄迈、临高、儋州、白沙、三亚、万宁等地。亦分布于中国台湾、福建、江西、湖北、湖南、广东、广西、贵州、四川、云南、西藏。印度、印度尼西亚、菲律宾也有分布。
资　　源	生于中海拔地区的林下或沟溪旁。
采收加工	夏、秋季采收，鲜用或晒干。
功能主治	理气活血，解毒消肿。用于月经不调、痛经、闭经、乳痈、瘰疬、跌打损伤、蛇犬咬伤。

玄参科 Scrophulariaceae 母草属 Lindernia

尖果母草
Lindernia hyssopioides (L.) Haines

| 中 药 名 | 尖果母草（药用部位：全草）

| 植物形态 | 草本，直立或稍稍弯曲上升；根须状丛密。叶无柄，多少抱茎；叶片两面无毛，狭卵形至卵状披针形，全缘或常有不清楚的小齿 2~3 对；叶脉三出。花单生于茎枝上部的叶腋中，梗长 5~30mm，开花时上升，花后斜展至反曲；萼在花时仅长 3mm 左右，在果时长达 4mm，仅基部联合，齿 5，条状披针形；花冠红色、紫色或白色，甚长于萼，上唇深 2 裂，裂片狭三角状卵形，下唇 3 裂，喉部有凸线 2，上面有长形的乳头状结节；雄蕊 4，前方 1 对退化，仅有极短而开裂的花丝；花柱短，先端有 2 片状大柱头。蒴果长卵圆形，先端锐头而有短喙，长约为萼的 1 倍，外面有极细的纵波状纹；种子黄褐色，

尖果母草

多数，矩圆形而微带棱，有突起的纵脊和横波纹。花期5~10月，果期8~11月。

| **分布区域** | 产于海南昌江、白沙、万宁。亦分布于中国云南、广东。印度、印度尼西亚也有分布。

| **资　　源** | 生于海拔1200m的旱田和水湿处。

| **采收加工** | 夏、秋季采收，鲜用或晒干。

| **功能主治** | 清热利湿，活血止痛。用于风热感冒、湿热泻痢、肾炎水肿、白带、月经不调、痈疖肿毒、毒蛇咬伤、跌打损伤。

玄参科 Scrophulariaceae 母草属 Lindernia

通泉草
Mazus japonicus (Thunb.) O. Kuntze

| 中 药 名 | 绿兰花（药用部位：全草）

| 植物形态 | 一年生草本。主根伸长，垂直向下或短缩，须根多数，散生或簇生。本种在体态上变化幅度很大，茎 1~5 枝或有时更多，直立，上升或倾卧状上升，着地部分节上常能长出不定根，分枝多而披散，少不分枝。基生叶少到多数，有时呈莲座状或早落，倒卵状匙形至卵状倒披针形，膜质至薄纸质，先端全缘或有不明显的疏齿，基部楔形，下延成带翅的叶柄，边缘具不规则的粗齿或基部有 1~2 浅羽裂；茎生叶对生或互生。总状花序生于茎、枝先端，常在近基部即生花，伸长或上部呈束状，通常 3~20 花；花梗在果期长达 10mm；花萼钟状，花期长约 6mm，萼片与萼筒近等长，卵形；花冠白色、紫色或蓝色，上唇裂片卵状三角形，下唇中裂片较小，倒卵圆形；子房无毛。

通泉草

蒴果球形；种子小而多数，黄色，种皮上有不规则的网纹。花果期 4~10 月。

| 分布区域 | 产于海南澄迈、白沙等地。

| 资　　源 | 生于田边或草地。

| 采收加工 | 春、夏、秋季均可采收，洗净，鲜用或晒干。

| 药材性状 | 常卷缩成团状。主根长圆锥形，多弯曲或扭曲，有须根，表面淡黄白色。茎圆柱形，细长，略具 4 棱，表面淡绿色或黄棕色，基部分枝多，全体被短柔毛。叶对生或互生，叶片多皱缩、破碎，完整者展平后呈倒卵形或匙形，长 2~6cm，宽 0.8~1.5cm，先端圆钝，基部楔形，下延至柄呈翼状，边缘具不规则粗钝锯齿。常见花和果实。气微香，味苦。

| 功能主治 | 清热解毒，利湿通淋，健脾消积。用于热毒痈肿、脓疱疮、疔疮、烫火伤、尿路感染、腹水、黄疸型肝炎、消化不良、小儿疳积。

| 附　　注 | 在 FOC 中，其学名被修订为 *Mazus miquelii* Makino。

玄参科 Scrophulariaceae 泡桐属 Paulownia

白花泡桐
Paulownia fortunei (Seem.) Hemsl.

| 中 药 名 | 泡桐树皮（药用部位：树皮），泡桐花（药用部位：花），泡桐果（药用部位：果实），泡桐叶（药用部位：叶），泡桐根（药用部位：根、根皮）

| 植物形态 | 乔木；幼枝、叶、花序各部和幼果均被黄褐色星状绒毛，但叶柄、叶片上面和花梗渐变无毛。叶片长卵状心形，有时为卵状心形，新枝上的叶有时 2 裂；叶柄长达 12cm。花序枝几无或仅有短侧枝，故花序狭长几呈圆柱形，小聚伞花序有花 3~8，总花梗几与花梗等长，或下部者长于花梗，上部者略短于花梗；萼倒圆锥形，分裂至 1/4 或 1/3 处，萼齿卵圆形至三角状卵圆形，至果期变为狭三角形；花冠管状漏斗形，白色，仅背面稍带紫色或浅紫色，内部密布紫色细斑块；雄蕊长 3~3.5cm，有疏腺；子房有腺，有时具星毛，花柱长

白花泡桐

约 5.5cm。蒴果长圆形或长圆状椭圆形，先端之喙长达 6mm，宿萼开展或漏斗状，果皮木质；种子连翅长 6~10mm。花期 3~4 月，果期 7~8 月。

| **分布区域** | 产于海南海口。

| **资　　源** | 生于低海拔的山坡、林中、山谷及荒地，野生或栽培。

| **采收加工** | 树皮：全年均可采收，鲜用或晒干。花：春季花开时采收，晒干或鲜用。果实：夏、秋季采摘，晒干。叶：夏、秋季采摘，鲜用或晒干。根、根皮：秋季采挖，洗净，鲜用或晒干。

| **药材性状** | 树皮：表面灰褐色，有不规则纵裂；小枝有明显的皮孔，常具黏质短腺毛。味淡、微甜。花：长 7~12cm。花萼灰褐色，长 2~2.5cm，质厚，裂片被柔毛，内表面较密；花冠白色，干者外面灰黄色至灰棕色，密被毛茸，内面色浅，腹部具紫色斑点，筒部毛茸稀少。气微香，味微苦。果实：蒴果倒卵形或长椭圆形，长 6~10cm，表面粗糙，有类圆形疣状斑点，近先端处灰黄色，系星状毛；果皮厚 3~6mm，木质；宿萼 5 浅裂。种子长 6~10mm。气微，味微甘、苦。以个大、开裂少、带宿萼者为佳。根、根皮：根呈圆柱形，长短不等，直径约 2cm，表面灰褐色至棕褐色，粗糙，有明显的皱纹与纵沟，具横裂纹及突起的侧根残痕。质坚硬，不易折断，断面不整齐，皮部棕色或淡棕色，木质部宽广，黄白色，显纤维性，有多数孔洞（导管）及放射状纹理。气微，味微苦。

| **功能主治** | 树皮：祛风除湿，消肿解毒。用于风湿热痹、淋病、丹毒、痔疮中毒、肠风下血、外伤肿痛、骨折。花：清肺利咽，解毒消肿。用于肺热咳嗽、急性扁桃体炎、菌痢、急性肠炎、急性结膜炎、腮腺炎、疖肿、疮癣。果实：化痰，止咳，平喘。用于慢性支气管炎、咳嗽咳痰。叶：清热解毒，止血消肿。用于痈疽、疔疮肿毒、创伤出血。根、根皮：祛风止痛，解毒活血。用于风湿热痹、筋骨疼痛、疮疡肿毒、跌打损伤。

玄参科 Scrophulariaceae 苦玄参属 Picria

苦玄参 *Picria felterrae* Lour.

| 中 药 名 | 落地小金钱（药用部位：全草）

| 植物形态 | 草本，基部匍匐或倾卧；枝叉分，有条纹，节常膨大。叶对生，有长达 18mm 的柄；叶片卵形，几为圆形，基部常多少不等，下延于柄，边缘有圆钝锯齿，下面脉上有糙毛，侧脉 4~5 对。花序总状排列，有花 4~8，总花梗与花梗均细弱，花梗长 1cm，苞片细小；萼裂片 4，分生，外方 2 长圆状卵形，基部心形，常 2 浅裂，侧方 2 几为条形；花冠白色或红褐色，中部稍稍细缩，上唇直立，向上转狭，几为长方形，下唇宽阔，3 裂，中裂向前突出；雄蕊 4，前方 1 对退化，着生于管喉，花丝自花喉至下唇中部完全贴于花冠，先端游离。蒴果卵形，室间 2 裂，包于宿存的萼片内；种子多数。

苦玄参

| 分布区域 |

产于海南三亚、乐东、白沙、保亭、万宁、琼中。分布于中国广东、广西、贵州、云南等地。

| 资　　源 |

生于疏林及荒田中。

| 采收加工 |

夏季采收，晒干。

| 药材性状 |

本品节上生根，枝叉分，有条纹，被短糙毛，节常膨大。叶片卵形，长 3~5cm，边缘有圆钝锯齿，两面均被糙毛。总状花序的总苞片细小；萼裂片 4，分生；花冠白色或红褐色，唇形，上唇先端凹，下唇宽阔。味苦。

| 功能主治 |

清热解毒，消肿止痛。用于风热感冒、咽喉肿痛、疟腮、疖肿、泄泻痢疾、痔疮、湿疹、毒蛇咬伤、跌打损伤。

玄参科 Scrophulariaceae 野甘草属 Scoparia

野甘草 *Scoparia dulcis* L.

| 中 药 名 |

野甘草（药用部位：全草）

| 植物形态 |

直立草本或为半灌木状，茎多分枝，枝有棱角及狭翅。叶对生或轮生，菱状卵形至菱状披针形，基部长渐狭，全缘而成短柄，前半部有齿，齿有时颇深，多少缺刻状而重出，有时近全缘，两面无毛。花单朵或更多成对生于叶腋，花梗长5~10mm；无小苞片，萼分生，齿4，卵状矩圆形，具睫毛，花冠小，白色，有极短的管，喉部生有密毛，瓣片4，上方1枚稍稍较大，而缘有啮痕状细齿；雄蕊4，近等长，花药箭形，花柱挺直，柱头截形或凹入。蒴果卵圆形至球形，室间室背均开裂，中轴胎座宿存。花期5~7月。

| 分布区域 |

产于海南澄迈、儋州、白沙、琼海、万宁等地。分布于中国广东、广西、云南、福建。原产于美洲热带地区，现已广布于世界热带地区。

| 资　　源 |

多见于村边、旷野草地，疏林中少见。

野甘草

| 采收加工 | 全年均可采，鲜用或晒干。

| 药材性状 | 干燥茎黄绿色，小枝有细条纹，光滑无毛。叶多卷缩，蒴果小球形，多开裂，散出极小粉状种子。主根圆柱形，平直或带弯曲，往往分生侧根，再生细根，主根长 10~15cm，根头部直径约 8mm，中部直径约 5mm，表面淡黄色，有纵皱。质坚脆，断面破裂状，淡黄绿色，皮部甚薄，木质部髓线较清晰。

| 功能主治 | 疏风止咳，清热利湿。用于感冒发热、肺热咳嗽、咽喉肿痛、肠炎、痢疾、小便不利、脚气水肿、湿疹、痱子。

玄参科 Scrophulariaceae 独脚金属 *Striga*

独脚金
Striga asiatica (L.) O. Kuntze

| 中 药 名 |

独脚柑（药用部位：全草）

| 植物形态 |

一年生半寄生草本，直立，全体被刚毛。茎单生，少分枝。叶较狭窄，仅基部的为狭披针形，其余的为条形，有时鳞片状。花单朵腋生或在茎先端形成穗状花序；花萼有 10 棱，5 裂几达中部，裂片钻形；花冠通常黄色，少红色或白色，花冠筒先端急剧弯曲，上唇短 2 裂。蒴果卵状，包于宿存的萼内。花期秋季。

| 分布区域 |

产于海南三亚、昌江、白沙、琼中、万宁、陵水、澄迈、儋州。亦分布于中国江西、福建、台湾、湖南、广东、广西、贵州、云南。

| 资　　源 |

生于草地，寄生在禾本草类如蜈蚣草、纤毛鸭嘴草等的根上。

| 采收加工 |

夏、秋季采收，洗净，晒干。

独脚金

药材性状

干燥的全草，全体呈黄褐色或绿褐色，茎细，被灰白色糙毛。叶线形或披针形，多数脱落。中部以上为稀疏的穗状花序，除少数未结果的植株可见干枯的花冠外，其余大部都已脱落；萼管状。蒴果黑褐色，藏于萼筒中，花柱残存。种子细小，黄棕色。以植株完整、带绿色、无泥沙杂质者为佳。

功能主治

健脾消积，清热杀虫。用于小儿伤食、疳积黄肿、夜盲、夏季热、腹泻、肝炎。

玄参科 Scrophulariaceae 蝴蝶草属 *Torenia*

毛叶蝴蝶草
Torenia benthamiana Hance

| 中 药 名 | 毛叶珊瑚草（药用部位：全草）

| 植物形态 | 全体密被白色硬毛。叶柄长约 1cm；叶片卵形或卵心形，两侧各具6~8 带短尖的圆齿，基部楔形。花梗长约 1cm，果期花梗长 2~3cm，通常 3 朵排成伞形花序，稀单生于叶腋或 5 个排成总状花序；萼筒狭长，果期长达 1.5cm，具 5 棱，上部多少扩大；萼齿略呈二唇形，果期裂成 5 长约 2mm、彼此近于相等的小齿；花冠紫红色或淡蓝紫色，抑或白而略带红色；上唇矩圆形，先端浅 2 裂；下唇 3 裂片均近圆形，中裂稍大；前方一对花丝各具 1 长 1.5~2mm 的丝状附属物；花柱顶部扩大，2 裂，裂片相等。蒴果长椭圆形。花果期 8 月至翌年 5 月。

| 分布区域 | 产于海南三亚、陵水、万宁、昌江、琼海、儋州、琼中、澄迈等地。

毛叶蝴蝶草

亦分布于中国广东、广西、台湾及福建南部。

| 资　　源 | 生于山坡、路旁或溪旁阴湿处。

| 采收加工 | 全年可采收，切段，晒干。

| 功能主治 | 用于疔疮、小儿鹅口疮、坐骨神经痛。

列当科 Orobanchaceae 野菰属 *Aeginetia*

野 菰 *Aeginetia indica* L.

| 中 药 名 | 野菰（药用部位：全草或花）

| 植物形态 | 一年生寄生草本。根稍肉质，具树状细小分枝。叶肉红色，卵状披针形或披针形，两面光滑无毛。花常单生于茎端，稍俯垂。花梗长10~30（~40）cm，常具紫红色的条纹。花萼一侧裂开至近基部，紫红色、黄色或黄白色，具紫红色条纹。花冠带黏液，常与花萼同色，或有时下部白色，上部带紫色，呈不明显的二唇形，筒部宽，在花丝着生处变窄，先端5浅裂。雄蕊4，内藏，花丝着生于距筒基部，紫色，花药黄色，有黏液，成对黏合，仅1室发育，下方一对雄蕊的药隔基部延长成距。子房1室，侧膜胎座4，横切面有极多分枝，花柱无毛，柱头膨大，肉质，淡黄色，盾状。蒴果圆锥状或长卵球形，2瓣开裂。种子多数，细小，椭圆形，黄色，种皮网状。花期4~8月，果期8~10月。

野菰

| 分布区域 | 产于海南三亚、保亭等地。

| 资　　源 | 寄生于甘蔗属(常见于斑茅)植物的根上。常生于土层深厚、湿润、枯叶多的地方。

| 采收加工 | 春、夏季采收，鲜用或晒干。

| 功能主治 | 清热解毒，消肿凉血。用于喉咙肿痛、尿路感染、骨髓炎、疔疮、蛇咬伤。

狸藻科 Lentibulariaceae 狸藻属 Utricularia

黄花狸藻
Utricularia aurea Lour.

| 中 药 名 | 黄花狸藻（药用部位：全草）

| 植物形态 | 水生草本。假根通常不存在，存在时轮生于花序梗的基部或近基部，具丝状分枝。匍匐枝圆柱形。叶器多数，互生，3~4 深裂达基部，裂片先羽状深裂，后一至四回二歧状深裂，末回裂片毛发状。捕虫囊通常多数，侧生于叶器裂片上，斜卵球形，具短梗；口侧生，上唇具 2 刚毛状附属物，下唇无附属物。花序直立，中部以上具 3~8 花；花序梗圆柱形，无鳞片；苞片基部着生，宽卵圆形；花梗丝状，横断面呈椭圆形。花萼 2 裂达基部，裂片近相等，上唇卵形，稍肉质，边缘内曲。花冠黄色，喉部有时具橙红色条纹；上唇宽卵形或近圆形，长约为上方萼片的 2 倍，下唇横椭圆形，喉凸隆起呈浅囊状；距近筒状，基部圆锥状，较下唇短并与其平行或成锐角叉开。雄蕊无毛；

黄花狸藻

花丝线形，上部扩大；药室汇合。子房球形，密生腺点；花柱长约为子房的一半，花后延长；柱头下唇半圆形，边缘具缘毛，上唇极短，钝形。蒴果球形，先端具喙状宿存花柱，周裂。种子多数，具5~6角和细小的网状突起，角上具极狭的棱翅，淡褐色。花期6~11月，果期7~12月。

| **分布区域** | 产于海南琼中、万宁、陵水、三亚等地。分布于中国江苏、安徽、浙江、江西、福建、台湾、湖北、湖南、广东、广西、云南。印度、尼泊尔、孟加拉国、斯里兰卡、马来西亚、印度尼西亚、菲律宾、日本、澳大利亚以及中南半岛也有分布。

| **资　　源** | 生于海拔50~2680m的湖泊、池塘和稻田中。

| **采收加工** | 全年可采，切段，晒干。

| **功能主治** | 用于目赤肿痛、急性结膜炎。

狸藻科 Lentibulariaceae 狸藻属 Utricularia

挖耳草
Utricularia bifida L.

| 中 药 名 | 挖耳草（药用部位：全草或叶）

| 植物形态 | 陆生小草本。匍匐枝少数。叶器生于匍匐枝上，开花前凋萎或于花期宿存，狭线形或线状倒披针形，膜质，具1脉。捕虫囊生于叶器及匍匐枝上，球形，侧扁，具柄；口基生，上唇具2钻形附属物。花序直立，中部以上具1~16疏离的花；花序梗圆柱状，上部光滑，下部具细小的腺体，具1~5鳞片；苞片与鳞片相似，基部着生，宽卵状长圆形；小苞片线状披针形，丝状，具翅。花萼2裂达基部，裂片宽卵形。花冠黄色；上唇狭长圆形或长卵形，下唇近圆形，先端圆形或具2~3浅圆齿，喉凸隆起呈浅囊状；距钻形，与下唇成锐角或钝角叉开。雄蕊无毛；花丝线形；药室于先端汇合。雌蕊无毛；子房卵球形；花柱短而显著；柱头下唇近圆形，反曲，上唇钝形。

挖耳草

蒴果宽椭圆球形，背腹扁，果皮膜质，室背开裂。种子多数，卵球形或长球形；种皮无毛，具网状突起，网格纵向延长，多少扭曲。花期6~12月，果期7月至翌年1月。

| 分布区域 | 产于海南澄迈、万宁、三亚、昌江等地。亦分布于中国山东、江苏、安徽、浙江、江西、福建、台湾、河南、湖北、湖南、广东、广西、四川和云南。印度、孟加拉国、马来西亚、菲律宾、印度尼西亚、日本、澳大利亚北部以及中南半岛也有分布。

| 资　　　源 | 生于海拔40~1350m的沼泽地、稻田或沟边湿地。

| 采收加工 | 全年可采，晒干。

| 功能主治 | 全草：用于中耳炎。叶：用于小儿麻疹。

苦苣苔科 Gesneriaceae　芒毛苣苔属 *Aeschynanthus*

红花芒毛苣苔
Aeschynanthus moningeriae (Merr.) Chun

| 中 药 名 | 红花芒毛苣苔（药用部位：全草或叶）

| 植物形态 | 小灌木。叶对生；叶片纸质，狭椭圆形、椭圆形，基部宽楔形或楔形，边缘全缘，侧脉每侧约 5，与中脉成锐角展出；叶柄长 6~10mm。花序具长梗，有 5~7 花；花序梗长 3.5~11cm；苞片对生，宽卵形；花梗长约 1cm。花萼长约 4mm，5 裂近基部，裂片长方状卵形。花冠红色，下唇有 3 暗红色纵纹；筒长约 3.4cm，上部粗 6mm，下部粗 4mm；上唇长约 6mm，2 浅裂，下唇近等长，3 深裂，裂片狭卵形。雄蕊稍伸出花冠口部，花丝着生于花冠筒中部，花药长 3mm。花盘环状，边缘有浅钝齿。雌蕊长约 2cm，子房无毛，花柱长约 3mm。蒴果线形，无毛。种子纺锤形，每端各有 1 长 2.8~5mm 的毛。花期 9 月至翌年 1 月。

红花芒毛苣苔

分布区域	产于海南乐东、昌江、白沙、五指山、保亭、陵水、万宁、琼中。亦分布于中国广东。
资　源	生于海拔 800~1200m 的山谷林中或溪边石上。
采收加工	全年可采，晒干或鲜用。
功能主治	全草：用于神经衰弱、慢性肝炎、胃痛、腰腿痛、肾炎、身体虚弱、风湿骨痛、咳嗽、跌打损伤。叶：用于跌打损伤、刀伤、骨折。

苦苣苔科 Gesneriaceae 吊石苣苔属 Lysionotus

吊石苣苔
Lysionotus pauciflorus Maxim

| 中 药 名 | 石吊兰（药用部位：全株）

| 植物形态 | 小灌木。叶 3，轮生，有时对生或多数轮生，具短柄或近无柄；叶片革质，形状变化大，线形、线状倒披针形、狭长圆形或倒卵状长圆形，基部钝、宽楔形或近圆形，边缘在中部以上有少数牙齿或小齿，有时近全缘，侧脉每侧 3~5；叶柄长 1~4(~9)mm。花序有 1~2(~5)花；花序梗长 0.4~2.6（~4）cm；苞片披针状线形；花梗长 3~10mm。花萼长 3~4（~5）mm，5 裂达或近基部；裂片狭三角形或线状三角形。花冠白色带淡紫色条纹或淡紫色；筒细漏斗状，口部直径 1.2~1.5cm；上唇长约 4mm，2 浅裂，下唇长 10mm，3 裂。雄蕊无毛，花丝着生于距花冠基部 13~15mm 处，狭线形，花药直径约 1.2mm，药隔背面

吊石苣苔

突起，长约 0.8mm；退化雄蕊 3，侧生的狭线形，弧状弯曲。花盘杯状，有尖齿。雌蕊长 2~3.4cm。蒴果线形。种子纺锤形。花期 7~10 月。

| **分布区域** | 产于海南中部地区。

| **资 源** | 生于丘陵或低海拔至中海拔的山地林中，或阴处石崖上或树上。

| **采收加工** | 8~9 月采收，鲜用或晒干。

| **药材性状** | 茎呈圆柱形，长短不一，直径 2~5mm，表面灰褐色或灰黄色，有粗皱纹，节略膨大，节间长短不一，有叶痕及不定根，质脆易折，断面不整齐，黄绿色。叶轮生或对生，多已脱落，完整叶片展平后呈长圆形至条形，长 12~15mm，宽 3~16mm，先端钝或尖，叶上部有疏锯齿，边缘反卷，厚革质；叶面草绿色，叶背黄绿色，主脉下陷，背面突起。气微，味苦。

| **功能主治** | 祛风除湿，化痰止咳，祛瘀通经。用于风湿痹痛、咳喘痰多、月经不调、痛经、跌打损伤。

苦苣苔科 Gesneriaceae　线柱苣苔属 Rhynchotechum

冠萼线柱苣苔 *Rhynchotechum formosanum* Hatus.

| 中 药 名 | 冠萼线柱苣苔（药用部位：全株）

| 植物形态 | 亚灌木。叶对生，纸质，多为椭圆形，有时长圆形或狭倒卵形，基部宽楔形或楔形，边缘有小齿，侧脉每侧9~14；叶柄长 0.5~2.5cm。聚伞花序常成对腋生，二至三回分枝；花序梗长 1.2~2.4cm，与花序分枝、苞片均密被褐色贴伏长柔毛；苞片近钻形。花萼裂片披针状线形，外面密被贴伏褐色柔毛。花冠无毛；筒长约 2mm；上唇长约1mm，2 裂达基部，下唇长约 2mm，3 深裂，裂片圆卵形。雄蕊无毛，花丝着生于距花冠基部 0.5mm 处，花药直径约 0.7mm，退化雄蕊长0.2mm。花盘环状。雌蕊长约 4mm，子房卵球形，密被极短的毛，花柱基部有短毛，其他部分无毛。浆果白色，近球形。花期 7 月。

冠萼线柱苣苔

| **分布区域** | 产于海南三亚、乐东、东方、白沙、五指山、保亭、万宁、琼中。亦分布于中国云南东南部、广西西南部、广东南部、台湾。 |

| **资　　源** | 生于海拔 200~1000m 的山谷密林中或沟边阴湿处或石上。 |

| **采收加工** | 秋季采收，晒干或鲜用。 |

| **功能主治** | 清肝解毒。用于疥疮。 |

紫葳科 Bignoniaceae 凌霄属 Campsis

凌 霄
Campsis grandiflora (Thunb.) Schum.

| 中 药 名 | 凌霄花（药用部位：花），紫葳（药用部位：茎叶、根）

| 植物形态 | 攀缘藤本；茎木质，表皮脱落，枯褐色，以气生根攀附于他物之上。叶对生，为奇数羽状复叶；小叶 7~9，卵形至卵状披针形，基部阔楔形，两侧不等大，侧脉 6~7 对，两面无毛，边缘有粗锯齿；叶轴长 4~13cm；小叶柄长 5（~10）mm。顶生疏散的短圆锥花序，花序轴长 15~20cm。花萼钟状，分裂至中部，裂片披针形。花冠内面鲜红色，外面橙黄色，裂片半圆形。雄蕊着生于花冠筒近基部，花丝线形、细长，花药黄色，"个"字形着生。花柱线形，柱头扁平，2裂。蒴果先端钝。花期 5~8 月。

| 分布区域 | 产于海南昌江、陵水。

凌霄

资　　源	栽培，常见。

采收加工	花：夏、秋季花盛开时摘取刚开放的花朵，晒干。茎叶：夏、秋季采收，晒干。根：全年均可采，洗净，切片，晒干。

药材性状	花：花呈皱缩卷曲或折叠状，完整的花长 6~7cm。花萼暗棕色，长约 2.5cm，基部联合成管状，上部 5 裂，裂片三角形，先端长而锐尖，萼筒表面具突起的纵脉 10；花冠筒状，黄棕色，长 3~4cm，上端 5 裂，裂片半圆形，表面具有棕红色细脉纹，并散有棕色斑点，质薄；内面着生两长两短弯曲的雄蕊，先端具"个"字形花药，雌蕊及花盘各 1，但多已脱落或仅残缺存在。微有香气，味微苦而略酸。根：根呈长圆柱形，外表面黄棕色或土红色，有纵皱纹，并可见稀疏的支根或支根痕。质坚硬，断面具纤维性，有丝状物，皮部棕色，木质部淡黄色。

功能主治	花：活血破瘀，凉血祛风。用于血滞经闭、血热风疹瘙痒。外用于皮肤湿癣。茎叶：清热，凉血，散瘀。用于血热生风、身痒、风疹、手脚酸软麻木、咽喉肿痛。根：凉血祛风，活血通络。用于血热生风、身痒、风疹、腰脚不遂、痛风、风湿痹痛、跌打损伤。

紫葳科 Bignoniaceae　葫芦树属 *Crescentia*

葫芦树
Crescentia cujete L.

| 中 药 名 | 葫芦树（药用部位：果实）

| 植物形态 | 乔木，主干通直；枝条开展，分枝少。叶 2~5，丛生，大小不等，阔倒披针形，基部狭楔形，具羽状脉，中脉被绵毛。花单生于小枝上，下垂。花萼 2 深裂，裂片圆形。花冠钟状，微弯，一侧膨胀，一侧收缩，淡绿黄色，具有褐色脉纹，裂片 5，不等大，花冠夜间开放，发出一种恶臭气味，蝙蝠传粉。果实卵圆球形，浆果，无毛，黄色至黑色，果壳坚硬，可作盛水的葫芦瓢。

| 分布区域 | 产于海南海口、万宁、保亭。亦分布于中国广东、福建、台湾等地。

| 资　　源 | 栽培。

葫芦树

| **采收加工** | 秋、冬季采收果实，切片晒干。

| **功能主治** | 清热解毒。

紫葳科 Bignoniaceae　猫尾木属 *Dolichandrone*

猫尾木

Dolichandrone cauda-felina (Hance) Benth. et Hook. f.

| 中 药 名 |　猫尾木（药用部位：叶）

| 植物形态 |　乔木。叶近于对生，奇数羽状复叶，幼嫩时叶轴及叶两面密被细柔毛，老时近无毛；小叶 6~7 对，无柄，长椭圆形或卵形，基部阔楔形至近圆形，有时偏斜，全缘纸质，两面均无毛或于幼时沿背面脉上被毛，侧脉 8~9 对，顶生小叶柄长达 5cm；托叶缺，但常有退化的单叶生于叶柄基部而极似托叶。花大，组成顶生、具数花的总状花序。花萼长约 5cm，与花序轴均密被褐色绒毛，先端有黑色小瘤体数个，内面无毛。花冠黄色，花冠筒基部直径 1.5~2cm，漏斗形，下部紫色，花冠外面具多数微突起的纵肋，花冠裂片椭圆形，开展。雄蕊及花柱内藏。蒴果极长，悬垂，密被褐黄色绒毛。种子长椭圆形，极薄，具膜质翅。花期 10~11 月，果期 4~6 月。

猫尾木

| **分布区域** | 产于海南东方、乐东、三亚、保亭、陵水、万宁、琼中、定安、澄迈等地。亦分布于中国广东南部、广西南部。 |

| **资　　源** | 生于低海拔疏林中或路旁，有时为次生林的主要树种，野生。 |

| **采收加工** | 全年可采，晒干。 |

| **功能主治** | 用于高热不退、感冒发热、惊风。 |

| **附　　注** | 在 FOC 中，其学名被修订为 *Markhamia stipulata* (Wall.) Seem. ex K. Schum. var. *kerrii* Sprague。 |

紫葳科 Bignoniaceae 火烧花属 Mayodendron

火烧花
Mayodendron igneum (Kurz) Kurz

| 中 药 名 | 火烧花（药用部位：树皮、茎皮、根皮）

| 植物形态 | 常绿乔木；树皮光滑，嫩枝具长椭圆形白色皮孔。大型奇数二回羽状复叶，中轴圆柱形，有沟纹；小叶卵形至卵状披针形，基部阔楔形，偏斜，全缘，侧脉 5~6 对；侧生小叶柄长 5mm，顶生小叶柄长达 3cm。花序有花 5~13，组成短总状花序，着生于老茎或侧枝上，花序梗长 2.5~3.5cm；花梗长 5~10mm。花萼佛焰苞状。花冠橙黄色至金黄色，筒状，基部微收缩，檐部裂片 5，半圆形，反折。花丝长约 4.5cm，花药"个"字形着生，2 室，药隔先端延伸成芒尖。子房长圆柱形，花柱长约 6cm，柱头 2 裂，胚珠多数。蒴果长线形，果片 2，薄革质，隔膜细圆柱形，木栓质。种子卵圆形，薄膜质，丰富，具白色透明的膜质翅。花期 2~5 月，果期 5~9 月。

火烧花

| **分布区域** | 产于海南乐东、三亚、琼中、白沙等地。 |

| **资　　源** | 生于中海拔以下地区的低丘陵、河谷及路边林中。有人工栽培。 |

| **采收加工** | 全年可采。根皮：挖根，取根皮，切段晒干。树皮、茎皮：切段晒干。 |

| **功能主治** | 树皮：止泻止痢。用于痢疾、腹泻。茎皮：解毒，截疟。用于疟疾。根皮：用于齿痛、疲乏无力、产后体虚、恶露淋漓不止。 |

■ 紫葳科 *Bignoniaceae* ■ 木蝴蝶属 *Oroxylum*

木蝴蝶
Oroxylum indicum (L.) Kurz.

| 中 药 名 | 木蝴蝶（药用部位：成熟种子），木蝴蝶树皮（药用部位：树皮）

| 植物形态 | 直立小乔木，树皮灰褐色。大型奇数二至三（四）回羽状复叶，着生于茎干近先端；小叶三角状卵形，基部近圆形或心形，偏斜，全缘，叶片干后发蓝色，侧脉 5~6 对网脉。总状聚伞花序顶生，粗壮；花梗长 3~7cm；花大，紫红色。花萼钟状，紫色，膜质，果期近木质，光滑，具小苞片。花冠肉质；檐部下唇 3 裂，上唇 2 裂，裂片微反折，花冠在傍晚开放，有恶臭气味。雄蕊插生于花冠筒中部，花药椭圆形，略叉开。花盘大，肉质，5 浅裂。花柱长 5~7cm，柱头 2 裂。蒴果木质，常悬垂于树梢，2 瓣开裂，果瓣具有中肋，边缘肋状突起。种子多数，圆形，周翅薄如纸，故有"千张纸"之称。花期 7~10 月，果期 10~12 月。

木蝴蝶

| 分布区域 | 产于海南乐东、三亚、琼中、白沙等地。 |

| 资　源 | 生于中海拔以下地区的丘陵、河谷以及路边林中。 |

| 采收加工 | 种子：秋、冬季采收成熟果实，曝晒至果实开裂，取出种子，晒干。树皮：秋、冬季剥取树皮，晒干，切碎。 |

| 药材性状 | 种子近椭圆形，薄片状，长 2~3cm，宽 1.5~2cm。表面浅黄白色，有绢丝状光泽。种皮三面向外扩展成宽大的翅，翅宽约 2.5cm，呈膜质半透明状，具放射状纹理，边缘多破裂。体轻，剥去种皮，有薄膜状胚乳紧包子叶。子叶 2，扁平蝶形，黄绿色或浅黄色，长径约 1.5cm，短径约 1cm；胚根明显。气微，味微苦。以张大、色白、有光泽、翅柔软如绸者为佳。 |

| 功能主治 | 种子：利咽润肺，疏肝和胃，敛疮生肌。用于喉痹、声音嘶哑、咳嗽、肝胃气痛、疮疡久溃不敛、浸淫疮。树皮：清热利湿退黄，利咽消肿。用于传染性黄疸型肝炎、咽喉肿痛。 |

紫葳科 Bignoniaceae 炮仗藤属 *Pyrostegia*

炮仗花
Pyrostegia venusta (Ker-Gawl.) Miers

| 中 药 名 | 炮仗花（药用部位：花、叶）

| 植物形态 | 藤本，具有三叉丝状卷须。叶对生；小叶 2~3，卵形，基部近圆形，两面无毛，下面具有极细小分散的腺穴，全缘；叶轴长约 2cm；小叶柄长 5~20mm。圆锥花序着生于侧枝的先端。花萼钟状，有 5 小齿。花冠筒状，内面中部有一毛环，基部收缩，橙红色，裂片 5，长椭圆形，花蕾时镊合状排列，花开放后反折，边缘被白色短柔毛。雄蕊着生于花冠筒中部，花丝丝状，花药叉开。子房圆柱形，密被细柔毛，花柱细，柱头舌状扁平，花柱与花丝均伸出花冠筒外。果瓣革质，舟状，内有种子多列，种子具翅，薄膜质。花期长，在云南西双版纳热带植物园可长达半年，通常在 1~6 月。

炮仗花

| **分布区域** | 产于海南各地。 |

| **资　　源** | 栽培，常见。 |

| **采收加工** | 春、夏季采收，晒干。 |

| **功能主治** | 花：味甘，性平；叶：味苦、微涩，性平。润肺止咳，清热利咽。用于肺痨、新久咳嗽、咽喉肿痛。 |

| 紫葳科 | *Bignoniaceae* | 菜豆树属 | *Radermachera* |

美叶菜豆树 *Radermachera frondosa* Chun & How

| **中 药 名** | 美叶菜豆树（药用部位：根、叶、果实）

| **植物形态** | 乔木，小枝被微柔毛或渐无毛，具皮孔。二回羽状复叶；叶柄、叶轴有槽纹，被粉状微毛；小叶 5~7，纸质，阔或狭椭圆形或卵形，侧生小叶长 4~6cm，顶生小叶较大，基部阔楔形，干时黑褐色，被有很密的小斑点，叶基部有少数腺体，最后凹陷成小穴，小叶柄纤细，顶生小叶柄长约 15mm，侧生小叶柄长 5~6mm。花序顶生，尖塔形，三歧分叉，分枝易脱落；花白色，芽时褐红色；花梗长 3~5mm。花萼圆锥状，具胶黏质，在花蕾时封闭，在开花期长 15~18mm，3~4 裂，裂片卵状三角形，短尖。花冠细筒状，裂片圆形。花盘杯状。雄蕊4，着生于花冠筒中部，花药黄色，线形。子房圆柱状，柱头 2 裂，

美叶菜豆树

胚珠多数、多列。蒴果下垂，近圆柱状。种子连翅长 7~12mm。花期几全年。

分布区域

产于海南文昌、琼海、琼中、保亭、陵水、三亚、乐东、白沙。亦分布于中国广东。

资　源

生于低海拔至中海拔的疏林中。

采收加工

根：全年可采。叶：夏、秋季可采。果实：秋季采收。鲜用或晒干。

功能主治

味苦，性寒。清暑解毒，散瘀消肿。用于伤暑发热、痈肿、跌打骨折、毒蛇咬伤。

紫葳科 Bignoniaceae　菜豆树属 Radermachera

海南菜豆树
Radermachera hainanensis Merr.

| 中 药 名 | 海南菜豆树（药用部位：根、叶）

| 植物形态 | 乔木，除花冠筒内面被柔毛外，全株无毛；小枝和老枝灰色，有皱纹。叶为一至二回羽状复叶，有时仅有小叶 5；小叶纸质，长圆状卵形或卵形，基部阔楔形，有时上面有极多数细小的斑点，侧脉每边 5~6，纤细，支脉稀疏，呈网状。花序腋生或侧生，少花，为总状花序或少分枝的圆锥花序，比叶短。花萼淡红色，筒状，3~5 浅裂。花冠淡黄色，钟状，最细部分直径达 5mm，内面被柔毛，裂片阔肾状三角形。蒴果长达 40cm，隔膜扁圆形。种子卵圆形，薄膜质。花期 4 月。

| 分布区域 | 产于海南万宁、陵水、保亭、三亚、乐东、东方、白沙、儋州。海南特有种。

海南菜豆树

| 资　　源 | 生于低海拔疏林中，少见。

| 采收加工 | 根：全年可采。叶：夏、秋季采收。鲜用或晒干。

| 功能主治 | 凉血消肿，清热解毒，散瘀止痛。用于跌打损伤、毒蛇咬伤。

紫葳科 Bignoniaceae　菜豆树属 Radermachera

菜豆树
Radermachera sinica (Hance) Hemsl.

| 中 药 名 |　菜豆树（药用部位：根、叶、果实）

| 植物形态 |　小乔木。二回羽状复叶，稀为三回羽状复叶，叶轴长约 30cm；小叶卵形至卵状披针形，基部阔楔形，全缘，侧脉 5~6 对，向上斜伸，侧生小叶片在近基部的一侧疏生少数盘菌状腺体；侧生小叶柄长在 5mm 以下，顶生小叶柄长 1~2cm。顶生圆锥花序，直立；苞片线状披针形。花萼蕾时封闭，锥形，内包有白色乳汁，萼齿 5，卵状披针形，中肋明显。花冠钟状漏斗形，白色至淡黄色，裂片 5，圆形，具皱纹。雄蕊 4，二强，光滑，退化雄蕊存在，丝状。子房光滑，2 室，胚珠每室 2 列，花柱外露，柱头 2 裂。蒴果细长、下垂，圆柱形，多沟纹，渐尖，果皮薄革质，小皮孔极不明显；隔膜细圆柱形，微扁。种子椭圆形，连翅长约 2cm。花期 5~9 月，果期 10~12 月。

菜豆树

| 分布区域 | 产于海南三亚、乐东、海口、保亭、东方、昌江、万宁、儋州、屯昌、文昌。亦分布于中国台湾、广东、广西、贵州、云南。

| 资　　源 | 生于海拔340~750m的山谷或平地疏林中。

| 采收加工 | 根：全年可采。叶：夏、秋季采收。果实：秋季采收。鲜用或晒干。

| 功能主治 | 清暑解毒，散瘀消肿。用于伤暑发热、痈肿、跌打骨折、毒蛇咬伤。

老鼠簕属 Acanthaceaea 老鼠簕属 Acanthus

老鼠簕
Acanthus ilicifolius L.

| 中 药 名 | 老鼠簕（药用部位：全株）

| 植物形态 | 直立灌木。托叶呈刺状，叶柄长 3~6mm；叶片长圆形至长圆状披针形，基部楔形，边缘 4~5 羽状浅裂，近革质，侧脉每侧 4~5，自裂片先端突出为尖锐硬刺。穗状花序顶生；苞片对生，宽卵形，无刺，早落；小苞片卵形，革质；花萼裂片 4，外方的 1 对宽卵形，边缘质薄，有时呈皱波状，具缘毛，内方的 1 对卵形，全缘。花冠白色，花冠管长约 6mm，上唇退化，下唇倒卵形，薄革质，先端 3 裂，内面上部两侧各有 1 条 3~4mm 宽的被毛带；雄蕊 4，近等长，花药 1 室，纵裂，裂缝两侧各有 1 列髯毛，花丝粗厚，近软骨质；子房顶部软骨质，花柱有纵纹；柱头 2 裂。蒴果椭圆形；种子 4，扁平，圆肾形，淡黄色。

老鼠簕

| 分布区域 |

产于海南文昌、海口。亦分布于中国南部。

| 资　　源 |

生于潮汐可达的滨海地区。

| 采收加工 |

全年均可采，洗净，切段，晒干。

| 功能主治 |

清热解毒，散瘀止痛，化痰利湿。用于淋巴结肿大、急慢性肝炎、疟腮、瘰疬、肝脾肿大、胃痛、腰肌劳损、痰热咳喘、黄疸、白浊。

爵床科 Acanthaceae 穿心莲属 *Andrographis*

穿心莲
Andrographis paniculata (Burm. f.) Nees

| 中 药 名 | 穿心莲（药用部位：全草）

| 植物形态 | 一年生草本。茎4棱，下部多分枝，节膨大。叶卵状矩圆形至矩圆状披针形。花序轴上叶较小，总状花序顶生和腋生，集成大型圆锥花序；苞片和小苞片微小；花萼裂片三角状披针形，有腺毛和微毛；花冠白色而小，下唇带紫色斑纹，外有腺毛和短柔毛，二唇形，上唇微2裂，下唇3深裂，花冠筒与唇瓣等长；雄蕊2，花药2室，一室基部和花丝一侧有柔毛。蒴果扁，中有一沟，疏生腺毛；种子12，四方形，有皱纹。花期9~10月，果期10~11月。

| 分布区域 | 产于海南万宁、儋州。中国福建、广东、广西、云南亦常见栽培，江苏、陕西亦有引种。

穿心莲

| 资　　源 | 生于海拔 400~800m 的山谷潮湿处。

| 采收加工 | 青黛：夏、秋季采收茎、叶，置缸中，加清水浸 2~3 天，至叶腐烂、茎脱皮时，将茎枝捞出，加入石灰（每 100kg 加石灰 8~10kg），充分搅拌，至浸液由深绿色转为紫红色时，捞出液面泡沫，于烈日下晒干，即得。叶：秋季采收，晒干。根茎及根：初冬采挖，除去茎、叶，洗净，晒干。

| 药材性状 | 青黛：本品为深蓝色的粉末，体轻，易飞扬；或呈不规则多孔性的团块，用手搓捻即成细末。微有草腥气，味淡。叶：本品多皱缩成不规则团块状，有时带小枝。呈黑绿色或灰绿色。完整叶片长椭圆形或倒卵状长圆形，长 5~15cm，宽 3~5cm。叶缘有细小钝锯齿，先端渐尖，基部楔形下延，中脉于背面突出较明显。纸质，质脆易碎。气微弱，味淡。以身干、叶净、色黑绿者为佳。根茎及根：根茎及根全长 10~30cm，根茎长 5~10cm。根茎圆柱形，多弯曲，有时分叉，直径 2~6mm；上部常具短地上茎，有时分枝。表面灰褐色，节膨大，节处着生细长而略弯曲的根，表面有细皱纹。茎及根茎质脆，易折断，断面不平坦，略呈纤维状，中央有髓，较大。根质稍柔韧。气弱，味淡。

| 功能主治 | 青黛：清热解毒，凉血止血，清肝泻火。用于温病热毒斑疹、血热吐血、衄血、咯血、肝热惊痫、肝火犯肺咳嗽、咽喉肿痛、丹毒、痄腮、疮肿、蛇虫咬伤。叶：

清热解毒，凉血止血。用于温热病、高热头痛、发斑、肺热咳嗽、湿热泻痢、黄疸、丹毒、猩红热、麻疹、咽喉肿痛、口疮、痄腮、淋巴结炎、肝痛、肠痛、吐血、衄血、牙龈出血、崩漏、疮疖、蛇虫咬伤。根茎及根：清热解毒，凉血消肿。用于温毒发斑、高热头痛、大头瘟、丹毒、痄腮、病毒性肝炎、流行性感冒、肺炎、疮肿、疱疹。

爵床科 Acanthaceaea 假杜鹃属 Barleria

假杜鹃 *Barleria cristata* L.

| 中 药 名 | 紫靛（药用部位：全株）

| 植物形态 | 小灌木。长枝叶柄长 3~6mm，叶片纸质，椭圆形、长椭圆形或卵形，有时有渐尖头，基部楔形，下延，全缘，侧脉 4~5（~7）对，长枝叶常早落；腋生短枝的叶小，具短柄，叶片椭圆形或卵形，叶腋内通常着生 2 花。短枝有分枝，花在短枝上密集。苞片叶形，无柄，小苞片披针形或线形，具锐尖头，3~7 脉，主脉明显，边缘被糙伏毛，有时有小锯齿，齿端具尖刺。有时花退化而只有 2 不孕的小苞片；外 2 萼片卵形至披针形，基部圆，边缘有小点，齿端具刺尖，脉纹甚显著，内 2 萼片线形或披针形，1 脉，有缘毛，花冠蓝紫色或白色，二唇形，花冠管圆筒状，喉部渐大，冠檐 5 裂，长圆形；能育雄蕊 4，2 长 2 短，着生于喉基部，长雄蕊花药 2 室并生，短雄蕊花药先端相连，

假杜鹃

下面叉开，不育雄蕊 1，向下部较密；子房扁，长椭圆形，花盘杯状，包被子房下部，花柱线状无毛，柱头略膨大。蒴果长圆形，两端急尖，无毛。花期 11~12 月。

| **分布区域** | 产于海南各地。亦分布于中国南部各地。

| **资　　源** | 生于低海拔的路边或近村的灌丛中，间见于疏林下。

| **采收加工** | 全年可采，切段，鲜用或晒干。

| **药材性状** | 茎圆柱形，略有棱，光滑无刺。叶对生，皱缩，完整叶片椭圆形至矩圆形，长3~10cm，先端尖，基部楔形，全缘，略呈波状，两面具毛。

| **功能主治** | 清肺化痰，祛风利湿，解毒消肿。用于肺热咳嗽、百日咳、风湿疼痛、风疹身痒、黄水疮、小便淋痛、跌打瘀肿、痈肿疮疖。

白节赛爵床 *Justicia multinodis* R. Ben

| 中 药 名 |

白节赛爵床（药用部位：全株）

| 植物形态 |

亚灌木；茎短，常具瘤状结节；枝多数，丛生或稍作披散状，上部叶较密，下部无叶或少叶。叶厚纸质，线形或匙状线形，有时倒披针形，基部渐狭，边缘反卷以至叶背有明显增厚的檐缘，干时褐黄色；侧脉两面均不明显，背面可见有 2~3；叶柄极短或近无柄。花腋生，具短梗，单生或 2~3 组成聚伞花序；苞片匙形；小苞片线形；萼裂片线形，质地稍厚；花冠白色，上唇近三角形，上端收狭，浅 2 裂，下唇宽大，基部收缩呈爪状，先端 3 裂，中裂片较大，近圆形，侧裂片较小，长圆形，花丝基部被柔毛。蒴果无毛。花期夏季。

| 分布区域 |

产于海南三亚、保亭、琼中。

| 资　　源 |

常生于低海拔溪边的石上。

白节赛爵床

| 采收加工 |

全年可采，晒干。

| 功能主治 |

用于腰疼、创伤。

| 附　　注 |

在 FOC 中，其学名被修订为 *Justicia multinodis* R. Ben。

爵床科 Acanthaceaea 鳄嘴花属 Clinacanthus

鳄嘴花 *Clinacanthus nutans* (Burm. f.) Lindau

| 中 药 名 | 青箭（药用部位：全草）

| 植物形态 | 高大草本,直立或有时攀缘状。茎圆柱状,干时黄色,有细密的纵条纹,近无毛。叶纸质,披针形或卵状披针形,长5~11cm,宽1~4cm,先端弯尾状渐尖,基部稍偏斜,近全缘,两面无毛;侧脉每边5或6,干时两面稍突起;叶柄长5~7mm或过之。花序长1.5cm,被腺毛;苞片线形,长约8mm,先端急尖;萼裂片长约8mm,渐尖;花冠深红色,长约4cm,被柔毛。雄蕊和雌蕊光滑无毛。蒴果未见。花期春、夏季。

| 分布区域 | 产于海南文昌、海口、儋州、白沙、三亚等地。

鳄嘴花

| 资　　源 | 生于低海拔疏林中或灌丛内，海边也十分常见。 |

| 采收加工 | 全年均可采，洗净，切段，鲜用或晒干。 |

| 药材性状 | 本品为带叶枝条。茎表面具细致的纵行纹理，嫩枝有短柔毛。叶对生，多皱缩或破碎，完整叶片披针形或卵状披针形，有的略弯曲，呈镰刀状，长 3~11cm，先端渐尖，基部楔形，全缘或有细齿，具短柄。 |

| 功能主治 | 清肝利胆，消肿止痛。用于黄疸型肝炎、跌打骨折、风湿疼痛、月经不调。 |

钟花草
Codonacanthus pauciflorus (Nees) Nees

| 中 药 名 |

钟花草（药用部位：全草）

| 植物形态 |

纤细草本。茎直立或基部卧地，通常多分枝，被短柔毛。叶薄纸质，椭圆状卵形或狭披针形，先端急尖或渐尖，基常急尖，边全缘或有时呈不明显的浅波状，两面被微柔毛；侧脉纤细，每边 5~7；叶柄长 5~10mm。花序疏花；花在花序上互生，相对的一侧常为无花的苞片；花梗长 1~3mm；萼长约 2mm；花冠管短于花檐裂片，下部偏斜，花冠白色或淡紫色，冠檐裂片 5，卵形或长卵形，后裂片稍小。雄蕊 2，花丝很短，内藏，退化雄蕊 2。蒴果长 1.5cm。下部实心似短柄状。花期 10 月。

| 分布区域 |

产于海南儋州、保亭、东方、白沙、定安、琼中、三亚、澄迈。亦分布于中国台湾、广东、广西、云南等地。

| 资　　源 |

生于海拔 200~1300m 的密林下或潮湿的山谷中。

钟花草

| **采收加工** | 夏、秋季采收，洗净，鲜用或晒干。

| **功能主治** | 清心火，活血通络。用于口舌生疮、风湿痹痛、跌打损伤。

爵床科 Acanthaceaea 狗肝菜属 *Dicliptera*

狗肝菜
Dicliptera chinensis (L.) Nees

| 中 药 名 | 狗肝菜（药用部位：全草）

| 植物形态 | 草本；茎外倾或上升，具 6 钝棱和浅沟，节常膨大膝曲状，近无毛或节处被疏柔毛。叶卵状椭圆形，基部阔楔形或稍下延，纸质，深绿色，两面近无毛或背面脉上被疏柔毛；叶柄长 5~25mm。花序腋生或顶生，由 3~4 聚伞花序组成，每个聚伞花序有 1 至少数花，具长 3~5mm 的总花梗，下面有 2 总苞状苞片，总苞片阔倒卵形或近圆形，稀披针形，具脉纹，被柔毛；小苞片线状披针形；花萼裂片 5，钻形；花冠淡紫红色，外面被柔毛，二唇形，上唇阔卵状近圆形，全缘，有紫红色斑点，下唇长圆形，3 浅裂；雄蕊 2，花丝被柔毛，药室 2，卵形，一上一下。蒴果长约 6mm，开裂时由蒴底弹起，种子 4。

狗肝菜

| 分布区域 | 产于海南保亭、三亚、澄迈。

| 资　　源 | 生于低海拔的旷野或疏林中。

| 采收加工 | 夏、秋季采收，洗净，鲜用或晒干。

| 药材性状 | 全草长可达 80cm。根须状，淡黄色。茎多分枝，折曲状，具棱，节膨大呈膝状，下面节处常匍匐具根。叶对生，暗绿色或灰绿色，多皱缩，完整叶片卵状椭圆形，纸质，长 2~7cm，宽 1~4cm，先端急尖或渐尖，基部阔楔形，下延，全缘，两面无毛或稍被毛，以上表面叶脉处较多；叶柄长，上面有短柔毛。有的带花，由数个头状花序组成的聚伞花序生于叶腋，叶状苞片一大一小，倒卵状椭圆形；花二唇形。蒴果卵形，开裂者胎座升起。种子有小疣点。气微，味淡、微甘。

| 功能主治 | 清热凉血，利湿解毒。用于感冒发热、热病发斑、吐衄、便血、尿血、崩漏、肺热咳嗽、咽喉肿痛、肝热目赤、小儿惊风、小便淋沥、带下、带状疱疹、痈肿疔疖、蛇犬咬伤。

爵床科 Acanthaceaea **楠草属** *Dipteracanthus*

楠 草
Dipteracanthus repens (L.) Hassk.

| 中 药 名 | 芦莉草叶（药用部位：叶）

| 植物形态 | 多年生披散草本，茎膝曲状，下部常斜倚地面，多分枝。叶薄纸质，卵形至披针形，基部阔楔尖或近圆，全缘，两面散生透明、干时白色的疏柔毛，缘毛短而密；中脉在背面突起；侧脉纤细，每边4~5；叶柄长3~5mm。花单生于叶腋；花梗长约1mm，小苞片叶状；萼裂片长约5mm；花冠紫色或后裂片深紫色，被短柔毛，冠管短，喉部阔大，呈钟形，冠檐整齐；雄蕊内藏，后方雄蕊花药比前方雄蕊小。蒴果淡棕黄色，纺锤形；种子每室6，彼此重叠，近球形，有增厚的边缘，被紧贴柔毛。花期早春。

| 分布区域 | 产于海南万宁、三亚、昌江。

楠草

| **资　　源** | 生于低海拔路边或旷野草地上，常见。

| **采收加工** | 春、夏季采收，洗净，鲜用。

| **功能主治** | 解毒消肿，止痛。用于痈肿溃疡、刀伤、牙痛、腹痛。

爵床科 Acanthaceaea　驳骨草属 *Gendarussa*

黑叶小驳骨 *Gendarussa ventricosa* (Wall. ex Sims) Nees

| 中 药 名 | 大驳骨丹（药用部位：茎叶、根）

| 植物形态 | 多年生、直立、粗壮草本或亚灌木，除花序外全株无毛。叶纸质，椭圆形或倒卵形，基部渐狭，干时草黄色或绿黄色；常有颗粒状隆起；中脉粗大，腹面稍凸，背面呈半柱状突起，侧脉每边 6~7，两面近同等突起，在背面半透明；叶柄长 0.5~1.5cm。穗状花序顶生，密生；苞片大，覆瓦状重叠，阔卵形或近圆形；萼裂片披针状线形；花冠白色或粉红色，上唇长圆状卵形，下唇浅 3 裂。蒴果长约 8mm，被柔毛。花期冬季。

| 分布区域 | 产于海南三亚、陵水、万宁。亦分布于中国广东、香港、广西、云南等南部和西南部地区。

黑叶小驳骨

资　源

生于近村的疏林下或灌丛中。野生或栽培。

采收加工

全年可采，洗净，鲜用或晒干。

药材性状

茎枝圆柱形，多切成段，长4~6cm，直径0.6~1cm。表面光滑，微具纵棱，灰绿色或棕黄色，节部膨大，略带紫色，断面中空有髓。叶对生，具短柄；叶片椭圆形，纸质，长10~15cm，宽3~6cm，先端钝，基部楔形，全缘，叶面青绿色，叶背黄绿色，微显光亮，无毛。气微，味微辛。

功能主治

活血止痛，化瘀接骨，祛风除湿，消肿解毒。用于跌打伤肿、骨折、劳伤腰痛、风湿痹痛、胃气痛、肺痈、乳痈、无名肿毒、外伤红肿。

■ 爵床科 ■ Acanthaceaea ■ 驳骨草属 ■ *Gendarussa*

小驳骨 *Gendarussa vulgaris* Nees

|中药名|

驳骨丹（药用部位：茎叶或全株）

|植物形态|

多年生草本或亚灌木；茎节膨大，枝多数、对生，嫩枝常深紫色。叶纸质，狭披针形至披针状线形，基部渐狭，全缘；中脉粗大，在上面平坦，在背面呈半柱状突起，和侧脉每边 6~8，均呈深紫色或有时侧脉半透明；叶柄长在 10mm 以内，或上部的叶有时近无柄。穗状花序顶生，下部间断，上部密花；苞片对生，在花序下部的 1 或 2 对呈叶状，比萼长，上部的小，披针状线形，比萼短，内含花 2 至数朵；萼裂片披针状线形，无毛或被疏柔毛；花冠白色或粉红色，上唇长圆状卵形，下唇浅 3 裂。蒴果长 1.2cm。花期春季。

|分布区域|

产于海南三亚、乐东、白沙、万宁、保亭、澄迈、海口。亦分布于中国台湾、福建、广东、香港、广西、云南。

小驳骨

| 资　　　源 | 生于村旁或路边的灌丛中。

| 采收加工 | 夏、秋季采收，洗净，切段，晒干或鲜用。

| 药材性状 | 茎圆柱形，多分枝，小枝有四棱线，节处膨大，嫩枝绿色。叶多皱缩，完整叶片狭披针形或披针状线形，长4~14cm，宽1~2cm，先端渐尖，基部楔形，全缘，上面青绿色，下面黄绿色，光亮；中脉粗大，与侧脉均呈深紫色，或有时侧脉半透明。气微，味淡。

| 功能主治 | 祛风湿，散瘀血，续筋骨。用于风湿痹痛、月经不调、产后腹痛、跌打肿痛、骨折。

爵床科 Acanthaceaea 水蓑衣属 *Hygrophila*

水蓑衣
Hygrophila salicifolia (Vahl) Nees

| 中 药 名 |　水蓑衣（药用部位：全草），南天仙子（药用部位：种子）

| 植物形态 |　草本，茎四棱形。叶近无柄，纸质，长椭圆形、披针形、线形，两端渐尖，先端钝，两面被白色长硬毛，背面脉上较密，侧脉不明显。花簇生于叶腋，无梗，苞片披针形，基部圆形，外面被柔毛，小苞片细小，线形；花萼圆筒状，被短糙毛，5 深裂至中部，裂片稍不等大，渐尖，被通常绉曲的长柔毛；花冠淡紫色或粉红色，上唇卵状三角形，下唇长圆形，喉凸上有疏而长的柔毛，花冠管稍长于裂片；后雄蕊的花药比前雄蕊的小一半。蒴果比宿存萼长 1/3~1/4，干时淡褐色，无毛。花期秋季。

| 分布区域 |　产于海南各地。

水蓑衣

资　　源	生于沟溪边或洼地上。

采收加工	全草：夏、秋季采收，洗净，鲜用或晒干。种子：秋季果熟期，割取地上部分，晒干，打下种子，除去杂质，备用。

药材性状	全草：全草长约60cm，茎四棱形，节处被疏柔毛。叶对生，多皱缩，完整叶片披针形、矩圆形披针形或线状披针形，下部叶为椭圆形，长3~14cm，宽2~15mm，先端渐尖，基部下延，全缘。气微，味淡。种子：种子略呈扁平心形，直径1~15mm。表面棕红色或暗褐色，略平滑，无网纹，基部有种脐。表面有贴伏的黏液化的表皮毛，呈薄膜状，遇水则膨胀竖立，蓬松散开，黏性甚大，湿润即黏结成团。无臭，味淡而粘舌。

功能主治	全草：清热解毒，散瘀消肿。用于时行热毒、丹毒、黄疸、口疮、咽喉肿痛、乳痈、吐衄、跌打伤痛、骨折、毒蛇咬伤。种子：清热解毒，消肿止痛。用于乳痈红肿热痛、疮肿。

爵床科 Acanthaceaea 鳞花草属 *Lepidagathis*

鳞花草

Lepidagathis incurva Buch.-Ham. ex D. Don

| 中 药 名 | 鳞花草（药用部位：带根全草）

| 植物形态 | 多分枝草本；小枝 4 棱，除花序外几全体无毛。叶纸质，长圆形至披针形，有时近卵形，基部多少下延，通常浅波状或有疏齿，上面光亮，两面均有稍粗的针状钟乳体；侧脉每边 7~9；叶柄长5~10mm。穗状花序顶生和近枝顶侧生，卵形；苞片长圆状卵形，先端具刺状小突起；小苞片稍狭，和苞片及萼裂片均在背面和边缘被长柔毛；花萼后裂片较大，披针状卵形，前裂片中部以下合生；花冠白色，喉部内面密被倒生长柔毛，上唇直立，阔卵形，不明显 2裂，下唇裂片近圆形；花药 2 室，药室邻接，斜叠生，花粉粒长球形，具 3 孔沟，沟长，表面具网状雕纹。蒴果长圆形；种子每室 2。花期早春。

鳞花草

| 分布区域 | 产于海南保亭、白沙、澄迈、定安。

| 资　　源 | 通常生于近村的草地或旷野。

| 采收加工 | 秋季采挖，洗净，鲜用或晒干。

| 药材性状 | 茎圆柱形，略具4棱，有分枝，长短不一，具短毛。叶对生皱缩，完整叶片长圆形至披针形，长2.5~10cm，先端尖，基部楔形，下延至柄呈狭翅状；全缘或边缘略呈波状；两面具毛茸，有时可见针状结晶的小线条。气微，味微苦。

| 功能主治 | 清热解毒，消肿止痛。用于感冒发热、肺热咳嗽、疮疡肿毒、口唇糜烂、目赤肿痛、皮肤湿疹、跌打伤痛、毒蛇咬伤。

爵床科 Acanthaceaea 观音草属 Peristrophe

观音草

Peristrophe baphica (Spreng) Bremek.

| 中 药 名 | 野靛青（药用部位：全草）

| 植物形态 | 多年生草本；枝多数，交互对生，具 5~6 钝棱和同数的纵沟，小枝被褐红色柔毛，老枝具淡褐色皮孔。叶卵形或有时披针状卵形，基部阔楔尖或近圆，全缘，纸质，干时黑紫色；侧脉每边 5~6；叶柄长约 5mm。聚伞花序，由 2 或 3 个头状花序组成，腋生或顶生；总花梗长 3~5mm；总苞片 2~4，阔卵形、卵形或椭圆形，基部楔形，干时黑紫色或稍透明，有脉纹；花萼小，裂片披针形，被柔毛；花冠粉红色，冠管直，喉部稍内弯，上唇阔卵状椭圆形，下唇长圆形，浅 3 裂；雄蕊伸出，花丝被柔毛，药室线形，下方的 1 室较小；花柱无毛，柱头 2 裂。蒴果未见。花期冬、春季。

观音草

| 分布区域 | 产于海南海口、澄迈、琼海。

| 资　　源 | 生于海拔 500~1000m 的林下。

| 采收加工 | 夏、秋季采收，鲜用或晒干。

| 药材性状 | 全草长 40~60cm。根须状，呈浅棕褐色。地上部分呈暗绿色，被毛。茎被灰白色毛，具纵棱，表面黄棕色或带绿色，节膨大，节间较长，质脆，易折断。叶对生，叶片多卷曲皱缩，展开后呈披针形或卵形，长 2~8cm，宽 1~5cm，稀被柔毛。茎上部腋生或顶生单花，淡红色。气微，味苦、微甘。

| 功能主治 | 清热解毒，凉血息风，散瘀消肿。用于肺热咳嗽、肺痨咯血、吐血、小儿惊风、咽喉红肿、口舌生疮、小便淋痛、痈肿疮疖、瘰疬、跌打肿痛、外伤出血、毒蛇咬伤。

爵床科 Acanthaceaea 山壳骨属 *Pseuderanthemum*

海康钩粉草

Pseuderanthemum haikangense C. Y. Wu et H. S. Lo

| 中 药 名 |　海康钩粉草（药用部位：嫩叶）

| 植物形态 |　小灌木，仅花和花序被腺毛短柔毛，枝圆柱形，皮草黄色。叶纸质，椭圆状圆形或卵形，稀披针状椭圆形，基部阔楔尖或近圆，全缘或有不明显的波状圆齿；侧脉每边 5~7，弧状上升，横脉不明显；叶柄长 5~15mm。穗状花序顶生，稀生于上部的叶腋内；花序轴干时变黑色，不分枝，稀于基部分枝；苞片对生，狭三角形，其内有花，花 1~3；小苞片微小；萼长约 5mm，裂片线状披针形，渐尖；花冠长 4cm，白色或淡红色，冠管细长，基部直径 1.5mm 左右，喉部稍扩大，冠檐前裂片椭圆形，基部有红色斑点，其余的狭椭圆形；发育雄蕊花丝长 2mm，花药长圆形；不育雄蕊微小，与发育雄蕊的花

海康钩粉草

丝分离；子房被微柔毛，花柱长 3cm。蒴果棒形；种子 4，阔卵形，两侧呈压扁状，表面具脑纹状皱纹。花期 5~6 月。

| **分布区域** | 产于海南海口、琼海、三亚、乐东、东方、昌江、儋州。

| **资　　源** | 生于低海拔地区的林下或旷野。

| **采收加工** | 夏、秋季采收，洗净，切段，晒干。

| **功能主治** | 通经活络。用于风湿痹痛、关节活动不利。

爵床科 Acanthaceaea 山壳骨属 *Pseuderanthemum*

狭叶钩粉草

Pseuderanthemum couderci R. Ben.

| 中 药 名 | 海康钩粉草（药用部位：全株或根）

| 植物形态 | 多年生、直立草本或亚灌木；幼枝近 4 棱，后圆柱形，光滑。叶具柄，叶片纸质，长圆形、披针形或线形，基部近急尖，边全缘或稍呈浅波状，干时常背卷，侧脉每边 6~12，通常 8 以上；叶柄长约 5mm。穗状花序顶生；花单生或生于先端对生苞片腋内，下部苞片近花序基的 1~3 对大，呈叶状，比萼长，但远较营养叶小，上部的线形；花序轴、苞片、小苞片和花萼裂片被柔毛；花萼近 5 等裂，裂片线形；花冠淡紫红色，被淡紫红，冠管长约 3cm，冠檐伸展，前裂片卵形或卵状椭圆形，后裂片较小，长圆形，约 1/4 合生；发育雄蕊 2，不育雄蕊 2，极短，两者花丝的基部合生。蒴果长约 1.8cm。花期 6 月。

狭叶钩粉草

| 分布区域 |

产于海南海口、昌江、三亚、万宁、东方、陵水、琼中、保亭、乐东。

| 资　　源 |

生于中海拔的林下或沟溪边。

| 采收加工 |

夏、秋季采收，洗净，切段，晒干。

| 功能主治 |

全株：用于骨折。根：用于崩漏、跌打损伤。

爵床科　Acanthaceaea　假蓝属　*Pteroptychia*

曲枝假蓝
Pteroptychia dalziellii (W. W. Sm.) H. S. Lo

| 中 药 名 |　曲枝假蓝（药用部位：全草）

| 植物形态 |　草本或灌木，茎直立，枝细瘦，"之"字形曲折。上部叶无柄或近无柄，近相等或极不等，卵形或卵状披针形，基部圆，边缘具疏锯齿，干时膜质，侧脉每边5，上面深绿色，有细线条，光滑无毛，背面灰白色。顶生花序和上部腋生穗状花序长2~3cm，有2~4花，疏生，花序轴稀被白色疏柔毛；苞片线形至叶状披针形；花梗不明显或极短。花萼深裂至基部，裂片近线形，基部和裂片中肋密被白色疏柔毛。花冠长4.5cm，冠管下部圆柱形，向上逐渐扩大，冠檐裂片圆形。发育雄蕊4，稍伸出；花粉粒圆形，具刺形纹饰。蒴果线状长圆形，两侧扁压；种子卵形。花期11月。

曲枝假蓝

| **分布区域** | 产于海南保亭、陵水、琼中、白沙。

| **资　　源** | 生于林下或林缘的灌丛中。

| **采收加工** | 夏、秋季采收，洗净，切段，鲜用或晒干。

| **功能主治** | 清热解毒，利湿。用于湿热痢疾、小便淋涩、疟腮、咽喉肿痛、毒蛇咬伤。

爵床科 Acanthaceaea 灵枝草属 *Rhinacanthus*

灵枝草

Rhinacanthus nasutus (L.) Kurz

| **中 药 名** | 白鹤灵芝（药用部位：枝、叶）

| **植物形态** | 多年生直立草本或亚灌木；茎稍粗壮，干时黄绿色。叶椭圆形或卵状椭圆形，稀披针形，有时稍钝头，基部楔形，边全缘或稍呈浅波状，纸质；侧脉每边5~6，斜升，不达叶缘；叶柄长5~15mm，主茎上叶较大，分枝上叶较小。圆锥花序由小聚伞花序组成，顶生或有时腋生；花序轴通常二或三回分枝，通常三出，密被短柔毛；苞片和小苞片长约1mm；花萼内外均被茸毛，裂片长约2mm；花冠白色，上唇线状披针形，比下唇短，下唇3深裂至中部，冠檐裂片倒卵形，花丝无毛；花柱和子房被疏柔毛。蒴果长椭圆形。种子2~4，有种沟。

灵枝草

分布区域	产于海南海口。亦分布于中国云南。
资　　源	栽培。
采收加工	春、夏季采收，洗净，鲜用或晒干。
药材性状	茎类圆柱形，直径 1~7mm，有 6 细棱及纵皱纹；嫩茎灰绿色，老茎黄白色，节稍膨大；老茎质坚硬，难折断，断面呈纤维状；木质部淡绿色，髓部白色；叶对生有短柄，叶片椭圆形，全缘，黄绿色。气微，味淡。
功能主治	清热润肺，杀虫止痒。用于劳嗽、疥癣、湿疹。

| 爵床科 | Acanthaceaea | 爵床属 | *Rostellularia*

小叶散爵床 *Rostellularia diffusa* (Willd.) Nees

| **中 药 名** | 小叶散爵床（药用部位：全草）

| **植物形态** | 披散草本，高 15~30cm。茎四棱柱形，稍被短柔毛。叶卵形或近圆形，有时椭圆形，长 7~10mm，稀达 15mm，两面均有粗大、排列规则的钟乳体；叶柄短，被毛。穗状花序顶生，长 2.5~5cm，宽约 4mm，被毛；苞片线状披针形，和小苞片以及萼裂片均被硬毛；花萼 4 裂，裂片线状披针形，长约 4mm；花冠长约 6mm。蒴果长 3~4mm，被柔毛；种子近平滑。花期春季。

| **分布区域** | 产于海南保亭、三亚、万宁、昌江、琼东、白沙。

| **资 源** | 生于草地上。

小叶散爵床

| 采收加工 | 全年可采，晒干。

| 功能主治 | 清热解毒，利湿消积，活血止痛。用于感冒发热、咳嗽、咽喉肿痛、目赤肿痛、疳积、湿热泻痢、疟疾、黄疸、浮肿、小便淋浊、筋骨疼痛、跌打损伤、痈疽疔疮、湿疹。

▌爵床科▐ Acanthaceaea ▌爵床属▐ *Rostellularia*

爵 床 *Rostellularia procumbens* (L.) Nees

| 中 药 名 | 爵床（药用部位：全草）

| 植物形态 | 一年生草本，茎基部匍匐，通常有短硬毛。叶椭圆形至椭圆状长圆形，基部宽楔形或近圆形，两面常被短硬毛；叶柄短，长 3~5mm，被短硬毛。穗状花序顶生或生于上部叶腋；苞片 1，小苞片 2，均披针形，有缘毛；花萼裂片 4，线形，约与苞片等长，有膜质边缘和缘毛；花冠粉红色，二唇形，下唇 3 浅裂；雄蕊 2，药室不等高，下方 1 室有距。蒴果长约 5mm，上部种子 4，下部实心似柄状；种子表面有瘤状皱纹。花期 8~11 月，果期 10~11 月。

| 分布区域 | 产于海南乐东、海口、昌江。亦分布于中国秦岭以南，东至江苏、台湾，南至广东，西南至云南、西藏。

爵床

| 资　　源 | 生于沟谷灌丛中。

| 采收加工 | 于 8~9 月盛花期采收，割取地上部分，晒干。

| 药材性状 | 全草长 10~60cm。根细而弯曲。茎具纵棱，直径 2~4mm，基部节上常有不定根；表面黄绿色，被毛，节膨大呈膝状；质脆，易折断，断面可见白色的髓。叶对生，具柄；叶片多皱缩，展平后呈卵形或卵状披针形，两面及叶缘有毛。穗状花序顶生或腋生，苞片及宿存花萼均被粗毛；偶见花冠，淡红色。蒴果棒状，长约 5mm；种子 4，黑褐色，扁三角形。气微，味淡。

| 功能主治 | 清热解毒，利湿消积，活血止痛。用于感冒发热、咳嗽、咽喉肿痛、目赤肿痛、疳积、湿热泻痢、疟疾、黄疸、浮肿、小便淋浊、筋骨疼痛、跌打损伤、痈疽疔疮、湿疹。

爵床科 Acanthaceaea 孩儿草属 Rungia

孩儿草
Rungia pectinata (L.) Nees

| 中 药 名 | 孩儿草（药用部位：全草）

| 植物形态 | 一年生纤细草本；枝圆柱状，干时黄色。叶薄纸质，下部的叶长卵形，基部渐狭或有时近急尖，两面被紧贴柔毛；侧脉每边 5，不明显；叶柄长 3~4mm 或过之。穗状花序密花，顶生和腋生；苞片 4 列，仅 2 列有花，有花的苞片近圆形或阔卵形，膜质边缘宽约 0.5mm，被缘毛，无花的苞片长圆状披针形，先端具硬尖头，一侧或有时两侧均有狭窄的膜质边缘和缘毛；小苞片稍小；花萼裂片线形；花冠淡蓝色或白色，除下唇外无毛，上唇先端骤然收狭，下唇裂片近三角形。蒴果长约 3mm。花期早春。

| 分布区域 | 产于海南三亚、昌江、儋州、保亭。

孩儿草

| 资　　源 | 生于低海拔的草地上，为常见的野草。

| 采收加工 | 夏、秋、冬季采收，洗净，鲜用或晒干。

| 药材性状 | 全草长 20~40cm。茎细而稍硬，有分枝，青绿色，直径约 2mm，表面有纵向纹理，近基部的数节上着生细须根，节稍膨大，质脆，易折断，断面黄白色，髓部针孔状。叶对生，青绿色，完整者展平后呈狭披针形，长 3~5cm，宽 1~2cm，全缘，具短叶柄。穗状花序短，顶生或腋生，压扁，形似蟑螂，青绿色。蒴果卵形或长圆形，长约 3mm。每室有种子 2。气微，味淡。

| 功能主治 | 消积滞，泻肝火，清湿热。用于小儿食积、目赤肿痛、湿热泻痢、肝炎、瘰疬、痈肿、毒蛇咬伤。

██ 爵床科 ██ Acanthaceaea ██ 黄脉爵床属 ██ *Sanchezia*

黄脉爵床 *Sanchezia nobilis* Hook. f.

| 中 药 名 | 金叶木（药用部位：全株）

| 植物形态 | 灌木。叶柄 1~2.5cm，叶片矩圆形、倒卵形，基部楔形至宽楔形，下沿，边缘为波状圆齿，侧脉 7~12。干时常黄色。顶生穗状花序小，苞片大，花萼 2.2cm，花冠 5cm，冠管 4.5cm，冠檐 5~6mm；雄蕊 4，花丝细长，伸出冠外，疏被长柔毛，花药 2 室，密被白色毛，背着，基部稍叉开；花柱细长，柱头伸出管外，高于花药。

| 分布区域 | 产于海南万宁、儋州、保亭、琼海、海口。亦分布于中国广东、香港、云南等地。

| 资　　源 | 栽培。

黄脉爵床

| 采收加工 |

春、秋、冬季可采收，晒干。

| 功能主治 |

消炎，解热，解毒，凉血止血。用于妇女血崩、胃出血、肺结核出血、风湿关节红肿热痛。

爵床科 Acanthaceaea 黄球花属 Sericocalyx

黄球花
Sericocalyx chinensis (Nees) Bremek.

| 中 药 名 |　狗泡草（药用部位：全草）

| 植物形态 |　草本或小灌木。茎下部常木质化，基部常匍匐生根，稀直立，仅嫩枝 4 棱，被硬毛，侧枝上的叶常较小，基部渐狭或稍下延，边缘具细锯齿或牙齿，上面钟乳体多为细而平行的线条，主脉下陷，侧脉每边 5，紫色，下面脉突起，具先端钩状囊状体，粗糙或稍粗糙，毛较密；叶柄长 4~10cm。穗状花序短而紧密，圆头状或稍伸长；苞片通常覆瓦状排列，卵形，绿色，通常自基部三出脉，先端喙状骤尖，喙线形，长约为苞片的 1/3，钝头；小苞片与萼裂片等大，线形；花冠长约 2cm。蒴果长约 10mm，被短柔毛；种子每室 4，阔卵形，干时淡黄色，无毛或边缘稍被毛。花期冬、春季。

黄球花

| **分布区域** | 产于海南乐东、定安、东方、昌江、陵水、三亚、保亭、琼中。 |

| **资　　源** | 生于低海拔的沟边或潮湿的山谷。 |

| **采收加工** | 全年可采，切段，晒干。 |

| **功能主治** | 解毒，消炎，止痛。用于跌打损伤、疮疖、痢疾。 |

爵床科 Acanthaceaea　叉柱花属 Staurogyne

海南叉柱花
Staurogyne hainanensis C. Y. Wu & Lo

| 中 药 名 | 海南叉柱花（药用部位：全草）

| 植物形态 | 多年生草本，茎直立，圆柱状。叶集生于枝顶，叶柄长 1~3cm，密被长柔毛；叶片近革质，长圆形至长圆状披针形，基部楔形或宽楔形，边缘近全缘至不规则浅波状，侧脉 6~10 对。花序总状，顶生或腋生，疏花，被柔毛；苞片互生，线状匙形或线形，1 脉，花梗长约 3mm，小苞片着生于花梗中部以上；萼裂片线形，近无毛，3 脉，侧裂片稍短；花冠紫红色，冠檐裂片卵状长圆形；花丝无毛，前雄蕊药室不等大，后雄蕊药室相等，不育雄蕊长约 0.7mm；子房卵形，无毛，花柱长约 6mm。蒴果卵状长圆形，无毛。

| 分布区域 | 仅产于海南西部和西南部。海南特有种。

海南叉柱花

| 资　　源 | 生于林下或沟谷边。

| 采收加工 | 全年可采，切段，晒干。

| 功能主治 | 祛风，驳骨。用于风湿病、跌打损伤、接骨。

爵床科 Acanthaceaea　山牵牛属 *Thunbergia*

翼叶山牵牛

Thunbergia alata Bojer ex Sims

| 中 药 名 | 通骨消（药用部位：根、茎、叶）

| 植物形态 | 缠绕草本。茎具 2 槽。叶柄具翼；叶片卵状箭头形或卵状稍戟形，基部箭形或稍戟形，边缘具 2~3 短齿或全缘，两面被稀疏柔毛间糙硬毛；脉掌状五出，主肋具 1~2 侧脉。花单生于叶腋，花梗长 2.5~3cm，疏被倒向柔毛；小苞片卵形，具 5~7 脉；萼成 10 齿，大小不等；花冠管长 2~4mm，冠檐直径约 40mm，冠檐裂片倒卵形，冠檐黄色，喉蓝紫色；花丝无毛；花药具短尖头，药室基部和缝部具髯毛；花粉直径 45μm；子房及花柱无毛；花柱长 8mm；柱头约在喉中部，不外露，裂片 2 个对折，上方的直立，下方的开展。蒴果带有种子的部分直径约 10mm，喙长 1.4cm，基部直径 3mm，整个果实被开展柔毛。

翼叶山牵牛

| 分布区域 | 产于海南海口。亦分布于中国广东、福建。

| 资　　源 | 栽培。

| 采收加工 | 全年可采，晒干或鲜用。

| 药材性状 | 干燥根呈圆柱形，表面灰黄色，有细纵皱纹和根痕。质坚，断面灰白色，中柱显著。鲜根带肉质。

| 功能主治 | 祛风，驳骨。用于风湿病、跌打损伤、接骨。

爵床科 Acanthaceaea　山牵牛属 *Thunbergia*

直立山牵牛
Thunbergia erecta (Benth.) T. Anderson

| 中 药 名 | 硬枝老鸦嘴（药用部位：根）

| 植物形态 | 直立灌木，茎四棱形，仅节处叶腋的分枝基部被黄褐色柔毛。叶柄 2~5mm；叶片近革质，卵形至卵状披针形，有时菱形，基部楔形至圆形，边缘具波状齿或不明显 3 裂，有时沿主肋及侧脉有稀疏短糙伏毛，羽状脉，侧脉 2~3。花单生于叶腋，花梗花后延伸；小苞片白色，长圆形，外面上部散布小圆透明突起；花萼成 12 不等小齿；花冠管白色，喉黄色，冠檐紫堇色，内面散布有小圆透明突起，花冠管长 1.5cm，喉长 3cm，冠檐裂片 2cm；花丝无毛，花药具短尖头，花粉粒长 62μm；子房无毛，花柱向先端被不明显的头状微硬毛，柱头内藏于喉的中部，裂片极不等，较上面的直立而略有角。蒴果无毛，果柄长达 4cm，带种子部分直径 12mm，喙长 20mm，基部直径 10mm。

直立山牵牛

| 分布区域 | 产于海南海口、琼中、万宁。

| 资　　源 | 栽培，常见。

| 采收加工 | 全年可采，晒干或鲜用。

| 药材性状 | 干燥根呈圆柱形，表面灰黄色，有细纵皱纹和根痕。质坚，断面灰白色，中柱显著。鲜根带肉质。

| 功能主治 | 祛风，驳骨。用于风湿病、跌打损伤、接骨。

爵床科 Acanthaceaea **山牵牛属** *Thunbergia*

碗花草
Thunbergia fragrans Roxb.

| **中 药 名** | 碗花草（药用部位：茎叶），碗花草根（药用部位：根）

| **植物形态** | 多年生攀缘草本。全株被倒向毛或无毛。叶对生，具柄；叶片长圆形至卵形，基部心形至略成心形；全缘至具浅裂片；具 3~5 掌状脉。花 1~2 腋生，具长梗；苞片微小，早落；小苞片 2，卵形至半卵形，分离或仅一侧下部合生，有柔毛；花萼退化成十数个小齿；花冠白色，筒长约 3cm，裂片 5，开花时开展；雄蕊 4，二强，药室无距。蒴果长 2~2.5cm，下部近球形，上部具长喙，开裂时似乌鸦嘴。种子 4，半球形，有皱纹，基部凹陷。

| **分布区域** | 产于海南三亚、东方、昌江、白沙、保亭、万宁、澄迈、屯昌、文昌、海口、琼海、琼中。亦分布于中国四川、云南、贵州、广东、广西等地。

碗花草

| 资　　源 |

生于海拔 1100~2300m 的山坡灌丛中。

| 采收加工 |

茎叶：全年均可采收，鲜用或晒干。根：秋季采挖，洗净，晒干。

| 功能主治 |

茎叶：健胃消食，解毒消肿。用于消化不良、脘腹胀痛、腹泻、痈肿疮疖。根：清热利湿，泻肺平喘，解毒止痒。用于湿热黄疸、痰饮咳喘、疮疡肿毒、皮肤瘙痒。

爵床科 Acanthaceaea 山牵牛属 Thunbergia

山牵牛
Thunbergia grandiflora (Roxb. ex Willd) Roxb.

| 中 药 名 | 山牵牛（药用部位：根、叶）

| 植物形态 | 攀缘灌木，匍枝蔓爬，小枝条稍四棱形，后逐渐复圆形，主节下有黑色巢状腺体及稀疏多细胞长毛。叶对生，具柄，被侧生柔毛；叶片卵形、宽卵形至心形，有时有短尖头或钝，边缘有波状至浅裂片，基出脉 3~5。总状花序生于叶腋，下垂，花梗顶部和小苞片被柔毛，并散生鸟巢状腺体；小苞片 2，初合生，后一侧开裂似佛焰苞状；花萼退化仅存一边圈；花冠淡紫色或近白色，花心黄色，裂片扩展径达 7cm；雄蕊 4，二强。蒴果长约 3cm，下部近球形，上部具长喙，开裂时似乌鸦嘴。

| 分布区域 | 产于海南琼中、定安、琼海、东方、海口。亦分布于中国广西、广东、福建等。

山牵牛

| 资　　源 | 生于山地灌丛。

| 采收加工 | 夏、秋季采收，洗净，鲜用或晒干。

| 功能主治 | 活血止痛，解毒消肿。用于胃痛、跌打损伤、疮疖、毒蛇咬伤。

爵床科 Acanthaceaea 山牵牛属 Thunbergia

桂叶山牵牛

Thunbergia laurifolia Lindl.

| 中 药 名 | 桂叶山牵牛（药用部位：根、叶）

| 植物形态 | 高大藤本。茎枝近四棱形，具沟状突起。叶具叶柄，长可达 3cm，上面的小叶近无柄，具沟状突起；叶片长圆形至长圆状披针形，具较长的短尖头，基部圆或宽楔形，边缘全缘或具不规则波状齿，近革质，上面及背面的脉及小脉间具泡状突起，三出脉，主肋上面有 2~3 支脉。总状花序顶生或腋生，花梗长达 2cm；小苞片长圆形，向轴面边缘粘连成佛焰苞状；花冠管和喉白色，冠檐淡蓝色，花冠管长 7mm，喉长 25mm，冠檐裂片圆形，花丝基部变厚，花药内藏于喉中部，缝处有弯曲髯毛。花粉粒直径 54μm。子房和花柱无毛，花柱长 26mm，柱头内藏。蒴果带种子部分直径 14mm，喙长 28mm，基部宽 6mm。

桂叶山牵牛

| 分布区域 | 海南海口、三亚、儋州、万宁等地有栽培。分布于中国广东、台湾。

| 资　　源 | 栽培。

| 采收加工 | 夏、秋季采收，洗净，鲜用或晒干。

| 功能主治 | 活血止痛，解毒消肿。用于胃痛、跌打损伤、疮疖、毒蛇咬伤。

馬鞭草科 Verbenaceae 紫珠属 Callicarpa

短柄紫珠
Callicarpa brevipes (Benth.) Hance.

| 中 药 名 |　短柄紫珠（药用部位：全株）

| 植物形态 |　灌木；嫩枝具黄褐色星状毛，老枝无毛，略呈四棱形。叶片披针形
或狭披针形，基部钝，稀楔形或微心形，表面无毛，背面有黄色腺点，
叶脉上有星状毛，边缘中部以上疏生小齿，侧脉 9~12 对，弯拱上举；
叶柄长约 5mm。聚伞花序 2~3 次分歧，花序梗纤细，约与叶柄等长，
具黄褐色星状毛；花柄长约 2mm；苞片线形或偶有披针形；花萼杯
状，具黄色腺点，萼齿钝三角形或近截头状；花冠白色；花丝约与
花冠等长，花药长圆形，基部箭形，背部密生黄色腺点，药室孔裂；
子房无毛，柱头略长于雄蕊。果实直径 3~4mm。花期 4~6 月，果期
7~10 月。

短柄紫珠

| 分布区域 | 产于海南海口、定安、琼海、琼中、保亭、陵水、三亚、乐东。亦分布于中国广东、广西。 |

| 资　　源 | 生于海拔 600~1400m 的山坡林下或林缘。 |

| 采收加工 | 全年可采，切段，晒干。 |

| 功能主治 | 祛风除湿，化痰止咳。用于风湿性关节炎、支气管炎。 |

马鞭草科 Verbenaceae 紫珠属 Callicarpa

白毛紫珠 *Callicarpa candicans* (Burm. f.) Hochr.

| 中 药 名 | 白毛紫珠（药用部位：叶、嫩枝、根）

| 植物形态 | 灌木；小枝四棱形，密生灰白色星状茸毛。叶片卵状椭圆形、宽卵形或椭圆形，基部骤狭呈楔形，边缘有锯齿，表面无毛或叶脉上有毛，绿色，干后变黑褐色，背面密生灰白色星状茸毛，侧脉 9~13 对，中脉、侧脉和细脉在背面隆起，在表面下陷；叶柄长 1~1.5cm。聚伞花序紧密呈球形，4~5 次分歧，花序梗长 0.5~1cm，被毛与小枝同；苞片细小，线形；花萼密生灰白色星状厚茸毛，萼齿不明显；花冠粉红色或红色，疏生星状毛；花丝长为花冠的 2 倍，花药小，卵形，药室纵裂；子房无毛。果实球形，紫黑色，干后黑色。花果期 4~12 月。

| 分布区域 | 产于海南各地。亦分布于中国广东。

白毛紫珠

| 资　　源 | 生于山地、路旁、空旷荒芜地，常见。

| 采收加工 | 全年皆可采。叶：晒干或鲜用。嫩枝：切段，晒干。

| 功能主治 | 止血，散瘀，消炎。用于衄血、咯血、胃肠出血、子宫出血、呼吸道感染、扁桃体炎、肺炎、支气管炎、疬走马疳。外用于外伤出血、烧伤。

马鞭草科 Verbenaceae 紫珠属 *Callicarpa*

杜虹花 *Callicarpa formosana* Rolfe

| 中 药 名 | 紫珠（药用部位：叶）

| 植物形态 | 灌木；小枝、叶柄和花序均密被灰黄色星状毛和分枝毛。叶片卵状椭圆形或椭圆形，基部钝或浑圆，边缘有细锯齿，表面被短硬毛，稍粗糙，背面被灰黄色星状毛和细小黄色腺点，侧脉 8~12 对，主脉、侧脉和网脉在背面隆起；叶柄粗壮，长 1~2.5cm。聚伞花序宽3~4cm，通常 4~5 次分歧，花序梗长 1.5~2.5cm；苞片细小；花萼杯状，被灰黄色星状毛，萼齿钝三角形；花冠紫色或淡紫色，裂片钝圆；雄蕊长约 5mm，花药椭圆形，药室纵裂；子房无毛。果实近球形，紫色。花期 5~7 月，果期 8~11 月。

| 分布区域 | 产于海南琼海、三亚、乐东、白沙、儋州。

杜虹花

| 资　　源 |

生于平地、山坡和溪边林中或灌丛中。

| 采收加工 |

7~8 月采收，晒干。

| 药材性状 |

多皱缩卷曲，有的破碎，完整叶片展平后呈卵状椭圆形，基部宽楔形或钝圆，边缘有细锯齿，近基部全缘，上表面灰绿色或棕绿色，在放大镜下可见星状毛和短粗毛，下表面淡绿色或淡棕绿色，被棕黄色分枝茸毛，主脉和侧脉突起，侧脉 8~12 对，小脉伸入齿端；叶柄长 1~2.5cm。嫩枝灰黄色，有时可见到细小白色点状的皮孔。气微，味微苦、涩。

| 功能主治 |

收敛止血，清热解毒。用于咯血、呕血、衄血、牙龈出血、尿血、便血、崩漏、皮肤紫癜、外伤出血、痈疽肿毒、毒蛇咬伤、烧伤。

马鞭草科　Verbenaceae　紫珠属　*Callicarpa*

长叶紫珠
Callicarpa longifolia Lam.

| 中 药 名 |

长叶紫珠（药用部位：根、茎皮）

| 植物形态 |

灌木；小枝稍四棱形，与花序和叶柄均被黄褐色星状绒毛。叶片长椭圆形，基部楔形或下延成狭楔形，边缘有针齿，表面无毛，背面有黄褐色星状毛和细小鳞片状黄色腺点，侧脉 10~12 对，主脉和侧脉在背面明显隆起，细脉近平行；叶柄长 1~2cm。聚伞花序宽 2~3cm，4~5 次分歧，花序梗纤细，长 0.5~1.5cm；花萼杯状，被灰白色细毛，萼齿不明显或近截形；花冠紫色；雄蕊长为花冠的 2~3 倍，花药卵形，药室纵裂；子房被细毛。果实球形。花期 5~8 月，果期 8~12 月。

| 分布区域 |

产于海南澄迈、定安、儋州、白沙、昌江、东方、陵水、保亭、琼中。亦分布于中国广东、云南。

| 资　　源 |

生于林中或山坡上。

长叶紫珠

| **采收加工** | 根：全年可采挖，切段，晒干。茎皮：切段，晒干。

| **功能主治** | 消炎杀菌。用于梅毒、鹅口疮、疝气。

马鞭草科 Verbenaceae 紫珠属 *Callicarpa*

尖尾枫

Callicarpa longissima (Hemsl.) Merr.

| 中 药 名 | 尖尾枫（药用部位：茎、叶），尖尾枫根（药用部位：根）

| 植物形态 | 灌木或小乔木；小枝紫褐色，四棱形，节上有毛环。叶披针形或椭圆状披针形，基部楔形，表面仅主脉和侧脉有多细胞的单毛，背面无毛，有细小的黄色腺点，干时下陷成蜂窝状小洼点，边缘有不明显的小齿或全缘；侧脉 12~20 对，在两面隆起，唯网脉在背面深下陷；叶柄长 1~1.5cm。花序被多细胞的单毛，5~7 次分歧，花小而密集，花序梗长 1.5~3cm；花萼无毛，有腺点，萼齿不明显或近截头状；花冠淡紫色；雄蕊长约为花冠的 2 倍，药室纵裂；子房无毛。果实扁球形，有细小腺点。花期 7~9 月，果期 10~12 月。

| 分布区域 | 产于海南儋州、白沙、保亭、乐东。

尖尾枫

| 资　　源 | 生于海拔 1200m 以下的荒野山坡谷地丛中。 |

| 采收加工 | 茎、叶：夏、秋季采收，晒干或鲜用。根：全年均可采，洗净，切片，晒干或鲜用。 |

| 药材性状 | 茎、叶：茎枝呈方柱形，表面棕褐色，有点状突起的灰白色皮孔，节上有一圈黄棕色柔毛。叶皱缩破碎，完整者展平后呈披针形至狭椭圆形，长 10~20cm 或更长，宽 2~5cm，先端锐尖，基部楔形，全缘或有不明显小齿，上面暗绿色，下面暗黄绿色，有细小的黄色腺点；叶柄长 1~1.5cm。叶腋有残留小花。揉搓后有芳香气，味微辛、辣。 |

| 功能主治 | 茎、叶：祛风散寒，散瘀止血，解毒消肿。用于风寒咳嗽、寒积腹痛、风湿痹痛、跌打损伤、内外伤出血、无名肿痛。根：祛风，活血，止痛。用于风湿痹痛、跌打瘀肿、龋齿痛。 |

马鞭草科 Verbenaceae 紫珠属 Callicarpa

大叶紫珠
Callicarpa macrophylla Vahl

| 中 药 名 | 大叶紫珠（药用部位：根、叶）

| 植物形态 | 灌木，稀小乔木；小枝近四方形，密生灰白色粗糠状分枝茸毛，稍有臭味。叶片长椭圆形、卵状椭圆形或长椭圆状披针形，基部钝圆或宽楔形，边缘具细锯齿，表面被短毛，脉上较密，背面密生灰白色分枝茸毛，腺点隐于毛中，侧脉 8~14 对，细脉在表面稍下陷；叶柄粗壮，长 1~3cm，密生灰白色分枝的茸毛。聚伞花序宽 4~8cm，5~7 次分歧，被毛与小枝同，花序梗粗壮，长 2~3cm；苞片线形；萼杯状，被灰白色星状毛和黄色腺点，萼齿不明显或钝三角形；花冠紫色，疏生星状毛；花丝长约 5mm，花药卵形，药隔有黄色腺点，药室纵裂；子房被微柔毛，花柱长约 6mm。果实球形，有腺点和微毛。花期 4~7 月，果期 7~12 月。

大叶紫珠

| 分布区域 | 产于海南海口、三亚、万宁、乐东等地。

| 资　　源 | 生于疏林中或灌丛中。

| 采收加工 | 根：全年均可采，洗净，切片晒干。叶：夏、秋季采收，晒干或鲜用。

| 药材性状 | 叶多卷曲皱缩，完整者展平后呈长椭圆形至椭圆状披针形，长10~24cm，宽5~10cm，先端渐尖，基部楔形或钝圆，边缘有锯齿，上面灰绿色或棕绿色，有短柔毛，下面有灰白色茸毛，两面可见不甚明显的棕黄色腺点；叶柄长1~3cm，密生灰白色柔毛。气微，味微苦、涩。

| 功能主治 | 散瘀止血，消肿止痛。用于咯血、吐血、衄血、便血、创伤出血、跌打瘀肿、风湿痹痛。

马鞭草科 Verbenaceae 紫珠属 *Callicarpa*

裸花紫珠
Callicarpa nudiflora Hook. et Arn.

| 中 药 名 | 赶风柴（药用部位：叶）

| 植物形态 | 灌木至小乔木；老枝无毛而皮孔明显，小枝、叶柄与花序密生灰褐色分枝茸毛。叶片卵状长椭圆形至披针形，基部钝或稍呈圆形，表面深绿色，除主脉有星状毛外，余几无毛，背面密生灰褐色茸毛和分枝毛，侧脉 14~18 对，在背面隆起，边缘具疏齿或微呈波状；叶柄长 1~2cm。聚伞花序开展，6~9 次分歧，花序梗长 3~8cm，花柄长约 1mm；苞片线形或披针形；花萼杯状，通常无毛，先端平截或有不明显的 4 齿；花冠紫色或粉红色；雄蕊长于花冠 2~3 倍，花药椭圆形，细小，药室纵裂；子房无毛。果实近球形，红色，干后变黑色。花期 6~8 月，果期 8~12 月。

裸花紫珠

| 分布区域 | 产于海南澄迈、定安、儋州、白沙、昌江、东方、乐东、三亚、陵水、保亭、琼中。

| 资　　源 | 生于平地至海拔 1200m 的山坡、谷地、溪旁林中或灌丛中。

| 采收加工 | 夏、秋季采收，晒干研末。

| 药材性状 | 叶多卷曲皱缩，完整者展平后呈长圆形或卵状披针形，长 10~22cm，宽 4~7cm，边缘有不规则细锯齿，上面黑褐色，仅主脉具有褐色毛茸，下表面色稍浅，有灰褐色绒毛；叶柄长 1~2cm。气微，味微苦、涩。

| 功能主治 | 散瘀止血，解毒消肿。用于衄血、咯血、吐血、便血、跌打瘀肿、外伤出血、水火烫伤、疮毒溃烂。

马鞭草科 Verbenaceae 大青属 Clerodendrum

臭牡丹 *Clerodendrum bungei* Steud.

| 中 药 名 | 臭牡丹（药用部位：茎叶），臭牡丹根（药用部位：根）

| 植物形态 | 灌木，植株有臭味；花序轴、叶柄密被褐色、黄褐色或紫色脱落性的柔毛；小枝近圆形，皮孔显著。叶片纸质，宽卵形或卵形，基部宽楔形、截形或心形，边缘具粗或细锯齿，侧脉 4~6 对，基部脉腋有数个盘状腺体；叶柄长 4~17cm。伞房状聚伞花序顶生，密集；苞片叶状，披针形或卵状披针形，早落后在花序梗上残留突起的痕迹，小苞片披针形；花萼钟状，被短柔毛及少数盘状腺体，萼齿三角形或狭三角形；花冠淡红色、红色或紫红色，花冠管长 2~3cm，裂片倒卵形；雄蕊及花柱均突出花冠外；柱头 2 裂，子房 4 室。核果近球形，成熟时蓝黑色。花果期 5~11 月。

臭牡丹

| **分布区域** | 产于海南澄迈、保亭。 |

| **资　　源** | 生于溪边、林下、旷地、荒野。 |

| **采收加工** | 茎叶：夏、秋季采收，鲜用或切片晒干。根：夏、秋季采挖，洗净，切片晒干。 |

| **药材性状** | 小枝呈长圆柱形，长 1~1.5cm，直径 3~12mm，表面灰棕色至灰褐色，皮孔点状或稍呈纵向延长，节处叶痕呈凹点状；质硬，不易折断，切断面皮部棕色，菲薄，木质部灰黄色，髓部白色。气微，味淡。叶多皱缩破碎，完整者展平后呈宽卵形，长 7~20cm，宽 6~15cm，先端渐尖，基部截形或心形，边缘有细锯齿，上面棕褐色至棕黑色，疏被短柔毛，下面色稍淡，无毛或仅脉腋处可见黑色疤痕状的腺体；叶柄黑褐色，长 4~17cm。气臭，味微苦、辛。 |

| **功能主治** | 茎叶：解毒消肿，祛风湿，降血压。用于痈疽、疔疮、发背、乳痈、痔疮、湿疹、丹毒、风湿痹痛、高血压。根：行气健脾，祛风除湿，解毒消肿，降血压。用于食滞腹胀、头昏、虚咳、久痢脱肛、肠痔下血、淋浊带下、风湿痛、脚气、痈疽肿毒、漆疮、高血压。 |

馬鞭草科 Verbenaceae 大青属 Clerodendrum

灰毛大青 *Clerodendrum canescens* Wall.

| 中 药 名 | 大叶白花灯笼（药用部位：带根的全株）

| 植物形态 | 灌木；小枝略四棱形、具不明显的纵沟，全体密被倒向灰褐色长柔毛，髓疏松，干后不中空。叶片心形或宽卵形，少为卵形，基部心形至近截形；叶柄长 1.5~12cm。聚伞花序密集成头状，通常 2~5 枝生于枝顶，花序梗较粗壮；苞片叶状，卵形或椭圆形，具短柄或近无柄；花萼由绿变红色，钟状，有 5 棱角，有少数腺点，5 深裂至萼的中部，裂片卵形或宽卵形，花冠白色或淡红色，花冠管长约 2cm，纤细，裂片向外平展，倒卵状长圆形；雄蕊 4，与花柱均伸出花冠外。核果近球形，绿色，成熟时深蓝色或黑色，藏于红色增大的宿萼内。花果期 4~10 月。

灰毛大青

| **分布区域** | 产于海南乐东、白沙、五指山、保亭、万宁、琼中、澄迈、琼海、文昌。亦分布于中国浙江、江西、湖南、福建、台湾、广东、广西、四川、贵州、云南。 |

| **资　　源** | 生于海拔 220~880m 的山坡路边或疏林中，常见。 |

| **采收加工** | 夏、秋季采收，洗净，切段，晒干。 |

| **功能主治** | 清热解毒，凉血止血。用于感冒发热、赤白痢疾、肺痨咯血、疮疡。 |

马鞭草科 Verbenaceae 大青属 *Clerodendrum*

大 青 *Clerodendrum cyrtophyllum* Turcz.

| 中 药 名 | 大青（药用部位：茎、叶），大青根（药用部位：根）

| 植物形态 | 灌木或小乔木；冬芽圆锥状，芽鳞褐色。叶片纸质，椭圆形、卵状椭圆形、长圆形或长圆状披针形，基部圆形或宽楔形，通常全缘，背面常有腺点，侧脉 6~10 对；叶柄长 1~8cm。伞房状聚伞花序，生于枝顶或叶腋；苞片线形；花小，有橘香味；萼杯状，外面被黄褐色短绒毛和不明显的腺点，先端 5 裂，裂片三角状卵形；花冠白色，外面疏生细毛和腺点，花冠管细长，先端 5 裂，裂片卵形；雄蕊 4，花丝长约 1.6cm，与花柱同伸出花冠外；子房 4 室，每室 1 胚珠，常不完全发育；柱头 2 浅裂。果实球形或倒卵形，绿色，成熟时蓝紫色，为红色的宿萼所托。花果期 6 月至翌年 2 月。

大青

分布区域	产于海南各地。亦分布于中国江苏、浙江、安徽、江西、湖南、福建、广东、贵州、广西、云南。

资　　源	生于海拔1700m以下的平原、丘陵、山地林下或溪谷旁。

采收加工	茎、叶：夏、秋季采收，洗净，鲜用或切段晒干。根：夏、秋季采挖，洗净，切片晒干。

药材性状	茎、叶：叶微皱折，有的将叶及幼枝切成小段。完整叶片展平后呈长椭圆形至细长卵圆形，长5~20cm，宽3~9cm，全缘，先端渐尖，基部钝圆，上面棕黄色、棕黄绿色至暗棕红色，下面色较浅；叶柄长1~8cm；纸质而脆。气微臭，味微苦而涩。

功能主治	茎、叶：清热解毒，凉血止血。用于外感热病热盛烦渴、咽喉肿痛、口疮、黄疸、热毒痢、急性肠炎、痈疽肿毒、衄血、血淋、外伤出血。根：清热，凉血，解毒。用于流行性感冒、感冒高热、流行性乙型脑炎、流行性脑脊髓膜炎、腮腺炎、血热发斑、麻疹肺炎、黄疸型乙型肝炎、热泻热痢、风湿热痹、头痛、咽喉肿痛、风火牙痛、睾丸炎。

马鞭草科 Verbenaceae 大青属 Clerodendrum

白花灯笼 *Clerodendrum fortunatum* L.

| 中 药 名 | 鬼灯笼（药用部位：茎、叶），鬼灯笼根（药用部位：根、根皮）

| 植物形态 | 灌木。叶纸质，长椭圆形或倒卵状披针形，少为卵状椭圆形，基部楔形或宽楔形，全缘或波状，背面密生细小黄色腺点；叶柄长0.5~3cm。聚伞花序腋生，较叶短，1~3次分歧，具花3~9，花序梗长1~4cm；苞片线形；花萼红紫色，具5棱，膨大形似灯笼，基部连合，先端5深裂，裂片宽卵形，渐尖；花冠淡红色或白色稍带紫色，花冠管与花萼等长或稍长，先端5裂，裂片长圆形；雄蕊4，与花柱同伸出花冠外，柱头2裂。核果近球形，熟时深蓝绿色，藏于宿萼内。花果期6~11月。

| 分布区域 | 产于海南定安、琼海。亦分布于中国江西南部、福建、广东、广西。

白花灯笼

资 源	生于海拔1000m以下的丘陵、山坡、路边、村旁和旷野，十分常见。
采收加工	茎、叶：夏、秋季采收，洗净，切段，晒干或鲜用。根：秋季采挖，洗净，切片，晒干。
药材性状	茎枝圆柱形或近方柱形，老枝表面淡灰棕色、粗糙，有纵沟及突起的圆形皮孔，幼枝棕绿色，密被短柔毛。叶对生，皱缩，易破碎，完整者展平后呈矩圆形至矩圆状披针形，长5~15cm，宽2~4cm，先端渐尖，基部楔形，全缘或略呈波状，上面墨绿色，下面灰绿色；叶柄长0.5~3cm，密被短柔毛。叶腋处常见残留数个花萼，形似灯笼并有5棱角。花冠白色，萼蓝紫色。气微，味微苦。
功能主治	茎、叶：清热止咳，解毒消肿。用于肺痨咳嗽、骨蒸潮热、咽喉肿痛、跌打损伤、疮肿疔疮。根、根皮：清热解毒，凉血消肿。用于感冒发热、咳嗽、咽痛、衄血、赤痢、疮疖、瘰疬、跌打肿痛。

马鞭草科　Verbenaceae　大青属　*Clerodendrum*

海南赪桐

Clerodendrum hainanense Hand.-Mazz.

| 中 药 名 |

海南赪桐（药用部位：全株）

| 植物形态 |

灌木；幼枝略四棱形，绿色，老枝圆柱形，淡黄褐色或灰白色，光滑无毛，皮孔显著。叶片膜质至薄纸质，倒卵状披针形、倒披针形或狭椭圆形，基部狭楔形或楔形，全缘，背面密被淡黄色小腺点，侧脉 6~11 对；叶柄具沟，长 0.5~2.5cm。圆锥状聚伞花序顶生，偶有腋生，主轴上有 3~6 分枝，每个聚伞花序有花 3~7；小苞片线形或钻形；花萼长约 5mm，裂片三角状披针形，紫红色或淡红色；花冠白色，花冠管细长，裂片倒卵形；雄蕊 4，花丝细长，与花柱均伸出花冠外；子房无毛，花柱长于花丝，柱头 2 浅裂。果实球形，成熟时紫色。花果期 9~12 月。

| 分布区域 |

产于海南澄迈、昌江、东方、三亚、陵水、保亭、琼中、定安等地。亦分布于中国广西。

| 资　　源 |

生于山地林下或溪边的阴湿处。

海南赪桐

| 采收加工 |

全年可采，切段，晒干。

| 功能主治 |

清热利湿，消肿拔毒。用于小儿肺炎、感冒发热和黄疸型肝炎。

马鞭草科 Verbenaceae 大青属 *Clerodendrum*

苦郎树
Clerodendrum inerme (L.) Gaertn.

| 中 药 名 | 水胡满（药用部位：枝、叶），水胡满根（药用部位：根）

| 植物形态 | 攀缘状灌木；根、茎、叶有苦味；幼枝四棱形，黄灰色；小枝髓坚实。叶对生，薄革质，卵形、椭圆形或椭圆状披针形、卵状披针形，基部楔形或宽楔形，全缘，常略反卷，两面都散生黄色细小腺点，干后褪色或脱落而形成小浅窝，侧脉 4~7 对；叶柄长约 1cm；聚伞花序通常由 3 花组成，少为 2 次分歧，着生于叶腋或枝顶叶腋；花很香，花序梗长 2~4cm；苞片线形，对生或近于对生；花萼钟状，先端微 5 裂或在果时几平截，萼管长约 7mm；花冠白色，先端 5 裂，裂片长椭圆形，花冠管长 2~3cm；雄蕊 4，偶见 6，花丝紫红色，与花柱同伸出花冠，柱头 2 裂。核果倒卵形，略有纵沟，多汁液，内有 4 分核，外果皮黄灰色，花萼宿存。花果期 3~12 月。

苦郎树

分布区域

产于海南海口、文昌、万宁、陵水、三亚、乐东、昌江、西沙群岛。

资　源

生于海岸沙滩和潮汐能至的地方。

采收加工

枝、叶：全年均可采，洗净，切段，晒干或鲜用。
根：全年均可采，洗净，去青皮，蒸过，切片，晒干。

药材性状

茎圆柱形，多切成段，长短不一，嫩茎灰黄色至灰棕色，被短柔毛。叶对生，薄革质，完整者展平后卵形或椭圆形，长 4~8cm，宽 2~3cm，先端钝，基部楔形，全缘，两面秃净，叶背面脉纹明显，羽状脉，细脉网状，上面暗绿色，下面黄绿色，叶柄长约 1cm。气微香，味苦。

功能主治

枝、叶：祛瘀止血，燥湿杀虫。用于跌打损伤、血瘀肿痛、内伤吐血、外伤出血、疮癣疥癞、湿疹瘙痒。根：清热燥湿，活血消肿。用于风湿热痹、肢软乏力、流行性感冒、跌打肿痛。

马鞭草科 Verbenaceae 大青属 *Clerodendrum*

赪 桐

Clerodendrum japonicum (Thunb.) Sweet

| 中 药 名 | 荷苞花（药用部位：花），赪桐叶（药用部位：叶），荷苞花根（药用部位：根）

| 植物形态 | 灌木；小枝四棱形，干后有较深的沟槽，枝干后不中空。叶片圆心形，基部心形，边缘有疏短尖齿；叶柄长 0.5~15cm。二歧聚伞花序组成顶生、大而开展的圆锥花序，花序的最后侧枝呈总状花序，苞片宽卵形、卵状披针形、倒卵状披针形、线状披针形，有柄或无柄，小苞片线形；花萼红色，散生盾形腺体，深 5 裂，裂片卵形或卵状披针形，开展，外面有 1~3 细脉；花冠红色，花冠管长 1.7~2.2cm，先端 5 裂，裂片长圆形，开展；雄蕊长约达花冠管的 3 倍；子房无毛，4 室，柱头 2 浅裂，与雄蕊均长，突出于花冠外。果实椭圆状球形，

赪桐

绿色或蓝黑色，常分裂成 2~4 分核，宿萼增大，初包被果实，后向外反折呈星状。花果期 5~11 月。

| **分布区域** | 产于海南文昌、琼海、万宁、保亭、陵水、三亚、白沙、儋州、澄迈。

| **资　　源** | 生于山谷、溪边或疏林中或栽培于庭园。

| **采收加工** | 花：6~7 月花开时采收，晾干。叶：全年均可采，晒干，研末或鲜用。根：8~9 月采挖，洗净，切片，晒干。

| **药材性状** | 根：根呈圆柱形，略弯曲，长 25~40cm，直径 1~2cm，表面灰黄白色，略显纵皱纹，有支根痕及圆点状凹陷的砂眼；质坚硬。切成切片者厚约 3mm，横切面的皮部灰黄色，木质部淡黄色至类白色，具细密放射状纹理及小孔。气微，味淡。嚼之味甘。以根条粗壮或片块大、厚薄均匀、表面色灰黄白、切面色类白者为佳。

| **功能主治** | 花：安神，止血。用于心悸失眠、痔疮出血。叶：祛风散瘀，解毒消肿。用于偏头痛、跌打瘀肿、痈肿疮毒。根：清肺热，利小便，凉血止血。用于肺热咳嗽、热淋小便不利、咯血、尿血、痔疮出血、风湿骨痛。

马鞭草科 Verbenaceae 大青属 Clerodendrum

龙吐珠 *Clerodendrum thomsonae* Balf.

| **中 药 名** | 九龙吐珠（药用部位：叶或全株）

| **植物形态** | 攀缘状灌木。叶片纸质，狭卵形或卵状长圆形，基部近圆形，全缘，表面被小疣毛，略粗糙，背面近无毛，基脉三出；叶柄长 1~2cm。聚伞花序腋生或假顶生，二歧分枝；苞片狭披针形；花萼白色，基部合生，中部膨大，有 5 棱脊，先端 5 深裂，外被细毛，裂片三角状卵形；花冠深红色，外被细腺毛，裂片椭圆形，花冠管与花萼近等长；雄蕊 4，与花柱同伸出花冠外；柱头 2 浅裂。核果近球形，内有 2~4 分核，外果皮光亮，棕黑色；宿存萼不增大，红紫色。花期 3~5 月。

| **分布区域** | 产于海南万宁、昌江、海口、西沙群岛。

龙吐珠

| 资　　源 |

栽培。

| 采收加工 |

全株：全年均可采，洗净，切段，晒干。叶：
鲜用。

| 功能主治 |

解毒。用于慢性中耳炎、跌打损伤。

馬鞭草科 Verbenaceae 假连翘属 *Duranta*

假连翘
Duranta repens L.

| 中 药 名 | 假连翘（药用部位：果实），假连翘叶（药用部位：叶）

| 植物形态 | 灌木；枝条有皮刺，幼枝有柔毛。叶对生，少有轮生，叶片卵状椭圆形或卵状披针形，纸质，先端短尖或钝，基部楔形，全缘或中部以上有锯齿；叶柄长约1cm，有柔毛。总状花序顶生或腋生，常排成圆锥状；花萼管状，有毛，5裂，有5棱；花冠通常蓝紫色稍不整齐，5裂，裂片平展；花柱短于花冠管；子房无毛。核果球形，有光泽，熟时红黄色，有增大的宿存花萼包围。花果期5~10月，在南方可为全年。

| 分布区域 | 产于海南乐东、万宁、儋州、海口。

| 资　　源 | 栽培，常逸为野生，常见。

假连翘

| 采收加工 |

果实：夏、秋季采收，鲜用或晒干。叶：春、夏季采收，鲜用或晒干。

| 药材性状 |

茎圆柱形，直径 2~3cm，黄绿色至褐黄色，多分枝，枝有刺或无刺，嫩茎有纵棱多条，老茎不明显；质脆，易断，折断面灰绿色。叶对生皱缩，展平后呈卵形或长椭圆形， 长 3~6cm，宽 2~3cm，先端短尖或浑圆， 基部楔形，边缘在中部以上有锯齿。总状花序腋生，排成一顶生的圆锥花序，花冠蓝紫色或白色。核果球形，黄色或橙黄色，聚生成串。气微。

| 功能主治 |

果实：截疟，活血止痛。用于疟疾、跌打伤痛。

叶：散瘀，解毒。用于跌打瘀肿、痈肿。

马鞭草科 Verbenaceae 石梓属 Gmelina

云南石梓
Gmelina arborea Roxb. ex Sm.

| 中 药 名 | 云南石梓（药用部位：根、树皮、叶）

| 植物形态 | 落叶乔木，树干直；树皮灰棕色，呈不规则块状脱落；幼枝、叶柄、叶背及花序均密被黄褐色绒毛。叶片厚纸质，广卵形，基部浅心形至阔楔形，近基部有2至数个黑色盘状腺点，基生脉三出，侧脉3~5对，第3回侧脉近平行，在背面显著隆起；叶柄圆柱形，有纵沟。聚伞花序组成顶生的圆锥花序，总花梗长15~30cm；花萼钟状，外面有黑色盘状腺点，先端有5三角形小齿；花冠长3~4cm，黄色，两面均疏生腺点，二唇形，上唇全缘或2浅裂，下唇3裂；雄蕊4，二强，长雄蕊及花柱略伸出花冠喉部；子房无毛，具腺点；花柱疏生腺点，柱头不等长，2裂。核果椭圆形或倒卵状椭圆形，成熟时黄色，干后黑色，常仅有1种子。花期4~5月，果期5~7月。

云南石梓

| 分布区域 |

产于海南昌江。亦分布于中国云南南部。

| 资　　源 |

生于海拔 1500m 以下的路边、村舍及疏林中。

| 采收加工 |

全年可采。根：洗净，切段，晒干。树皮：切段，晒干。叶：晒干。

| 功能主治 |

根：清热解毒。用于外伤、皮肤病、伤口长期溃烂不愈。树皮：研粉，外用于刀伤、枪伤、伤口化脓溃烂；还可外用于骨折、拔刺。叶：用于脱肛。

马鞭草科 Verbenaceae 石梓属 *Gmelina*

苦 梓
Gmelina hainanensis Oliv.

| 中 药 名 | 海南石梓（药用部位：根）

| 植物形态 | 乔木，树干直，树皮灰褐色，呈片状脱落；枝条有明显的叶痕和皮孔；芽被淡棕色绒毛。叶对生，厚纸质，卵形或宽卵形，全缘，稀具 1~2 粗齿，基部宽楔形至截形，基生脉三出，侧脉 3~4 对；叶柄长 2~4（~5.5）cm。聚伞花序排成顶生圆锥花序，总花梗长 6~8cm；苞片叶状，卵形或卵状披针形，花萼钟状，呈二唇形，先端 5 裂，裂片卵状三角形；花冠漏斗状，黄色或淡紫红色，呈二唇形，下唇 3 裂，中裂片较长，上唇 2 裂；二强雄蕊，长雄蕊和花柱稍伸出花冠管外，花丝扁，疏生腺点，花药背面疏生腺点；子房上部具毛，下部无毛。核果倒卵形，先端平截，肉质，着生于宿存花萼内。花期 5~6 月，果期 6~9 月。

苦梓

| 分布区域 | 产于海南三亚、乐东、东方、白沙、保亭、万宁、琼中、儋州、澄迈、文昌。亦分布于中国江西南部、广东、广西等地。

| 资　　源 | 生于海拔 250~500m 的山坡疏林中。

| 采收加工 | 全年可采挖，洗净，切段，晒干。

| 功能主治 | 活血祛瘀，祛湿止痛。用于闭经、风湿。

马鞭草科　Verbenaceae　冬红属　*Holmskioldia*

冬 红
Holmskioldia sanguinea Retz.

| 中 药 名 | 冬红（药用部位：根）

| 植物形态 | 常绿灌木；小枝四棱形，具四槽，被毛。叶对生，膜质，卵形或宽卵形，基部圆形或近平截，叶缘有锯齿，两面均有疏毛及腺点，但沿叶脉毛较密；叶柄长 1~2cm，具毛及腺点，有沟槽。聚伞花序常2~6 个再组成圆锥状，每个聚伞花序有 3 花，中间 1 花花柄较两侧为长，花柄及花序梗具短腺毛及长单毛；花萼朱红色或橙红色，由基部向上扩张成一阔倒圆锥形的碟，边缘有稀疏睫毛，网状脉明显；花冠殊红色，花冠管长 2~2.5cm，有腺点；雄蕊 4，花丝长 2.5~3cm，具腺点。果实倒卵形，4 深裂，包藏于宿存、扩大的花萼内。花期冬末春初。

冬红

| 分布区域 | 产于海南儋州、海口、万宁。亦分布于中国广东、广西、台湾等地。

| 资　　源 | 栽培，供观赏。

| 采收加工 | 全年可采挖，洗净，切段，晒干。

| 药材性状 | 根圆柱状，常斜切成片状。

| 功能主治 | 活血祛瘀，祛湿止痛。用于闭经、风湿病。

马鞭草科　Verbenaceae　马缨丹属　*Lantana*

马缨丹
Lantana camara L.

| 中 药 名 | 五色梅（药用部位：根或全株）

| 植物形态 | 直立或蔓性的灌木，有时藤状；茎、枝均呈四方形，有短柔毛，通常有短而倒钩状的刺。单叶对生，揉烂后有强烈的气味，叶片卵形至卵状长圆形，基部心形或楔形，边缘有钝齿，表面有粗糙的皱纹和短柔毛，背面有小刚毛，侧脉约 5 对；叶柄长约 1cm。花序直径 1.5~2.5cm；花序梗粗壮，长于叶柄；苞片披针形，长为花萼的 1~3 倍，外部有粗毛；花萼管状，膜质；花冠黄色或橙黄色，开花后不久转为深红色，花冠管长约 1cm，两面有细短毛；子房无毛。果实圆球形，成熟时紫黑色。全年开花。

| 分布区域 | 产于海南三亚、乐东、陵水、万宁、儋州、琼中、保亭、东方。中

马缨丹

国台湾、福建、广东、广西见有逸生。

| 资　　源 | 常生于海拔 80~1500m 的海边沙滩和空旷地区。 |

| 采收加工 | 全株：全年均可采，鲜用或晒干。叶：春、夏季采收，鲜用或晒干。根：全年均可采，鲜用或晒干。 |

| 药材性状 | 根：干燥根呈圆柱形，有分枝，长 25~65cm，直径 1.5~9mm，长短不一，粗细各异。表面黄棕色，有纵皱纹及根痕。质坚韧，难折断，断面皮部厚，木质部黄白色。气微，味甘、辛。茎：干燥茎略呈四方形，表面浅黄绿色。有节和分枝，具棱，嫩枝具倒钩状皮刺。质韧，难折断，断面皮部黄色，木质部淡黄白色。中央具较大、白色的髓部。气微，味甘、辛。 |

| 功能主治 | 全株：清热，止血。用于肺痨咯血、腹痛吐泻、湿疹、阴痒。叶：清热解毒，祛风止痒。用于痈肿毒疮、湿疹、疥癣、皮炎、跌打损伤。根：清热泻火，解毒散结。用于感冒发热、伤暑头痛、胃火牙痛、咽喉炎、疟腮、风湿痹痛、瘰疬痰核。 |

马鞭草科 Verbenaceae 过江藤属 Phyla

过江藤 *Phyla nodiflora* (L.) Greene

| 中 药 名 | 蓬莱草（药用部位：全草）

| 植物形态 | 多年生草本，有木质宿根，多分枝，全体有紧贴"丁"字状短毛。叶近无柄，匙形、倒卵形至倒披针形，先端钝或近圆形，基部狭楔形，中部以上的边缘有锐锯齿；穗状花序腋生，卵形或圆柱形，有长1~7cm的花序梗；苞片宽倒卵形；花萼膜质，花冠白色、粉红色至紫红色，内外无毛；雄蕊短小，不伸出花冠外；子房无毛。果实淡黄色，内藏于膜质的花萼内。花果期6~10月。

| 分布区域 | 产于海南沿海地区、西沙群岛。中国台湾、福建、广东、广西亦有逸生。

| 资　源 | 常生于海拔80~1500m的海边沙滩和空旷地区。

过江藤

| 采收加工 | 栽种当年9~10月采收。以后每年采收2次，第1次在6~7月，第2次在9~10月。采收后，拣去杂草，洗净，鲜用或晒干。

| 药材性状 | 茎细长，多分枝，直径约2mm；表面黄绿色或淡紫红色，有纵沟纹，具显著的节，节处有棕色须根。叶对生，无柄，叶片皱缩，完整叶片呈倒卵状披针形，长1~3cm，宽0.5~1.5cm，先端钝成近圆形，基部狭楔形，叶缘中部以上有锯齿，淡绿色，两面均有毛；纸质，易碎。有的在叶腋中可见短圆柱形的穗状花序或果实。气微，味浓。

| 功能主治 | 清热解毒。用于咽喉肿痛、牙疳、泄泻、痢疾、痈疽疮毒、带状疱疹、湿疹、疥癣。

马鞭草科 Verbenaceae 豆腐柴属 Premna

伞序臭黄荆

Premna corymbosa Rottler & Willd.

| 中 药 名 |　伞序臭黄荆（药用部位：全株）

| 植物形态 |　直立灌木至乔木，偶攀缘；枝条有椭圆形黄白色皮孔。叶片纸质，长圆形至广卵形，全缘或微呈波状，或仅上部疏生不明显的钝齿，基部圆形或截形，两面仅沿脉有柔毛或近无毛；叶柄长 2~5cm，上面通常有浅沟。聚伞花序在枝先端组成伞房状，花梗长 1~2.5cm；苞片披针形或线形。花萼杯状，外面有细柔毛和黄色腺点，二唇形，上唇较长，有明显的 2 齿，下唇较短，近全缘或有不明显的 3 齿；花冠黄绿色，外面疏具腺点，微呈二唇形，上唇全缘或微凹，下唇 3 裂，花冠喉部密生一圈长柔毛，子房无毛，先端有腺点；花柱长 3.5~4mm。核果圆球形。花果期 4~10 月。

伞序臭黄荆

| 分布区域 | 产于海南三亚、乐东、万宁、海口、文昌。亦分布于中国台湾、广西、广东。

| 资　　源 | 生于海边、平原或山地的树林中。

| 采收加工 | 全年皆可采，切段，晒干。

| 功能主治 | 祛风散热。用于痢疾、痔疮、脱肛、牙痛。

馬鞭草科　Verbenaceae　豆腐柴属　*Premna*

长序臭黄荆
Premna fordii Dunn.

| 中 药 名 |

长序臭黄荆（药用部位：全株）

| 植物形态 |

直立或攀缘灌木，全体密生长柔毛。叶片坚纸质，卵形或卵状长圆形，基部截形或微呈心形，全缘或在中部以上有不明显的疏齿，侧脉 4~5 对，基部近三出脉，背面有暗黄色腺点；叶柄长 0.5~2cm。聚伞花序组成顶生狭长圆锥花序，花序长 2.5~10cm；花萼杯状，外被柔毛和细小黄色腺点，先端稍不规则地 5 浅裂，裂齿三角形；花冠白色或淡黄色，外面有茸毛和黄色腺点，内面除喉部有白色柔毛外，先端 4 裂，呈二唇形，上唇明显短于下唇，长约为花冠管的 1/8；雄蕊 4，2 长 2 短，花丝无毛；子房无毛，先端密生黄色腺点；花柱长约 5.5mm。果实近球形，先端疏生黄色腺点。花果期 5~7 月。

| 分布区域 |

产于海南琼海、万宁、保亭、三亚、乐东。亦分布于中国广东、广西。

| 资　　源 |

生于密林中或溪沟边。

长序臭黄荆

| 采收加工 | 全年可采，切段，晒干。

| 功能主治 | 祛风散热。用于痢疾、痔疮、脱肛、牙痛。

马鞭草科 Verbenaceae　豆腐柴属 *Premna*

海南臭黄荆

Premna hainanensis Chun & F. C. How.

| 中 药 名 | 海南臭黄荆（药用部位：全株）

| 植物形态 | 攀缘或直立灌木；幼枝及花序略被粉屑状柔毛，有明显皮孔和纵条纹。叶片厚纸质或近革质，椭圆形至卵状椭圆形，全缘，基部阔楔形或钝圆，光滑无毛或仅沿叶脉有毛，侧脉 5~6 对；叶柄长8~12mm，表面有纵沟，沟内有疏柔毛。聚伞花序在枝端排成伞房状，花序梗长 0.5~1.5cm；苞片及小苞片锥状；花萼长 1.8~2mm，二唇形，上唇有 2 齿，下唇通常近全缘或有 2 钝齿，在结果时近平截；花冠黄绿色至白色，略呈二唇形，下唇 3 裂，两侧裂片较短，花冠管长3~4mm；雄蕊 4，稍外露；子房近圆形，花柱长约 3mm。核果倒卵形，绿色，成熟后变褐色。花果期 9~11 月。

海南臭黄荆

分布区域	产于海南儋州、昌江、东方、三亚、陵水。海南特有种。
资　　源	喜生于山地阳坡或灌丛中。
采收加工	全年皆可采，切段，晒干。
功能主治	祛风散热。用于痢疾、痔疮、脱肛、牙痛。

马鞭草科 Verbenaceae 豆腐柴属 *Premna*

攀援臭黄荆
Premna subscandens Merr.

| 中 药 名 | 攀援臭黄荆（药用部位：全株）

| 植物形态 | 攀缘灌木。叶片纸质，干后暗黄棕色，广卵形至近圆形，全缘或有不规则微齿，基部阔楔形、圆形至近心形，两面近无毛或沿叶脉疏生柔毛，侧脉 3~6 对，近基部三出；叶柄长 1~4cm，上面扁平或有浅沟。聚伞花序在小枝先端组成伞房状，花序分枝略呈四棱形或上部扁平，通常三至五回呈二歧或三歧式分出；苞片锥形；花萼钟状，5裂，微呈二唇形；花冠白色，4 裂，微呈二唇形，上唇 1 裂片全缘或微凹，下唇 3 裂片几等长，内面喉部密生一圈长柔毛，开花时，毛显著外露；雄蕊 4，2 长 2 短，伸出花冠外；子房无毛和腺点；柱头 2裂几等长。核果圆球形。花果期 4~7 月。

攀援臭黄荆

分布区域	产于海南三亚。
资　　源	通常攀缘于岩石上。
采收加工	全年可采,切段,晒干。
功能主治	祛风散热。用于痢疾、痔疮、脱肛、牙痛。

爪楔翅藤 *Sphenodesme involucrata* (C. Presl) B. L. Rob.

| 中 药 名 | 白山藤（药用部位：全株）

| 植物形态 | 攀缘状灌木；幼枝纤细，有星状毛，老枝带灰色，有皮孔。叶片革质，卵形至狭椭圆形，基部楔形或近圆形，全缘，背面沿主脉与侧脉腋间疏生星状毛或单毛，侧脉 5~6 对；叶柄长约 1cm，密生星状毛。聚伞花序头状，有花 7，总花梗密生星状毛；总苞片倒卵形，两面均有锈色柔毛和星状毛；花萼钟状，外面有黄色星状毛，先端 4~5 裂，呈二唇形；花冠管圆柱形，先端 4~5 裂，裂片长 4~6mm；雄蕊 4~5，内藏；子房无毛，先端有黄色腺点；花柱短，柱头 2 浅裂。果实近球形，有宿存花萼包围。花果期 11 月至翌年 6 月。

爪楔翅藤

| **分布区域** | 产于海南三亚、昌江、白沙、五指山、保亭、陵水、万宁。亦分布于中国台湾、广东。 |

| **资　　源** | 常生于海拔 500~700m 的疏林中。 |

| **采收加工** | 全年可采，切段，晒干。 |

| **功能主治** | 祛风散热。用于痢疾、牙痛。 |

马鞭草科 ▍Verbenaceae ▍假马鞭属 ▍*Stachytarpheta*

假马鞭 *Stachytarpheta jamaicensis* (L.) Vahl

| 中 药 名 | 玉龙鞭（药用部位：全草或根）

| 植物形态 | 多年生粗壮草本或亚灌木；叶片厚纸质，椭圆形至卵状椭圆形，基部楔形，边缘有粗锯齿，侧脉 3~5，在背面突起；叶柄长 1~3cm。穗状花序顶生；花单生于苞腋内，一半嵌生于花序轴的凹穴中，螺旋状着生；苞片边缘膜质，有纤毛，先端有芒尖；花萼管状，膜质、透明；花冠深蓝紫色，先端 5 裂，裂片平展；雄蕊 2，花丝短，花药 2 裂；花柱伸出，柱头头状；子房无毛。果实内藏于膜质的花萼内，成熟后 2 瓣裂，每瓣有 1 种子。花期 6~8 月，果期 10~12 月。

| 分布区域 | 产于海南海口、文昌、万宁、三亚、乐东、东方。亦分布于中国福建、广东、广西、云南南部。

假马鞭

| 资　源 |

常生于海拔 300~580m 的山谷阴湿处草丛中或沙滩。

| 采收加工 |

全年均可采，鲜用，或全草切段，根切片晒干。

| 药材性状 |

全草长 50~100（~200）cm。根粗，灰白色。茎圆柱形，稍扁，基部木质化，表面淡棕色至棕褐色，有细密纵沟纹。叶对生，皱缩，易破碎，完整者展平后呈椭圆形或卵状椭圆形，长 2~8cm，宽 3~4cm，先端短尖或稍钝，基部楔形，边缘齿状，暗绿色或暗褐色；叶柄长约 2cm。茎端每有穗状花序，长 4~20cm，似鞭状，小花脱落后留有坑形凹穴。气微，味甘、苦。

| 功能主治 |

清热利湿，解毒消肿。用于热淋、石淋、白浊、白带、风湿骨痛、急性结膜炎、咽喉炎、牙龈炎、胆囊炎、痈疖、痔疮、跌打肿痛。

| 马鞭草科 | Verbenaceae | 柚木属 | Tectona |

柚 木 *Tectona grandis* L. f.

| 中 药 名 | 紫柚木（药用部位：花、种子、木屑、茎、叶）

| 植物形态 | 大乔木；小枝淡灰色或淡褐色，四棱形，具4槽。叶对生，厚纸质，全缘，卵状椭圆形或倒卵形，基部楔形下延，表面粗糙，有白色突起，沿脉有微毛，背面密被灰褐色至黄褐色星状毛；侧脉7~12对，第3回脉近平行，在背面显著隆起；叶柄粗壮，长2~4cm。圆锥花序顶生；花有香气，但仅有少数能发育；花萼钟状，萼管长2~2.5mm，被白色星状绒毛，裂片较萼管短；花冠白色，花冠管长2.5~3mm，裂片长约2mm，被毛及腺点；子房被糙毛；花柱长3~4mm，柱头2裂。核果球形，外果皮茶褐色，被毡状细毛，内果皮骨质。花期8月，果期10月。

柚木

| **分布区域** | 海南三亚、海口、乐东有栽培。中国云南、广东、广西、福建、台湾等地普遍引种。

| **资　　源** | 生于海拔 900m 以下的潮湿疏林中。

| **采收加工** | 春、夏、秋季均可采收，切碎晒干。

| **功能主治** | 味甘、苦，性微寒。利尿通淋，宣肺利湿。用于水肿、热淋、咳嗽、湿疮。

| 马鞭草科 | Verbenaceae | 马鞭草属 | *Verbena* |

马鞭草
Verbena officinalis L.

| **中 药 名** | 马鞭草（药用部位：全草）

| **植物形态** | 多年生草本。茎四方形，近基部可为圆形，节和棱上有硬毛。叶片卵圆形至倒卵形或长圆状披针形，基生叶的边缘通常有粗锯齿和缺刻，茎生叶多数 3 深裂，裂片边缘有不整齐锯齿。穗状花序顶生和腋生，细弱，花小，无柄，最初密集，结果时疏离；苞片稍短于花萼，具硬毛；花萼长约 2mm，有 5 脉，脉间凹穴处质薄而色淡；花冠淡紫至蓝色，裂片 5；雄蕊 4，着生于花冠管的中部，花丝短；子房无毛。果实长圆形，外果皮薄，成熟时 4 瓣裂。花期 6~8 月，果期 7~10 月。

| **分布区域** | 产于海南海口、澄迈、临高、儋州、白沙、保亭、陵水、三亚。

马鞭草

| **资　　源** | 生于山坡、溪边或林旁。

| **采收加工** | 6~8 月花开放时采收，除去泥土，晒干。

| **药材性状** | 带根全草。根茎圆柱形，茎方柱形，直径 0.2~0.4cm；表面灰绿色至黄绿色，粗糙，有纵沟；质硬，易折断，断面纤维状，中央有白色的髓或已成空洞。叶对生，灰绿色或棕黄色，多皱缩破碎，具毛；完整叶片卵形至长圆形，羽状分裂或 3 分裂。穗状花序细长，小花排列紧密，有的可见黄棕色花瓣，有的已成果穗。果实包于灰绿色宿萼内，小坚果灰黄色，长约 0.2cm，于放大镜下可见背面有纵脊纹。气微，味微苦。以色青绿、带花穗、无杂质者为佳。

| **功能主治** | 清热解毒，活血通经，利水消肿，截疟。用于感冒发热、咽喉肿痛、牙龈肿痛、黄疸、痢疾、血瘀经闭、痛经、癥瘕、水肿、小便不利、疟疾、痈疮肿毒、跌打损伤。

馬鞭草科 Verbenaceae 牡荆属 Vitex

黄 荆
Vitex negundo L.

| 中 药 名 | 黄荆子（药用部位：果实），黄荆叶（药用部位：叶），黄荆枝（药
用部位：枝条），黄荆沥（药用部位：茎用火烤灼而流出的液汁），
黄荆根（药用部位：根）

| 植物形态 | 灌木或小乔木；小枝四棱形，密生灰白色绒毛。掌状复叶，小叶 5，
少有 3；小叶片长圆状披针形至披针形，基部楔形，全缘或每边有
少数粗锯齿；中间小叶长 4~13cm，两侧小叶依次减小，若具 5 小叶
时，中间 3 小叶有柄，最外侧的 2 小叶无柄或近于无柄。聚伞花序
排成圆锥花序式，花序梗密生灰白色绒毛；花萼钟状，先端有 5 裂
齿，外有灰白色绒毛；花冠淡紫色，外有微柔毛，先端 5 裂，二唇形；
雄蕊伸出花冠管外；子房近无毛。核果近球形；宿萼接近果实的长
度。花期 4~6 月，果期 7~10 月。

黄荆

| **分布区域** | 产于海南澄迈、临高、昌江、东方、乐东、三亚、陵水、万宁。 |

| **资　　源** | 生于山坡路旁或灌丛中。 |

| **采收加工** | 果实：8~9 月采收果实，晒干。叶：夏末开花时采叶，鲜用或堆叠踏实，使其发汗，倒出，晒至半干，再堆叠踏实，待绿色变黑润，再晒至足干。枝条：春、夏、秋季均可采收，切段晒干。茎：夏、秋季取新鲜黄荆粗茎切段，每段长 0.3~0.6cm，一头放火中烤，从另一头收取汁液即为荆沥。根：2 月或 8 月采根，洗净鲜用，或切片晒干。 |

| **药材性状** | 果实：果实连同宿萼及短果柄呈倒卵状类圆形或近梨形，长 3~5.5mm，直径 1.5~2mm。宿萼灰褐色，密被棕黄色或灰白色绒毛，包被整个果实的 2/3 或更多，萼筒先端 5 齿裂，外面具 5~10 脉纹。果实近球形，上端稍大渐平圆，有花柱脱落的凹痕，基部稍狭尖，棕褐色。质坚硬，不易破碎，断面黄棕色，4 室，每室有黄白色或黄棕色种子 1 或不育。气香，味微苦、涩。以颗粒饱满者为佳。 |

| **功能主治** | 果实：祛风解表，止咳平喘，理气消食止痛。用于伤风感冒、咳嗽哮喘、胃痛吞酸、消化不良、食积泻痢、胆囊炎、胆结石、疝气。叶：解表散热，化湿和中，杀虫止痒。用于感冒发热、伤暑吐泻、痧气腹痛、肠炎、痢疾、疟疾、湿疹、癣、疥、蛇虫咬伤。枝条：祛风解表，消肿止痛。用于感冒发热、咳嗽、喉痹肿痛、风湿骨痛、牙痛、烫伤。茎用火烤灼而流出的液汁：清热，化痰，定惊。用于肺热咳嗽、痰黏难咳、小儿惊风、痰壅气逆、惊厥抽痛。根：解表，止咳，祛风除湿，理气止痛。用于感冒、慢性支气管炎、风湿痹痛、胃痛、痧气腹痛。 |

马鞭草科 Verbenaceae 牡荆属 Vitex

莺哥木
Vitex pierreana P. Dop

| **中 药 名** | 莺哥木（药用部位：全株）

| **植物形态** | 乔木；小枝四棱形。掌状复叶，叶柄长 2.5~7cm，有时有狭翅，小叶通常 5，少有 3；中间小叶片披针形或长圆状披针形，基部楔形而稍下延，全缘，有金黄色腺点，两面除主脉有时稍被微柔毛外，其余均无毛，侧脉 10~20 对，小叶柄长 0.5~1.5cm；两侧的小叶依次减小。聚伞花序 2~3 次分歧，再排成顶生而疏散的圆锥花序式；苞片线形；花萼杯状，先端有 5 小齿，外面有毛和腺点；花冠黄白色，先端 5 裂，二唇形，下唇中间裂片较大，外面有毛和腺点；雄蕊 4，二强，花丝基部不变阔，着生处有柔毛；柱头 2 裂；子房先端有金黄色腺点。核果倒卵圆形或近球形，有腺点，成熟时黑色。花期 3~5 月，果期 5~7 月。

莺哥木

| 分布区域 |

产于海南东方、乐东、三亚。

| 资　　源 |

生于低海拔至中海拔林中。

| 采收加工 |

全年可采，切段，晒干。

| 功能主治 |

止咳定喘，镇静退热。用于支气管炎、咳喘、气促、烦躁不安。

马鞭草科　Verbenaceae　牡荆属　*Vitex*

山牡荆 *Vitex quinata* (Lour.) Will.

| 中 药 名 | 布荆（药用部位：全株）

| 植物形态 | 常绿乔木；小枝四棱形。掌状复叶，对生，叶柄长 2.5~6cm，有 3~5 小叶，小叶片倒卵形至倒卵状椭圆形，基部楔形至阔楔形，通常全缘，两面除中脉被微柔毛外，其余均无毛，表面通常有灰白色小窝点，背面有金黄色腺点；中间小叶片长 5~9cm，小叶柄长 0.5~2cm。聚伞花序对生于主轴上，排成顶生圆锥花序式，密被棕黄色微柔毛，苞片线形，早落；花萼钟状，先端有 5 钝齿，花冠淡黄色，先端 5 裂，二唇形，下唇中间裂片较大；雄蕊 4，伸出花冠外，花丝基部变宽而无毛，子房先端有腺点。核果球形或倒卵形，幼时绿色，成熟后呈黑色，宿萼呈圆盘状。花期 5~7 月，果期 8~9 月。

山牡荆

| **分布区域** | 产于海南各地。

| **资　　源** | 生于溪边或山坡。

| **采收加工** | 全年皆可采，切段，晒干。

| **功能主治** | 止咳定喘，镇静退热。用于急慢性支气管炎、咳喘、气促、小儿发热、烦躁不安。

马鞭草科　Verbenaceae　牡荆属　*Vitex*

蔓　荆
Vitex trifolia L.

| 中 药 名 |

蔓荆子（药用部位：果实），蔓荆子叶（药用部位：叶或枝叶）

| 植物形态 |

落叶灌木，有香味。通常三出复叶，有时在侧枝上可有单叶，叶柄长 1~3cm；小叶片卵形、倒卵形或倒卵状长圆形，基部楔形，全缘，侧脉约 8 对，两面稍隆起，小叶无柄或有时中间小叶基部下延成短柄。圆锥花序顶生；花萼钟形，先端 5 浅裂；花冠淡紫色或蓝紫色，外面及喉部有毛，花冠管内有较密的长柔毛，先端 5 裂，二唇形，下唇中间裂片较大；雄蕊 4，伸出花冠外；子房无毛，密生腺点；花柱无毛，柱头 2 裂。核果近球形，成熟时黑色；果萼宿存，外被灰白色绒毛。花期 7 月，果期 9~11 月。

| 分布区域 |

产于海南澄迈、海口、琼海、三亚。

| 资　源 |

生于平原、草地或沙滩上。

蔓荆

| 采收加工 | 果实：种子繁殖的栽培后 3~4 年结果，扦插繁殖的栽后 2~3 年结果，在 7 月上旬至 10 月下旬果实陆续成熟，应边成熟边采摘，先在室内堆放 3~4 天，然后摊开晒干或烘干，筛去枝梗，扬净杂质即成。

| 药材性状 | 果实呈球形，直径 4~6mm。表面灰黑色或黑褐色，被灰白色粉霜状茸毛，有纵向浅沟 4，用放大镜观察可见密布淡黄色小点。先端微凹，有脱落花柱痕，基部有灰白色宿萼及短果梗。萼长为果实的 1/3~2/3，5 齿裂，其中 2 裂较深，灰白色，密被茸毛。体轻，质坚韧，不易破碎。横断面果皮灰黄色，有棕褐色点排列成环，分为 4 室，每室有种子 1。种仁黄白色，有油性。气特异而芳香，味淡、微辛。

| 功能主治 | 果实：疏散风热，清利头目。用于外感伤风、头昏头痛、偏头痛、牙龈肿痛、目赤肿痛多泪、目睛内痛、昏暗不明、湿痹拘挛。叶：祛风止痛，活血化瘀。用于跌打损伤、风湿疼痛。

马鞭草科 Verbenaceae　牡荆属 Vitex

单叶蔓荆
Vitex trifolia L. var. *simplicifolia* Cham.

| 中 药 名 | 蔓荆子（药用部位：果实），蔓荆子叶（药用部位：叶或枝叶）

| 植物形态 | 落叶小灌木。全株被灰白色柔毛。主茎匍匐于地面，节上常生不定根，幼枝四棱形，老枝近圆形。单叶对生，具短柄；叶片倒卵形，基部楔形，全缘，表面绿色，背面粉白色。圆锥花序顶生；花萼钟状，先端 5 齿裂，下面 1 裂片最大，宽卵形，内面中下部有毛；雄蕊 4，伸于花冠管外；子房球形，密生腺点。柱头 2 裂。核果球形，具宿萼。花期 7~8 月，果期 8~10 月。

| 分布区域 | 产于海南文昌、琼海、万宁、保亭、陵水、三亚、东方、昌江、白沙、西沙群岛。

| 资　　源 | 生于海边沙滩。

单叶蔓荆

| 采收加工 | 果实：种子繁殖的栽培后3~4年结果，扦插繁殖的栽后2~3年结果，在7月上旬至10月下旬果实陆续成熟，应边成熟边采摘，先在室内堆放3~4天，然后摊开晒干或烘干，筛去枝梗，扬净杂质即成。

| 药材性状 | 果实呈球形，直径4~6mm。表面灰黑色或黑褐色，被灰白色粉霜状茸毛，有纵向浅沟4，用放大镜观察可见密布淡黄色小点。先端微凹，有脱落花柱痕，基部有灰白色宿萼及短果梗。萼长为果实的1/3~2/3，5齿裂，其中2裂较深，灰白色，密被茸毛。体轻，质坚韧，不易破碎。横断面果皮灰黄色，有棕褐色点排列成环，分为4室，每室有种子1。种仁黄白色，有油性。气特异而芳香，味淡、微辛。

| 功能主治 | 果实：疏散风热，清利头目。用于外感伤风、头昏头痛、偏头痛、牙龈肿痛、目赤肿痛多泪、目睛内痛、昏暗不明、湿痹拘挛。叶：祛风止痛，活血化瘀。用于跌打损伤、风湿疼痛。

马鞭草科 Verbenaceae　牡荆属 Vitex

越南牡荆
Vitex tripinnata (Lour.) Merr.

| 中 药 名 |　越南牡荆（药用部位：全株）

| 植物形态 |　灌木或乔木；小枝干后呈紫黑色，有明显的皮孔。三出复叶，小叶片卵形、倒卵形、长椭圆形至长卵圆形，有黄色腺点，全缘，基部楔形或近圆形，侧脉 6~9 对；中间小叶长 3~11cm，小叶柄长 0.5~1.7cm；两侧小叶较小，小叶柄长 2~5mm。聚伞花序排成顶生的圆锥花序式，二至三歧分枝，花序梗长 5~10mm；苞片小，脱落或宿存；花萼长 2~3mm，外面除边缘疏生细毛外，其余近无毛，有黄色腺点，先端有 5 小齿，齿三角形；花冠橙黄色至淡紫色，有香气，有腺点，喉部密生白色柔毛，先端 5 裂，二唇形，上唇 2 裂，下唇 3 裂，花冠管长约 5mm；雄蕊 4，2 长 2 短，伸出花冠外；子房无毛，柱头 2 裂。核果球形。花期 5 月，果期 6~7 月。

越南牡荆

| 分布区域 | 产于海南琼海、万宁、保亭、白沙。

| 资　　源 | 生于山坡林边阴湿地区。

| 采收加工 | 全年皆可采，切段，晒干。

| 功能主治 | 止咳定喘，镇静退热。用于急慢性支气管炎、咳喘、气促、小儿发热、烦躁不安。

唇形科　Labiatae　筋骨草属　*Ajuga*

金疮小草 *Ajuga decumbens* Thunb.

| 中 药 名 | 白毛夏枯草（药用部位：全草）

| 植物形态 | 多年生草本。茎基部倾斜或匍匐，四棱形，略带紫色，全株密被白色柔毛。单叶对生，具柄，叶片卵形或长椭圆形，基部渐窄下延，边缘具不整齐的波状圆齿，下面及叶缘常带有紫色，具缘毛，两面被疏糙伏毛或疏柔毛。轮伞花序多花，腋生或在枝顶集成间断、多轮的假穗状花序；花萼漏斗状，萼齿 5；花冠唇形，淡蓝色或淡红紫色，稀白色，花冠下唇约为上唇的 2 倍；雄蕊 4，二强；子房上位。小坚果倒卵状三棱形，背部灰黄色，具网状皱纹，腹部有果脐，果脐约占腹面的 2/3。花期 3~4 月，果期 5~6 月。

| 分布区域 | 产于海南中部的琼中、保亭、五指山等地。分布于中国长江以南各地，最西可达云南西畴及蒙自。

金疮小草

| 资　源 |

生于海拔 360~1400m 的溪边、路旁及湿润的草坡上。

| 采收加工 |

栽培后第 1 年于 9~10 月收获 1 次。第 2 年和第 3 年，则在 5~6 月和 9~10 月各收获 1 次。齐地割起全草，拣净杂质，鲜用或晒干。

| 药材性状 |

全草长 10~25cm。根细小，暗黄色。地上部分灰黄色或暗绿色，密被白柔毛。茎细，具四棱，质较柔韧，不易折断。叶对生，多皱缩、破碎，完整叶片展平后呈卵形或长椭圆形，长 3~6cm，宽 1.5~2.5cm，绿褐色，两面密被白色柔毛，边缘有波状锯齿；叶柄具狭翅。轮伞花序腋生，小花二唇形，黄褐色。气微，味苦。

| 功能主治 |

清热解毒，化痰止咳，凉血散血。用于咽喉肿痛、肺热咳嗽、肺痈、痢疾、痈肿疔疮、毒蛇咬伤、跌打损伤。

| 附　注 |

在 FOC 中，其学名被修订为 *Ajuga decumbens* Thunb.。

唇形科 Labiatae 肾茶属 *Clerodendranthus*

肾 茶
Clerodendranthus spicatus (Thunb.) C. Y. Wu ex H. W. Li

| 中 药 名 | 猫须草（药用部位：全草）

| 植物形态 | 多年生草本。茎四棱形，具浅槽及细条纹。叶卵形、菱状卵形或卵状长圆形，基部宽楔形至截状楔形，边缘具粗牙齿或疏圆齿，齿端具小突尖，纸质，侧脉 4~5 对；叶柄长（3~）5~15mm，腹平背凸。轮伞花序 6 花，在主茎及侧枝先端组成总梗长 8~12cm 的总状花序；苞片圆卵形，全缘，具平行的纵向脉；花梗长达 5mm。花萼卵珠形，二唇形，上唇圆形，边缘下延至萼筒，下唇具 4 齿，齿三角形，前 2 齿比侧 2 齿长一倍，边缘均具短睫毛，果时花萼增大，10 脉明显，上唇明显外反，下唇向前伸。花冠浅紫色或白色，在上唇上疏布锈色腺点，冠筒狭管状，冠檐大，二唇形，上唇大，外反，3 裂，下唇直伸，长圆形。雄蕊 4，超出花冠 2~4cm，前对略长，花丝长丝状，

肾茶

无齿，花药小，药室叉开。花柱长长地伸出，先端棒状头形，2浅裂。花盘前方呈指状膨大。小坚果卵形，深褐色，具皱纹。花期5~11月，果期6~12月。

| 分布区域 | 产于海南各地。

| 资　　源 | 生于林下潮湿处或平地上。

| 采收加工 | 在高温高湿地区，本种终年生长，尤以4~10月生长旺盛。一般每年可采收2~3次，若管理较好，则可收4次。每次以现蕾开花前采收为佳，宜选晴天，割下茎叶，晒至七成干后，于清晨捆扎成把（防止叶片脱落，再曝晒至全干即可）。一般0.01km²可收干的枝叶1500~2500kg，鲜干比为（5.5~6.5）：1。

| 药材性状 | 全草长30~70cm或更长。茎枝呈方柱形，节稍膨大；老茎表面灰棕色或灰褐色，有纵皱纹或纵沟，断面木质，周围黄白色，中央髓部白色；嫩枝对生，紫褐色或紫红色，被短柔毛。叶对生，皱缩，易破碎，完整者展平后呈卵形或卵状披针形，长2~5cm，宽1~3cm，先端尖，基部楔形，中部以上的叶片边缘有锯齿，叶脉紫褐色，两面呈黄绿色或暗绿色，均有小柔毛；叶柄长3~15cm。轮伞花序每轮有6花，多已脱落。气微，茎味淡，叶味微苦。以茎枝幼嫩、色紫红、叶多者为佳。

| 功能主治 | 清热利湿，通淋排石。用于急慢性肾炎、膀胱炎、尿路结石、胆结石、风湿性关节炎。

唇形科 Labiatae 风轮菜属 *Clinopodium*

风轮菜
Clinopodium chinense (Benth.) Kuntze.

| 中 药 名 | 风轮菜（药用部位：全草）

| 植物形态 | 多年生草本。茎基部匍匐生根，四棱形。叶卵圆形，不偏斜，基部阔楔状圆形，边缘具大小均匀的圆齿状锯齿，坚纸质，侧脉 5~7 对，与中肋在上面微凹陷、下面隆起，网脉在下面清晰可见；叶柄长 3~8mm，腹凹背凸。轮伞花序多花密集，常偏向一侧，呈半球形，苞片针状；花萼狭管状，紫红色，上唇 3 齿，先端具硬尖，下唇 2 齿，齿稍长，先端具芒尖；花冠紫红色，上唇先端微缺，下唇 3 裂，中裂片稍大，雄蕊 4，花药 2 室；子房 4 裂，花柱着生于子房底，柱头 2 裂。小坚果 4，倒卵形，黄棕色。花期 6~8 月，果期 7~9 月。

风轮菜

| 分布区域 | 产于海南乐东。亦分布于中国山东、浙江、江苏、安徽、江西、福建、台湾、湖南、湖北、广东、广西及云南东北部。

| 资　　源 | 生于海拔 1000m 以下的山坡、草丛、路边、沟边、灌丛、林下。

| 采收加工 | 7~9 月采收，切断，晒干或鲜用。

| 药材性状 | 茎呈四方柱形，表面棕红色或棕褐色，具细纵条纹，密被柔毛，四棱处尤多。叶对生，有柄，多卷缩或破碎，完整着展平后呈卵圆形，边缘具锯齿，上面褐绿色，下面灰绿色，均被柔毛。轮伞花序具残存的花萼，外被毛茸。小坚果倒卵形，黄棕色。全体质脆，易折断与破碎，茎断面淡黄白色，中空。气微香，味微辛。

| 功能主治 | 疏风清热，解毒消肿，止血。用于感冒发热、中暑、咽喉肿痛、白喉、急性胆囊炎、肝炎、肠炎、痢疾、腮腺炎、乳腺炎、疔疮肿毒、过敏性皮炎、急性结膜炎、尿血、崩漏、牙龈出血、外伤出血。

唇形科 Labiatae 鞘蕊花属 *Coleus*

五彩苏
Coleus scutellarioides (L.) Benth.

| **中 药 名** | 五彩苏（药用部位：全草）

| **植物形态** | 直立或上升草本。茎紫色，四棱形。叶膜质，通常卵圆形，基部宽楔形至圆形，边缘具圆齿状锯齿或圆齿，色泽多样，下面常散布红褐色腺点，侧脉 4~5 对；叶柄伸长，长 1~5cm，扁平。轮伞花序多花，花时直径约 1.5cm，多数密集排列成长 5~10（~25）cm、宽 3~5（~8）cm 的简单或分枝的圆锥花序；花梗长约 2mm；苞片宽卵圆形。花萼钟形，10 脉，开花时长 2~3mm，果时花萼增大，萼檐二唇形，上唇 3 裂，下唇呈长方形，2 裂片高度靠合，先端具 2 齿，齿披针形。花冠浅紫色至紫色或蓝色，长 8~13mm，冠筒骤然下弯，至喉部增大至 2.5mm，冠檐二唇形，上唇短，4 裂，下唇延长，内凹，舟形。雄蕊 4，内藏，花丝在中部以下合生成鞘状。花柱超出雄蕊，伸出，

五彩苏

先端相等 2 浅裂。花盘前方膨大。小坚果宽卵圆形或圆形，压扁，褐色，具光泽。花期 7 月。

| **分布区域** | 产于海南各地。

| **资　　源** | 栽培。

| **采收加工** | 夏季采收，晒干或鲜用。

| **功能主治** | 清热解毒。用于疮疡肿毒、毒蛇咬伤。

唇形科 Labiatae 水蜡烛属 *Dysophylla*

水虎尾 *Dysophylla stellata* (Lour.) Benth.

| 中 药 名 |

水老虎（药用部位：全草）

| 植物形态 |

一年生直立草本。叶 4~8 轮生，线形，基部渐狭而无柄，边缘具疏齿或几无齿，不外卷，上面榄绿色，下面灰白色，两面均无毛；生于茎下部的叶有时狭而小。穗状花序长 0.5~4.5cm，极密集，不间断；苞片披针形，明显，超过花萼。花萼钟形，密被灰色绒毛。花冠紫红色，冠檐 4 裂，裂片近相等。雄蕊 4，伸出，花丝被髯毛。花柱先端 2 浅裂。花盘平顶。小坚果倒卵形，极小，棕褐色，光滑。花果期全年。

| 分布区域 |

产于海南各地。

| 资　　源 |

生于水田中或沟谷水边。

| 采收加工 |

全年均可采，鲜用或切段晒干。

水虎尾

| 功能主治 | 解毒消肿，活血止痛。用于疮疡肿痛、湿疹、毒蛇咬伤、跌打伤痛。

唇形科 Labiatae 广防风属 *Epimeredi*

广防风 *Epimeredi indica* (L.) Rothm.

| **中药名** | 落马衣（药用部位：全草）

| **植物形态** | 直立草本。茎四棱形，具浅槽。叶对生；叶柄长 1~4.5cm；苞片叶状；叶片阔卵圆形，基部截状阔楔形，边缘有不规则的锯齿，草质。轮伞花序在主茎及侧枝的顶部排成稠密或间断的直径约 2.5cm 的长穗状花序；苞片线形。花萼钟形，齿 5，三角状披针形，边缘具纤毛。花冠淡紫色，冠檐二唇形，上唇直伸，长圆形，全缘，下唇几水平扩展，3 裂，中裂片倒心形，边缘微波状，内面中部具髯毛，侧裂片较小，卵圆形。雄蕊 4，伸出，二强，花丝扁平，两侧边缘膜质，被小纤毛，粘连，前对药室平行，后对药室退化成 1 室。花柱丝状，先端相等 2 浅裂，裂片钻形。花盘平顶，具圆齿。子房无毛。小坚果黑色，具光泽，近圆球形。花期 8~9 月，果期 9~11 月。

广防风

| **分布区域** | 产于海南海口、万宁、三亚、乐东等地。 |

| **资　　源** | 生于荒地上。 |

| **采收加工** | 夏、秋季割取全草，洗净，晒干或鲜用。 |

| **药材性状** | 全草长 100~150cm。茎呈四方柱形，直径可达 5mm，有分枝，表面棕色或棕红色，被黄色向下卷曲的细柔毛，尤以棱角处较多；质硬，断面具纤维性，中央有白色的髓。叶多皱褶，展平后呈阔卵圆形，长 4~10cm，宽 3~5cm，边缘有锯齿，表面灰棕色，背面灰绿色，两面均密被淡黄色细柔毛；质脆，易破碎。有时可见密被毛茸的顶生假穗状花序，花多脱落，残留灰绿色花萼，往往包有 1~4 小坚果。小坚果类圆形，表面黑褐色。气微，味微苦。 |

| **功能主治** | 祛风湿，消疮毒。用于感冒发热、风湿痹痛、痈肿疮毒、皮肤湿疹、蛇虫咬伤。 |

| **附　　注** | 在 FOC 中，其学名已被修订为 *Anisomeles indica* (L.) Kuntze。 |

唇形科 Labiatae 活血丹属 *Glechoma*

活血丹 *Glechoma longituba* (Nakai) Kupr.

| **中 药 名** | 活血丹（药用部位：全草）

| **植物形态** | 多年生草本，具匍匐茎，上升，逐节生根。茎四棱形，基部通常呈淡紫红色。叶草质，下部叶较小，叶片心形或近肾形，叶柄长为叶片的 1~2 倍；上部叶较大，叶片心形，先端急尖或钝三角形，基部心形，边缘具圆齿或粗锯齿状圆齿，叶柄长为叶片的 1.5 倍。轮伞花序通常 2 花，稀具 4~6 花；苞片及小苞片线形。花萼管状，齿 5，上唇 3 齿，下唇 2 齿，齿卵状三角形，长为萼长的 1/2。花冠淡蓝色、蓝色至紫色，下唇具深色斑点，冠筒直立，上部渐膨大，呈钟形，有长筒与短筒两型，短筒者通常藏于花萼内，冠檐二唇形。上唇直立，2 裂，裂片近肾形，下唇伸长，斜展，3 裂，肾形，较上唇片大 1~2 倍。雄蕊 4，内藏；花药 2 室。子房 4 裂。花盘杯状，前方呈指状膨大。

活血丹

花柱细长，先端近相等 2 裂。成熟小坚果深褐色，长圆状卵形。花期 4~5 月，果期 5~6 月。

| 分布区域 | 产于海南海口、万宁、儋州、三亚。除青海、甘肃、新疆及西藏外，亦分布于中国各地。

| 资　　源 | 生于海拔 50~2000m 的林缘、疏林、草地、溪边等阴湿处。

| 采收加工 | 4~5 月采收全草，晒干或鲜用。

| 药材性状 | 茎呈方柱形，细而扭曲，长 10~20cm，直径 1~2mm，表面黄绿色或紫红色，具纵棱及短柔毛，节上有不定根；质脆，易折断，断面常中空。叶对生，灰绿色或绿褐色，多皱缩，展平后呈心形或近肾形，长 1~3cm，宽 1.5~3cm，边缘具圆齿；叶柄纤细，长 4~7cm。轮伞花序腋生，花冠淡蓝色或紫色，二唇形，长达 2cm。搓之气芳香，味微苦。

| 功能主治 | 利湿通淋，清热解毒，散瘀消肿。用于热淋石淋、湿热黄疸、疮痈肿痛、跌仆损伤。

唇形科 Labiatae 锥花属 *Gomphostemma*

光泽锥花 *Gomphostemma lucidum* Wall. ex Benth.

| 中 药 名 | 光泽锥花（药用部位：全株）

| 植物形态 | 草本或小灌木，直立。茎钝四棱形，槽不明显，被污黄色星状毡毛。叶长圆形、倒卵状椭圆形至倒披针形，基部楔形或钝，边缘具粗齿或不明显的细齿，草质；叶柄长 1~3cm。聚伞花序腋生，短而密集，多花，几无梗；苞片及小苞片线状披针形至线形。花萼花时钟形，10 肋异常明显，萼齿三角形。花冠白色至浅黄色，冠筒基部宽约 2mm，自 1/2 以上扩展，至喉部宽约 10mm，冠檐二唇形，上唇直立，圆形，下唇 3 裂，中裂片圆形。雄蕊与上唇等长，花丝扁平，边缘膜质。花柱纤细，先端 2 浅裂。花盘杯形，微斜。小坚果 4，均成熟，白色，扁倒卵形，有残存星状毛。花期 4~7 月或延至 10 月到翌年 1 月。

光泽锥花

| **分布区域** | 产于海南定安、澄迈、临高、儋州、保亭、乐东、三亚、陵水。亦分布于中国广东南部、广西南部、云南东南部及南部。

| **资　　源** | 生于海拔 140~1100m 的沟谷密林中。

| **采收加工** | 全年可采，切段，晒干。

| **功能主治** | 祛湿，消滞，消肿，解热，止血。用于感冒、肺疾、中暑、气喘、淋病。

唇形科　Labiatae　山香属　*Hyptis*

短柄吊球草
Hyptis brevipes Poit.

| 中 药 名 |

短柄吊球草（药用部位：全草）

| 植物形态 |

一年生直立草本。茎四棱形，具槽，被贴生
向上柔毛。叶卵状长圆形或披针形，上部的
较小，基部狭楔形，边缘锯齿状，纸质，上
面榄绿色；叶柄长约0.5cm。头状花序腋生，
具梗，总梗长0.5~1.6cm；苞片披针形或钻
形，全缘，具缘毛。花萼长2.5~3mm，为近
钟形，萼齿5，长约占花萼长之半，锥尖，
直伸。花冠白色，冠筒基部宽约0.5mm，冠
檐二唇形，上唇2圆裂，裂片圆形，外反，
下唇3裂，中裂片较大，凹陷，圆形，基部
收缩，下弯，侧裂片较小，三角形，外反。
雄蕊4，下倾，插生于花冠喉部。花柱先端
略粗，2浅裂。花盘阔环形。子房裂片球形。
小坚果卵珠形，腹面具棱，深褐色，基部具
2白色着生点。

| 分布区域 |

产于海南三亚、乐东、昌江、白沙、保亭。
亦分布于中国台湾、广东。

短柄吊球草

| **资　　源** | 生于低海拔空旷荒地。

| **采收加工** | 全年皆可采，切段，晒干。

| **功能主治** | 祛湿，消滞，消肿，解热，止血。用于感冒、肺疾、中暑、气喘、淋病。

唇形科 Labiatae 山香属 *Hyptis*

吊球草

Hyptis rhomboidea Mart. et Gal.

| **中 药 名** | 白夜骨消（药用部位：全草）

| **植物形态** | 一年生直立粗壮草本，无香味。茎四棱形，具浅槽及细条纹。叶披针形，两端渐狭，边缘具钝齿，纸质，上面榄绿色；叶柄长 1~3.5cm，腹平背凸。花多数，密集成一具长梗、腋生、单生的球形小头状花序，此花序直径约 15cm，具苞片；总梗长 5~10cm；苞片多数，披针形或线形，全缘。花萼绿色，萼齿锥尖，直伸。花冠乳白色，冠筒基部宽约 1mm，至喉部略宽，冠檐二唇形，上唇短，先端 2 圆裂，裂片卵形，外反，下唇长约为上唇的 2.5 倍，3 裂，中裂片较大，凹陷，具柄，侧裂片较小，三角形。雄蕊 4，下倾，插生于花冠喉部。花柱先端宽大，2 浅裂。花盘阔环状。子房裂片球形。小坚果长圆形，腹面具棱，栗褐色，基部具 2 白色着生点。

吊球草

| 分布区域 |

产于海南各地。

| 资　　源 |

生于海拔 1000m 以下的空旷荒地上。

| 采收加工 |

全年皆可采，切段，晒干。

| 功能主治 |

祛湿，消滞，消肿，解热，止血。用于感冒、肺疾、中暑、气喘、淋病。

唇形科 Labiatae　山香属 Hyptis

山 香 *Hyptis suaveolens* (L.) Poit.

| 中 药 名 |

蛇百子（药用部位：全草）

| 植物形态 |

一年生、直立、粗壮、多分枝草本，揉之有
香气。茎钝四棱形，具4槽，被平展刚毛。
叶卵形至宽卵形，生于花枝上的较小，基部
圆形或浅心形，边缘为不规则的波状，具小
锯齿，薄纸质，上面榄绿色；叶柄长0.5~
6cm，腹凹背凸。聚伞花序2~5花，有些
为单花，着生于渐变小叶腋内，呈总状花
序或圆锥花序排列于枝上。花萼花时长约
5mm，10脉极突出，萼齿5，短三角形。花
冠蓝色，冠筒基部宽约1mm，冠檐二唇形，
上唇先端2圆裂，裂片外反，下唇3裂。雄
蕊4，下倾，插生于花冠喉部，花丝扁平，
花药汇合成1室。花柱先端2浅裂。花盘阔
环状，边缘微有起伏。子房裂片长圆形。小
坚果常2，成熟，扁平，暗褐色，具细点，
基部具2着生点。花果期全年。

| 分布区域 |

产于海南各地。

山香

| 资　　源 |

生于海拔 1000m 以下的草坡。

| 采收加工 |

夏、秋季采收，阴干或鲜用。

| 药材性状 |

全草长 90~150cm。茎圆柱形，少分枝，直径
0.3~1cm，表面灰褐色至暗褐色，有细纵纹及突
起的椭圆形皮孔，叶痕明显，半月形，皮层易
剥离。质硬，易折断，断面不平坦。叶片易脱落，
常卷曲，展开后呈卵形至宽卵形，长 7~9cm，
宽 1.5~2cm，边缘有小锯齿，先端渐尖或钝形，
基部浑圆形、广楔形，上表面黄绿色，具黄色
粗毛，下表面黄白色，被白色绢毛。偶带由顶
生或腋生的头状花序组成的伞房花丛。花小，
为舌状花和管状花，瘦果具棱，有冠毛。气香，
味辛、微苦。以茎粗壮、叶多者为佳。

| 功能主治 |

解表利湿，祛风止痛，行气散瘀。用于感冒发热、
风湿痹痛、头痛、胃肠胀气、泄泻、跌打损伤、
湿疹、皮炎。

唇形科 Labiatae **益母草属** *Leonurus*

益母草

Leonurus artemisia (Laur.) S. Y. Hu

｜中 药 名｜

益母草（药用部位：全草），茺蔚子（药用部位：果实），益母草花（药用部位：花）

｜植物形态｜

一年生或二年生草本。茎直立，钝四棱形。叶对生；茎下部叶轮廓为卵形，基部宽楔形，掌状 3 裂，裂片呈长圆状菱形至卵圆形，裂片上再分裂，叶柄纤细，长 2~3cm，由于叶基下延而在上部略具翅，腹面具槽，背面圆形；茎中部叶轮廓为菱形，通常分裂成 3 个或偶有多个长圆状线形的裂片，基部狭楔形，叶柄长 0.5~2cm；花序最上部的苞叶近于无柄，线形或线状披针形，全缘或具稀少牙齿。轮伞花序腋生，具 8~15 花；小苞片针刺状，无花梗；花萼钟形，先端 5 齿裂，具刺尖；花冠唇形，淡红色或紫红色，上唇长圆形，全缘，边缘具纤毛，下唇 3 裂，倒心形；雄蕊 4，二强，花药 2 室；雌蕊 1，子房 4 裂，花柱丝状，长于雄蕊，柱头 2 裂。小坚果褐色，三棱形，基部楔形。花期通常 6~9 月，果期 7~10 月。

益母草

| **分布区域** | 产于海南定安、澄迈、海口、临高、儋州、白沙、昌江、东方、保亭、三亚。

| **资　　源** | 生于海拔 1300m 以下的向阳处。

| **采收加工** | 全草：全草在每株开花 2/3 时收获，选晴天齐地割下，立即摊放，晒干后打成捆。果实：夏、秋季在花谢、果实成熟时割取全株，晒干，打下果实，除去叶片、杂质。花：夏季花初开时采收，去净杂质，晒干。

| **药材性状** | 茎呈方柱形，四面凹下成纵沟，长 30~60cm，直径约 5mm。表面灰绿色或黄绿色，密被糙状毛。质脆，断面中部有髓。叶交互对生，多脱落或残存，皱缩破碎，完整者下部叶掌状 3 裂，中部叶分裂成多个长圆形线状裂片，上部羽状深裂或浅裂成 3 片。轮伞花序腋生，花紫色，多脱落。花序的苞叶全缘或具稀齿，花萼宿存，筒状，黄绿色，萼内有小坚果 4。气微，味浓。果实：小坚果长圆形，具 3 棱，长 2~3mm，直径 1~1.5mm，上端平截，下端渐窄，有凹入的果柄痕。表面灰褐色或褐色，有稀疏的深色斑点。切面果皮褐色，胚乳、子叶白色，富油质。气微，味苦。花：干燥的花朵，花萼及雌蕊大多已脱落，长约 1.3cm，淡紫色至淡棕色，花冠自先端向下渐次变细；基部联合成管，上部二唇形，上唇长圆形，全缘，背部密具细长白毛，也有缘毛；下唇 3 裂，中央裂片倒心形，背部具短绒毛，花冠管口处有毛环生；雄蕊 4，二强，着生在花冠筒内，与残存的花柱常伸出于冠筒之外。气弱，味微甜。

| 功能主治 | 全草：活血调经，利尿消肿，清热解毒。用于月经不调、经闭、胎漏难产、胞衣不下、产后血晕、瘀血腹痛、跌打损伤、小便不利、水肿、痈肿疮疡。果实：活血调经，清肝明目。用于妇女月经不调、痛经、闭经、产后瘀滞腹痛、肝热头痛、头晕、目赤肿痛、目生翳障。花：养血，活血，利水。用于贫血、疮疡肿毒、血滞经闭、痛经、产后瘀阻腹痛、恶露不下。

唇形科 Labiatae 绣球防风属 Leucas

蜂巢草
Leucas aspera (Willd.) Link

| 中 药 名 | 蜂窝草（药用部位：全草）

| 植物形态 | 一年生草本。茎直立，四棱形，具沟槽，有刚毛，多分枝。叶线形或长圆状线形，两面有糙伏毛；叶柄极短或近于无柄，密被刚毛。轮伞花序着生于枝条先端，圆球状，多花密集，密被刚毛；苞片线形，边缘有刚毛状纤毛，先端微刺状。花萼管状，萼口偏斜，直伸，齿10，直伸，短三角形，先端成硬刺。花冠白色，稍超出于萼筒，冠檐二唇形，上唇直伸，盔状，下唇开张，3裂。雄蕊4，内藏，花丝扁平，丝状，花药卵圆形，2室，室极叉开。花柱丝状，先端不等2浅裂。小坚果长圆状三棱形，褐色，光滑。花果期全年。

| 分布区域 | 产于海南临高、儋州、东方、三亚、陵水等地。

蜂巢草

| 资　　源 |

生于滨海荒地上。

| 采收加工 |

夏、秋季采收，晒干。

| 药材性状 |

茎呈方柱形，多分枝，长30~78cm，表面具纵槽，有毛。叶对生，多皱缩，完整者展平后呈线形或长圆状线形，两面被毛。轮伞花序，花萼筒状钟形。小坚果椭圆状三棱形。气微，味淡。

| 功能主治 |

解表，止咳，明目，通经。用于感冒、头痛、哮喘、百日咳、咽喉肿痛、牙痛、消化不良、月经不调、经闭、夜盲、蜂窝疮。

唇形科 Labiatae 绣球防风属 Leucas

疏毛白绒草
Leucas mollissima Wall. var. *chinensis* Benth.

| **中 药 名** | 白花草（药用部位：全草）

| **植物形态** | 直立草本。茎纤细，扭曲，四棱形，略具沟槽。叶卵圆形，通常于枝条下部叶大，渐向枝条上端愈小而呈苞叶状，基部宽楔形至心形，边缘具锯齿，纸质；叶柄短，近无，长在 1cm 以下。轮伞花序腋生，分布于枝条中部至上部，球状，多花密集，其下承以稀疏的苞片；苞片线形。萼齿 5 长 5 短，花萼管状，脉 10，萼口平截，齿 10，长三角形。花冠白色、淡黄色至粉红色，冠檐二唇形，上唇直伸，盔状，下唇开张，比上唇长 1.5 倍，3 裂，中裂片最大，倒心形，侧裂片长圆形。雄蕊 4，内藏，后对较短，花丝丝状，花药卵圆形，二室。花柱与雄蕊略等长，先端不等 2 裂。花盘等大。子房无毛。小坚果卵珠状三棱形，黑褐色。花期 5~10 月，花后见果。

疏毛白绒草

| 分布区域 | 产于海南文昌、临高、儋州、东方、保亭、三亚。

| 资　　源 | 生于低海拔的平地及丘陵地上。

| 采收加工 | 全年皆可采，切段，晒干。

| 功能主治 | 润肺止咳，解表，行血，消炎，解毒。用于肠胀风、肠炎、阑尾炎、子宫炎、痢疾、跌打损伤、喉痛、头痛、白带、小儿瘰疬、小便色黄、毒蛇咬伤、疮毒。

薄 荷
Mentha haplocalyx Briq.

| 中 药 名 | 薄荷（药用部位：全草或叶），薄荷油（药用部位：鲜茎叶经蒸馏而得的挥发油），薄荷脑（药用部位：全草中提炼出的结晶）

| 植物形态 | 多年生芳香草本。茎直立，节具纤细的须根及水平匍匐根茎，锐四棱形，具4槽，多分枝。叶片长圆状披针形、披针形、椭圆形或卵状披针形，基部楔形至近圆形，边缘在基部以上疏生粗大的牙齿状锯齿，侧脉5~6对；叶柄长2~10mm，腹凹背凸。轮伞花序腋生，轮廓球形，具梗或无梗，具梗时梗可长达3mm；花梗纤细，长2.5mm。花萼管状钟形，10脉，萼齿5，狭三角状钻形。花冠淡紫色，冠檐4裂，上裂片先端2裂，较大，其余3裂片近等大，长圆形，先端钝。雄蕊4，前对较长，伸出花冠外，花丝丝状，花药卵圆形，

薄荷

2 室，室平行。花柱略超出雄蕊，先端近相等 2 浅裂，裂片钻形。花盘平顶。小坚果卵珠形，黄褐色，具小腺窝。花期 7~9 月，果期 10 月。

| 分布区域 |　产于海南各地。亦分布于中国各地。

| 资　　源 |　生于水旁潮湿地，海拔可高达 3500m。

| 采收加工 |　薄荷：在江浙每年可收 2 次，夏、秋季茎叶茂盛或花开至 3 轮时，选晴天分次采割。华北采收 1~2 次，四川可收 2~4 次。一般头刀收割在 7 月，二刀在 10 月，选晴天采割，摊晒 2 天，稍干后扎成小把，再晒干或阴干。薄荷茎叶晒至半干，即可蒸馏，得薄荷油。薄荷油：取新鲜薄荷茎和叶，水蒸气蒸馏，再冷冻，部分脱脑加工得到的挥发油即为薄荷油。薄荷脑：将薄荷全草（干、鲜均可）经水蒸气蒸馏，提取出薄荷油，再将薄荷油在 0℃以下冷却，即有薄荷脑析出。将粗制品再一次蒸馏、结晶，即成商品薄荷脑。

| 药材性状 |　薄荷：茎方柱形，有对生分枝，长 15~40cm，直径 0.2~0.4cm；表面紫棕色或淡绿色，棱角处具茸毛，节间长 2~5cm；质脆，断面白色，髓部中空。叶对生，有短柄；叶片皱缩卷曲，完整叶片展平后呈披针形、卵状披针形、长圆状披针形至椭圆形，长 2~7cm，宽 1~3cm，边缘在基部以上疏生粗大的牙齿状锯齿，侧脉 5~6 对；上表面深绿色，下表面灰绿色，两面均有柔毛，下表面在放大镜下可见凹点状腺鳞。茎上部常有腋生的轮伞花序，花萼钟状，先端 5 齿裂，萼

齿狭三角状钻形，微被柔毛；花冠多数存在，淡紫色。揉搓后有特殊香气，味辛、凉。薄荷油：本品为无色或淡黄色的澄清液体。有特殊清凉香气，味初辛后凉。存放日久，色渐变深。本品与乙醇、氯仿或乙醚能任意混合。相对密度应为 0.888~0.908。旋光度应为 −17°~−24°。折光率应为 1.456~1.466。薄荷脑：本品为无色针状或棱柱状结晶或白色结晶性粉末；有薄荷的特殊香气，味初灼热后清凉；乙醇溶液显中性反应。本品在乙醇、氯仿、乙醚、液体石蜡或挥发油中极易溶解，在水中极微溶解。本品熔点为 42~44℃。取本品精密称定，加乙醇制成每 1ml 含 0.1g 薄荷脑的溶液，依法测定，比旋度为 −49°~−50°。

| 功能主治 |　薄荷：散风热，清头目，利咽喉，透疹，解表。用于风热表证、头痛目赤、咽喉肿痛、麻疹不透、瘾疹瘙痒、肝郁胁痛。薄荷油：疏风，清热。用于外感风热、头痛目赤、咽痛、齿痛、皮肤风痒。薄荷脑：疏风，清热。用于风热感冒、头痛、目赤、咽喉肿痛、齿痛、皮肤瘙痒。

唇形科 Labiatae 龙船草属 Nosema

龙船草
Nosema cochinchinensis (Lour.) Merr.

| 中 药 名 | 龙船草（药用部位：全草）

| 植物形态 | 草本，直立。茎四棱形，具4槽，分枝或不分枝，密被长柔毛。叶长圆形、椭圆形或卵状长圆形，基部圆形、钝至楔形，边缘具细齿，或近全缘，侧脉多数而密；叶柄短，长不超过1cm，腹凹背凸，被毛同茎。轮伞花序多花密集，彼此靠近排列成长1~10（~18）cm的穗状或头状花序；苞片宽卵圆形或近菱状卵圆形，无柄，通常比轮伞花序短；花梗短，被长柔毛。花萼长3~3.5mm，上唇极宽大，全缘或两边具1小齿，长圆形，下唇全缘，长为上唇的1/4~1/3。花冠蓝色、紫色或淡红色，冠筒短而扩展，冠檐二唇形，先端短3裂。雄蕊4，外伸，前对稍长，花丝被粗毛，后对基部具齿状附属器。

龙船草

花柱先端不相等 2 裂。花盘前方呈指状膨大。小坚果长圆形，黑褐色，光滑。花期 10 月至翌年 2 月。

| **分布区域** | 产于海南各地。

| **资　　源** | 生于山坡和路旁。

| **采收加工** | 全年皆可采，切段，晒干。

| **功能主治** | 清肝火，散郁结。用于痈肿疮毒、目赤肿痛、瘰疬。

唇形科 Labiatae 罗勒属 *Ocimum*

罗 勒
Ocimum basilicum L.

| 中 药 名 | 罗勒（药用部位：全草），罗勒子（药用部位：果实），罗勒根（药用部位：根）

| 植物形态 | 一年生草本。全株芳香。茎直立，钝四棱形，上部微具槽，常染有红色，多分枝。叶对生，卵圆形至卵圆状长圆形，边缘具牙齿或近于全缘，下面具腺点；叶柄伸长，长约1.5cm。轮伞花序有6花，组成顶生总状花序；苞片细小，倒披针形；花萼钟形，萼齿5，上唇3齿，下唇2齿，三角形，具刺尖头，花萼宿存；花冠淡紫色，或上唇白色，下唇紫红色，伸出花萼，冠檐二唇形，上唇4裂，裂片近圆形，下唇长圆形，下倾，全缘；雄蕊4，二强，花丝丝状，后对花丝基部具齿状附属物，花药卵圆形，汇合成1室。花柱超出雄蕊之上，

罗勒

先端相等2浅裂。花盘平顶，具4齿，齿不超出子房。小坚果卵珠形，黑褐色，有具腺的穴陷，基部有1白色果脐。花期通常7~9月，果期9~12月。

| **分布区域** | 产于海南三亚。

| **资　　源** | 多为栽培。

| **采收加工** | 全草：开花后割取地上部分，鲜用或晒干。果实：9月间采收成熟的果实，晒干。根：9月间采挖，除去茎叶，洗净，晒干。

| **药材性状** | 全草：茎呈方柱形，长短不等，直径1~4mm，表面紫色或黄紫色，有纵沟纹，具柔毛；质坚硬，折断面纤维性，黄白色，中央有白色的髓。叶多脱落或破碎，完整者展平后呈卵圆形或卵状披针形，长2.5~5cm，宽1~2.5cm，先端钝或尖，基部渐狭，边缘有不规则牙齿或近全缘，两面近无毛，下面有腺点；叶柄长约1.5cm，被微柔毛。假总状花序微被毛，花冠脱落；苞片倒针形，宿萼钟状，黄棕色，膜质，有网纹，外被柔毛，内面喉部被柔毛。宿萼内含小坚果。搓碎后有强烈香气，味辛，有清凉感。果实：小坚果卵形，长约2mm，基部具果柄痕，表面灰棕色至黑色，微带光泽，于放大镜下可见细密小点。质坚硬。横切面呈三角形，子叶肥厚，乳白色，富油质。气弱，味淡，有黏液感；浸水中果实膨胀，表面产生白色黏液质层。

| **功能主治** | 全草：疏风解表，化湿和中，行气活血，解毒消肿。用于感冒头痛、发热咳嗽、中暑、食积不化、不思饮食、脘腹胀满疼痛、呕吐泻痢、风湿痹痛、遗精、月经不调、牙痛口臭、胬肉遮睛、皮肤湿疮、瘾疹瘙痒、跌打损伤、蛇虫咬伤。果实：清热，明目，祛翳。用于目赤肿痛、倒睫目翳、走马牙疳。根：收湿敛疮。用于黄烂疮。

唇形科　Labiatae　罗勒属　*Ocimum*

疏柔毛罗勒（变种）

Ocimum basilicum L. var. *pilosum* (Willd.) Benth.

中药名

毛罗勒（药用部位：全草）

植物形态

一年生草本。芳香。茎直立，多分枝上升。叶对生；叶柄被极多疏柔毛；叶片长圆形，边缘有锯齿或全缘，有缘毛，下面散布腺点。轮伞花序，有6花或更多，有间断的顶生总状花序；苞片狭卵形或披针形；花萼钟形，萼齿5，上唇3齿，下唇2齿，三角形，具刺尖，萼齿边缘均具缘毛，果时花萼增大、宿存；花冠淡粉红色或白色，伸出花萼，唇片4裂，裂片近圆形，下唇长圆形，下倾；雄蕊4，二强，均伸出花冠外，后对雄蕊花丝基部具齿状附属物并且被短柔毛；子房4裂，花柱与雄蕊近等长，柱头2裂；花盘具4浅齿。小坚果长圆形，褐色。花期6~9月，果期7~10月。

分布区域

产于海南澄迈、临高、儋州、昌江、东方、乐东、保亭、三亚。

资　源

均作为芳香植物栽培，间或有逸为野生者。

疏柔毛罗勒（变种）

采收加工

茎叶在 7~8 月采收，留种地可待种子成熟后再收割，除去杂质，切细，晒干或鲜用。

药材性状

茎呈方柱形，长短不等，直径约 4mm，表面紫色或黄紫色，有柔毛；质坚硬，折断面具纤维性，中央有白色的髓。叶多已脱落，完整者展平后呈长圆形，长 1.2~2cm，宽 0.5~1cm，先端尖，基部楔形，边缘有疏锯齿或全缘，下面有腺点，略有疏柔毛；叶柄长 0.7~2cm，密被柔毛。轮伞花序组成顶生假总状花序，被柔毛；苞片倒披针形；花已凋谢，宿萼筒状，膜质，外被疏柔毛，内面喉部被微柔毛。小坚果卵球形或矩圆形，长约 2mm，暗褐色。气芳香，味辛，有清凉感。

功能主治

健脾化湿，祛风活血。用于湿阻脾胃、纳呆腹痛、呕吐腹泻、外感发热、月经不调、跌打损伤、皮肤湿疹。

唇形科 Labiatae 罗勒属 *Ocimum*

毛叶丁香罗勒(变种) *Ocimum gratissimum* L. var. *suave* (Willd.) Hook. f.

| 中 药 名 | 毛叶丁香罗勒(药用部位:全株)

| 植物形态 | 直立灌木,极芳香。茎多分枝,茎、枝均四棱形。叶对生,卵圆状长圆形或长圆形,基部楔形,边缘疏生具胼胝尖的圆齿,两面密被绒毛及金黄色腺点;叶柄长 1~3.5cm,扁平。总状花序长 10~15cm,顶生及腋生,均由具 6 花的轮伞花序所组成,常呈圆锥状;苞片卵圆状菱形至披针形,密被绒毛及腺点,无柄;花萼钟形,萼齿 5,呈二唇形,上唇 3 齿,下唇 2 齿;花冠黄白色至白色,稍超出花萼,上唇 4 裂,下唇稍长于上唇,长圆形,全缘;雄蕊 4,花丝丝状,后对花丝基部具齿状附属器;子房 4 裂,花柱超出雄蕊,先端 2 浅裂。花盘呈 4 齿状突起,前方 1 齿稍超过子房。小坚果近球状,褐色,多皱纹,有具腺的穴陷。花期 10 月,果期 11 月。

毛叶丁香罗勒(变种)

| 分布区域 | 产于海南三亚、东方、昌江、白沙、保亭、万宁、屯昌、海口等地。分布于中国江苏、浙江、福建、台湾、广东、广西、云南，均为栽培。

| 资　　源 | 栽培。

| 采收加工 | 秋季采收，洗净，鲜用或扎把晒干。

| 药材性状 | 茎呈四棱形，长短不等，直径 2~4mm，表面有纵沟纹，有长柔毛；质坚硬，折断面具纤维性，黄白色，中央髓部白色。叶对生，多脱落或破碎，完整者展平后呈卵状矩圆形或长圆形，长 5~11cm，两面密被柔毛状绒毛；叶柄长 1~3.5cm，有柔毛状绒毛。轮伞花序密集顶生，呈圆锥花序，密被柔毛状绒毛；苞片卵状棱形或披针形；花已凋谢；宿萼钟状，外被柔毛，内面喉部有柔毛。小坚果近球形。气芳香，味辛，有清凉感。

| 功能主治 | 疏风发表，化湿和中，散瘀止痛。用于外感风寒、头痛、脘腹胀痛、消化不良、泄泻、风湿痹痛、湿疹瘙痒、跌打瘀肿、毒蛇咬伤。

唇形科 Labiatae 罗勒属 Ocimum

圣罗勒
Ocimum sanctum L.

| 中 药 名 | 圣罗勒（药用部位：全株）

| 植物形态 | 半灌木。茎直立，基部木质。叶对生，长圆形，基部楔形至近圆形，边缘具浅波状锯齿，两面被柔毛及腺点；叶柄纤细，长 1~2.5cm。总状花序纤细，长 6~8cm，着生于茎及枝顶，由多数远离、通常具 6 花的轮伞花序所组成；苞片心形；花萼钟形，萼齿 5，上唇 3 齿，中齿最大，下唇 2 齿，齿披针形，先端刺尖，果时花萼增大；花冠白色至粉红色，上唇宽大，4 裂，下唇长圆形；雄蕊 4，二强，伸出花冠外，子房 4 裂，花柱超出雄蕊，柱头 2 裂；花盘平顶，具 4 齿，齿均短于子房。小坚果卵珠形，褐色，有具腺穴陷，基部有 1 小白色果脐。花期 2~6 月，果期 3~8 月。

圣罗勒

| **分布区域** | 产于海南临高、儋州、乐东、三亚、万宁等地。 |

| **资　　源** | 生于干燥沙质草地上。 |

| **采收加工** | 夏季采收，晒干。 |

| **功能主治** | 止痛，平喘，散风热，清头目，透疹。用于头痛、哮喘、风热感冒、目赤、口疮、风疹、麻疹。 |

唇形科 Labiatae 假糙苏属 *Paraphlomis*

奇异假糙苏 *Paraphlomis pagantha* Dunn.

| 中 药 名 | 奇异假糙苏（药用部位：叶）

| 植物形态 | 直立草本。茎钝四棱形，具 4 槽，有倒向细伏毛。叶卵圆形，基部宽楔形，渐狭，下延至叶柄，边缘有圆锯齿，密布金黄色的小腺点，侧脉 4~5 对，坚纸质；叶柄长 3~4cm，上部呈翅状，上面具槽。轮伞花序具 6~13 花，有时具 4~5 花，轮廓近圆球形；小苞片细小，钻形，早落；花柄长 1.5mm。花萼倒圆锥形，脉 10，齿 5，正三角形，有小尖头。花冠黄色或白色，冠筒细长，直伸，近等大，冠檐二唇形，上唇椭圆形，先端 2 浅裂，下唇稍大，3 裂，中裂片倒梯形，侧裂片长圆形。雄蕊 4，前对较长，均短于上唇片很多，花丝丝状，插生于冠筒喉部。花柱内藏，先端近相等 2 浅裂。花盘波状，平顶。子房先端被柔毛。花期 5~6 月。

奇异假糙苏

| 分布区域 | 产于海南三亚、乐东、万宁、儋州。亦分布于中国广东。

| 资　　源 | 生于海拔约 150m 的密林中荫蔽处或林缘。

| 采收加工 | 南方于 7~8 月，北方于 8~9 月，枝叶茂盛时收割，摊在地上或悬于通风处阴干，干后将叶摘下即可。

| 功能主治 | 疏风散寒，降气祛痰，和中安胎。用于头晕、身痛、鼻塞流涕、咳逆上气、胸膈痰饮、胸闷肋痛、腹痛泄泻、妊娠呕吐、胎动不安。

唇形科 Labiatae 紫苏属 Perilla

紫 苏
Perilla frutescens (L.) Britt.

| 中 药 名 | 紫苏叶（药用部位：叶或带叶小软枝），紫苏梗（药用部位：茎），紫苏子（药用部位：果实），紫苏苞（药用部位：宿萼），苏头（药用部位：根及近根的老茎）

| 植物形态 | 一年生直立草本。茎钝四棱形，具4槽，密被长柔毛。叶阔卵形或圆形，基部圆形或阔楔形，边缘有粗锯齿，膜质或草质；叶柄长 3~5cm，背腹扁平，密被长柔毛。轮伞花序2花，组成密被长柔毛、偏向一侧的顶生及腋生总状花序；苞片宽卵圆形或近圆形，外被红褐色腺点，边缘膜质；花梗长 1.5mm。花萼钟形，脉10，夹有黄色腺点，萼檐二唇形，上唇3齿，中齿较小，下唇2齿，齿披针形。花冠白色至紫红色，冠筒短，喉部斜钟形，冠檐近二唇形，上唇微缺，下唇3裂，中裂片较大。雄蕊4，离生，插生于喉部，花丝扁平，花

紫苏

药 2 室，室平行。花柱先端相等 2 浅裂。花盘前方呈指状膨大。小坚果近球形，灰褐色，具网纹。花期 8~11 月，果期 8~12 月。

| 分布区域 | 产于海南各地。亦分布于中国各地。不丹、印度、中南半岛，南至印度尼西亚（爪哇），东至日本、朝鲜也有分布。

| 资　　源 | 栽培。

| 采收加工 | 叶或带叶小软枝：南方于 7~8 月，北方于 8~9 月，枝叶茂盛时收割，摊在地上或悬于通风处阴干，干后将叶摘下即可。茎：9~11 月采收，割取地上部分，除去小枝、叶片、果实，晒干。果实：秋季果实成熟时采收，除去杂质，晒干。宿萼：秋季将成熟果实打下，留取宿存果萼，晒干。根及近根的老茎：秋季采收，将紫苏拔起，切取根头，抖净泥沙，晒干。

| 药材性状 | 叶或带叶小软枝：叶片多皱缩卷曲、破碎，完整者展平后呈卵圆形，长 4~11cm，宽 2.5~9cm。先端长尖或急尖，基部圆形或宽楔形，边缘具圆锯齿。两面紫色，或上表面绿色，下表面紫色，疏生灰白色毛，下表面有多数凹点状的腺鳞。叶柄长 2~5cm，紫绿色，断面中部有髓。气清香，味微辛。茎：茎呈方柱形，四棱钝圆，长短不一，直径 0.5~1.5cm。表面紫棕色或暗紫色，四面有纵沟及细纵纹，节部稍膨大，有对生的枝痕及叶痕。体轻，质硬而脆，断面裂片状。切片厚 2~5mm，常呈斜长方形，木质部黄白色，射线细密，呈放射状，

髓部白色，疏松或与木质部分离形成空洞。气微香，味淡。果实：小坚果卵圆形或类球形，直径 0.6~2mm。表面灰棕色或灰褐色，有微隆起的暗紫色网状花纹，基部稍尖，有灰白色点状果梗痕。果皮薄而脆，易压碎。种子黄白色，种皮膜质，子叶 2，类白色，富有油性。压碎有香气，味微辛。

| **功能主治** | 叶或带叶小软枝：散寒解表，宣肺化痰，行气和中，安胎，解鱼蟹毒。用于风寒表证、咳嗽痰多、胸脘胀满、恶心呕吐、腹痛吐泻、胎气不和、妊娠恶阻、食鱼蟹中毒。茎：理气宽中，安胎，和血。用于脾胃气滞、脘腹痞满、胎气不和、水肿脚气、咯血吐衄。果实：降气，消痰，平喘，润肠。用于痰壅气逆、咳嗽气喘、肠燥便秘。宿萼：解表。用于血虚感冒。根及近根的老茎：疏风散寒，降气祛痰，和中安胎。用于头晕、身痛、鼻塞流涕、咳逆上气、胸膈痰饮、胸闷胁痛、腹痛泄泻、妊娠呕吐、胎动不安。

唇形科 Labiatae　藿香属 Pogostemon

珍珠菜 *Pogostemon auricularius* (L.) Hassk.

| 中 药 名 | 水毛射（药用部位：全草）

| 植物形态 | 一年生草本。茎基部平卧，节上生根，具槽，被黄色长硬毛。叶长圆形或卵状长圆形，基部圆形或浅心形，稀楔形，边缘具整齐的锯齿，草质，两面被黄色糙硬毛，下面满布凹陷腺点，侧脉 5~6 对；叶柄短，稀长至 1.2cm，密被黄色糙硬毛。穗状花序长 6~18cm，花期先端尾状渐尖，连续，有时基部间断；苞片卵状披针形，边缘具糙硬毛。花萼钟形，仅萼齿边缘具疏柔毛，其余具黄色小腺点，萼齿 5，短三角形，长约为萼筒的 1/4。花冠淡紫色至白色。雄蕊 4，长长地伸出，伸出部分具髯毛。花柱不超出雄蕊，先端相等 2 浅裂。花盘环状。小坚果近球形，褐色。花果 4~11 月，果期 5~12 月。

珍珠菜

| 分布区域 | 产于海南海口、三亚、乐东、儋州等地。 |

| 资　　源 | 生于沟边湿地上。 |

| 采收加工 | 夏、秋季采收，洗净，鲜用或晒干。 |

| 功能主治 | 散风清热，祛湿解毒，消肿止痛。用于感冒发热、惊风、风湿痛、伤寒、疝气、疮肿湿烂、湿疹、小儿胎毒、毒蛇咬伤。 |

唇形科 Labiatae 藿香属 Pogostemon

广藿香

Pogostemon cablin (Blanco) Benth.

广藿香

| 中 药 名 |

广藿香（药用部位：全株）

| 植物形态 |

多年生芳香草本或半灌木。茎四棱形，分枝，被绒毛。叶圆形或宽卵圆形，基部楔状渐狭，边缘具不规则的齿裂，草质，被绒毛，侧脉约5对，下面突起；叶柄长1~6cm，被绒毛。轮伞花序10至多花，下部疏离，向上密集，排列成穗状花序，穗状花序顶生及腋生，密被长绒毛，具总梗，梗长0.5~2cm；苞片及小苞片线状披针形，密被绒毛。花萼筒状，齿钻状披针形，长约为萼筒的1/3。花冠紫色，裂片外面均被长毛。雄蕊外伸，具髯毛。花柱先端近相等2浅裂。花盘环状。花期4月。

| 分布区域 |

产于海南海口、儋州、三亚、万宁等地。中国台湾、广东、广西、福建等地亦有栽培，供药用。印度、斯里兰卡经马来西亚至印度尼西亚及菲律宾也有分布。

| 资　　源 |

栽培，供药用。

| **采收加工** | 水田栽培于 6~8 月，坡地栽培于 8~11 月收割。选晴天连根拔起，去掉须根及泥沙。亦可留宿根分期收割，于定植后 3~6 个月收割侧生分枝，以后每隔 5~6 个月割 1 次，2~3 年后更新；也可在收获期将离地 2~4 个节上的枝条和主干割下，让其基部再长枝叶，第 2 年收获期又依此法进行，2~3 年后更新。广

藿香采收后，在阳光下摊晒数小时，待叶呈皱缩状时即分层重叠堆积，盖上稻草用木板压紧，让其发汗一夜，使枝叶变黄，次日再摊开日晒，然后堆闷一夜，再摊开曝晒至全干。

| **药材性状** | 全株长 30~60cm，多分枝，枝条稍曲折。茎钝方柱形，直径 2~7mm，节间长 3~13cm；外表皮灰褐色、灰黄色或带红棕色；质脆，易折断，断面中心有髓；基部老茎类圆柱形，直径 1~1.2cm，具褐色栓皮。叶对生，皱缩成团，展平后叶片呈卵形或椭圆形，长 4~9cm，宽 3~7cm；两面均被灰白色茸毛；先端短尖或钝圆，基部楔形或钝圆，边缘具大小不规则的钝齿；叶柄长 1~6cm，被柔毛。气香特异，味微苦。

| **功能主治** | 芳香化湿，和胃止呕，祛暑解表。用于湿阻中焦之脘腹痞闷、食欲不振、呕吐、泄泻，外感暑湿之寒热头痛，湿温初起之发热身困、胸闷恶心，鼻渊，手足癣。

唇形科 Labiatae 黄芩属 Scutellaria

黄 芩 *Scutellaria baicalensis* Georgi

| 中 药 名 | 黄芩（药用部位：根），黄芩子（药用部位：果实）

| 植物形态 | 多年生草本。茎钝四棱形，具细条纹。无柄或几无柄；叶片披针形至线状披针形，基部近圆形，全缘，密被黑色下陷的腺点。花序在茎及枝上顶生，总状，常再于茎顶聚成圆锥花序；苞片叶状，卵圆状披针形至披针形。花萼二唇形，紫绿色，上唇背部有盾状附属物，膜质；花冠紫色、紫红色至蓝色，冠檐二唇形，上唇盔状，下唇中裂片三角状卵圆形，两侧裂片向上唇靠合，花冠管细，基部皱曲；雄蕊 4，稍露出，药室裂口具白色髯毛；花柱细长。花盘环状，前方稍增大，后方延伸成极短子房柄。子房褐色，无毛。小坚果卵球形，黑褐色，具瘤，腹面近基部具果脐。花期 7~8 月，果期 8~9 月。

黄芩

分布区域	产于海南琼海、海口、文昌等地。亦分布于中国黑龙江、辽宁、内蒙古、河北、河南、甘肃、陕西、山西、山东、四川等地，江苏有栽培。俄罗斯东西伯利亚、蒙古、朝鲜、日本也有分布。
资　　源	生于海拔 60~1300（1700~2000）m 的向阳草坡地、休荒地上。
采收加工	根：栽培 2~3 年收获，于秋后茎叶枯黄时，选晴天挖取。将根部附着的茎叶去掉，抖落泥土，晒至半干，撞去外皮，晒干或烘干。果实：夏、秋季果实成熟后采摘，晒干备用。
药材性状	根呈圆锥形，多扭曲，长 5~25cm，直径 1~3cm。表面棕黄色或深黄色，粗糙，有明显的纵向皱纹或不规则网纹，具侧根残痕，先端有茎痕或残留茎基。质硬而脆，易折断，断面黄色，中间红棕色，老根木质部枯朽，棕黑色或中空者称"枯芩"。气微，味苦。
功能主治	根：清热泻火，燥湿解毒，止血安胎。用于肺热咳嗽、热病高热神昏、肝火头痛、目赤肿痛、湿热黄疸、泻痢、热淋、吐衄、崩漏、胎热不安、痈肿疔疮。果实：止痢。用于痢下脓血。

唇形科 Labiatae 黄芩属 Scutellaria

半枝莲
Scutellaria barbata D. Don

半枝莲

| 中 药 名 |

半枝莲（药用部位：全草）

| 植物形态 |

多年生草本。茎四棱形。叶对生；叶柄长 1~3mm；叶片三角状卵圆形或卵圆状披针形，有时卵圆形，基部宽楔形或近截形，边缘生有浅牙齿，上面橄榄绿色，侧脉 2~3 对。花对生，偏向一侧，排列成 4~10cm 的顶生或腋生的总状花序；苞叶下部者似叶，全缘；花梗长 1~2mm，中部有一对针状小苞片。花萼开花时长约 2mm，盾片高约 1mm，果时花萼长。花冠紫蓝色；冠筒基部囊大；冠檐二唇形，上唇盔状，半圆形，下唇中裂片梯形，全缘，2 侧裂片三角状卵圆形。雄蕊 4，前对较长，具能育半药，退化半药不明显，后对较短，内藏，具全药，药室裂口具髯毛；花丝扁平。花柱细长，微裂。花盘盘状，前方隆起，后方延伸成短子房柄。子房 4 裂，裂片等大。小坚果褐色，扁球形，具小疣状突起。花果期 4~7 月。

| 分布区域 |

产于海南各地。

| 资　　源 |

生于田埂、海边、溪边或湿润草地上。

| 采收加工 |

种子繁殖的，从第 2 年起，每年的 5 月、7 月、9 月都可收获 1 次。分株繁殖的，在当年 9 月收获第 1 次，以后每年可收获 3 次。用刀齐地割取全株，拣除杂草，捆成小把，晒干或阴干。

| 药材性状 |

全草长 15~30cm。根纤细。茎四棱形，直径 2~5mm，表面黄绿色至暗紫色。叶对生，皱缩或卷缩，展平后呈卵圆状披针形，长 1.5~3cm，宽 0.5~1cm，被疏柔毛，上面深绿色，下面灰绿色；叶柄短或近无柄。枝顶有偏于一侧的总状花序，具残存的宿萼，有时内藏 4 小坚果。茎质软，易折断。气微，味苦、涩。

| 功能主治 |

清热解毒，散瘀止血，利尿消肿。用于热毒痈肿、咽喉疼痛、肺痈、肠痈、瘰疬、毒蛇咬伤、跌打损伤、吐血、衄血、血淋、水肿、腹水及癌症。

唇形科 Labiatae 黄芩属 Scutellaria

海南黄芩
Scutellaria hainanensis C. Y. Wu

海南黄芩

| 中 药 名 |

黄芩（药用部位：全草）

| 植物形态 |

多年生草本；根茎木质，具纤维状须根。茎基部近木质，具纤维状不定根，上升，具 1~2 直立的分枝，与枝条均钝四棱形，无槽，具细纵条纹。叶近革质，宽卵圆形至近圆形，基部圆形、宽楔形至浅心形，每侧离基部 1/3 以上有 4~6 波状圆齿至全缘，侧脉 3 对，上面凹陷，下面突出且带白色；叶柄长 6~9mm，腹面具槽，背面突起。花对生，于茎或分枝顶排列成长约 6cm 的总状花序；花梗长约 4mm；苞片卵状披针形。花萼于花时长约 2.8mm。花冠乳白色，冠筒长 1.6cm，前方基部曲膝状，喉部宽达 7mm，内面在离基部 1/4 处具柔毛；冠檐外被微柔毛，二唇形，上唇直伸，宽三角状卵圆形，下唇中裂片平展，卵状圆形，两侧裂片卵圆形。雄蕊 4，二强；花丝扁平。花盘肥厚，前方膨大；子房柄极短。花柱细长。子房光滑。小坚果未详。花期 10 月。

| 分布区域 |

产于海南东方、琼中。亦分布于中国广东。

| 资　　　源 | 生于石山上。

| 采收加工 | 秋后采收，切段，晒干。

| 功能主治 | 清热泻火，燥湿解毒，止血安胎。用于肺热咳嗽、热病高热神昏、肝火头痛、目赤肿痛、湿热黄疸、泻痢、热淋、吐衄、崩漏、胎热不安、痈肿疔疮。

唇形科 Labiatae 黄芩属 Scutellaria

韩信草

Scutellaria indica L.

| **中 药 名** | 韩信草（药用部位：全草）

| **植物形态** | 多年生草本；根茎短，向下生纤维状根，向上生 1 至多数茎。茎四棱形，暗紫色，尤以茎上部及沿棱角为密集。叶草质至近坚纸质，心状卵圆形或圆状卵圆形至椭圆形，基部圆形、浅心形至心形，边缘密生整齐圆齿；叶柄长 0.4~1.4（~2.8）cm。花对生，在茎或分枝顶上排列成总状花序；花梗长 2.5~3mm；最下一对苞片叶状，卵圆形，边缘具圆齿。花萼开花时长约 2.5mm，盾片高约 1.5mm，果时竖起。花冠蓝紫色；冠筒前方基部膝曲；冠檐二唇形，上唇盔状，下唇中裂片圆状卵圆形，两侧中部微内缢，具深紫色斑点，两侧裂片卵圆形。雄蕊 4，二强；花丝扁平，中部以下具小纤毛。花盘肥厚，前方隆起；

韩信草

子房柄短。花柱细长。子房光滑，4 裂。成熟小坚果栗色或暗褐色，卵形，具瘤，腹面近基部具 1 果脐。花果期 2~6 月。

| **分布区域** | 产于海南白沙、琼中。

| **资　　源** | 生于海拔 1500m 以下的山地或丘陵、疏林下、路旁空旷地及草地上。

| **采收加工** | 春、夏季采收，洗净，鲜用或晒干。

| **药材性状** | 全草长 10~25cm，全体被毛，叶上尤多。根纤细。茎四棱形，有分枝，表面灰绿色。叶对生，叶片灰绿色或绿褐色，多皱缩，展平后呈卵圆形，长 1.5~3cm，宽 1~2.5cm，先端圆钝，基部浅心形或平截，边缘有钝齿；叶柄长 0.5~2.5cm。总状花序顶生，花偏向一侧，花冠蓝色，二唇形，多已脱落，长约 1.5cm。宿萼钟形，萼筒背部有一囊状盾鳞，呈"耳挖"状。小坚果圆形，淡棕色，气微，味微苦。

| **功能主治** | 平肝清热，散血消肿，疏肝，祛风，壮筋骨。用于跌打损伤、咯血、吐血、喉风、牙痛、痈肿、疔毒、毒蛇咬伤。

| 唇形科 | Labiatae | 香科科属 | *Teucrium*

血见愁
Teucrium viscidum Bl.

| 中 药 名 |　山藿香（药用部位：全草）

| 植物形态 |　多年生直立草本。茎上部具夹生腺毛的短柔毛。叶柄长 1~3cm；叶
片卵圆形至卵圆状长圆形，长 3~10cm，边缘为带重齿的圆齿。假穗
状花序生于茎及短枝上部，在茎上者由于下部有短的花枝因而俨如
圆锥花序，长 3~7cm，由密集具 2 花的轮伞花序组成；苞片披针形；
花萼小，钟形，萼齿 5，上 3 齿卵状三角形，下 2 齿三角形，稍锐尖；
花冠白色，淡红色或淡紫色，冠筒长 3mm，唇片与冠筒成大角度的
钝角，中裂片正圆形，侧裂片卵圆状三角形。雄蕊伸出。花柱与雄
蕊等长。花盘盘状，浅 4 裂。子房圆球形。小坚果扁球形，黄棕色，
合生面超过果长的 1/2。花期长江流域为 7~9 月，广东、云南南部
6~11 月。

血见愁

| **分布区域** | 产于海南昌江、儋州、澄迈、海口、定安、万宁、保亭。

| **资　　源** | 生于海拔 120~1500m 的山地林下阴湿处。

| **采收加工** | 7~8 月采收，洗净，鲜用或晒干。

| **药材性状** | 全草长 30~50cm。根须状。茎方柱形，具分枝，表面黑褐色或灰褐色，被毛，嫩枝毛较密；节处有多数灰白色须状根。叶对生，灰绿色或灰褐色，叶片皱缩，易碎，完整者展平后呈卵形或矩圆形，长 3~6cm，宽 1.5~3cm，先端短渐尖或短尖，基部圆形或阔楔形，下延，边缘具粗锯齿，叶面常皱缩，两面均有毛，下面毛较密；叶柄长约 1.5cm。间见枝顶或叶腋有淡红色小花，花萼钟形。小坚果圆形，包于宿萼中。花、叶以手搓之微有香气，味微辛、苦。

| **功能主治** | 凉血止血，解毒消肿。用于咯血、吐血、衄血、肺痈、跌打损伤、痈疽肿毒、痔疮肿痛、漆疮、脚癣、狂犬咬伤、毒蛇咬伤。

中文笔画索引

《中国中药资源大典·海南卷》1～4册共用同一索引，为使读者检索方便，该索引在每个药用植物名后均标注了其所在册数（如"[1]"）及页码。

中粒咖啡	[4]	245	毛草龙	[1]	1048	长梗星粟草	[1]	880
中越石韦	[1]	464	毛茶	[4]	227	长梗黄花稔	[2]	475
水石榕	[2]	365	毛茛	[1]	696	长萼石竹	[1]	870
水龙	[1]	1044	毛柄短肠蕨	[1]	329	长萼栝楼	[2]	112
水东哥	[2]	181	毛相思子	[3]	43	长萼堇菜	[1]	839
水仙柯	[3]	348	毛柱铁线莲	[1]	686	长裙竹荪	[1]	144
水团花	[4]	225	毛柿	[4]	14	长箭叶蓼	[1]	916
水竹蒲桃	[2]	236	毛轴铁角蕨	[1]	363	爪楔翅藤	[4]	785
水芹	[3]	893	毛轴蕨	[1]	291	分枝感应草	[1]	1010
水茄	[4]	561	毛钩藤	[4]	349	月季花	[2]	762
水虎尾	[4]	813	毛脉崖爬藤	[3]	627	风车子	[2]	298
水油甘	[2]	686	毛栓孔菌	[1]	169	风花菜	[1]	827
水柳	[2]	634	毛排钱树	[3]	241	风轮菜	[4]	809
水翁	[2]	201	毛黄肉楠	[1]	595	乌毛蕨	[1]	381
水黄皮	[3]	245	毛葱	[2]	276	乌心楠	[1]	667
水蓑衣	[4]	699	毛银柴	[2]	528	乌材	[4]	9
水蓼	[1]	925	毛萼厚壳树	[4]	523	乌药	[1]	623
水蕨	[1]	325	毛萼素馨	[4]	110	乌桕	[2]	703
牛耳枫	[2]	726	毛萼清风藤	[3]	795	乌榄	[3]	717
牛角瓜	[4]	195	毛萼紫薇	[1]	1033	乌蔹莓	[3]	603
牛栓藤	[3]	831	毛棉杜鹃	[3]	907	乌蕨	[1]	283
牛眼马钱	[4]	92	毛蒟	[1]	780	乌墨	[2]	234
牛眼睛	[1]	806	毛蜂窝孔菌	[1]	165	乌檀	[4]	319
牛筋果	[3]	711	毛蔓豆	[3]	60	乌藤	[1]	593
牛膝	[1]	967	毛蓼	[1]	920	凤仙花	[1]	1024
牛蹄豆	[2]	834	毛蕨	[1]	347	凤瓜	[2]	91
牛蹄麻	[3]	7	毛麝香	[4]	611	凤凰木	[3]	25
毛八角枫	[3]	849	长毛紫金牛	[4]	52	六角柱	[2]	145
毛马齿苋	[1]	896	长叶木兰	[1]	518	六棱菊	[4]	439
毛天料木	[2]	55	长叶茅膏菜	[1]	868	文昌锥	[3]	332
毛木耳	[1]	128	长叶实蕨	[1]	405	文定果	[2]	427
毛叶丁香罗勒（变种）	[4]	843	长叶铁角蕨	[1]	373	方叶五月茶	[2]	519
毛叶两面针	[3]	706	长叶紫珠	[4]	741	方枝蒲桃	[2]	252
毛叶青冈	[3]	336	长芒杜英	[2]	361	火灰山矾	[4]	82
毛叶轮环藤	[1]	715	长序臭黄荆	[4]	779	火炬松	[1]	485
毛叶肾蕨	[1]	414	长春花	[4]	130	火殃勒	[2]	584
毛叶蝴蝶草	[4]	643	长柄赤车	[3]	437	火炭母	[1]	922
毛叶鹰爪花	[1]	556	长柄杜英	[2]	367	火索麻	[2]	389
毛瓜馥木	[1]	567	长柄线蕨	[1]	435	火烧花	[4]	663
毛冬青	[3]	478	长柄野扁豆	[3]	161	火筒树	[3]	615
毛鸡矢藤	[4]	329	长柄银叶树	[2]	395	火焰草	[1]	860
毛茄	[4]	553	长柄鼠李	[3]	577	心叶黄花稔	[2]	477
毛刺蒴麻	[2]	357	长柱山丹	[4]	251	巴西含羞草	[2]	824
毛果扁担杆	[2]	351	长脉清风藤	[3]	797	巴豆	[2]	577
毛果算盘子	[2]	618	长脐红豆	[3]	225	巴戟天	[4]	302
毛咀签	[3]	569	长梗沟瓣	[3]	503	双花鞘花	[3]	533

拉丁学名索引

《中国中药资源大典·海南卷》1～4 册共用同一索引，为使读者检索方便，该索引在每个拉丁学名后均标注了其所在册数（如"[1]"）及页码。

I

J